HGov

CONFÉRENCE DES NATIONS UNIES SUR LE COMMERCE ET LE DÉVELOPPEMENT

GENÈVE

RAPPORT SUR LE COMMERCE ET LE DÉVELOPPEMENT, 2008

Rapport du secrétariat de
la Conférence des Nations Unies sur le commerce et le développement

NATIONS UNIES
New York et Genève, 2008

Note

UN1
TD
T62F

- Les cotes des documents de l'Organisation des Nations Unies se composent de lettres majuscules et de chiffres. La simple mention d'une cote dans un texte signifie qu'il s'agit d'un document de l'Organisation.

- Les appellations employées dans la présente publication et la présentation des données qui y figurent n'impliquent de la part du Secrétariat de l'Organisation des Nations Unies aucune prise de position quant au statut juridique des pays, territoires, villes ou zones, ou de leurs autorités, ni quant au tracé de leurs frontières ou limites.

- Le texte de la présente publication peut être cité ou reproduit sans autorisation, sous réserve qu'il soit fait mention de ladite publication et de sa cote et qu'un justificatif soit adressé au secrétariat de la CNUCED.

UNCTAD/TDR/2008

PUBLICATION DES NATIONS UNIES

Numéro de vente: F.08.II.D.21

ISBN 978-92-1-212358-5

ISSN 0256-0887

Copyright © Nations Unies, 2008
Tous droits réservés

Table des matières

Page

Page

Page

Chapitre IV

Liste des tableaux

Tableau *Page*

Liste des graphiques

Graphique *Page*

Liste des encadrés

Encadré *Page*

Notes explicatives

Définition des catégories de pays et de produits

Dans le présent rapport, les pays ont été regroupés en différentes catégories uniquement à des fins d'analyse ou de présentation des statistiques et ce classement n'implique aucun jugement en ce qui concerne le degré de développement de tel ou tel pays ou territoire.

Les principales catégories de pays reprennent la classification du Bureau de statistique des Nations Unies, comme suit:

» Pays développés ou industriels/industrialisés: pays membres de l'OCDE (sauf la République de Corée, le Mexique et la Turquie), plus nouveaux membres de l'UE et Israël.

» Pays en transition: pays de l'Europe du Sud-Est et de la Communauté d'États indépendants (CEI).

» Pays en développement: tous pays, territoires ou zones autres que ceux mentionnés ci-dessus.

Le mot «pays» s'entend également, le cas échéant, des territoires ou zones.

Sauf indication contraire, dans le texte ou les tableaux, la région «Amérique latine» englobe les Caraïbes.

Sauf indication contraire, dans le texte ou les tableaux, la région «Afrique subsaharienne» englobe l'Afrique du Sud.

Sauf indication contraire, à des fins statistiques, les groupements régionaux et les catégories de produits employés dans le présent rapport sont ceux employés dans la publication de la CNUCED intitulée *Manuel de statistique 2006* (publication des Nations Unies, numéro de vente E/F.07.II.D.21). Les données pour la Chine ne comprennent pas les données pour la Région administrative spéciale de Hong Kong, la Région administrative spéciale de Macao et la Province chinoise de Taiwan.

Autres notes

Sauf indication contraire, le «dollar» s'entend du dollar des États-Unis.

Les taux annuels de croissance et de variation sont des taux composés.

Sauf indication contraire, les exportations sont indiquées en valeur f.a.b. et les importations en valeur c.a.f.

Les périodes indiquées par deux années séparées par un tiret (-), par exemple 1988-1990, sont les périodes allant du début de la première année mentionnée à la fin de la seconde.

Une période indiquée par deux années séparées par une barre oblique (/), par exemple 2000/01, désigne un exercice budgétaire ou une campagne agricole.

Un point (.) signifie sans objet.

Deux points (..) indiquent que les données ne sont pas disponibles ou ne sont pas communiquées séparément.

Un tiret (-) ou un zéro (0) indiquent que le montant est nul ou négligeable.

La présence du signe plus (+) avant un chiffre indique une augmentation et la présence du signe moins (-) une diminution.

Les éventuelles différences entre les totaux et la somme des chiffres ou des pourcentages sont dues au fait que ceux-ci ont été arrondis.

Sigles

ACP	Afrique, Caraïbes et Pacifique (Groupe des États)
APD	Aide publique au développement
BCE	Banque centrale européenne
BERD	Banque européenne pour la reconstruction et le développement
BID	Banque interaméricaine de développement
CAD	Comité d'aide au développement (OCDE)
CCG	Conseil de coopération du Golfe
CEI	Communauté d'États indépendants
CNUCED	Conférence des Nations Unies sur le commerce et le développement
DSRP	Document de stratégie de réduction de la pauvreté
DTS	Droit de tirage spécial
FAO	Organisation des Nations Unies pour l'alimentation et l'agriculture
FBCF	Formation brute de capital fixe
FMI	Fonds monétaire international
IDA	International Development Association (Banque mondiale)
IDH	Indicateur du développement humain
IPC	Indice des prix à la consommation
NIP	Nouveau pays industriel
OCDE	Organisation de coopération et de développement économiques
OMD	Objectifs du Millénaire pour le développement
ONG	Organisation non gouvernementale
OPEP	Organisation des pays exportateurs de pétrole
PFRDV	Pays à faible revenu et à déficit vivrier
PIB	Produit intérieur brut
PMA	Pays les moins avancés
PNUD	Programme des Nations Unies pour le développement
PPA	Parité de pouvoir d'achat
PPTE	Pays pauvre très endetté
RNB	Revenu national brut
TCER	Taux de change effectif réel
TIC	Technologies de l'information et de la communication
UE	Union européenne
VAN	Valeur actuelle nette

APERÇU GÉNÉRAL

Depuis 1999, de nombreux pays en développement ont vu leur solde extérieur s'améliorer sensiblement et la balance générale de leurs opérations courantes devenir excédentaire. Si bien que, en tant que groupe, ils sont désormais des exportateurs nets de capitaux à destination des pays développés. Un grand nombre d'entre eux, en particulier des exportateurs très dynamiques d'articles manufacturés, le doivent à leur intégration réussie dans l'économie mondiale et à une réorientation de leur politique macroéconomique qui fait une plus grande place à la compétitivité des taux de change. Dans d'autres pays, la forte augmentation des recettes provenant des exportations de matières premières a aussi entraîné une amélioration du solde courant.

Toutefois, cette situation est fragile car l'incertitude et l'instabilité des marchés financiers, monétaires et de produits de base internationaux, conjuguées aux doutes entourant l'orientation de la politique monétaire de quelques grands pays développés, contribue à assombrir les perspectives de l'économie mondiale et pourrait présenter des risques considérables pour le monde en développement. De nombreux pays en développement dont les termes de l'échange se sont améliorés au cours des années restent très vulnérables face à un éventuel ralentissement prolongé de la croissance mondiale et à un coup d'arrêt de l'envolée des produits de base. Pour un certain nombre d'entre eux, le renchérissement des importations nettes de denrées alimentaires et de produits énergétiques représente déjà une lourde charge, en particulier pour les couches les plus pauvres de leur population, compromettant gravement la réalisation des objectifs du Millénaire pour le développement (OMD) que l'Organisation des Nations Unies a définis en 2000.

C'est pourquoi les politiques de développement doivent continuer de privilégier un processus de diversification et d'industrialisation soutenue fondé sur des investissements accrus dans de nouvelles capacités productives, surtout dans l'agriculture et le secteur manufacturier, et sur l'accès à des sources de financement suffisantes, fiables et efficaces de ces investissements. L'expérience récente de plusieurs pays en développement qui ont enregistré une croissance économique rapide montre que, d'un point de vue macroéconomique, un déficit du compte courant – à savoir des entrées nettes de capitaux – n'est pas toujours indispensable à condition que la politique monétaire et le système financier nationaux offrent un cadre favorable au financement à long terme des entreprises privées. À cette fin, de nombreux pays en développement doivent s'attacher davantage à améliorer les conditions de réinvestissement des bénéfices des entreprises et à renforcer le rôle du secteur bancaire dans le financement de l'investissement. Mais un certain nombre de pays pauvres qui sont incapables de stimuler leurs recettes d'exportation en raison de contraintes structurelles continuent de dépendre des entrées de capitaux étrangers pour financer leurs importations de biens d'équipement essentiels. D'où la nécessité d'accroître l'aide publique au développement (APD), afin non seulement de combler un déficit de financement et de contribuer ainsi à la réalisation des objectifs de développement social et humain inscrits dans les OMD, mais aussi de favoriser la hausse du revenu par habitant et de l'emploi dans l'optique de parvenir à un développement soutenu au-delà de l'échéance de 2015 fixée pour la réalisation des OMD.

Perspectives mondiales: ralentissement dans les pays développés et risques accrus sur les marchés financiers et de produits de base

Les secousses qui ont ébranlé les marchés financiers en août 2007, la flambée sans précédent des prix du pétrole et l'éventualité d'un resserrement de la politique monétaire dans un certain nombre de pays laissent présager des difficultés pour l'économie mondiale en 2008 et 2009. L'impact de la crise des crédits hypothécaires à risque («sub-prime») s'est propagé bien au-delà des États-Unis, provoquant une contraction généralisée des liquidités et des crédits. Et la hausse des prix des matières premières, alimentée en partie par des fonds spéculatifs qui ont délaissé les instruments financiers pour les produits de base, complique encore la tâche des responsables de l'élaboration des politiques qui veulent éviter une récession tout en maîtrisant l'inflation. Cette situation pourrait encore s'aggraver si des fluctuations importantes des taux de change des principales monnaies venaient s'ajouter aux secousses sur les marchés financiers, d'autant que ce risque s'est accru au premier semestre 2008.

Dans cet environnement très incertain, la production mondiale dans son ensemble devrait croître de 3 % environ en 2008, soit près d'un point de pourcentage de moins qu'en 2007. Si dans les pays développés en tant que groupe, le taux de croissance du PIB sera probablement moitié moindre, dans les pays en développement en tant que groupe, il devrait rester assez élevé, atteignant plus de 6 %, en raison de la dynamique relativement stable de la demande intérieure dans un certain nombre de grands pays en développement. Toutefois, l'adoption éventuelle d'une politique monétaire plus restrictive face aux effets croissants de la hausse des prix des produits de base sur l'indice général des prix pourrait bien contribuer à un nouveau ralentissement de la croissance dans les pays développés comme dans les pays en développement.

Les perspectives d'un grand nombre de pays en développement dépendent avant tout de l'évolution des prix de leurs exportations de matières premières. Bien que plusieurs facteurs structurels tendent à laisser penser que les prix resteront plus élevés qu'au cours des vingt dernières années, des facteurs cycliques et les retards dans l'adaptation de l'offre pourraient bien entraîner un fléchissement du prix de certains produits de base, surtout compte tenu de l'impact de la spéculation. De même qu'elle a amplifié la hausse des prix, la spéculation peut amplifier leur baisse. Cela pourrait être le cas si, par exemple, les perspectives de croissance de la demande mondiale devaient être revues à la baisse au cours de l'année en raison de nouvelles secousses sur les marchés financiers ou d'un soudain changement d'attitude des investisseurs motivé par l'évolution de ces marchés – hausse des taux d'intérêt ou reprise du marché boursier notamment. En outre, si la crise de liquidité devait s'étendre au marché de la dette des pays émergents, certains pays en développement et pays en transition – essentiellement en Europe centrale et en Asie centrale – dont l'encours de la dette extérieure et le déficit du compte courant sont considérables, pourraient tout à coup voir leurs coûts de financement augmenter et leurs problèmes de service de la dette s'aggraver.

Politique monétaire: les divergences peuvent favoriser la spéculation

L'effondrement du segment des crédits hypothécaires à risque du marché financier le plus évolué de la planète a mis en lumière la fragilité actuelle du secteur financier mondial. Au lieu de réduire les risques, les instruments financiers complexes ont propagé les effets d'investissements risqués à l'ensemble des pays et des marchés. La crise récente montre une fois de plus que les règles du marché sont incapables d'empêcher des phases récurrentes d'«exubérance irrationnelle», pendant lesquelles les sociétés financières s'efforcent d'obtenir une rentabilité à double chiffre dans des pays où les taux de croissance économique sont très inférieurs. Et comme les crises financières peuvent avoir des répercussions considérables sur l'économie réelle, les responsables de l'élaboration des politiques n'ont pas d'autre choix que de venir à la rescousse d'une partie du secteur financier lorsque des risques systémiques sont en jeu. Mais ces opérations de sauvetage soulignent aussi la nécessité de durcir la réglementation prudentielle.

Le cadre international actuel des politiques monétaires et de taux de change ouvre la porte à des activités spéculatives qui sont très rentables pendant un laps de temps limité, mais qui finissent par déstabiliser l'ensemble du système. Le dénouement rapide d'opérations de «portage», visant à profiter des écarts de taux d'intérêt nominaux fait aussi courir un autre risque au système financier mondial. Les remous financiers, la spéculation qui contribue à la hausse et à l'instabilité des prix des produits de base ainsi que l'incapacité manifeste des marchés de change de tenir compte dans les parités monétaires de l'évolution des comptes courants soulignent la nécessité urgente de revoir le cadre institutionnel de l'économie mondiale.

Les grandes banques centrales ont réagi de manière très cohérente face à la crise des crédits hypothécaires à risque en fournissant des liquidités aux banques et institutions financières touchées, mais elles suivent une politique monétaire plus divergente que jamais. La Réserve fédérale a abaissé ses taux d'intérêt de manière très énergique, alors que d'autres banques centrales ont été beaucoup plus timides et certaines, notamment la Banque centrale européenne (BCE) et les banques centrales d'un certain nombre de pays émergents, ont même relevé leurs taux d'intérêt. Loin de soulager le système, ces politiques divergentes peuvent favoriser une reprise de la spéculation sur les marchés de change.

Déséquilibres mondiaux: nécessité d'une action internationale coordonnée

Certains des déséquilibres des comptes courants qui ont caractérisé l'économie mondiale depuis de nombreuses années sont désormais en passe d'être corrigés. Mais la poursuite de cette tendance dépend presque entièrement d'un ralentissement aux États-Unis et d'une dépréciation du dollar, et ce processus d'ajustement ne peut se faire sans douleur pour l'économie mondiale dans son ensemble que si les dépenses intérieures et les importations des pays affichant un excédent augmentent.

Néanmoins, tous les pays dont le solde est excédentaire n'ont pas les moyens d'accroître leur demande intérieure. En Chine, par exemple, cela s'avère beaucoup plus difficile qu'ailleurs car la consommation privée augmente déjà rapidement et l'économie est proche de la surchauffe. L'appréciation du yuan peut toutefois contribuer à rééquilibrer les balances commerciales au niveau mondial. Par contre, l'Europe occidentale (surtout l'Allemagne) et le Japon ont davantage de possibilités d'accroître la demande intérieure. Globalement, il est fortement probable que l'économie mondiale enregistre un ralentissement marqué et prolongé tant que les responsables de l'élaboration des politiques ne s'entendront pas sur la manière de corriger les déséquilibres mondiaux grâce à une action coordonnée et concertée.

Stabilisation macroéconomique: le risque que des mesures de lutte contre l'inflation cassent la croissance

À plus de 140 dollars le baril au milieu de l'année 2008, le prix du pétrole a atteint un nouveau sommet en valeur nominale et réelle. La hausse des cours du pétrole enregistrée au cours des dernières années s'est accompagnée d'une forte augmentation des prix de la plupart des autres matières premières, ce qui a incité certains à demander aux banques centrales d'adopter des mesures fortes visant à prévenir une accélération de l'inflation. Toutefois, il se peut que le risque d'une inflation galopante soit considérablement surestimé, une spirale des salaires et des prix étant beaucoup moins susceptible de se produire aujourd'hui que lors de la hausse des prix du pétrole enregistrée dans les années 70. Désormais, les syndicats de la plupart des pays développés, soit sont trop faibles pour tenter d'obtenir une hausse des salaires, soit ont tiré des enseignements du passé. En conséquence, la hausse des coûts unitaires de main-d'œuvre, déterminant essentiel de l'inflation, a été faible dans la plupart des pays.

Compte tenu de la fragilité actuelle de l'économie mondiale, des mesures visant à resserrer la politique monétaire accentueraient le ralentissement général. Compte tenu de la nécessité de contenir l'impact macroéconomique de la crise des crédits hypothécaires à risque et d'augmenter la demande intérieure dans les pays à solde excédentaire afin de garantir une correction en douceur des déséquilibres commerciaux ou mondiaux, toute politique ayant des effets restrictifs devra être appliquée avec une grande prudence. Dans l'environnement actuel de hausse des prix des produits de base, il semble plus judicieux d'adopter une approche concertée associant les syndicats, les employeurs, les gouvernements et les banques centrales plutôt que de recourir uniquement à la politique monétaire pour empêcher une spirale des salaires et des prix.

Les pays en développement pourraient envisager de recourir à un éventail plus large de moyens d'action pour faire face au renchérissement des coûts de l'alimentation et de l'énergie, qui pèsent beaucoup plus lourdement sur le budget des ménages dans ces pays que dans les pays développés et donnent lieu – ce qui se conçoit sans peine – à de fortes pressions en faveur d'une hausse des salaires. En effet, les conséquences sociales et humanitaires considérables de l'envolée des prix des denrées alimentaires dans certains pays compromettent la réalisation des objectifs du Millénaire pour le développement (OMD), surtout celui d'une réduction de moitié de la pauvreté d'ici à 2015. D'où la nécessité de transferts sociaux bénéficiant en particulier aux ménages les plus démunis. Cependant, nombreux sont les pays concernés qui n'ont pas les moyens d'accroître leurs dépenses sociales sans réduire les dépenses affectées à d'autres finalités, notamment à la réalisation d'investissements urgents dans les infrastructures. Il ressort de ce dilemme qu'une assistance extérieure additionnelle est nécessaire pour surmonter ce problème de répartition des ressources dans les pays pauvres. D'où aussi l'importance, d'un point de vue à la fois macroéconomique et social, de nouvelles mesures visant à accroître la stabilité des prix des produits de base et à réagir rapidement afin d'atténuer l'impact de fortes fluctuations des prix des produits de base.

Marchés de produits de base: nouvelles tendances et relations

En 2008, les prix de tous les groupes de produits de base ont largement dépassé les sommets atteints au milieu des années 90, à l'exception des boissons tropicales. Cette hausse est essentiellement due à l'augmentation rapide de la demande provenant de plusieurs pays en développement en forte croissance. L'évolution des prix a aussi été influencée par le resserrement des liens existant entre les marchés de l'énergie et les marchés de produits agricoles, en particulier ceux des cultures vivrières, ainsi qu'entre les marchés de produits de base en général et les marchés financiers. Le niveau et la stabilité des prix de ces produits sont ainsi devenus une question importante de politique, non seulement sous l'angle traditionnel du développement, mais aussi dans l'optique du fonctionnement d'une économie mondiale très intégrée.

La hausse des prix du pétrole influe sur le prix final d'autres produits de base, en particulier les cultures vivrières et les huiles végétales, car les cultures destinées à la production de biocombustibles – en remplacement du pétrole – deviennent des concurrents de plus en plus sérieux pour l'exploitation des terres arables. Cette tendance a été renforcée par les mesures prises par les pouvoirs publics dans l'UE et aux États-Unis afin d'accélérer le remplacement des carburants traditionnels par des biocarburants. Conjuguées à des stocks extrêmement faibles et aux remous sur les marchés financiers, ces mesures ont probablement été l'un des facteurs stimulant la demande de ces produits à des fins spéculatives. La dépréciation du dollar est un autre élément contribuant à la hausse des prix des produits de base en dollars. Par exemple, entre mai 2007 et mai 2008, l'indice des prix des produits de base hors combustibles en dollars a augmenté de 41,9 %, mais seulement de 32,7 % en droits de tirages spéciaux (DTS) et de 23,3 % en euros.

Matières premières: problèmes non résolus de dépendance à l'égard des produits de base et d'instabilité des prix

L'incertitude autour des prix des principaux produits a généralement un impact négatif sur la planification des investissements et de la production aussi bien des vendeurs que des acheteurs, et rend la gestion macroéconomique, budgétaire et financière plus difficile. C'est pourquoi, du point de vue des pays en développement dont les recettes d'exportation et le revenu national sont fortement dépendants des marchés de produits de base, l'évolution à long terme des prix des matières premières et leur instabilité ont toujours constitué un motif de préoccupation. L'instabilité des prix est l'une des raisons pour lesquelles ces pays enregistrent à long terme des taux de croissance moyens plus faibles que les pays où les structures de production sont diversifiées.

Pour chacun de ces pays, réduire leur dépendance à l'égard de quelques matières premières grâce à un processus de diversification et de développement industriel est la meilleure stratégie à long terme afin de les rendre moins vulnérables face à l'instabilité ou à l'évolution défavorable des prix des produits de base. Mais la diversification est un processus complexe et long qui exige la formation de capital et l'acquisition de compétences. Elle dépend aussi de la stabilité des recettes d'exportation de matières premières. Pour les pays consommateurs et l'économie mondiale dans son ensemble, les fluctuations des prix des produits de base rendent plus difficile la réalisation de l'objectif de stabilité macroéconomique. Compte tenu des problèmes créés par l'instabilité des prix de ces produits, le système économique mondial gagnerait en cohérence si de nouveaux efforts étaient accomplis au niveau multilatéral pour maîtriser les fluctuations de prix sur les marchés internationaux, tout en permettant de procéder à des ajustements en douceur des prix relatifs qui tiennent compte des éléments fondamentaux des marchés et des changements structurels.

Néanmoins, il est peu probable que les mécanismes internationaux de stabilisation des prix convenus au niveau multilatéral entre producteurs et consommateurs tels que les divers accords de produit conclus par le passé, redeviennent une option politique dans un avenir proche. Il serait donc utile de s'attaquer d'abord aux facteurs qui sont à l'origine des fortes fluctuations des prix des produits de base et d'en corriger les effets non souhaités sur les marchés. L'adoption d'une réglementation plus stricte qui contribue à contenir la spéculation sur les marchés de produits de base pourrait constituer un pas important, d'autant que cette spéculation accentue généralement l'évolution des prix due à la modification des éléments fondamentaux.

Les mécanismes internationaux de financement compensatoire utilisés dans le passé pour atténuer l'impact de l'instabilité des prix sur les pays en développement se sont avérés insuffisants. Ils devraient pouvoir débloquer des fonds plus rapidement et être dotés de ressources financières accrues pour soutenir la balance des paiements ou les revenus. Ils devraient être capables de compenser non seulement la baisse des recettes d'exportation, mais aussi la hausse des coûts d'importation résultant de la forte augmentation des prix des produits de base essentiels importés, en particulier des denrées alimentaires et de l'énergie. Ils pourraient également prévoir l'octroi de dons aux producteurs ou aux ménages les plus gravement touchés dans les pays les plus pauvres. En principe, le fait que le pays concerné ne maîtrise pas la cause du mouvement sous-jacent des prix devrait suffire pour bénéficier de cette assistance et les conditions éventuellement fixées devraient être liées directement à l'emploi des ressources financières accordées dans le cadre d'un tel mécanisme.

Au niveau national, les mécanismes institutionnels qui jouent le rôle de régulateur entre l'évolution des prix sur les marchés internationaux de produits de base et les revenus des producteurs locaux peuvent aider ces derniers à prendre leurs décisions en matière d'investissement et faciliter le financement de mesures visant à améliorer la productivité. Des enseignements utiles pourraient être tirés des systèmes de soutien des revenus mis en pratique dans de nombreux pays développés, mais le coût de tels systèmes dépasse normalement les possibilités budgétaires des pays en développement. Une solution pour ces pays pourrait être d'envisager un mécanisme institutionnel qui leur permettrait de conserver une partie des recettes exceptionnelles tirées de la hausse des prix des produits de base dans des fonds nationaux qui soutiendraient les producteurs locaux en cas de situation défavorable sur les marchés internationaux. S'il était mis en place en période de prix relativement élevés, un tel mécanisme assurerait aux producteurs une source régulière de revenus sans peser excessivement sur les ressources budgétaires.

L'ampleur des gains que les pays en développement tirent de leurs exportations de produits de base et leur impact sur le financement des investissements consacrés à la diversification et à l'industrialisation dépendent aussi de la manière dont ces gains sont répartis. Il semble bien que dans plusieurs pays, une grande partie des gains considérables provenant de la hausse des prix des hydrocarbures et des produits miniers ait été rapatriée sous forme de bénéfices par les entreprises étrangères d'exploitation. Il s'ensuit une perte d'accumulation de capital dans le pays d'origine, à moins que ces bénéfices soient réinvestis par les entreprises étrangères. Mais, souvent, cela n'est pas dans l'intérêt du pays exportateur car au lieu de contribuer à la diversification et à la modernisation industrielles, ces réinvestissements dans les mêmes activités tendent à pérenniser la dépendance à l'égard des produits de base.

Inversion du solde du compte courant: le rôle des taux de change réels et des termes de l'échange

La hausse des prix des produits de base et l'amélioration des termes de l'échange ont grandement contribué à redresser la balance des opérations courantes de certains pays en développement au cours des dernières années. Un autre facteur, au moins aussi important, a été la croissance élevée des exportations d'articles manufacturés d'un certain nombre de pays en développement, qui reposait sur une hausse rapide de la productivité et sur des taux de change réels favorables. Cela explique le fait que les pays en développement sont devenus des exportateurs nets de capitaux depuis plusieurs années. Suite aux crises financières survenues en Asie en 1997 et 1998, les flux de capitaux à «contre-courant», c'est-à-dire allant des pays pauvres aux pays riches, ont commencé à augmenter, si bien que de nombreux observateurs ont estimé que certains pays en développement avaient créé un «trop-plein d'épargne» dans l'économie mondiale.

L'amélioration du compte courant et le passage d'un solde déficitaire à un solde excédentaire étaient initialement dus à de fortes dévaluations des taux de change dans les pays émergents exportateurs d'articles manufacturés. Dans la plupart de ces pays, l'amélioration du compte courant a commencé après la crise financière asiatique et s'est poursuivie lorsque les gouvernements et les banques centrales se sont efforcés de préserver un taux de change réel compétitif. Pour la plupart des pays dont les résultats commerciaux dépendent avant tout de la demande mondiale de matières premières, l'amélioration du compte courant a commencé en 2003, coïncidant avec le début de la hausse des prix des produits pétroliers et miniers.

Les politiques macroéconomiques et les politiques de taux de change qui ont joué un grand rôle dans l'amélioration du solde courant de nombreux pays en développement marquent une rupture avec les stratégies antérieures. Par le passé, aussi bien le rattachement à une monnaie de référence que le régime de taux de change flexibles ont souvent entraîné une appréciation des taux de change réels et un accroissement du déficit du compte courant. Au fil du temps, la détérioration de la balance des paiements courants aggravait, aux yeux des investisseurs internationaux, le risque de change, entraînant à un moment ou à un autre de soudaines et importantes sorties de capitaux. Par contre, la nouvelle stratégie adoptée par de nombreux pays vise à préserver la compétitivité tirée de taux de change sous-évalués et à éviter de tomber dans une forme de dépendance à l'égard des marchés internationaux de capitaux qui va de pair avec le déficit du compte courant. Comme cette stratégie exige souvent des interventions sur les marchés de change, elle contribue à une accumulation rapide de réserves en devises et à une augmentation des sorties nettes de capitaux des pays en développement.

Cela confirme aussi la constatation plus générale selon laquelle l'inversion du solde courant des pays en développement est due à des variations importantes des taux de change réels dans des pays où la part des articles manufacturés dans le commerce total est élevée, alors que dans les pays tributaires des produits de base, la brusque amélioration des termes de l'échange est le principal facteur. Une augmentation du déficit du compte courant due à une appréciation du taux de change réel – et la perte concomitante de compétitivité des producteurs nationaux – peut être temporairement financée par des entrées nettes de capitaux, mais elle exigera tôt ou tard une forme d'ajustement, c'est-à-dire normalement une dépréciation du taux de change réel. En fait, la surévaluation a été l'indicateur le plus fréquent et le plus «fiable» de futures crises financières dans les pays en développement. Par contre, la dépréciation du taux de change réel est une condition nécessaire à une inversion du solde courant à caractère expansionniste. Un taux de change réel compétitif est un facteur essentiel d'augmentation de la demande globale à court terme ainsi que d'une accélération de la croissance et de la hausse de l'emploi à long terme.

Toutefois, les gouvernements risquent de recourir au taux de change – de même qu'à la compression des salaires, les subventions et la baisse de l'impôt sur les sociétés – pour améliorer artificiellement la compétitivité internationale des producteurs nationaux. Ce «nouveau mercantilisme», qui s'inscrit dans le cadre d'une concurrence axée sur la conquête de parts de marché, ne peut pas aboutir aux résultats escomptés. En effet, si tous les pays peuvent simultanément stimuler la productivité, les salaires et le commerce afin d'accroître leur prospérité économique globale, tous ne peuvent simultanément augmenter leurs parts de marché ou l'excédent de leur compte courant. Les dévaluations compétitives à répétition sont donc improductives et risquent de causer des dégâts considérables. Ce problème pourrait être résolu par la mise en place d'un cadre de règles internationales comparables à celles qui régissent le recours aux mesures commerciales dans les accords de l'Organisation mondiale du commerce (OMC).

Entrées nettes de capitaux, investissement et croissance: théorie et réalité

Le fait que les pays en développement en tant que groupe sont des exportateurs nets de capitaux est en contradiction avec la supposition découlant des théories économiques prédominantes selon laquelle l'ouverture des marchés de capitaux favoriserait les entrées de capitaux provenant des pays riches – attirés par des rendements plus élevés – dans les pays pauvres. Il est encore plus surprenant à cet égard de constater qu'en moyenne, les pays en développement exportateurs nets de capitaux affichent aussi généralement un taux de croissance et un ratio d'investissement plus élevés que les pays en développement qui bénéficient d'entrées nettes de capitaux.

Ces faits ont été considérés comme des «énigmes», mais ils ne le sont plus si l'on prend conscience des limites des théories sous-jacentes, à savoir: le modèle du déficit d'épargne et le modèle néoclassique de croissance. Ces modèles reposent sur l'hypothèse selon laquelle l'investissement est financé à partir d'un réservoir d'épargne créé essentiellement par l'épargne des ménages. En conséquence, l'investissement des entreprises sera optimisé par des politiques qui visent à accroître le taux d'épargne des ménages et les importations de capitaux («l'épargne extérieure»), ainsi que l'efficacité de l'intermédiation financière en mettant en place un système financier compétitif et en créant des marchés de titres. Non seulement les hypothèses sur lesquelles reposent ces modèles sont éloignées de la réalité, mais leurs prévisions ont aussi été contredites à plusieurs reprises par les données empiriques. Par exemple, de nombreux pays en développement, en particulier en Amérique latine, ne sont pas parvenus à enregistrer un taux d'investissement productif plus élevé malgré des politiques monétaires et financières qui ont attiré plusieurs vagues de capitaux.

Il existe un autre point de vue – fondé sur les travaux de Schumpeter et de Keynes et sur les enseignements tirés de l'évolution de l'Europe occidentale après la guerre et des expériences réussies de rattrapage en Asie de l'Est – selon lequel le financement de l'investissement dépend avant tout de l'épargne provenant des bénéfices des entreprises et de la possibilité du système bancaire d'octroyer des crédits. Des bénéfices élevés ont pour effet à la fois d'inciter davantage les entreprises à investir et d'accroître leur capacité de financer de nouveaux investissements grâce aux bénéfices non distribués. Ce point de vue prend mieux en compte la complexité et les imperfections du monde réel, où les bénéfices des entreprises s'ajustent immédiatement à l'évolution de la demande et les décisions des entreprises fondées sur les prévisions de bénéfices (plutôt que sur le niveau de l'épargne) déterminent le montant des investissements dans le capital productif réel. Par exemple, une baisse du taux d'épargne n'entraîne pas une diminution de l'investissement; au contraire, car la hausse de la demande des consommateurs qui en découle entraînera une augmentation des bénéfices et stimulera l'investissement. De la même manière, une amélioration du compte courant due à une évolution des prix relatifs favorable aux producteurs nationaux ne représente pas une réduction des entrées d'épargne extérieure entraînant une baisse de l'investissement; au contraire, elle correspond à une hausse de la demande globale et des bénéfices des producteurs nationaux, et tend à déboucher sur une progression de l'investissement. Ainsi, une hausse de l'épargne n'est pas une condition préalable à une augmentation de l'investissement ou à une amélioration du compte courant. En fait, le lien de causalité est inversé: toute évolution du compte courant se répercute sur les taux d'investissement et d'épargne.

Les conséquences des différentes approches théoriques examinées plus haut pour la politique économique ne pourraient être plus éloignées. Lorsque l'investissement, la croissance de la production et l'emploi sont essentiellement déterminés par les bénéfices des entreprises, les politiques économiques jouent un rôle important en vue d'absorber les chocs et de mettre en place un cadre stable pour l'investissement. Par contre, le modèle néoclassique fait peu de place à la politique économique et lorsqu'il propose des options économiques, celles-ci sont souvent en contradiction avec celles découlant du modèle de Keynes-Schumpeter. Tandis que le modèle néoclassique juge nécessaire que les ménages privés épargnent davantage ou que les pays en développement attirent davantage d'épargne extérieure pour augmenter l'investissement dans le capital fixe, le modèle de Keynes-Schumpeter met l'accent sur le fait que des prévisions de demande et de bénéfices favorables jouent un rôle incitatif auprès des entreprises nationales et souligne la nécessité pour les entreprises de disposer de sources de financement fiables et bon marché.

Financement de l'investissement fixe: le rôle des bénéfices des entreprises et du système bancaire

On observe que, d'un point de vue macroéconomique, les ressources intérieures jouent un rôle plus important que les ressources extérieures dans le financement de l'investissement. Toutefois, les secondes peuvent s'avérer essentielles à certains moments et dans certains pays, par exemple pour financer des importations de biens d'équipement lorsque des obstacles structurels à la hausse des recettes d'exportation existent. Pour les entreprises, l'autofinancement provenant des bénéfices non distribués est la source la plus importante et la plus fiable de financement des investissements. On constate aussi que le crédit bancaire est la source la plus importante de financement extérieur des entreprises, en particulier des nouvelles entreprises et des petites et moyennes entreprises.

Il est très important qu'une grande partie des bénéfices des entreprises soit réinvestie dans les capacités productives, au lieu de servir, par exemple, à l'achat de produits de consommation de luxe ou à des activités spéculatives. L'existence de ressources propres étant le principal déterminant de l'investissement, les mesures qui accroissent la trésorerie des entreprises et favorisent la rétention des bénéfices peuvent contribuer à stimuler l'investissement. Il s'agit notamment de toute une série de mesures budgétaires incitatives ou dissuasives, au nombre desquelles figurent les privilèges fiscaux accordés au titre des bénéfices réinvestis ou non distribués, les amortissements spécialement autorisés et la forte imposition des revenus provenant d'activités spéculatives.

L'impact de telles mesures sur l'investissement productif peut être amplifié si les banques sont incitées à octroyer plus facilement des prêts à l'investissement. Dans la mesure où l'investissement peut être financé par le système bancaire, qui a le pouvoir d'accorder des crédits en fonction des liquidités fournies par la banque centrale, l'existence d'une épargne au sein du système financier n'est pas une condition préalable à l'investissement. Toutefois, si l'on veut prévenir les conséquences inflationnistes d'une politique monétaire axée sur la stimulation de l'investissement il faut, parallèlement, préserver la stabilité des prix grâce à des mécanismes institutionnels et des moyens d'action supplémentaires. Cela passe en particulier par l'adoption d'une politique des revenus qui empêche des hausses excessives des salaires nominaux et par une politique budgétaire souple qui s'adapte à l'évolution cyclique de la demande globale. Cette recette a bien fonctionné dans les nouveaux pays industriels (NPI) d'Asie de l'Est, où les taux d'intérêt ont été légèrement supérieurs aux taux d'inflation mais inférieurs aux taux de croissance du PIB réel. Par contre, ils ont été supérieurs aux taux de croissance du PIB dans la plupart des pays d'Amérique latine et d'Afrique, où la politique monétaire a généralement été entièrement axée sur la prévention de l'inflation, ce qui a eu pour conséquence de maintenir les ratios d'investissement et taux de croissance à un niveau faible. Ce n'est que depuis le nouveau millénaire qu'un plus grand nombre de pays de ces deux régions ont aussi adopté une politique monétaire plus expansionniste et ont enregistré une croissance plus élevée.

Coût et existence de sources de financement de l'investissement: l'importance des politiques

Une politique monétaire favorable à l'investissement contribuerait aussi à réduire les coûts du financement bancaire. Ceux-ci sont déterminés par le coût de refinancement des banques, par le montant moyen des pertes sur prêts que ces banques doivent supporter et par le degré de concurrence au sein du système bancaire. Lorsque les taux d'intérêt sont trop élevés, ils ont un impact négatif sur les sources les plus importantes de financement de l'investissement, à savoir: les bénéfices des entreprises et les crédits bancaires. C'est probablement là la principale raison pour laquelle les réformes financières entreprises par de nombreux pays en développement et pays en transition dans les années 80 et 90 n'ont généralement pas réussi à accroître le ratio d'investissement. Ces réformes étant menées dans le cadre d'une politique monétaire restrictive visant à atteindre et à maintenir un taux d'inflation faible, elles s'accompagnaient en général d'une hausse des taux d'intérêt.

La déréglementation financière entreprise depuis le milieu des années 80 dans de nombreux pays en développement, conjuguée à la libéralisation du compte des capitaux, a entraîné un essor des activités bancaires et une hausse rapide des entrées nettes de capitaux étrangers, mais elle a rarement débouché sur l'augmentation durable escomptée des prêts bancaires accordés aux entreprises privées à des fins d'investissement. Au lieu de cela, elle a abouti à une explosion des prêts essentiellement consacrés à l'achat de produits de consommation et de biens immobiliers. Ce processus a souvent débouché sur des crises financières et bancaires qui ont vu les gouvernements et les banques centrales mener des opérations de sauvetage du système bancaire dont le coût budgétaire était considérable. La libéralisation financière et l'ouverture du secteur financier national aux banques étrangères n'ont pas eu non plus l'effet escompté, à savoir: accroître la concurrence, de façon à réduire à terme la marge d'intérêt et le coût du crédit. Cette marge et le taux des prêts sont restés généralement élevés, au détriment du financement des entreprises et de l'investissement. Même après la survenue d'une crise bancaire, les banques commerciales semblent juger plus rentable et moins risqué d'accorder des crédits à la consommation et des crédits immobiliers, ou d'acheter des titres d'État, que d'octroyer des prêts à long terme pour financer des projets d'investissement ou de nouvelles activités économiques.

Les banques et les autres institutions financières influent sur l'évolution de l'activité économique selon la manière dont elles répartissent les ressources financières entre les différents types d'emprunteur et d'activité économique, en fonction de leurs propres objectifs et stratégies. Néanmoins, leurs choix ne sont pas nécessairement ceux qui servent le mieux les intérêts de l'économie dans son ensemble. La réticence des banques à accorder des crédits à long terme pour l'investissement, conjuguée à des marges d'intérêt et à des taux de prêt élevés, traduit souvent la crainte d'un risque de crédit élevé et les difficultés rencontrées à garantir ces prêts. Par conséquent, les pays en développement dotés d'un système financier déficient qui s'engagent dans des réformes – souvent préconisées – de leur gouvernance peuvent s'attacher en priorité à remédier aux lacunes institutionnelles qui constituent de grands obstacles à l'octroi de crédits à long terme pour l'investissement à des taux d'intérêt raisonnables. Ces lacunes sont généralement différentes d'un pays à l'autre mais elles ont trait, la plupart du temps, aux droits de propriété, aux garanties et à l'exécution des contrats de crédit ainsi qu'à une concurrence efficace dans le secteur bancaire.

Dans la plupart des pays, l'accès au crédit bancaire dépend encore beaucoup de la taille de l'entreprise, si bien que les nouvelles entreprises, les entreprises innovantes et les petites entreprises, en particulier, rencontrent souvent de graves obstacles à leur financement même si elles peuvent rembourser des prêts à des taux d'intérêt réels élevés. Seule une minorité de grandes sociétés privées ou d'entités publiques peut généralement se financer sur les marchés de titres. Il reste que l'accès des entreprises à des sources fiables, suffisantes et efficaces de financement de l'investissement productif est précisément la clef du succès des politiques financières suivies dans les pays en développement.

À l'évidence, lorsqu'il alloue des crédits, tout système financier doit choisir entre les emprunteurs et les projets à financer. Néanmoins, comme l'ont montré divers résultats des réformes financières et de nombreuses crises financières, le mécanisme du marché n'aboutit pas toujours à une allocation optimale du crédit. Les gouvernements peuvent jouer un rôle dans l'affectation des crédits aux secteurs et aux activités qui revêtent une importance stratégique pour l'économie dans son ensemble, par exemple en octroyant directement des crédits par l'intermédiaire des institutions financières publiques ou en intervenant sur les marchés financiers par le biais de mesures telles que la bonification d'intérêts, le refinancement des prêts commerciaux ou l'octroi de garanties pour certains types de crédit.

L'allocation des crédits peut aussi être influencée par un encadrement plus strict des prêts destinés à la consommation ou à la spéculation, ce qui pourrait inciter les banques à octroyer des prêts à long terme pour l'investissement. Lorsque les taux sont élevés car les prêts sont jugés risqués, on pourrait envisager d'assortir de garanties publiques les prêts destinés à financer les projets d'investissement prometteurs d'entreprises qui n'ont guère accès à des crédits bancaires à long terme (ou qui ne pourraient obtenir de tels crédits qu'à un coût extrêmement élevé qui rendrait leur investissement non viable). Le coût budgétaire éventuel de l'échec d'un projet financé selon ces modalités doit être évalué en tenant compte de l'augmentation totale des investissements qui ne peuvent être réalisés que grâce à ce type de garantie et des effets dynamiques sur les revenus (notamment la hausse des recettes fiscales) que ces investissements supplémentaires peuvent produire. Il devrait aussi être comparé au coût budgétaire des grandes opérations de sauvetage du système bancaire, comme celles qui sont devenues nécessaires après la hausse incontrôlée des crédits à la consommation et des crédits destinés à la spéculation qui est survenue dans de nombreux pays après la libéralisation financière.

Banques publiques: concilier les objectifs commerciaux et l'objectif de développement

Les banques publiques, en particulier les banques de développement, pourraient jouer un rôle important en garantissant aux entreprises l'accès à des sources fiables de financement de l'investissement productif. Par le passé, le débat sur le rôle des banques publiques a souvent tourné autour de l'argument selon lequel le caractère public de ces établissements, qui ne sont pas soumis aux règles du marché, peut accroître les risques de corruption et de clientélisme, mais leur intérêt économique n'a pas été évalué. Les banques privées ne sont pas non plus protégées de la corruption et du clientélisme, surtout lorsqu'elles sont liées à des conglomérats qui font appel à elles pour obtenir des financements bon marché. Par contre, il ne fait aucun doute que les banques publiques et les banques de développement ne peuvent jouer leur rôle en matière de développement que si leurs activités sont régies par des mandats clairs et des règles strictes en matière de responsabilité, et soumises à un contrôle périodique de leurs résultats.

Il est important de se rappeler que dans l'optique du financement du développement, la rentabilité macroéconomique d'un projet d'investissement n'est pas le seul paramètre, mais que les retombées de ce projet sur l'ensemble de l'économie doivent être aussi prises en compte. Cet argument est généralement accepté s'agissant des projets d'infrastructure et de leur financement public au moyen de recettes budgétaires ou de contributions des banques de développement. Mais il est tout aussi rationnel que les établissements financiers publics qui possèdent des compétences dans des secteurs particuliers contribuent au financement d'activités privées productives et innovantes dans l'agriculture, l'industrie et les services lorsque des activités qui sont à l'origine d'importantes retombées externes et améliorations sociales ne peuvent pas obtenir les crédits dont elles ont besoin auprès d'établissements commerciaux de financement.

L'un des moyens de concilier les objectifs commerciaux et l'objectif de développement dans l'allocation des crédits serait de mettre en place un financement conjoint de certains projets d'investissement associant banques privées et banques publiques. La banque commerciale se chargerait d'évaluer la viabilité du projet du point de vue du secteur privé, tandis que l'établissement financier public apprécierait la contribution globale dudit projet au développement et, en participant au financement de ce projet, il réduirait les risques supportés par la banque commerciale. Ce type de mécanisme pourrait aussi permettre d'adosser le financement public au financement privé et de réduire ainsi le risque de clientélisme dans les établissements aussi bien privés que publics concernés. Il a été utilisé dans certains pays développés dans les années 50 et 60 et, plus récemment, dans plusieurs pays émergents.

Aide publique au développement: malgré une hausse considérable, elle est toujours insuffisante

Un autre aspect du financement de l'investissement à l'appui de la diversification et du changement structurel dans les pays en développement est le fait que ces pays ont besoin de devises pour importer des biens d'équipement. Ce problème se pose en particulier pour les pays pauvres tributaires des produits de base, qui comptent en général sur les prêts et dons publics de donateurs bilatéraux et multilatéraux. Suite à l'adoption du Consensus de Monterrey en 2002, la plupart des donateurs bilatéraux accordant une aide publique au développement (APD) ont fixé des objectifs ambitieux en vue d'accroître leur APD dans le cadre des efforts déployés pour atteindre les OMD. Toutefois, malgré une hausse considérable des versements, la plupart des donateurs ne sont pas en passe d'honorer leurs engagements dans ce domaine. En outre, il existe un écart considérable entre l'APD effectivement apportée et l'aide jugée nécessaire à l'application de mesures visant à réaliser les OMD.

Les donateurs et les bénéficiaires s'accordent généralement à reconnaître qu'au-delà du montant de l'APD, il faut aussi tenir compte de l'efficacité avec laquelle les fonds provenant des donateurs sont employés. On estime de plus en plus qu'accroître l'efficacité de l'aide va de pair avec l'amélioration des institutions et des politiques. Bien que les points de vue divergent sur la définition de bonnes institutions et politiques et malgré le peu d'éléments démontrant qu'une telle corrélation existe, l'octroi de l'APD a été de plus en plus conditionné au respect de nombreux critères de bonne gouvernance. L'efficacité de l'aide est aussi souvent évaluée en fonction des modalités de sa mise en œuvre. À cet égard, selon le *Rapport 2008 sur les pays les moins avancés* de la CNUCED, l'adoption de politiques de gestion de l'aide qui renforcent la responsabilité mutuelle des donateurs et des gouvernements bénéficiaires pourrait contribuer à réduire les coûts de transaction et à renforcer les capacités des États d'utiliser de manière efficace l'aide extérieure. Mais il est tout aussi important que les ressources apportées par les donateurs contribuent de manière efficace au développement. Afin d'évaluer l'efficacité de l'aide, il est utile de distinguer entre les objectifs de développement social et humain d'une part et les objectifs de croissance d'autre part.

Aide sociale et économique: trouver le bon équilibre

Traditionnellement, l'objectif de l'APD était de stimuler la croissance du revenu par habitant, laquelle avait des effets sur le développement humain. Depuis l'adoption de la Déclaration du Millénaire, les objectifs de développement humain sont venus au premier rang des préoccupations. Par ailleurs, la croissance ne joue plus un rôle prépondérant en tant qu'objectif explicite de la politique de développement dans un environnement intellectuel et pragmatique qui semble être régi par l'hypothèse implicite selon laquelle, dans une économie libéralisée et mondialisée, la croissance et le changement structurel sont automatiquement le résultat des mécanismes du marché. L'efficacité de l'aide est ainsi de plus en plus jugée à l'aune de la contribution de l'APD à la réalisation des OMD. C'est pourquoi une plus grande partie de l'aide est consacrée à la santé, à l'éducation et à d'autres objectifs sociaux.

Ce type d'APD est essentiel et justifié en soi. Toutefois, pour qu'elle soit durable, la réduction de la pauvreté ne peut reposer exclusivement sur la redistribution d'un revenu donné: elle dépend aussi de l'accroissement de la valeur ajoutée intérieure et de la hausse du revenu par habitant. Si l'APD ne contribue pas à stimuler la croissance, elle a peu de chances d'entraîner une réduction de la pauvreté à long terme, au-delà de l'échéance de 2015 fixée pour la réalisation des OMD. L'APD destinée aux projets d'investissement dans l'infrastructure économique et dans les secteurs productifs est indispensable pour soutenir les efforts déployés au niveau national afin d'accroître le revenu réel et l'emploi et de modifier la répartition des revenus en faveur des pauvres.

Une autre façon d'accroître l'efficacité de l'APD pourrait être d'y adosser des sources intérieures de financement. Par exemple, on pourrait créer ou renforcer des institutions qui affecteraient l'APD à des projets d'investissement publics et privés financés conjointement avec des établissements financiers nationaux. Cela pourrait faciliter l'accès des investisseurs nationaux potentiels à des financements à long terme et réduire le risque de crédit supporté par les banques nationales – et donc les marges d'intérêt. Cela contribuerait aussi à améliorer le fonctionnement du système national d'intermédiation financière.

Par le passé, les besoins relatifs des pays, qui pouvaient être mesurés au moyen du revenu par habitant et des indicateurs de développement durable, ou l'ampleur de leur déficit budgétaire ou de leur déficit extérieur, n'avaient qu'une influence restreinte sur la répartition géographique de l'APD. Cependant, l'efficacité de l'aide pourrait être accrue en augmentant les dons d'APD aux pays les plus pauvres qui ont le plus de difficultés à enclencher un processus auto-entretenu d'investissement et de croissance.

Allégement de la dette: la nécessité de ressources additionnelles

Un déficit de financement considérable semble persister pour ce qui est non seulement des activités liées à la réalisation des OMD, mais aussi des investissements qui auraient un effet bénéfique sur la croissance et le changement structurel au-delà de l'échéance des OMD, sans parler des nouveaux besoins des pays en développement qui découlent des changements climatiques. Pour que les pays aient une chance réaliste d'atteindre les OMD, le montant annuel de l'APD devrait être supérieur de 50 à 60 milliards de dollars aux versements actuellement effectués parallèlement aux efforts déployés par les pays en développement pour financer de nouveaux investissements à l'aide de leurs ressources intérieures.

L'allégement de la dette a joué un rôle important dans l'APD, en particulier depuis 2003. Toutefois, rien ne prouve qu'il soit venu s'ajouter aux autres formes d'aide, comme cela était préconisé dans le Consensus de Monterrey. Il est indispensable que cet allégement revête un caractère additionnel car la réduction de l'encours de la dette a un effet très restreint sur la capacité des gouvernements d'accroître leurs dépenses pendant la période couverte. Si toutes les ressources dégagées par l'allégement de la dette étaient additionnelles, les pays bénéficiaires non seulement auraient davantage de chance d'atteindre leurs objectifs de croissance et leurs objectifs sociaux, notamment les OMD, mais ils auraient aussi davantage de moyens de le faire sans connaître à nouveau un taux d'endettement insoutenable.

Les efforts d'allégement de la dette réalisés par le passé ont largement ignoré les besoins de développement considérables des pays à faible revenu qui sont relativement peu endettés parce que leur stratégie de financement extérieur a été prudente ou que les investissements essentiels dans le secteur public n'ont pas été réalisés. Afin de ne pas défavoriser ces pays, il conviendrait de permettre à d'autres pays pauvres de bénéficier de l'Initiative d'allégement de la dette multilatérale, notamment ceux dont l'endettement est viable. En outre, il peut s'avérer aussi nécessaire d'envisager d'alléger la dette des pays en développement dont l'endettement n'est pas viable mais qui ne sont pas admis à bénéficier de l'Initiative en faveur des pays pauvres très endettés.

Viabilité de l'endettement: emprunter à bon escient

Souvent, pendant les périodes d'expansion économique, les décisions prises en matière d'emprunt et de prêt reposent sur des prévisions trop optimistes. Cela est particulièrement le cas actuellement car un grand nombre de pays en développement ont amélioré leur solde courant et abaissé leur ratio d'endettement extérieur. Ces résultats s'expliquent en partie par de meilleures politiques macroéconomiques et une meilleure gestion de la dette, mais aussi essentiellement par un environnement extérieur favorable – caractérisé par la hausse des prix des produits de base et la faiblesse des taux d'intérêt – qui ne perdurera peut-être pas.

L'enjeu est donc de tirer parti de l'amélioration récente des indicateurs d'endettement et des indicateurs économiques en général, et d'accélérer le processus d'investissement, de croissance et de changement structurel tout en conservant un endettement viable. Pour parvenir à un endettement viable, il faut commencer par emprunter à bon escient et ne pas trop emprunter en phase d'expansion. La dette ne devrait être utilisée que pour financer des projets qui ont un rendement supérieur aux intérêts du prêt contracté. Tout emprunt en devises devrait aussi, en principe, être limité aux projets qui peuvent, directement ou indirectement, produire les devises nécessaires au service de la dette. Dans la mesure du possible et surtout lorsque les projets ne dépendent pas d'importations, les pays en développement devraient s'efforcer de financer ces projets au moyen de ressources intérieures. Par conséquent, la stratégie d'endettement extérieur devrait être étroitement associée à de nouveaux efforts tendant à renforcer le système financier national et à des politiques macroéconomiques et de taux de change qui visent à prévenir un déficit insoutenable du compte courant.

Endettement extérieur: réduire la vulnérabilité face aux chocs extérieurs

Un obstacle de taille que rencontrent les pays qui ont accès aux marchés financiers internationaux est leur vulnérabilité face aux effets de la forte instabilité de ces marchés. Les chocs qui peuvent entraîner une crise de liquidité dans le monde en développement dépendent souvent de facteurs extérieurs qui peuvent provenir de décisions adoptées par des pays développés. Le recours à des titres de dette novateurs qui réduisent la vulnérabilité des pays en développement face aux chocs ou aux retournements défavorables de la conjoncture économique et financière internationale pourrait aider à conserver un endettement viable. Il pourrait notamment s'agir d'émettre des titres de dette extérieure en monnaie locale, ce qui réduirait le risque de change, et des obligations indexées sur le PIB qui permettent d'abaisser les remboursements au titre du service de la dette lorsque les pays ont une faible capacité de paiement. La création et la diffusion de ce type de titre pourraient être favorisées par l'appui de la communauté internationale à l'élaboration de normes uniformes et à l'acquisition de la taille de marché nécessaire.

Les pays à faible revenu ont des difficultés particulières à appliquer une politique nationale qui réduise le risque de survenue d'une crise de la dette. Ils dépendent souvent de ressources extérieures pour financer non seulement des projets dans les secteurs productifs de leur économie et de grands projets d'infrastructure, mais aussi le développement de leurs secteurs de la santé et de l'éducation. Même si ces secteurs sociaux peuvent avoir de fortes retombées à long terme, ils sont peu susceptibles de produire la trésorerie nécessaire au service de la dette à court et à moyen terme. Il s'ensuit que comme ces pays ne peuvent supporter un taux d'endettement élevé, la majeure partie de l'aide extérieure qui leur est accordée devrait prendre la forme de dons.

Enfin, on doit accepter que, même si la gestion de la dette est améliorée et si les titres de dette sont meilleurs et plus sûrs, des crises d'endettement sont inévitables. La communauté internationale ne devrait donc pas abandonner l'idée de créer un mécanisme visant à résoudre rapidement ces crises et à en partager équitablement le coût entre créanciers et débiteurs. Un tel mécanisme contribuerait aussi à améliorer l'évaluation des risques par les créanciers. Les pays en développement étant particulièrement vulnérables face aux chocs extérieurs provenant des marchés internationaux financiers et de produits de base, ils devraient aussi manifester un intérêt particulier pour la réforme du système monétaire et financier international. Celle-ci devrait viser à réduire autant que faire se peut les flux financiers spéculatifs aux effets déstabilisants et à renforcer les institutions et mécanismes au service d'une coordination des politiques macroéconomiques.

Le Secrétaire général de la CNUCED

Supachai Panitchpakdi

Chapitre premier

LA SITUATION ACTUELLE DE L'ÉCONOMIE MONDIALE

A. Croissance et commerce

Au milieu de 2008, l'économie mondiale était au bord de la récession. Ce retournement, après quatre années de croissance relativement rapide, est dû à plusieurs facteurs: la crise financière mondiale partie des États-Unis, l'explosion des bulles spéculatives sur l'immobilier aux États-Unis et dans d'autres grands pays, l'envolée des prix des produits primaires, les politiques monétaires de plus en plus restrictives appliquées par plusieurs pays et la volatilité des bourses. À défaut d'une action macroéconomique énergique et coordonnée au niveau international une véritable récession mondiale semble inévitable.

Dans les pays en développement et les pays émergents, la croissance a été assez soutenue durant le premier semestre de 2008, mais vu la multiplication de signes de faiblesse, ces pays ne devraient pas être épargnés par le fléchissement de l'économie mondiale. Même si la conjoncture ne se détériore pas trop pendant le deuxième semestre, le taux de croissance de l'économie mondiale devrait tomber à quelque 3 % en 2008, soit près d'un point de pourcentage de moins que durant les deux années précédentes (tableau 1.1)

Plusieurs grands pays en développement peuvent compter sur l'expansion de la demande intérieure, mais de nombreux autres restent tributaires de l'évolution de la demande extérieure et des cours des produits primaires. Leur taux de croissance dépend aussi de la manière dont ils emploient le surcroît de recettes accrues tirées de l'exportation de produits primaires (voir aussi chap. II). La croissance de la production chinoise, malgré un certain fléchissement, devrait atteindre un rythme proche de 10 % en 2008. L'Asie occidentale, l'Afrique du Nord et l'Afrique subsaharienne (hors Afrique du Sud) sont les seules régions dans lesquelles il est probable que le taux de croissance moyen sera plus élevé que ces deux dernières années. L'économie de l'Afrique subsaharienne en particulier devrait croître d'environ 7 %, rythme sans précédent depuis trois décennies. Toutefois, cette accélération de la croissance est largement imputable à l'augmentation des recettes d'exportation de produits primaires et en particulier de pétrole, et il y a de grandes différences entre les pays, en fonction de la composition de leur commerce extérieur. En outre, les gains dus à l'augmentation des recettes d'exportation de produits primaires n'ont parfois qu'un effet minime sur les revenus des segments les plus pauvres de la population, car les effets d'entraînement du secteur pétrolier et minier sur le reste de l'économie sont en général faibles.

En termes réels, le commerce mondial a progressé moins rapidement en 2007 que durant les quatre années précédentes, mais le commerce extérieur des pays en développement ou en transition est resté dynamique (tableau 1.2).

Tableau 1.1

CROISSANCE DE L'ÉCONOMIE MONDIALE 1991-2008[a]

(Pourcentage de variation annuelle)

Région/pays	1991-2001[b]	2002	2003	2004	2005	2006	2007[c]	2008[d]
Ensemble du monde	**3,1**	**1,9**	**2,7**	**4,0**	**3,4**	**3,9**	**3,8**	**2,9**
Pays développés	**2,6**	**1,3**	**1,9**	**3,0**	**2,4**	**2,8**	**2,5**	**1,6**
dont:								
Japon	1,1	0,3	1,4	2,7	1,9	2,4	2,1	1,4
États-Unis	3,5	1,6	2,5	3,6	3,1	2,9	2,2	1,4
Union européenne	2,4	1,2	1,3	2,5	1,8	3,0	2,9	1,8
dont:								
Zone euro	2,2	0,9	0,8	2,0	1,5	2,7	2,6	1,6
France	2,0	1,0	1,1	2,5	1,9	2,2	2,1	1,5
Allemagne	1,8	0,0	-0,2	1,2	0,9	2,9	2,5	1,8
Italie	1,6	0,3	0,0	1,1	0,0	1,7	1,5	0,4
Royaume-Uni	2,8	2,1	2,7	3,3	1,9	2,8	3,0	1,6
Europe du Sud-Est et CEI	**..**	**4,9**	**7,1**	**7,6**	**6,6**	**7,5**	**8,4**	**7,4**
Europe du Sud-Est[e]	..	3,0	2,4	4,5	5,0	5,0	6,0	5,2
Communauté des États indépendants (CEI)	..	5,2	7,6	8,0	6,8	7,7	8,6	7,6
dont:								
Fédération de Russie	..	4,7	7,3	7,1	6,4	6,7	8,1	7,5
Pays en développement	**4,8**	**3,9**	**5,4**	**7,2**	**6,6**	**7,1**	**7,3**	**6,4**
Afrique	2,9	3,7	4,9	5,4	5,7	5,6	5,8	6,0
Afrique du Nord (sauf Soudan)	3,2	3,4	5,4	4,8	5,4	5,5	5,6	6,0
Afrique subsaharienne (sauf Afrique du Sud)	2,8	4,0	5,4	6,4	6,2	5,8	6,5	7,1
Afrique du Sud	2,2	3,7	3,1	4,8	5,1	5,4	5,1	3,8
Amérique latine et Caraïbes	3,1	-0,5	2,2	6,2	4,9	5,6	5,7	4,6
Caraïbes	2,2	2,6	2,9	3,9	7,1	8,5	6,2	5,3
Amérique centrale (sauf Mexique)	4,3	2,8	3,8	4,2	4,6	6,5	6,6	4,6
Mexique	3,1	0,8	1,4	4,2	3,0	4,9	3,2	2,8
Amérique du Sud	3,0	-1,5	2,4	7,4	5,6	5,7	6,7	5,3
dont:								
Brésil	2,8	2,7	1,1	5,7	3,2	3,7	5,4	4,8
Asie	6,1	6,0	6,8	7,9	7,5	7,9	8,1	7,2
Asie de l'Est	7,8	7,4	7,1	8,3	8,0	8,8	9,1	8,1
dont:								
Chine	10,3	9,1	10,0	10,1	10,1	11,1	11,4	10,0
Asie du Sud	5,1	4,5	7,8	7,5	7,7	8,2	8,5	7,0
dont:								
Inde	5,9	3,6	8,3	8,5	8,8	9,2	9,7	7,6
Asie du Sud-Est	4,8	4,8	5,4	6,6	5,7	6,0	6,4	5,4
Asie occidentale	3,6	3,2	6,0	7,9	6,8	5,7	5,1	5,7

***Source*:** Calculs du secrétariat de la CNUCED, d'après la base de données *Handbook of Statistics* de la CNUCED; et Organisation des Nations Unies, Département des affaires économiques et sociales (ONU/DAES), *LINK Global Economic Outlook 2008* (mai 2008).

a Calculs sur la base du PIB en dollars constants de 2000.
b Moyenne.
c Estimations préliminaires.
d Prévisions.
e Albanie, Bosnie-Herzégovine, Croatie, Monténégro, Serbie et ex-République yougoslave de Macédoine.

Tableau 1.2

VOLUME DES EXPORTATIONS ET DES IMPORTATIONS DE MARCHANDISES, PAR RÉGION ET PAR CATÉGORIE ÉCONOMIQUE, 2002-2007

(*Pourcentage de variation par rapport à l'année précédente*)

Région/pays	Indice du volume des exportations						Indice du volume des importations					
	2002	2003	2004	2005	2006	2007	2002	2003	2004	2005	2006	2007
Ensemble du monde	**4,5**	**6,3**	**11,4**	**5,2**	**8,1**	**5,5**	**4,2**	**7,7**	**12,1**	**7,0**	**7,3**	**5,8**
Pays développés	**2,3**	**3,1**	**8,4**	**4,9**	**7,7**	**2,8**	**3,0**	**5,1**	**9,0**	**5,9**	**5,8**	**2,3**
dont:												
Japon	7,7	9,2	13,4	5,1	11,8	8,2	1,1	5,9	6,3	2,0	4,5	0,6
États-Unis	-4,0	2,9	8,7	7,4	10,5	6,8	4,4	5,5	10,8	5,6	5,7	0,8
Union européenne	3,4	3,3	8,8	4,9	8,3	2,2	2,8	5,5	8,7	5,7	7,0	3,3
Europe du Sud-Est et CEI	**8,8**	**9,0**	**12,9**	**-1,5**	**10,3**	**9,2**	**13,7**	**21,5**	**20,1**	**11,5**	**21,8**	**27,3**
Europe du Sud-Est	6,2	21,2	26,7	2,7	16,7	19,3	19,6	22,8	17,6	-2,5	8,6	22,2
CEI	9,0	8,3	12,2	-1,4	10,0	8,6	12,5	21,2	20,6	14,6	24,3	28,2
Pays en développement	**8,8**	**12,9**	**16,7**	**6,3**	**9,2**	**9,3**	**6,6**	**12,9**	**18,4**	**8,5**	**8,9**	**10,8**
Afrique	5,5	10,4	8,6	-0,2	2,4	2,2	6,3	16,0	16,4	9,8	6,5	5,9
Afrique subsaharienne	6,3	11,5	10,9	-1,0	-2,1	1,9	6,2	22,7	15,0	10,5	8,6	2,1
Amérique latine et Caraïbes	0,5	4,0	9,6	5,0	4,2	4,6	-7,0	1,2	14,1	10,3	13,0	14,2
Asie de l'Est	14,8	22,0	24,3	17,1	17,8	16,2	13,4	19,3	19,2	5,9	9,2	11,3
dont:												
Chine	24,0	35,3	33,0	26,2	24,4	23,3	22,5	35,2	25,9	7,5	11,5	16,1
Asie du Sud	13,8	11,8	11,5	6,7	3,3	8,8	12,0	15,0	15,9	14,9	6,1	5,4
dont:												
Inde	17,4	13,6	19,5	14,8	10,5	12,3	10,4	18,7	19,4	20,8	6,6	13,1
Asie du Sud-Est	6,6	7,7	19,0	6,6	11,2	8,3	5,2	6,9	18,0	10,2	7,2	7,4
Asie occidentale	6,3	7,6	10,8	-0,2	4,9	2,5	8,8	15,5	27,0	11,4	9,5	17,3

Source: Calculs du secrétariat de la CNUCED, d'après la base de données *Handbook of Statistics* de la CNUCED.

Leurs exportations ont augmenté de plus de 9 % en volume, mais avec des écarts importants entre les différentes régions. Comme la réponse de l'offre à la hausse des prix des produits primaires a généralement été lente, le volume des exportations des régions spécialisées dans les produits primaires a progressé moins vite que celui des régions qui exportent beaucoup de produits manufacturés. Le taux de croissance du volume des importations des États-Unis a brutalement baissé, ce qui s'est accompagné d'une réduction sensible du déficit de leurs opérations courantes, en raison de la faiblesse de la demande intérieure et de la forte dépréciation du dollar.

Globalement, la tourmente financière, la hausse des produits primaires et la volatilité des changes ont eu un énorme impact sur l'économie mondiale et assombrissent les perspectives pour 2009. Les retombées de l'effondrement du marché hypothécaire des États-Unis et de l'éclatement de la bulle immobilière dans plusieurs pays sont plus graves et durables qu'on ne le pensait en 2007. L'onde de choc de ces événements s'est propagée bien au-delà des pays directement concernés et a provoqué un vent de panique sur tous les marchés financiers. Un an après le déclenchement de la crise, il est difficile d'estimer combien de temps elle durera. Pour un grand nombre de pays en développement, la croissance future dépendra surtout de l'évolution des prix des produits primaires qu'ils exportent. Plusieurs facteurs structurels donnent à penser que ces prix resteront plus élevés qu'ils ne l'étaient au cours des vingt dernières années, mais des facteurs cycliques, la fin de la spéculation à la hausse et la réponse différée de l'offre pourraient peser sur les prix de certains produits. En particulier, l'humeur des spéculateurs sur les marchés à terme de produits primaires peut changer brutalement en réaction à des événements qui se produisent sur d'autres marchés, tels qu'une contraction du marché des produits ou un rebond des marchés boursiers. De plus, certains pays en développement ou en transition, notamment en Europe orientale et en Asie centrale, qui ont accumulé une importante dette extérieure et ont un déficit considérable des opérations courantes dû à la surévaluation de leur monnaie, pourraient subir une hausse brutale de leurs coûts de financement et une forte dépréciation de leur monnaie. Les phénomènes de contagion et d'interdépendance qu'on a pu observer ces derniers mois dans l'économie mondiale devraient être des motifs suffisants pour réexaminer le rôle des politiques publiques et le fonctionnement des marchés aux niveaux tant national qu'international. Les carences du système de gouvernance de l'économie mondiale et, en particulier, le manque de cohérence entre le système commercial régi par un ensemble de règles et d'accords multilatéraux et le système monétaire et financier international, qui est très peu réglementé, sont l'une des raisons de la fragilité actuelle de l'économie mondiale. La tempête financière, la spéculation sur les produits alimentaires et le pétrole et le fait que le marché des changes n'ajuste pas des taux de change en fonction de l'évolution de la compétitivité internationale des différents pays montrent qu'il est urgent de remanier le système de gouvernance économique mondiale.

B. Les retombées de la crise des crédits hypothécaires

L'effondrement du marché des crédits hypothécaires accordés à des débiteurs insolvables («sub-prime»), dans le pays qui a le marché financier le plus complexe du monde, a une fois de plus mis en lumière la fragilité du secteur financier mondial. Au lieu de réduire le risque, les instruments financiers complexes créés ces dernières années ont eu pour effet de transmettre l'impact de placements hasardeux à travers les continents, d'un établissement à l'autre et d'un marché à l'autre. Un système financier qui subit une crise aiguë tous les trois ou quatre ans, dont les répercussions ne touchent pas que les détenteurs de valeurs mobilières mais toute l'économie réelle, est fondamentalement vicié. Les épisodes récurrents de volatilité sur les marchés financiers semblent être provoqués par la prolifération de produits de placements opaques et par l'effet de levier considérable au moyen duquel les établissements financiers cherchent à obtenir des rendements très supérieurs à la croissance de l'économie réelle. Depuis le déclenchement de la crise des sub-prime, les dangers de la titrisation sont devenus encore plus évidents et la capacité du secteur financier de générer des bénéfices considérables mais illusoires en employant des mécanismes de refinancement périlleux et de faire payer le prix découlant des inévitables corrections du marché au secteur public et aux contribuables suscite beaucoup de préoccupations. Comme les crises financières peuvent avoir des répercussions catastrophiques sur l'économie réelle, les responsables politiques n'ont pas le choix, ils doivent sauver certains établissements financiers lorsque la crise menace de devenir systémique.

Un système financier qui subit une crise aiguë tous les trois ou quatre ans est fondamentalement vicié.

Jusqu'à récemment, on pensait que le problème du risque moral associé à l'existence explicite ou implicite d'un prêteur en dernier recours ne concernait que les banques commerciales accepteuses de dépôts. Toutefois, les interventions récentes de la Réserve fédérale des États-Unis ont montré que les banques d'investissement et les créanciers hypothécaires pouvaient, eux aussi, être considérés comme trop importants pour qu'on les laisse faire faillite et que leurs engagements étaient donc implicitement garantis. Vu la menace de déstabilisation financière, la Réserve fédérale a certainement eu raison d'offrir cette assurance et d'éviter la faillite d'une grande banque d'investissement et de deux premiers créanciers hypothécaires des États-Unis; toutefois, l'assurance ne doit pas être gratuite. Si le gouvernement décide qu'il faut aussi sauver d'autres types d'établissements financiers parce que leur faillite pourrait provoquer une crise systémique, il convient de les assujettir à une réglementation prudentielle similaire à celle appliquée aux banques accepteuses de dépôts. La crise récente a montré une fois de plus que la «discipline du marché» ne suffit pas à éviter des épisodes récurrents d'optimisme irrationnel et que les forces du marché sont impuissantes face à une chute brutale des cours des produits financiers.

Les victimes les plus récentes de la crise des sub-prime sont Fannie Mae (Federal National Mortgage Association) et Freddie Mac (Federal Home Loan Mortgage Corporation). Ces organismes à caractère mixte (entreprises parrainées par l'État) sont les premiers créanciers hypothécaires pour l'immobilier résidentiel aux États-Unis et détiennent ou garantissent pour 5 200 milliards de dollars d'hypothèques (soit plus de 40 % du total de la dette hypothécaire des États-Unis). Bien qu'ils ne soient pas autorisés à accorder ou à garantir des prêts à des emprunteurs insolvables, ils ont été durement touchés par la chute du prix de l'immobilier qui a suivi la crise des sub-prime. Le cours de leurs actions a commencé à baisser au milieu de 2007 et s'est effondré au début de juillet 2008 lorsqu'il est devenu évident qu'ils étaient insolvables sur la base de la valeur de marché de leurs actifs. Le Trésor et la Réserve fédérale des États-Unis ont rapidement annoncé qu'ils soutiendraient ces deux établissements et la Réserve fédérale les a autorisés à emprunter à son guichet d'escompte. Suite à cette intervention, leurs obligations ont continué de se traiter à des cours normaux, malgré l'effondrement de leurs actions.

Tant que le Gouvernement des États-Unis garantit leurs engagements, ces deux établissements pourront se refinancer et poursuivre leurs activités, évitant ainsi d'aggraver encore la détérioration du marché immobilier des ÉtatsUnis. Toutefois, ce genre de situation peut avoir des effets pervers, car les dirigeants d'une entreprise dont les fonds propres ont une valeur nulle ou négative, mais dont la dette est garantie, pourraient être tentés de jouer le va-tout, c'est-à-dire d'opter pour une stratégie offrant une très faible probabilité de gain exceptionnel et une forte probabilité de pertes importantes. L'incitation à adopter une telle stratégie est l'asymétrie de l'espérance de gain. En cas de succès, les actionnaires sont gagnants. En cas d'échec, les actionnaires ne perdent rien (puisque la valeur des actions était nulle dès le départ), mais c'est le secteur public qui doit payer un coût encore plus élevé. C'est un exemple de plus de situation dans laquelle les gains sont privatisés et les pertes sont socialisées. Si la crise se révèle durable, il serait probablement préférable que l'État se substitue temporairement aux actionnaires pour décider plus tard s'il convient de liquider ces deux entités, de les reprivatiser intégralement ou d'en faire des établissements publics à titre définitif.

C. Les déséquilibres de l'économie mondiale et les taux de change

La crise d'aujourd'hui rendra nécessaire une révision non seulement de la réglementation prudentielle des établissements financiers au niveau national, mais aussi des politiques macroéconomiques, en particulier la politique monétaire et la politique de taux de change, tant au niveau national qu'au niveau mondial. Les vingt-cinq dernières années se sont caractérisées par une relative stabilité macroéconomique et une inflation modérée dans les pays développés. Cela a conduit les banques centrales de nombreux pays développés et en développement à se focaliser sur le taux d'inflation et à employer principalement les taux d'intérêt directeurs comme instrument d'intervention, en laissant les forces du marché déterminer le cours de la monnaie.

Cette approche ne tient pas compte du fait qu'il y a d'étroites interactions entre les pays et les économies et que le taux de change est un aspect essentiel de cette interdépendance. La crise actuelle et le fait qu'un certain nombre de pays, dans toutes les régions du monde, ont accumulé des déficits considérables de leurs opérations courantes montrent que le cadre actuel des politiques monétaires et de taux de change suscite des activités spéculatives qui finissent par avoir un effet très déstabilisateur. Cela montre la nécessité d'une meilleure coordination économique internationale pour corriger de tels déséquilibres de la balance commerciale ou des opérations courantes.

L'énorme déficit des opérations courantes des États-Unis, qui a eu une influence majeure sur l'économie mondiale ces dix dernières années, tend à diminuer en raison de la dépréciation du dollar et du début de récession aux États-Unis. Toutefois, dans de nombreux autres pays il n'y a pas eu de correction du cours de la monnaie et les spéculations déstabilisatrices ne semblent pas près de prendre fin. Ces spéculations continuent de faire monter les monnaies de certains pays et régions en dépit du déficit considérable et croissant du solde de leurs opérations courantes (*Rapport sur le commerce et le développement 2007*, chap. I, sect. B). Le tableau annexé au présent chapitre récapitule l'évolution des taux de change réels depuis 2000.

Une meilleure coordination économique internationale est nécessaire pour éviter l'accumulation de déséquilibres excessifs des paiements courants.

Un déficit ou un excédent des opérations courantes n'est pas, en soi, un problème économique. Toutefois, un déficit important et croissant, lorsqu'il coïncide avec une perte de compétitivité, due par exemple à une hausse spéculative de la monnaie induite par les écarts de taux d'intérêt à court terme, appelle en règle générale une correction. Le déficit devra tôt ou tard être résorbé, mais la correction peut être très coûteuse en termes de revenus réels.

Depuis une dizaine d'années, les pays en développement, globalement, ont accumulé des excédents courants, dont la contrepartie a été un déficit croissant de plusieurs pays développés et de quelques pays en transition. Les facteurs qui ont fait croître l'excédent diffèrent selon les pays: pour quelques exportateurs de produits manufacturés très dynamiques, notamment en Asie de l'Est et du Sud-Est, c'est un gain de compétitivité internationale; pour les exportateurs de pétrole d'Asie occidentale et de la Communauté d'États indépendants (CEI), c'est la hausse rapide du cours du pétrole; enfin, pour plusieurs pays d'Afrique et d'Amérique latine, c'est non seulement la hausse du prix du pétrole mais aussi celle d'autres produits primaires et en particulier des matières premières industrielles. Globalement, le solde des opérations courantes des pays développés est négatif, mais les deux plus grandes économies du monde après celle des États-Unis (Japon et Allemagne) continuent de réaliser d'importants excédents accompagnés de gains de compétitivité.

L'augmentation rapide du déficit des opérations courantes de plusieurs pays d'Europe de l'Est est une des caractéristiques marquantes de l'économie mondiale depuis le début du siècle. On a pensé que l'intégration de plusieurs de ces pays dans l'Union européenne (UE) et leur croissance relativement rapide les aideraient beaucoup à résoudre leurs problèmes économiques, ce qui a suscité un afflux massif de capitaux à court terme. Toutefois, dans la plupart d'entre eux, la principale source de la croissance a été une forte demande intérieure, stimulée par une hausse rapide des salaires et par la relative abondance du crédit à la consommation et du crédit hypothécaire. Cela a entraîné une rapide progression de la consommation privée et des importations et fait monter les prix des logements.

Toutefois, les taux d'inflation et les taux d'intérêt relativement élevés de ces pays ont entraîné l'accumulation d'un énorme encours de crédits hypothécaires en devises étrangères, notamment le franc suisse et le yen. Il y avait donc un risque de change considérable, les revenus des débiteurs n'étant pas dans la même monnaie que leurs engagements. Parallèlement, l'appréciation de la monnaie de ces pays, en termes tant nominaux que réels, a sapé leur compétitivité par rapport aux autres pays européens et au reste du monde, ce qui exigera tôt ou tard une dévaluation.

Entre 1999 et 2007, le taux de change effectif réel des monnaies d'Europe orientale et de la Fédération de Russie a progressé de plus de 30 %. En moyenne, le déficit de leurs opérations courantes a atteint quelque 9 % du produit intérieur brut (PIB) en 2007, ayant plus que doublé depuis le début de l'appréciation de leurs monnaies en 1999 (graphique 1.1). Les plus touchés ont été la Bulgarie, l'Estonie, la Lettonie, la Lituanie et la Roumanie, dont le déficit courant a dépassé les 10 % du PIB. En Fédération de Russie, l'envol des exportations, en particulier d'énergie et de produits primaires, a été plus rapide que la croissance des importations, mais l'excédent des opérations courantes, naguère considérable, a néanmoins diminué.

L'appréciation des monnaies des pays d'Europe orientale a été exacerbée par des opérations de portage («carry trade»), c'est-à-dire des flux de capitaux en monnaie de pays à faible taux d'inflation et à faible taux d'intérêt nominaux vers des pays à taux d'inflation et d'intérêt élevés. Ce type de spéculation se pratique lorsque les spéculateurs pensent que la monnaie à taux élevé restera stable ou s'appréciera, si bien qu'il y a un écart de taux d'intérêt «non couvert». Cela peut produire des situations paradoxales et périlleuses: la monnaie de pays qui ont un important excédent courant (notamment le Japon et la Suisse) subit des pressions à la baisse, tandis que celle des pays qui ont un déficit subit des pressions similaires à la hausse, alors que le contraire serait requis pour rééquilibrer les opérations courantes[1].

> Le déficit des États-Unis a commencé à se résorber.

Un ajustement est inévitable pour corriger des déséquilibres prolongés. Les pays dont la compétitivité globale s'est détériorée doivent la rétablir pour éviter une perte définitive de parts de marché et un endettement extérieur croissant. L'histoire de l'économie a montré que cet ajustement peut être obtenu soit par une sévère récession soit par une dépréciation de la monnaie en termes réels. Cette dernière implique une forte dévaluation en termes nominaux, qui incitera les consommateurs à acheter des produits d'origine nationale moins coûteux que les produits importés et stimulera la demande d'exportation.

Au cours des dix dernières années, les États-Unis sont le pays dont le déficit extérieur a été le plus important. Les autres pays dont l'excédent a été très important, en termes absolus sont la Chine, l'Allemagne, le Japon et la Suisse. Le déficit des États-Unis a commencé à se résorber mais, pour aller plus loin, il faudrait que les pays à fort excédent accroissent leur demande intérieure. Si la suite de l'ajustement devait résulter uniquement de variations des taux de change, cela pourrait avoir des répercussions très graves sur l'économie des pays dont la monnaie s'est trop écartée de son cours d'équilibre.

Cependant, les pays excédentaires n'ont pas tous les mêmes possibilités d'accroître leur demande intérieure. La Chine par exemple n'a guère de marge de manœuvre car sa demande intérieure progresse déjà très vite et son économie est proche de la surchauffe. En revanche la poursuite de l'appréciation du yuan pourrait contribuer à un ajustement global des balances commerciales en freinant les exportations et en stimulant les importations. Toutefois, en raison de l'afflux de capitaux à court terme attirés par l'appréciation de la monnaie, qui est gérée par les autorités, et par le gonflement des réserves de change, il serait peut-être préférable d'opter pour une franche réévaluation que sur une lente appréciation.

Les marges de relance de la croissance susceptibles de tirer l'économie mondiale sont beaucoup plus grandes en Europe occidentale, dont la demande intérieure stagne, mais représente encore cinq fois celle de la Chine. L'Allemagne en particulier a connu un essor sans précédent de ses exportations et l'excédent de ses opérations courantes a dépassé les 180 milliards d'euros en 2007, tandis que la hausse des salaires réels a été très faible, ce qui laisse une grande latitude pour relancer la demande intérieure. Une politique salariale plus généreuse et une stimulation directe de la demande contribueraient à faciliter le processus d'ajustement. Des baisses des taux d'intérêt de la Banque centrale européenne (BCE) dans la deuxième moitié de 2008 et au début de 2009 faciliteraient cette relance. Cela pourrait paraître inopportun dans un environnement dans lequel les tensions sur les prix de l'énergie et des produits alimentaires ont fait monter l'indice des prix à la consommation (IPC), mais le risque réel d'inflation en Europe reste minime, la hausse des prix à la consommation n'ayant pas été accompagnée par une augmentation du coût unitaire de la main-d'œuvre. En fait, ces dernières

> Les marges de relance de la croissance susceptibles de tirer l'économie mondiale sont beaucoup plus grandes en Europe occidentale qu'en Chine.

Graphique 1.1

SOLDE DES OPÉRATIONS COURANTES ET TAUX DE CHANGE EFFECTIF RÉELS DES PAYS D'EUROPE ORIENTALE ET DE LA FÉDÉRATION DE RUSSIE, 1996-2007

(*Moyenne arithmétique*)

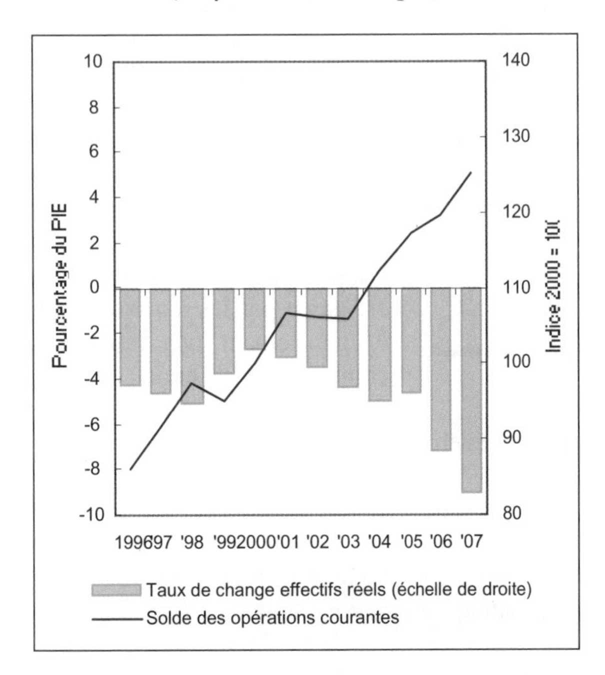

Source: Calculs du secrétariat de la CNUCED, d'après le FMI, *Balance of Payments*; base de données de la CNUCED sur les taux de change effectifs réels; et sources nationales.

Note: Europe orientale: Bulgarie, Estonie, Hongrie, Lituanie, Pologne, République tchèque et Roumanie.

années, le coût unitaire de la main-d'œuvre a stagné en Allemagne, la hausse des salaires nominaux ayant été à peine plus élevée que les gains de productivité du travail (voir sect. D ci-après).

La situation du Japon est similaire à celle de l'Allemagne: c'est un champion de l'exportation (ses exportations ont progressé en moyenne de 9,3 % par an entre 2001 et 2007), mais sa demande intérieure n'a augmenté en moyenne que de 1,1 % par an durant cette période. Comme en Allemagne, la demande est faible parce que les salaires réels ont plafonné ou baissé pendant de nombreuses années et l'emploi n'a guère progressé, et le pays a connu une longue période de déflation. Ni la politique de taux d'intérêt nul pratiquée par la Banque du Japon, ni une agressive politique de relance budgétaire, ni l'expansion très rapide des exportations depuis quelques années ne sont parvenues à redresser la situation. Il semble qu'une intervention directe du Gouvernement sur le marché du travail et un nouveau plan de dépenses budgétaires seront nécessaires pour que le Japon sorte de cette trappe déflationniste et puisse contribuer à atténuer le fléchissement de la conjoncture mondiale.

Quant aux exportateurs nets de produits primaires et en particulier de pétrole, comme leurs recettes d'exportation ont explosé sur une période relativement brève, il pourrait leur être difficile d'accroître leurs importations au même rythme et de stimuler ainsi la production du reste du monde. Leur capacité d'absorption immédiate est limitée, néanmoins ils pourraient jouer un rôle actif dans la promotion de la stabilité financière en recyclant leurs excédents commerciaux considérables de manière efficace et rationnelle, notamment par le biais des fonds souverains. Le fait que les fonds souverains de certains pays en développement aient été sollicités pour la recapitalisation de quelques grandes banques d'Europe et des États-Unis montre l'importance que ce recyclage pourrait prendre[2].

Toutefois, quelques gouvernements se défient des investissements des fonds souverains des pays en développement. Les activités de ces fonds sont généralement peu transparentes, mais il n'y a pas de raison de penser que leurs objectifs soient fondamentalement différents de ceux d'autres investisseurs institutionnels. Cela implique qu'il se peut qu'une partie de leurs ressources soit placée à court terme dans une optique plus ou moins spéculative. Néanmoins, comme leur mission est de servir l'intérêt national en mettant de côté une partie de la richesse récemment accumulée pour les périodes moins fastes, on peut penser qu'une grande partie de leurs investissements de portefeuille seront des placements à long terme. Ils ont en outre des capacités importantes de financement d'infrastructures publiques ou d'investissements directs dans des activités manufacturières, de services ou agricoles rentables d'autres pays en développement. Quoi qu'il en soit, il importera de trouver les moyens d'employer au mieux les excédents accumulés par les pays exportateurs de pétrole, d'une manière qui réponde à la fois aux intérêts de ces pays et aux besoins du système financier international, d'autant qu'il est probable que les premiers d'entre eux continueront d'accumuler des excédents courants considérables pendant plusieurs années.

Dans l'ensemble, les principales banques centrales ont fait preuve d'une cohérence et d'une coordination remarquables dans leur action face à la crise financière, en mettant des liquidités à la disposition des banques et autres établissements financiers les plus touchés. Toutefois, les politiques monétaires divergent plus que jamais. La Réserve fédérale des États-Unis d'Amérique a abaissé ses taux directeurs de manière très agressive tandis que d'autres banques centrales ont été beaucoup plus timides et certaines, notamment la BCE et celles de plusieurs pays émergents, ont même rehaussé leurs taux pour prévenir toute accélération de l'inflation. Les banques centrales des pays directement affectés par le dénouement de positions spéculatives sur leurs devises ont même majoré considérablement leurs taux directeurs pour défendre leur monnaie. Ces divergences pourraient susciter de nouvelles vagues de spéculation sur le marché des changes au lieu de stabiliser le système.

Les politiques monétaires divergent plus que jamais.

Il y a donc des arguments solides en faveur d'une coordination beaucoup plus poussée et étroite des politiques macroéconomiques et d'une surveillance internationale des mouvements des taux de change. La communauté internationale ne peut pas se permettre de négliger les défaillances de la gestion actuelle des relations monétaires et financières internationales car ces défaillances pourraient réduire à néant les progrès résultant des négociations commerciales multilatérales. Des variations arbitraires et brutales des taux de change sont beaucoup plus dommageables pour le commerce mondial que la plupart des droits de douane. Il ne suffit pas de s'attaquer au problème induit par l'aggravation des incertitudes sur les marchés financiers nationaux; il faut aussi une approche internationale coordonnée pour remédier aux problèmes beaucoup plus importants des déséquilibres mondiaux et de l'instabilité du marché financier international (voir aussi UNCTAD, 2007).

D. Les réponses macroéconomiques à l'envolée des produits primaires

1. Prix des produits primaires et risque d'inflation

Au cours de la dernière décennie, le prix du pétrole a explosé pour la troisième fois depuis la fin de la Deuxième Guerre mondiale. Dépassant les 140 dollars le baril au milieu de 2008, il a culminé à un niveau sans précédent, non seulement en termes nominaux mais aussi en termes réels (graphique 1.2). Dans les pays développés, la facture pétrolière est passée de 1,6 % du PIB en 2002 à 3,6 % en 2007. Avec un prix moyen de 125 dollars le baril sur l'année, elle pourrait atteindre l'équivalent de quelque 6 % du PIB en 2008. Dans les pays en développement, elle est passée de 2,7 % du PIB en 2002 à quelque 5 % en 2007 et elle pourrait dépasser les 8 % en 2008.

Outre le pétrole, les prix de plusieurs autres produits primaires ont considérablement augmenté, ce qui a poussé à la hausse l'IPC dans de nombreux pays développés ou en développement. En plus de son impact direct sur l'IPC, le cours du pétrole se répercute sur les prix de nombreux autres biens et services pour lesquels il est un intrant important. C'est pourquoi de nombreux responsables des politiques monétaires ont craint une spirale inflationniste et les banques centrales ont été amenées à prendre des mesures énergiques afin d'empêcher une accélération de la hausse des prix.

Le niveau élevé des prix des produits primaires exerce une pression à la hausse sur les prix en général, mais une hausse de l'IPC due à une augmentation non récurrente du coût de certains intrants importés résultant de changements structurels ne doit pas être confondue avec l'inflation à proprement parler, qui consiste en une hausse continue de tous les prix. La hausse de certains prix relatifs peut soit se traduire par un saut ponctuel de l'IPC ou soit enclencher un processus inflationniste. Cela dépend en grande partie de la réponse des salaires, qui sont le prix intérieur le plus important de toute économie. Les salaires sont non seulement la principale composante des prix de revient dans les pays en développement comme dans les pays développés, mais aussi la première source de revenu permanent de la majorité de la population. Dans les années 70, la hausse du prix du pétrole a entraîné une augmentation des salaires nominaux, et celle-ci a en retour accéléré la hausse des prix à la consommation, les coûts salariaux étant répercutés par les employeurs sur les consommateurs. La spirale des prix et des salaires a fini par provoquer ce qu'on a appelé la stagflation et une aggravation du chômage lorsque les banques centrales des principaux pays consommateurs ont cherché à l'enrayer par une très forte hausse des taux d'intérêt.

Aujourd'hui, le risque de retrouver une situation similaire, caractérisée par une inflation galopante, une récession et une aggravation du chômage, paraît faible. Les syndicats des pays développés demandent rarement des hausses de salaire exorbitantes, soit qu'ils aient tiré les enseignements des précédentes crises pétrolières soit qu'ils aient perdu une grande partie de leur pouvoir de négociation (Flassbeck and Spiecker, 2008; Krugman, 2008). Le risque inflationniste paraît aussi relativement faible dans la majorité des pays en développement si l'on en juge par le comportement des principaux facteurs qui déterminent l'inflation depuis quelques années. Entre 2000 et 2007, les salaires nominaux ont progressé plus vite que l'IPC dans les pays développés ainsi qu'en Europe orientale, en Asie et en Amérique latine (graphique 1.3). Toutefois, la productivité du travail a aussi augmenté dans la plupart des pays. En conséquence, la hausse moyenne du coût unitaire de la main-d'œuvre a été à peu près similaire à celle des prix à la consommation. Un cercle vicieux de hausse des salaires et des prix est donc peu probable. En Asie de l'Est et du Sud-Est, les coûts unitaires de la main-d'œuvre ont chuté tandis que les prix à la consommation ont progressé, en moyenne, ce qui indique que la probabilité de dérive inflationniste est encore plus faible. Même en Amérique latine, région dans laquelle il y a eu des fluctuations considérables des prix et du coût unitaire de la main-d'œuvre, la hausse des salaires n'a pas entraîné de hausse des prix sur le moyen terme. En Europe orientale au contraire, les coûts unitaires de la main d'œuvre ont, en moyenne, progressé plus vite que les prix à la consommation.

Au sein de chaque région, il y a des différences considérables entre les pays. Les pays les plus exposés à une spirale inflationniste sont ceux où les coûts unitaires de la main-d'œuvre ont progressé plus vite que les prix à la consommation sur la période 2000-2006 et où il n'y a pas eu de retournement de tendance en 2007 (dernière année pour laquelle on dispose de données). Ces pays sont les suivants: Azerbaïdjan, Fédération de Russie, Islande, Kazakhstan, Lettonie, Norvège, Roumanie et Ukraine. Les pays dans lesquels il y a un risque faible modéré mais croissant d'enclenchement d'une spirale inflationniste sont les suivants: Argentine, Australie, Bulgarie, Danemark, Équateur, Estonie, Lituanie, Nouvelle-Zélande, Pologne, Singapour, Suède et Suisse. Les pays où le risque est modéré ou élevé mais a tendance à diminuer sont la Chine, la Hongrie, l'Indonésie et le Mexique. En revanche, dans les autres pays d'Europe, au Japon et aux États-Unis, ainsi que dans la plupart des pays en développement pour lesquels on dispose de données pertinentes, (Colombie, Égypte, Pérou, Philippines, Province chinoise de Taiwan, République de Corée, Thaïlande et la Turquie), les coûts unitaires de la main-d'œuvre ont moins augmenté que les prix à la consommation. Pour résumer, alors que les cours des produits primaires ont poursuivi leur hausse en 2008, au début de l'année, les coûts unitaires de la main-d'œuvre sont restés relativement stables dans la plupart des pays développés et dans de nombreux pays en développement.

C'est pourquoi, dans bien des pays, la crainte d'une résurgence de l'inflation et les appels à un durcissement de la politique monétaire pourraient être infondés, et au contraire bon nombre d'observateurs semblent sous-estimer la probabilité d'une récession mondiale. Comme le dit Krugman (2008), la seule chose que nous ayons à craindre c'est la crainte de l'inflation elle-même, qui pourrait inciter à appliquer des politiques risquant d'aggraver encore une conjoncture déjà morose. En effet, vu la fragilité de l'économie mondiale, s'en tenir à des objectifs d'inflation rigoureux et durcir les politiques monétaires pourraient bien être le plus mauvais choix. C'est pourquoi il convient d'envisager des moyens novateurs de concilier forte croissance et stabilité des prix face à une menace d'inflation par les coûts.

Graphique 1.2

PRIX DU PÉTROLE BRUT, NOMINAL ET RÉEL, JANVIER 1970-JUIN 2008

(En dollars par baril)

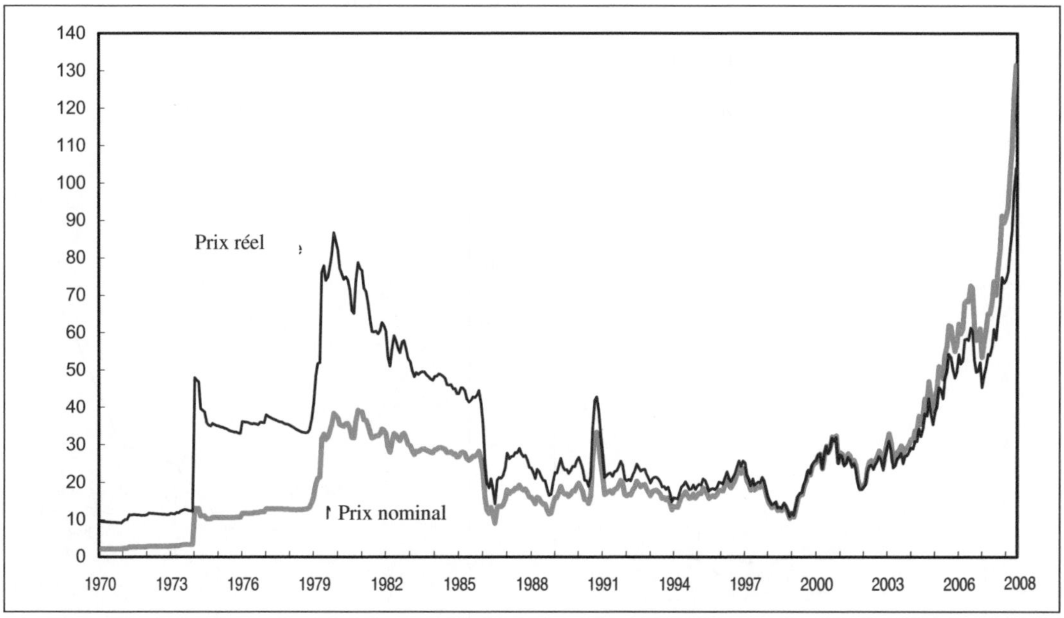

***Source*:** Calculs du secrétariat de la CNUCED, d'après CNUCED, statistiques des prix des produits primaires (en ligne; FMI, base de données *International Financial Statistics*; et Banque mondiale, *Commodity Price Data* (Pink Sheet).

***Note*:** Le prix indiqué ici est une moyenne non pondérée des pétroles Dubaï, Brent et Texas; le prix réel a été calculé à partir du prix nominal déflaté par l'indice des prix à la consommation (ICP) des États-Unis, 2000 = 100.

2. *Une réponse macroéconomique efficace et mesurée*

Dans les pays dans lesquels la pression inflationniste s'accroît en raison de la hausse des prix des produits primaires et d'une augmentation des coûts de main-d'œuvre à un rythme supérieur à l'objectif d'inflation, il est parfois nécessaire de durcir la politique monétaire. Durant le deuxième trimestre de 2008, les banques centrales de plusieurs pays en développement (Brésil, Chili, Colombie, Inde, Indonésie, Mexique, Pérou, Philippines et Viet Nam) ont majoré leurs taux d'intérêt, craignant une accélération de l'inflation. Cette crainte peut être justifiée dans certains de ces pays en raison des effets de second tour (hausse des salaires). En revanche, les mesures préventives prises par les banques centrales des pays du G-7 pourraient être plus nocives que bénéfiques pour la stabilité macroéconomique. Par exemple, la décision de la BCE de rehausser son taux directeur au début de juillet 2008 pour freiner une inflation déjà supérieure à son objectif relativement faible de 2 % pourrait peser sur la croissance dans la zone euro et dans d'autres pays. D'après les données dont on dispose, il n'est pas certain que cette mesure ait été nécessaire, la hausse des prix des produits primaires n'ayant pas entraîné de hausse inflationniste du coût unitaire de la main-d'œuvre dans la majorité des pays de la région.

Un durcissement de la politique monétaire peut aggraver la situation.

Les cas antérieurs d'explosion du prix du pétrole et de récession mondiale des années 70 ont clairement montré que les mesures visant à prévenir un déclin des salaires réels induit par la hausse du prix des produits primaires peuvent provoquer des effets de second tour et attiser l'inflation. Un durcissement de la politique monétaire visant à enrayer l'inflation mais provoquant une récession peut aggraver la situation. En pareille situation, seule une concertation des syndicats, des employeurs, des gouvernements et des banques centrales peut prévenir l'apparition d'une spirale inflationniste sans causer une récession.

Graphique 1.3

COÛT UNITAIRE DE LA MAIN-D'ŒUVRE, SALAIRES, PRODUCTIVITÉ ET INDICE DES PRIX À LA CONSOMMATION DANS DIFFÉRENTS GROUPES DE PAYS, 2000-2007

(*Pourcentage de variation annuelle*)

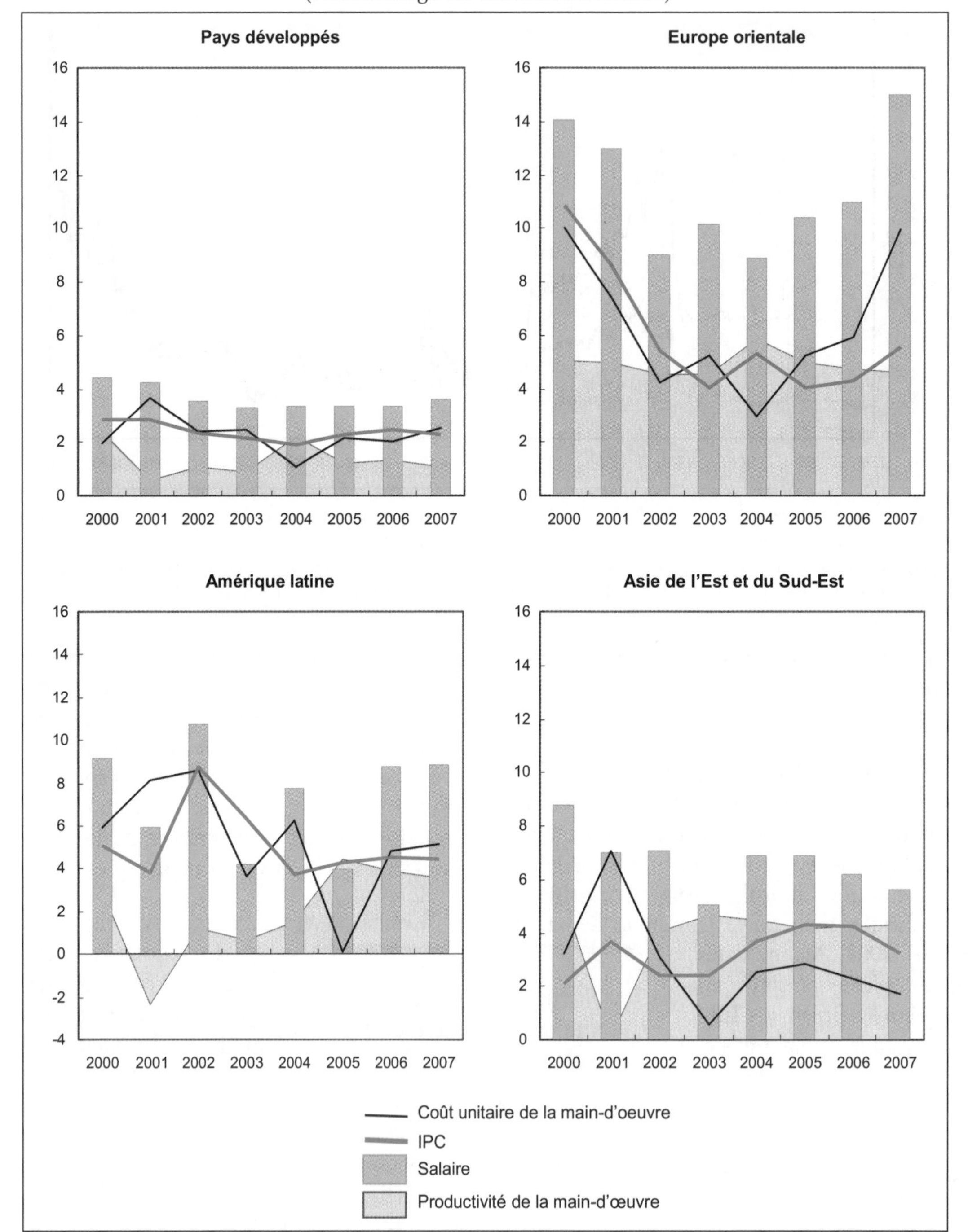

Source: Calculs du secrétariat de la CNUCED, d'après OCDE; Commission européenne, base de données AMECO; bases de données Economist Intelligence Unit; et sources nationales.

Note: Les chiffres donnés pour chaque groupe de pays sont des moyennes arithmétiques. Les pays d'Europe orientale ne sont pas classés dans les pays développés. Europe orientale: Bulgarie, République tchèque, Estonie, Hongrie, Lettonie, Lituanie, Pologne, Roumanie, Slovaquie et Slovénie. Amérique latine: Argentine, Chili, Colombie, Équateur, Mexique et Pérou. Asie: Chine, Indonésie, Philippines, République de Corée, Singapour, Province chinoise de Taiwan et Thaïlande.

Pour cela, il faut que les syndicats et les employeurs concluent un accord de *statu quo* lorsque le risque d'inflation est aigu. Parallèlement, il faut que les gouvernements et les banques centrales s'engagent à faire tout ce qu'ils peuvent pour promouvoir le plein emploi. En outre, il faut que les États soient prêts à aider les ménages les plus pauvres, qui sont les plus pénalisés par la baisse des salaires réels, au moyen de transferts leur permettant de couvrir leurs dépenses incompressibles. Le principal objectif d'une telle politique doit être de maintenir la croissance des salaires nominaux dans une fourchette déterminée par la somme des gains de productivité et de l'objectif officiel d'inflation (et non le taux d'inflation effectif) (Flassbeck and Spiecker, 2008). En outre, on peut prendre des mesures de relance budgétaire pour compenser les éventuels effets négatifs sur la demande intérieure.

Globalement, la hausse des prix des produits primaires entraîne un transfert de revenu réel des pays qui consomment des produits rares vers les pays qui les produisent et les exportent. Comme nous l'avons vu plus haut, les effets de cette redistribution sur l'économie mondiale dépendent de la manière dont les pays producteurs de produits primaires emploient leurs recettes exceptionnelles. Une chute de la demande mondiale peut être évitée s'ils s'en servent pour accroître les importations ou pour financer, par le biais des marchés de capitaux, des investissements productifs dans d'autres pays. La grande leçon qu'il faut tirer des précédentes crises pétrolières est que ce processus doit être accompagné par des politiques monétaires globalement peu restrictives.

Les gouvernements et les banques centrales n'ont pas de raison de considérer la situation actuelle comme un dilemme. Tout bien considéré, en moyenne, le risque de récession associé à une réponse macroéconomique orthodoxe est élevé, alors que le risque d'accélération de l'inflation associé aux réponses macroéconomiques hétérodoxes est très surestimé. La hausse des cours des produits primaires a fait monter le niveau général des prix, mais la plupart des pays développés et une grande partie des pays en développement ou en transition ne sont pas encore menacés par une inflation galopante.

Notes

[1] Le portage (ou «carry trade») est décrit dans le *Rapport sur le commerce et le développement 2007* dans les termes suivants: «Par exemple, un spéculateur pourrait emprunter 12 000 yen au Japon et acheter 100 dollars aux États-Unis, placer ces 100 dollars en obligations et recevoir un intérêt égal à la différence entre le taux de l'emprunt au Japon (0,25 %) et le taux servi sur les obligations des États-Unis (5 %). Les variations de taux de change entre la date d'ouverture de la position et sa liquidation peuvent accroître ou réduire les gains, ou même entraîner des pertes. Mais à supposer que les taux de change restent stables, l'intérêt perçu est de 4,75 %. En outre, les gains comme les pertes sont amplifiés par un effet de levier important. Par exemple, si l'on emprunte dix fois la valeur des fonds propres en yen, à supposer que les taux de change restent stables, l'effet de levier fait monter le rendement à 47,5 %.

[2] D'après International Financial Services London (IFSL, 2008), les fonds souverains ont investi plus de 60 milliards de dollars en participant à des augmentations de capital de banques des États-Unis et de la Suisse depuis le début de la crise des hypothèques irrécouvrables. Pour une analyse plus détaillée des activités récentes des fonds souverains, voir CNUCED, 2008.

Bibliographie

Flassbeck H and Spiecker F (2008). Fatale Fehlwahrnehmung. *Financial Times Deutschland,* 2 July.

IFSL (2008). Sovereign Wealth Funds. International Financial Services London, April.

Klein MR and Mak W (2008). Current quarter model of the United States. Forecast summary. Weekly update on the United States economy and financial markets. University of Pennsalvania, 30 June.

Krugman P (2008). A return of that 70s show? *New York Times,* 2 June.

UNCTAD (2007). Global and Regional Approaches to Trade and Finance. United Nations publication, New York and Geneva.

UNCTAD (2008). *World Investment Report.* United Nations publication, sales no. E.08.II.D.23.UNCTAD (various issues). *Trade and Development Report.* United Nations publications, New York and Geneva.

Tableau annexe du chapitre premier

TAUX DE CHANGE EFFECTIFS RÉELS, 2001-2007

(Indice 2000 = 100)

Région/pays	2001	2002	2003	2004	2005	2006	2007
Pays développés							
Australie	97,8	103,8	116,7	126,8	130,7	129,9	138,9
Canada	96,3	95,7	106,7	113,1	119,8	125,9	131,2
Danemark	101,3	103,3	108,3	108,8	107,1	106,1	107,1
États-Unis d'Amérique	104,9	104,9	98,9	94,5	91,7	90,2	86,2
Hongrie	107,9	103,8	104,8	125,9	126,5	118,3	130,4
Japon	89,2	83,9	85,7	87,0	81,3	73,7	68,3
Norvège	102,7	110,8	110,5	104,0	106,7	105,7	106,7
Nouvelle-Zélande	98,9	108,4	125,3	134,7	140,8	129,9	140,2
Pologne	111,9	100,0	89,0	92,9	102,5	103,2	105,4
République tchèque	106,2	112,2	108,8	113,9	119,7	124,9	127,3
Roumanie	101,6	103,4	100,4	100,5	117,6	124,3	133,3
Royaume-Uni	96,9	97,3	93,6	101,5	100,0	99,8	96,0
Slovaquie	100,5	94,2	107,3	127,7	128,7	135,0	147,6
Suède	91,8	93,9	101,0	100,6	95,5	93,9	96,8
Suisse	102,6	106,9	108,0	106,6	103,9	100,8	97,2
Zone euro	100,4	104,8	116,1	117,3	113,6	110,8	113,9
Allemagne	98,7	100,2	105,3	106,4	104,1	102,5	103,8
Autriche	99,6	100,9	103,8	104,2	103,2	101,6	101,2
Espagne	100,9	104,3	109,9	111,8	112,1	113,0	114,6
Finlande	100,5	102,6	108,2	105,7	101,4	99,5	100,2
France	99,9	101,9	107,8	108,6	107,5	105,5	107,3
Grèce	100,1	104,3	110,1	111,7	110,9	110,1	111,9
Irlande	102,6	107,9	119,3	122,4	121,6	123,3	126,3
Italie	100,4	103,6	110,9	112,2	109,7	108,3	109,6
Pays-Bas	103,7	107,0	111,7	109,2	107,2	105,7	109,0
Portugal	102,4	104,8	109,3	109,2	107,9	107,1	108,7
Europe du Sud-Est et CEI							
Albanie	104,1	106,4	99,7	107,5	110,5	112,6	112,6
Arménie	95,2	90,3	82,7	87,2	93,8	97,8	109,7
Azerbaïdjan	98,2	89,9	75,8	74,7	82,7	85,3	92,4
Bélarus	92,5	98,3	96,2	93,5	97,2	97,0	92,7
Bosnie-Herzégovine	100,5	98,8	98,8	96,8	98,1	101,6	101,9
Croatie	102,8	103,4	103,6	104,7	106,9	108,4	108,5
Ex-République yougoslave de Macédoine	101,8	103,1	103,9	101,5	97,3	95,8	94,1
Fédération de Russie	117,2	121,0	123,3	130,4	139,4	151,7	156,3
Géorgie	102,6	98,2	94,4	104,5	101,6	109,4	111,1
Kazakhstan	101,0	98,1	95,9	99,6	104,1	112,4	112,2
Ouzbékistan	53,1	46,8	36,6	33,9	30,8	29,1	28,1
Serbie-et-Monténégro	134,5	171,9	189,6	174,8	161,7	258,6	297,4
Turkménistan	80,7	67,7	58,2	52,8	47,8	41,4	39,8
Ukraine	111,0	109,0	100,6	97,2	104,9	107,9	106,7

Tableau annexe du chapitre premier (suite)

TAUX DE CHANGE EFFECTIFS RÉELS, 2001-2007

(Indice 2000 = 100)

Région/pays	2001	2002	2003	2004	2005	2006	2007
Pays en développement							
Afrique							
Afrique du Sud	87,7	75,8	100,2	109,8	110,9	105,0	114,7
Algérie	104,2	96,5	87,9	90,6	85,9	85,9	86,6
Angola	115,2	120,0	132,7	163,7	183,1	222,3	246,6
Bénin	102,7	103,5	117,1	122,9	123,4	116,4	118,4
Burkina Faso	103,9	107,7	118,5	120,5	125,7	121,9	123,4
Cameroun	102,2	102,7	105,6	109,0	103,6	105,2	108,0
Congo	100,5	108,9	128,7	134,7	136,6	137,9	153,5
Côte d'Ivoire	100,6	101,5	108,2	110,7	114,0	111,6	113,2
Égypte	90,4	78,6	56,5	55,0	59,9	61,4	61,4
Gabon	98,9	101,5	117,0	122,4	118,2	119,2	127,9
Ghana	101,7	99,9	100,5	98,8	108,8	114,9	112,5
Guinée équatoriale	104,9	115,3	132,1	147,3	150,6	158,0	170,0
Kenya	106,3	106,9	114,2	113,4	122,1	141,4	149,0
Madagascar	111,7	119,2	114,0	80,0	85,5	84,8	98,9
Mali	107,2	111,7	120,6	122,3	125,9	118,8	121,3
Maroc	96,4	97,0	94,1	92,4	89,9	91,5	91,1
Maurice	95,5	94,5	92,9	89,5	84,7	83,2	84,2
Mozambique	86,2	89,2	77,9	77,4	79,8	80,2	94,0
Nigéria	109,7	113,1	108,4	116,2	129,2	135,4	137,2
Ouganda	96,5	91,8	77,0	78,7	82,9	81,4	82,6
République-Unie de Tanzanie	98,5	87,4	76,4	65,5	66,6	61,3	63,9
Sénégal	101,1	103,7	106,8	109,9	107,7	107,4	108,7
Soudan	108,5	116,8	117,9	127,7	143,0	179,2	199,3
Tchad	110,5	115,6	122,9	134,0	141,3	149,2	162,7
Tunisie	99,2	101,3	96,3	91,2	88,7	89,6	86,1
Zambie	111,0	111,5	109,0	112,2	134,0	181,3	188,4
Amérique latine et Caraïbes							
Argentine	105,9	44,4	49,2	47,0	47,0	46,0	45,1
Barbade	102,5	100,1	97,7	92,8	94,7	98,5	98,6
Bolivie	99,6	97,0	91,4	88,7	83,7	79,4	79,0
Brésil	83,0	74,0	76,0	80,8	99,3	110,9	118,9
Chili	89,8	84,4	80,2	85,6	91,8	95,4	93,5
Colombie	94,6	92,5	82,2	92,5	104,6	102,6	115,2
Costa Rica	102,5	99,9	94,6	92,8	93,4	91,5	92,7
Cuba	92,1	96,3	84,9	78,1	78,4	81,7	76,3
El Salvador	100,9	100,5	100,2	100,9	100,1	99,4	98,6
Équateur	136,7	151,0	153,7	152,1	147,6	147,2	141,9
Guatemala	104,3	111,3	112,5	116,8	126,2	129,1	130,8
Haïti	96,3	87,2	82,8	108,6	112,3	123,6	142,7
Honduras	102,7	101,4	100,1	99,6	101,5	103,2	106,5

Tableau annexe du chapitre premier (suite)

TAUX DE CHANGE EFFECTIFS RÉELS, 2001-2007

(*Indice 2000 = 100*)

Région/pays	2001	2002	2003	2004	2005	2006	2007
Jamaïque	99,5	97,4	83,1	82,8	88,0	89,8	85,1
Mexique	105,2	105,4	95,6	92,9	96,1	96,2	96,2
Nicaragua	92,4	87,7	83,9	82,2	81,5	81,8	85,2
Panama	99,0	97,8	92,4	87,8	86,0	83,8	82,1
Paraguay	98,9	92,9	90,6	98,9	89,1	98,8	108,0
Pérou	102,8	100,3	97,1	96,5	97,1	94,7	94,0
République dominicaine	102,9	97,0	72,3	77,1	107,4	101,3	103,8
Trinité-et-Tobago	105,4	107,0	107,4	107,4	109,9	112,6	116,9
Uruguay	99,6	75,9	62,9	62,5	70,8	69,5	70,3
Venezuela	103,9	78,0	69,6	71,0	70,3	74,8	84,3
Asie et Océanie							
Arabie saoudite	103,4	101,3	94,6	89,2	86,6	86,3	84,2
Bahreïn	101,5	98,7	94,1	92,0	90,2	88,6	86,6
Bangladesh	95,6	91,4	85,7	83,0	80,2	77,1	74,5
Brunei Darussalam	105,3	102,1	97,4	92,3	90,5	88,3	90,2
Cambodge	96,5	97,4	92,1	89,0	95,3	96,1	100,7
Chine	103,9	101,7	96,3	94,2	92,7	92,8	96,1
Émirats arabes unis	110,3	112,4	108,4	105,8	107,1	116,0	119,0
Inde	100,2	98,8	99,6	100,1	102,6	100,6	109,7
Indonésie	95,7	116,4	125,8	120,8	118,5	137,3	137,6
Iran (République islamique d')	110,2	109,6	97,0	96,9	100,7	107,5	117,5
Jordanie	98,3	95,2	98,4	99,2	98,6	98,8	97,1
Koweït	107,8	107,7	103,6	100,0	100,3	100,8	101,0
Liban	99,7	98,0	92,6	91,0	86,5	86,3	81,6
Malaisie	104,9	104,9	99,9	95,3	95,0	97,0	99,2
Népal	97,9	95,2	95,1	94,4	98,5	100,6	101,3
Oman	104,9	102,8	97,5	92,8	89,7	87,2	84,7
Pakistan	90,2	92,5	90,7	89,2	90,2	91,7	89,9
Papouasie-Nouvelle-Guinée	95,9	88,3	95,7	95,8	98,6	99,8	96,1
Philippines	95,2	95,8	89,6	87,1	92,7	102,9	111,8
Qatar	111,1	111,9	106,6	105,4	108,9	121,5	131,4
République arabe syrienne	106,1	97,3	81,8	76,2	84,1	91,5	94,2
République de Corée	93,1	97,2	99,9	101,5	111,8	118,0	116,1
Singapour	99,4	97,3	95,3	94,6	93,1	95,0	95,1
Sri Lanka	98,6	98,1	96,8	90,8	98,5	104,0	97,1
Thaïlande	94,5	96,9	96,0	96,0	97,5	104,3	110,0
Turquie	78,9	89,2	98,5	102,9	115,1	113,4	116,4
Viet Nam	99,4	96,3	90,8	90,8	94,0	95,2	94,9
Yémen	111,1	116,8	120,3	127,6	131,8	141,7	144,0

Source: Calculs du secrétariat de la CNUCED, d'après FMI, bases de données *Direction of Trade* et *International Financial Statistics*.

Note: L'indice du taux de change effectif réel est l'indice du taux de change nominal pondéré par les échanges extérieurs, déflaté par l'indice des prix à la consommation. Une hausse de cet indice implique une perte de compétitivité.

Chapitre II

HAUSSES DES PRIX DES PRODUITS PRIMAIRES ET INSTABILITÉ

A. Introduction

Un des traits saillants de l'économie mondiale depuis 2002 a été la forte hausse des cours des produits primaires. Elle s'explique par la croissance relativement soutenue et régulière de l'économie mondiale, par un rattrapage et une transformation structurelle rapides dans plusieurs grands pays en développement et par le fait que les responsables politiques et les acteurs du marché sont de plus en plus préoccupés par le changement climatique et le déclin des réserves de pétrole.

La hausse des prix des produits primaires a un effet positif immédiat sur les pays en développement ou en transition qui exportent ces produits, en accroissant leurs recettes d'exportation. Cela leur donne les moyens de financer les infrastructures et les investissements productifs qui sont nécessaires pour le processus de diversification, de transformation structurelle et de croissance de la production et pour la création d'emplois. Le degré auquel ces moyens sont employés pour accroître les capacités de production et la productivité dépend des modalités de partage des recettes d'exportation entre les parties prenantes nationales et étrangères et de la manière dont est dépensée la part qui revient aux pays exportateurs.

Toutefois, les pays en développement ne sont pas seulement exportateurs de produits primaires, ils en importent aussi. Pour bon nombre d'entre eux, la hausse des cours de certains produits a alourdi la facture d'importation et entraîné une détérioration des termes de l'échange liée à la composition de leur commerce extérieur. En outre, les récentes tensions sur le marché de quelques produits alimentaires a causé de graves difficultés à de nombreux pays en développement qui ne parvenaient plus à fournir des vivres à des prix abordables aux segments les plus pauvres de leur population. Cela a eu des effets sociaux et humanitaires dramatiques et compromet la réalisation des objectifs du Millénaire pour le développement (OMD).

La flambée du prix des aliments et de l'énergie préoccupe aussi les pays développés comme les pays en développement en raison de l'effet qu'elle pourrait avoir sur l'inflation. À cet égard, ce qui compte ce n'est pas seulement l'effet direct sur l'indice des prix à la consommation, mais aussi et peut-être plus encore, les effets indirects des tentatives de répercuter cette hausse sur d'autres prix et sur les salaires pour compenser la perte de revenu réel qui en résulte. Cette menace incite les banques centrales à durcir leur politique monétaire.

La situation actuelle, avec l'envolée des prix de plusieurs produits essentiels et une grande incertitude au sujet de leur évolution à court terme, illustre les différents aspects du problème des prix des produits primaires. L'image traditionnelle faisant des pays en développement des exportateurs de produits primaires et des pays développés des importateurs n'est plus valable et, dans tel ou tel pays, la hausse des cours peut entraîner une augmentation des recettes tirées de l'exportation d'un type de produit mais aussi un alourdissement de la facture des importations d'un autre type de produit. La réponse des agents économiques privés et des responsables des politiques publiques aux variations des prix relatifs et à leurs effets sur les revenus réels a une influence majeure sur la stabilité de la croissance et la poursuite du développement et notamment sur la réalisation des OMD. Les répercussions macroéconomiques et sociales de l'évolution des prix des produits primaires figurent en bonne place parmi les préoccupations des autorités tant des pays en développement que des pays développés, comme en témoigne la mention récurrente de ces prix et de leur volatilité dans les communiqués du G-8[1].

L'imprévisibilité du prix de certains intrants essentiels rend de manière générale plus difficile la planification de l'investissement et de la production des vendeurs comme des acheteurs, de même que la gestion macroéconomique, budgétaire et financière. C'est pourquoi, dans les pays en développement dont les recettes d'exportation et le revenu national dépendent beaucoup des produits primaires, tant la volatilité que l'évolution à long terme des prix de ces produits ont toujours été une préoccupation majeure. C'est en partie à cause de cette volatilité que ces pays ont un taux de croissance moyen à long terme moins élevé que les pays dont la structure économique est plus diversifiée, et ont plus de mal à lutter contre la pauvreté (UNCTAD, 2002a).

Dans le présent chapitre, nous examinerons les problèmes actuels liés au marché des produits primaires. Nous commencerons par analyser l'évolution récente des prix et les facteurs qui l'ont déterminée, et notamment le lien entre les marchés financiers et les marchés des produits, qui semble devenir de plus en plus important depuis quelques années. Dans la section C, nous examinerons plus en détail les causes et les incidences de la crise alimentaire du premier semestre de 2008 et dans la section D nous reviendrons sur la question de l'instabilité des prix des produits primaires, sur ce qu'elle implique en particulier pour les pays en développement et sur les mesures de politique publique qui pourraient être envisagées pour y remédier.

B. Évolution récente des prix des produits primaires et des termes de l'échange

1. Évolution des prix des produits primaires

Les prix nominaux de tous les groupes de produits primaires sont à la hausse depuis 2002 (graphique 2.1). En 2008, ils ont atteint un niveau beaucoup plus élevé que les précédents sommets du milieu des années 90, sauf dans le cas des boissons tropicales. Cette flambée a été due principalement à l'augmentation rapide de la demande de plusieurs pays en développement en forte croissance, notamment la Chine et l'Inde, car ces pays ont besoin de beaucoup d'énergie et de matières premières pour leur industrialisation, leur urbanisation et leurs infrastructures (*Rapport sur le commerce et le développement 2005*: chap. II). Face à cette demande croissante, l'offre était insuffisante car, durant la période de prix relativement bas des années 90, il y avait eu peu d'investissements dans les capacités de production de pétrole et de produits minéraux. Les investissements dans l'exploration et la mise en valeur de nouveaux gisements ont progressé depuis 2002, mais en raison des contraintes technologiques et géologiques jusqu'à présent, la réponse de l'offre a été lente.

Les prix des différents groupes de produits n'ont pas tous évolué en parallèle (graphique 2.1). Jusqu'en 2006, la hausse moyenne des prix des produits des industries extractives (minéraux, minerais et métaux et pétrole brut) a été plus rapide que celle des produits agricoles (produits alimentaires, boissons tropicales, graines oléagineuses et huiles végétales et matières premières agricoles). En 2007, les prix de toutes les catégories de produits ont fait un bond, à part une brève correction des produits miniers. Toutefois, il y a des écarts considérables au sein des différents groupes de produits (tableau 2.1).

Graphique 2.1

INDICES MENSUELS DES PRIX DES PRODUITS DE BASE, PAR GROUPE DE PRODUITS, JANVIER 1995-MAI 2008

(*Indices, 2000 = 100*)

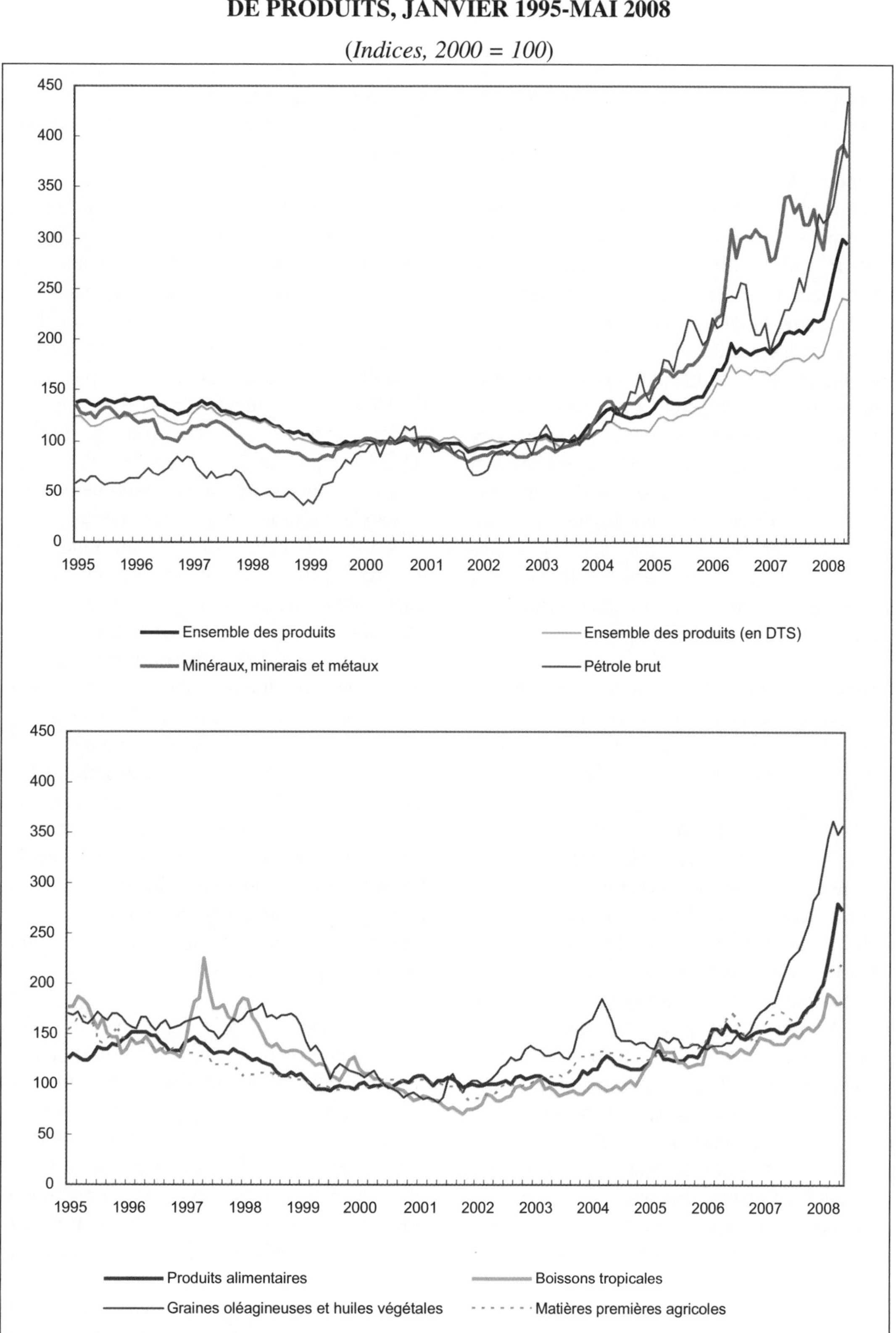

Source: *CNUCED, Statistiques de prix des produits de base en ligne.*
Note: L'indice du prix du pétrole brut est une moyenne non pondérée des pétroles Dubai, Brent et Texas. Les prix sont exprimés en dollars courants sauf indication contraire.

La hausse des prix des graines oléagineuses et des huiles végétales s'est accélérée à partir du milieu de 2006. Vu la rapidité de la hausse des prix de la plupart des produits alimentaires depuis le troisième trimestre de 2007, on pourrait s'étonner de l'augmentation relativement modérée des indices globaux des prix de ces produits sur 2007. Elle s'explique par la chute des prix des bananes et du sucre, produits qui représentent une grande part des exportations de produits alimentaires des pays en développement. L'augmentation des revenus dans les pays en développement en forte croissance est un des facteurs qui a fait monter les prix des produits agricoles, L'amélioration du niveau de vie entraîne non seulement un accroissement des rations alimentaires mais aussi une modification du régime, avec une consommation croissante de viande, qui a stimulé la demande d'aliments pour animaux. En outre, la hausse du prix du pétrole s'est répercutée sur les prix des produits alimentaires et des graines oléagineuses et huiles végétales car elle a incité les agriculteurs à affecter davantage de terres arables à des produits pouvant être transformés en biocarburants. Cette évolution a été encouragée par les politiques appliquées dans l'Union européenne (UE) et aux États-Unis pour accélérer le remplacement des produits pétroliers par les biocarburants.

En termes réels, en 2007, les indices de prix de tous les groupes de produits primaires (à l'exception des métaux et minéraux), ainsi que le prix moyen de l'ensemble des produits primaires échangés sur le marché international, sont restés inférieurs aux sommets atteints dans les années 70 (UNCTAD, 2008a). En raison du caractère cyclique des prix des produits primaires, on pourrait penser que l'offre et la demande vont réagir à la hausse et que les prix devraient finir par rebaisser. Toutefois, il y a des facteurs structurels, tels que la hausse continue de la demande des pays en développement en forte croissance d'Asie et le fait qu'il est de plus en plus difficile de trouver des gisements de ressources naturelles non renouvelables, qui pourraient entraîner une remontée durable des prix, qui remettrait en question le postulat traditionnel de l'économie du développement, c'est-à-dire la baisse séculaire des prix des produits primaires. En outre, de nombreux pays en développement qui importent de plus en plus de produits primaires deviennent plus sensibles à la hausse des cours.

En raison de la hausse des prix depuis 2002 et de la lenteur de l'adaptation de l'offre, les stocks de nombreux produits sont tombés à un niveau très bas, situation généralement propice à la spéculation. La récente instabilité des marchés financiers a aussi incité de plus en plus d'investisseurs à se reporter sur les contrats à terme et options sur produits primaires. On ne peut pas démontrer de manière concluante à quel degré la spéculation a contribué à la hausse des prix des produits primaires jusqu'à présent, mais il ne fait guère de doute qu'elle a sensiblement amplifié les variations de prix initialement provoquées par l'évolution fondamentale de l'offre et de la demande (encadré 2.1).

La dépréciation du dollar a aussi contribué à faire monter les prix en dollars. Comme les prix de la plupart des produits primaires sont exprimés en dollars, la hausse a été moins forte dans les monnaies qui se sont appréciées par rapport au dollar. Ainsi, entre mai 2007 et mai 2008, l'indice des prix des produits de base autres que les combustibles de la CNUCED a augmenté de 41,9 % en dollars mais seulement de 32,7 % en droits de tirage spéciaux (DTS) (graphique 2.1), et de 23,3 % en euros. Dans les pays où la hausse est ainsi amortie, la réponse de la demande est moins prononcée. De même, la réponse de l'offre à la hausse des prix en dollars s'affaiblit si les prix exprimés dans la monnaie du pays producteur augmentent moins en raison d'une appréciation de cette monnaie par rapport au dollar. Ainsi, au Brésil, les producteurs n'ont guère profité de la hausse du cours des produits destinés à la production de biocarburants, car le real s'est fortement apprécié par rapport au dollar. Ce facteur, s'ajoutant au fait qu'il est relativement coûteux de mettre en culture de nouvelles terres de plus en plus éloignées et au coût croissant du transport, explique sans doute pourquoi l'augmentation de la production brésilienne de biocarburants a été relativement faible, alors que le pays paraît avoir assez de terres pour accroître les superficies consacrées à ce type de culture sans sacrifier la production vivrière.

Le cours du pétrole exprimé en dollars a atteint un nouveau record, en termes nominaux comme en termes réels, dans la première moitié de 2008. L'indice CNUCED du prix du pétrole a doublé entre janvier 2007 et avril 2008 (graphique 2.1). En termes nominaux, le prix du pétrole a franchi le cap des 100 dollars en janvier 2008 et est monté jusqu'à quelque 140 dollars en juin 2008. En termes réels, c'est-à-dire déflaté par l'indice des prix à la consommation (IPC) des États-Unis, employé comme indicateur approximatif de l'évolution du pouvoir d'achat des pays consommateurs, il est aujourd'hui supérieur au niveau qu'il avait atteint en novembre 1979, au pire de la précédente crise pétrolière (voir graphique 1.2). La demande de

Tableau 2.1

COURS MONDIAUX DES PRODUITS DE BASE, 2002-2007

(*Pourcentage de variation par rapport à l'année précédente*)

Groupe de produits	2002	2003	2004	2005	2006	2007	2002-2007[a]
Ensemble des produits[b]	**0,8**	**8,1**	**19,9**	**11,7**	**30,4**	**12,9**	**113,2**
Ensemble des produits (en DTS)[b]	**-0,8**	**-0,2**	**13,6**	**12,0**	**30,7**	**8,5**	**80,1**
Produits alimentaires	**2,9**	**4,1**	**13,2**	**6,3**	**16,3**	**13,3**	**65,0**
Produits alimentaires et boissons tropicales	**0,4**	**2,3**	**13,2**	**8,8**	**17,8**	**8,6**	**61,2**
Boissons tropicales	11,7	6,2	6,4	25,5	6,7	10,4	67,0
Café	4,7	8,7	19,8	43,8	7,1	12,5	125,6
Cacao	63,3	-1,3	-11,8	-0,7	3,5	22,6	9,8
Thé	-9,5	8,4	2,1	9,1	11,7	-12,3	18,2
Produits alimentaires	-0,5	1,9	13,9	7,2	19,0	8,5	60,5
Sucre	-20,3	2,9	1,1	37,9	49,4	-31,7	46,4
Viande bovine	-0,3	0,4	17,8	4,1	-2,4	1,9	22,6
Maïs	10,4	6,5	5,0	-12,0	24,4	38,2	69,2
Blé	16,6	-0,7	6,8	-1,4	26,6	34,3	77,7
Riz	11,0	4,1	23,1	17,1	5,5	9,5	73,4
Banane	-9,6	-28,7	39,9	9,9	18,5	-0,9	28,6
Graines oléagineuses et huiles végétales	**24,9**	**17,4**	**13,2**	**-9,5**	**5,0**	**52,9**	**93,1**
Fèves de soja	8,6	24,1	16,1	-10,4	-2,2	43,0	80,6
Matières premières agricoles	**-2,4**	**19,8**	**13,4**	**3,9**	**15,0**	**11,2**	**80,5**
Cuirs et peaux	-2,9	-16,8	-1,7	-2,1	5,1	4,5	-12,1
Coton	-3,6	37,2	-3,3	-11,6	5,9	10,2	36,8
Tabac	-8,2	-3,5	3,6	1,8	6,4	11,7	20,9
Caoutchouc	33,1	41,7	20,3	15,2	40,4	8,6	199,4
Bois tropicaux	-10,5	20,1	19,2	0,3	-4,7	19,5	63,6
Minéraux, minerais et métaux	**-2,7**	**12,4**	**40,7**	**26,2**	**60,3**	**12,8**	**260,8**
Aluminium	-6,5	6,0	19,8	10,6	35,4	2,7	95,4
Phosphate	-3,3	-5,9	7,8	2,5	5,3	60,5	75,7
Minerai de fer	-1,1	8,5	17,4	71,5	19,0	9,5	184,7
Étain	-9,4	20,6	73,8	-13,2	18,9	65,6	258,1
Cuivre	-1,2	14,1	61,0	28,4	82,7	5,9	356,5
Nickel	14,0	42,2	43,6	6,6	64,5	53,5	449,4
Minerai de tungstène	-41,8	18,0	22,9	120,7	36,2	-0,6	333,5
Plomb	-4,9	13,8	72,0	10,2	32,0	100,2	469,9
Zinc	-12,1	6,3	26,5	31,9	137,0	-1,0	316,4
Or	14,4	17,3	12,6	8,7	35,9	15,3	124,7
Pétrole brut	**2,0**	**15,8**	**30,7**	**41,3**	**20,4**	**10,7**	**185,1**
***Pour mémoire*:**							
Produits manufacturés[c]	**0,6**	**9,2**	**8,3**	**2,5**	**3,4**	**7,5**	**34,8**

***Source*:** Calcul du secrétariat de la CNUCED, d'après CNUCED, *Statistiques de prix des produits de base en ligne*; et Division de statistique de l'ONU, *Bulletin mensuel de statistique*, diverses parutions.

***Note*:** En dollars courants, sauf indication contraire.

[a] Pourcentage de variation entre 2002 et 2007.

[b] Hors pétrole brut.

[c] Prix unitaires à l'exportation des produits manufacturés vendus par les pays développés.

Encadré 2.1

FORMATION DES PRIX DES PRODUITS PRIMAIRES ET SPÉCULATION

Les spéculateurs jouaient traditionnellement un rôle utile sur les marchés des produits primaires en donnant aux acheteurs et vendeurs des produits eux-mêmes la possibilité de se couvrir contre le risque de prix. Toutefois, il se peut que depuis quelques années la spéculation soit devenue excessive, amplifiant les variations à un degré tel qu'elles ne reflètent plus la situation réelle de l'offre et de la demande (Masters, 2008).

Les volumes d'échanges ont atteint des niveaux records sur tous les grands marchés à terme du monde, ce qui a été facilité à la fois par la généralisation du négoce en ligne et par l'intérêt accru des investisseurs institutionnels. En 2007, le volume des échanges de contrats à terme et d'options a augmenté de 32 % pour les produits agricoles, de 28,6 % pour l'énergie et de 29,7 % pour les métaux industriels (Burghardt, 2008). En outre, d'après les statistiques de la Banque des règlements internationaux (BRI), l'encours des instruments dérivés sur les produits primaires traités hors bourse a progressé de près de 160 % entre juin 2005 et juin 2007[a]. De nouveaux venus, tels que fonds de placement, fonds de pension et fonds spéculatifs (*hedge funds*) ainsi que, plus récemment, les fonds souverains, sont aujourd'hui devenus des acteurs importants sur les marchés internationaux d'instruments dérivés sur produits primaires. Selon une estimation, les montants placés sur les indices des prix des produits primaires ont explosé, passant de moins de 13 milliards de dollars à la fin de 2003 à 260 milliards de dollars en 2008 (Masters, 2008). D'après des articles de presse, le volume des échanges sur instruments dérivés ayant pour sous-jacent le pétrole a progressé 30 à 35 fois plus que le négoce physique entre 2000 et 2006.

Pour diverses raisons, il est difficile de dire dans quelle mesure la spéculation influence la formation des prix. Les statistiques ne font pas de distinction entre les clients commerciaux et les spéculateurs. En outre, une partie des opérations spéculatives sont faites de gré à gré (par exemple directement entre une banque et ses clients) et ne sont donc pas enregistrées par les organes de régulation des bourses de produits. Enfin, les opérations traitées sur les bourses ne sont pas totalement transparentes. Néanmoins, un rapport rédigé par les services du Sénat des États-Unis (United States Senate, 2006: 2) conclut qu'en ce qui concerne le pétrole, bien qu'il soit difficile de quantifier ses effets, de nombreux éléments donnent à penser que l'importante spéculation actuelle a entraîné une hausse sensible des cours. D'après plusieurs observateurs, les achats spéculatifs de contrats à terme ont ajouté 20 à 25 dollars au cours normal du pétrole, le faisant monter d'environ 50 dollars à quelque 70 dollars le baril.

Les mouvements du cours du pétrole influent sur ceux d'autres produits parce qu'une grande partie des opérations sur instruments dérivés se fait par le biais d'indices (c'est-à-dire l'indice des prix d'un ensemble de produits primaires dont le pétrole est souvent le plus important). Les spéculateurs sur indice ne se comportent pas de la même manière que les spéculateurs traditionnels. Ces derniers contribuent à la formation des prix étant donné qu'ils vendent et achètent des options et des contrats à terme. En revanche, les spéculateurs sur indice s'intéressent aux produits primaires en raison du fait que, historiquement, les prix de ces produits ne sont pas corrélés avec ceux des actions et des obligations. Ils se sont tournés vers les produits primaires après la bulle Internet il y a quelques années, puis aujourd'hui en raison de la crise du crédit hypothécaire. Pour eux, l'achat d'instruments dérivés sur divers produits est une décision d'allocation d'actifs. Ils allouent une certaine proportion de leur portefeuille à l'achat de contrats à terme sur différents produits quel que soit le niveau des cours. En général, ils ne ferment pas leurs positions mais les font glisser d'échéance en échéance. Ils ne ferment leurs positions que lorsqu'ils modifient la composition de leur portefeuille et, par conséquent, ils ne contribuent normalement pas à la liquidité du marché. Cette insensibilité au niveau des cours amplifie leur influence sur les bourses de produits.

Les prix à terme participent à la formation des prix au comptant[b]. Par exemple, un cultivateur de blé peut vendre la totalité de sa récolte future dès le moment des semailles si le prix à terme est assez élevé pour lui garantir un bénéfice satisfaisant. Si un nombre croissant d'acteurs achètent du blé, à terme, anticipant une pénurie, les prix à terme monteront de plus en plus. Les analyses traditionnelles postulent que les activités spéculatives sur les marchés à terme n'ont d'incidence sur le marché au comptant que par l'anticipation des prix

Encadré 2.1 (suite)

mais ne modifient pas le comportement des négociants sur le comptant. Toutefois, l'anticipation d'une pénurie et la hausse continue des prix à terme incitent les acheteurs (par exemple les boulangeries) à acheter le plus possible de blé au comptant (c'est-à-dire avant que les prix au comptant augmentent encore plus). Il se pourrait donc fort bien qu'une hausse soutenue et durable des prix à terme incite les utilisateurs du produit à spéculer eux aussi. Dans notre exemple, cela signifie que les boulangeries se mettraient à accaparer du blé pour éviter le plus longtemps possible de subir la hausse attendue du prix de la farine au comptant. Elles agissent ainsi parce qu'il y a très peu de possibilités de substitution de la farine de blé à court terme. S'il y a beaucoup de spéculation sur indices et que l'élasticité-prix de la demande est faible, les prix au comptant resteront élevés. Seule une augmentation soudaine et importante de l'offre pourra mettre un terme à la hausse induite par la spéculation.

Le processus cumulatif de hausse des prix à terme et au comptant se poursuivra jusqu'à ce que l'anticipation d'une pénurie future disparaisse. Si la hausse des prix fait augmenter l'offre, le nouveau prix sera probablement proche de celui qui équilibrait l'offre et la demande avant la bulle spéculative. En revanche, si la réponse de l'offre est faible, le nouveau prix sera déterminé sur la base d'une demande en déclin. Ce serait le cas par exemple des produits alimentaires si les consommateurs sont forcés de réduire leurs achats.

La spéculation n'est pas un facteur déterminant des prix des produits primaires mais plutôt un facteur qui peut accélérer et amplifier les fluctuations dues aux facteurs fondamentaux qui influencent l'offre et la demande, et sur le long terme son effet est limité (Burkhard, 2008; IMF, 2006: 15-18). C'est aussi l'avis de la Commodity Futures and Trading Commission (CFTC) des États-Unis, qui fait observer que les prix de produits pour lesquels il n'existe pas de marché à terme ou qui ne sont pas touchés par la spéculation sur indice ont aussi progressé rapidement (Harris, 2008).

Une supervision plus étroite des marchés et une règlementation plus restrictive du négoce de dérivés pourraient limiter l'impact de la spéculation sur les prix au comptant. On pourrait par exemple plafonner la valeur de l'encours total des contrats à terme; on pourrait aussi limiter le nombre de contrats à terme pouvant être glissés d'une échéance vers la suivante dans les derniers jours. Face à l'évolution récente des prix, la CFTC a pris plusieurs initiatives pour renforcer le contrôle des marchés des produits agricoles et de l'énergie. Ces initiatives visent à accroître l'information et la transparence, à renforcer la supervision des marchés, à faire respecter les règles par des mesures rigoureuses et à améliorer la coordination du contrôle (Lukken, 2008). La CFTC a aussi souligné la nécessité de promouvoir la concertation et la coopération internationales dans ce domaine.

Quoiqu'il en soit, le plus probable est que la présence de plus en plus importante d'intervenants financiers accroît la volatilité des prix des produits primaires, entraînant une réaction très rapide et souvent excessive à toute information nouvelle (UNCTAD, 2007a). En matière de placements sur des produits primaires, l'optimisme peut subitement laisser place au pessimisme et, si les spéculateurs décident de prendre leurs bénéficies ou de modifier la composition de leur portefeuille en réponse à des événements survenus sur les marchés financiers, tels qu'une hausse des taux d'intérêt ou un rebond des bourses, ils peuvent provoquer une brutale correction.

---

[a] Les statistiques de la BRI sur les instruments dérivés traités hors bourse peuvent être consultées sur le site http://www.bis.org/statistics/derstats.htm (consulté le 9 avril 2008). Les chiffres indiquent le montant notionnel de l'encours, c'est-à-dire la valeur nominale ou notionnelle brute de l'ensemble des positions ouvertes qui n'étaient pas encore fermées à la date de communication des statistiques.

[b] Pour une analyse plus détaillée des liens entre les prix à terme et les prix au comptant, voir le site de la Commodity Futures Trading Commission (CFTC): http://www.cftc.gov/educationcenter/economicpurpose.html.

pétrole continue de croître rapidement dans les pays non membres de l'OCDE, notamment la Chine et les pays d'Asie occidentale. En 2007, la demande hors OCDE a progressé de 3,9 % et la consommation chinoise de 4,2 %. Cela a plus que compensé le déclin de 0,4 % de la consommation des pays de l'OCDE. Globalement, la demande de pétrole a augmenté de 1,3 % et elle devrait continuer de croître à ce rythme, avec les mêmes différences entre régions, en 2008 (IEA, 2008). La réponse de l'offre à la hausse du prix a été très faible. En 2007, la production mondiale de pétrole n'a augmenté que de 0,2 %[2]. Les compagnies pétrolières ont beaucoup accru leurs investissements, mais cela n'a guère accru la capacité d'extraction. En effet, la prospection et la mise en exploitation de nouveaux gisements sont devenues beaucoup plus coûteuses car il est difficile d'accéder aux gisements profonds avec les équipements et la technologie actuels (IMF, 2008: encadré 1.5)[3]. D'après le IHS/Cambridge Energy Research Associates Upstream Capital Costs Index (CERA, 2008), le coût de la construction des installations d'amont pour l'exploitation de nouveaux gisements de gaz et de pétrole a doublé depuis 2005, atteignant un niveau sans précédent. De plus, en raison du niveau élevé des cours, de nombreuses compagnies pourraient juger qu'il n'est pas urgent d'investir dans de nouvelles installations[4].

Après que l'Organisation des pays exportateurs de pétrole (OPEP) ait décidé de réduire sa production à la fin de 2006 et au début de 2007, l'offre est tombée de 36,7 millions de barils par jour au troisième trimestre 2006 à 35,5 millions de barils par jour au deuxième trimestre de 2007. Les membres de l'OPEP ont ensuite décidé, à la fin de 2007, d'accroître leur production, ce qui a porté l'offre à 37,3 millions de barils par jour au premier trimestre de 2008. En 2007, la demande dépassait l'offre, mais en mars et avril 2008 il y a eu de nouveau excédent d'offre et l'offre devrait rester supérieure à la demande jusqu'à la fin de l'année (IEA, 2008). La plupart des membres de l'OPEP ont décidé de ne pas changer leur niveau de production car ils pensent que la hausse des prix en 2008 est due à des tensions géopolitiques, à la dépréciation du dollar et à la spéculation, plutôt qu'à la pénurie (OPEC, 2008). Toutefois, d'après des articles de presse, à la fin de juin 2008 l'Arabie saoudite aurait accepté d'accroître encore sa production, de quelque 500 000 barils par jour. De nombreux observateurs pensent que l'Arabie saoudite est actuellement le seul pays membre de l'OPEP qui a la possibilité d'accroître sa production. La production des pays non membres de l'OPEP a été inférieure aux attentes.

Globalement, les mesures prises par l'OPEP et le surcroît de production des non-membres n'ont pas suffit à calmer le marché. En raison de l'équilibre précaire de l'offre et de la demande, de la baisse des stocks dans les pays consommateurs et du fait que les capacités de production non utilisées sont très faibles, le marché du pétrole est devenu très sensible à toute perturbation de l'offre, qui se traduit immédiatement par un bond des cours. En outre, même si la production de brut augmentait, il n'est pas certain que les raffineries disposent des capacités nécessaires pour traiter le supplément de production.

Il est difficile d'estimer le niveau des réserves mondiales et la date à laquelle il culminera. Selon certains observateurs, le prix du pétrole pourrait atteindre 200 dollars le baril dans deux ans[5]. Face à cette incertitude, le marché de l'énergie réagit très rapidement à tout événement concernant l'offre, tel que les décisions de l'OPEP concernant les quotas de production, les tensions géopolitiques, le niveau des stocks dans les grands pays consommateurs ou les perspectives de la demande en Chine. Mais à l'évidence, la très forte volatilité quotidienne du cours du pétrole en mai et juin 2008 ne peut pas être imputée uniquement à la situation fondamentale du marché et pourrait être due en grande partie à la spéculation.

À court terme, en raison de la faible élasticité de l'offre et la demande, le prix du pétrole devrait rester élevé. Toutefois, le ralentissement de la croissance de l'économie mondiale pourrait entraîner un ajustement à la baisse de la consommation. En outre, au prix actuel, les gouvernements des pays en développement qui subventionnent les produits pétroliers pourraient être obligés de réduire cette subvention en raison de son coût budgétaire excessif, ce qui contribuerait à faire baisser la demande. À long terme, l'ajustement devra se faire par une réduction de la consommation, résultant de mesures d'économie d'énergie ou d'augmentation des rendements énergétiques. Le remplacement par d'autres formes d'énergie, qui devient rentable lorsque le prix du pétrole dépasse un certain niveau pourra contribuer à équilibrer l'offre et la demande. Enfin, les investissements supplémentaires faits dans les pays producteurs devraient finir par porter leurs fruits et accroître la production.

Les variations du prix du pétrole ont une influence sur le prix d'autres produits primaires, certains de ces produits étant de plus en plus corrélés[6]. L'effet le plus important est que sa hausse accroît la demande de produits agricoles pouvant servir de biocarburants, et dont la production est en concurrence avec la production vivrière. Elle se répercute aussi sur le prix de revient d'autres produits. Ainsi, le cours international des engrais a triplé en 2007 (IFDC, 2008). Le prix du pétrole influe aussi sur celui de produits de substitution de produits pétrochimiques, tels que le coton, substitut des fibres synthétiques et artificielles, ou le caoutchouc naturel, substitut du caoutchouc synthétique. Le renforcement des liens entre le prix du pétrole et celui d'autres produits a aussi pour effet de transmettre la volatilité accrue du cours du pétrole à ces produits.

La hausse des taux de fret, résultant en partie de la hausse du prix du pétrole, se répercute aussi sur le prix final des produits primaires et des produits dérivés. Le Baltic Dry Index (indice du coût du transport en vrac) est passé d'environ 4 400 au début de janvier 2007 à plus de 11 000 au début de juin 2008, en raison à la fois de la hausse du prix du pétrole et de l'explosion de la demande. Overall Liner Trade Index (indice du fret pour les porte-conteneurs) a atteint en moyenne 96,3 au premier trimestre de 2008, contre 88,6 au premier trimestre de 2007[7]. À l'origine, la baisse du coût du transport a été un des principaux facteurs de la mondialisation. Mais aujourd'hui, la hausse du prix du pétrole, atteignant des niveaux sans précédent, et ses répercussions sur le coût du transport, pourraient inciter à s'approvisionner davantage sur le marché intérieur ou régional (Rubin and Tal, 2008).

La conjugaison d'un fléchissement de la croissance mondiale et d'une forte hausse des prix des produits primaires crée un dilemme en matière de politique monétaire.

En outre, la conjugaison d'un fléchissement de la croissance mondiale et d'une forte hausse des prix du pétrole et d'autres produits primaires crée un dilemme en matière de politique monétaire. Comme les plafonds de taux d'inflation que se sont fixées de nombreuses banques centrales seront probablement dépassés encore une année de plus, il leur sera difficile d'assouplir leur politique monétaire, même si cela serait nécessaire pour éviter une aggravation de la faiblesse conjoncturelle. Une hausse des prix des produits primaires n'a d'effet inflationniste durable que si l'on ne parvient pas à éviter les effets dits de second tour (c'est-à-dire un cercle vicieux de hausse des salaires nominaux et de nouvelles hausses des prix). Nul ne conteste qu'il faut limiter ces effets. Toutefois, alors qu'elle est efficace pour éviter la surchauffe résultant d'une augmentation cyclique de la demande globale, la rigueur monétaire ne peut pas grand chose contre la hausse de prix relatifs résultant d'un changement structurel du marché mondial des produits primaires. Une coopération macroéconomique internationale pourrait aider à éviter la multiplication de mesures monétaires restrictives.

Il est probable que les prix de la plupart des produits primaires, y compris le pétrole, resteront relativement élevés pendant de nombreuses années encore, pour les raisons structurelles exposées ci-dessus, mais en général leur évolution dépendra beaucoup de la croissance de l'économie en 2008 et 2009. Une récession qui ne toucherait que les États-Unis, pays qui absorbe environ 16 % des importations mondiales de produits primaires, peut avoir un impact notable sur la demande mondiale de ces produits et une baisse des prix résultant de la diminution de la demande réelle pourrait être amplifiée par les ventes spéculatives. Les premières victimes en seraient les pays en développement, étant donné que l'exportation de produits primaires est une des principales composantes de leurs recettes extérieures et de leur revenu national. L'impact dépendrait aussi du degré auquel les pays en développement en forte croissance qui exportent beaucoup de produits manufacturés et de services parviendront à découpler leur économie de celle des États-Unis. Face à toutes ces incertitudes, les arguments en faveur de mesures de stabilisation visant à atténuer les effets négatifs de la volatilité des marchés des produits primaires n'ont rien perdu de leur validité.

2. *Les termes de l'échange*

L'impact global des variations de prix est très différent selon les pays, en fonction de la structure de leur commerce extérieur et du poids des exportations et importations de produits primaires rapportés à leur revenu national brut. L'évolution récente des prix des produits entrant dans le commerce international a aussi des répercussions sur la distribution des revenus au sein de chaque pays et entre les pays. La modification de la distribution des revenus au niveau d'un pays est due au fait que les groupes socioéconomiques auxquels profite la hausse des prix des produits exportés ne sont pas les mêmes que ceux qui subissent la hausse des produits importés.

Les effets de redistribution entre pays sont déterminés en grande partie par l'évolution des termes de l'échange, c'est-à-dire le rapport entre l'indice du prix unitaire des produits d'exportation et celui du prix unitaire des produits d'importation. Pour un niveau donné de recettes d'exportation et de dépenses d'importation, une amélioration des termes de l'échange implique une augmentation du revenu réel (puisqu'un même volume d'exportation permet d'accroître le volume des importations) et une détérioration des termes de l'échange implique au contraire une baisse de revenu réel (le même volume d'exportation ne permettant plus d'acheter autant de produits importés). La plupart des observateurs pensent que, durant la majeure partie du XXe siècle, les pays en développement – qui en général exportaient des matières premières non transformées et importaient des produits manufacturés – ont souffert d'une détérioration durable de leurs termes de l'échange due au déclin des prix des produits primaires (qui constituaient l'essentiel de leurs exportations vers les pays développés) par rapport à ceux des articles manufacturés (qui provenaient pour la plupart de pays développés).

L'évolution des termes de l'échange a complètement changé depuis le début du XXIe siècle, non seulement en raison de la forte hausse des prix de la plupart des produits primaires, mais aussi parce que les prix de nombreux produits manufacturés ont augmenté moins vite ou ont même baissé en particulier dans le cas des produits à forte intensité de main-d'œuvre peu qualifiée. Cette inversion de tendance a été liée à deux grandes transformations structurelles: du côté de la demande, l'apparition d'un groupe de pays en développement qui sont des importateurs majeurs de produits primaires et, du côté de l'offre, l'expansion rapide des exportations d'articles manufacturés de pays en développement disposant d'une main-d'œuvre bon marché. Ces exportations ont été stimulées aussi par la dévaluation des monnaies de plusieurs pays d'Asie après la crise financière de 1997-1998, qui a contribué à freiner la hausse du prix moyen des articles manufacturés entrant dans le commerce international. En raison de cette transformation de la structure de l'offre et de la demande, le schéma classique, considérant les pays en développement comme des exportateurs de produits primaires et importateurs de produits manufacturés et les pays développés comme importateurs de produits primaires et exportateurs de produit manufacturés, n'est plus valable.

Entre 2000 et 2007, globalement, les pays dont les termes de l'échange se sont le plus améliorés sont les pays en développement ou en transition exportateurs d'énergie et de produits miniers. Au contraire, les pays en développement qui sont devenus d'importants exportateurs de produits d'industries de main-d'œuvre mais sont importateurs nets de pétrole ont subi une détérioration de leurs termes de l'échange (graphique 2.2A). D'après les données relatives aux pays en développement ou en transition dont on dispose, jusqu'à 2007, les termes de l'échange des exportateurs de produits agricoles n'ont que très peu changé depuis 2003, mais il y a de grandes différences entre les pays de cette catégorie, en fonction des produits qu'ils exportent et du degré auquel ils sont dépendants de l'importation de produits alimentaires et d'énergie. Par exemple, les exportateurs de coton (Bénin, Burkina Faso), de tabac (Malawi) et de certains produits agricoles tropicaux (Guinée-Bissau) ont beaucoup perdu, car la hausse des prix de leurs produits d'exportation ne compense pas l'alourdissement de leur facture alimentaire et pétrolière. En revanche, le net redressement du prix du café, du maïs, du blé et du soja a amélioré les termes de l'échange, ou au moins évité qu'ils ne se détériorent, de pays comme l'Argentine, l'Éthiopie, le Paraguay et le Rwanda. Comme, durant le premier semestre de 2008, les prix des produits alimentaires et du pétrole ont augmenté plus vite que ceux des boissons tropicales et des matières premières agricoles, il est probable que les écarts au sein de ce groupe vont se creuser.

L'Organisation des Nations Unies pour l'alimentation et l'agriculture (FAO) a répertorié 82 «pays à faible revenu et à déficit vivrier» qui sont vulnérables en cas de hausse des prix des produits alimentaires[8]. Pour 48 de ces pays, qui n'exportent ni pétrole ni produits minéraux et miniers, la hausse des prix alimentaires a entraîné une détérioration de 20 % des termes de l'échange depuis 2001. Dans les 34 autres pays, l'effet de la hausse des prix alimentaires sur les termes de l'échange a été compensé par la hausse des prix des produits primaires qu'ils exportent.

La comparaison de différentes régions géographiques met en évidence les divergences de l'évolution des termes de l'échange entre les pays en développement et les pays en transition (graphique 2.2B). C'est en Asie occidentale, où il y a plusieurs grands exportateurs de pétrole, que les termes de l'échange se sont le plus améliorés depuis 2003. Viennent ensuite les pays en transition, parmi lesquels on compte d'importants exportateurs d'hydrocarbures tels que la Fédération de Russie, le Kazakhstan et l'Azerbaïdjan. La très nette amélioration des termes de l'échange de l'Afrique dans son ensemble a été due non seulement à la hausse des prix du pétrole et des produits miniers, qui a profité à plusieurs pays de la région, mais aussi au fait que, depuis quelques années, des pays qui, autrefois, n'exportaient que des produits agricoles ont commencé à exporter des combustibles et minéraux. Les écarts entre les différents pays de cette région pour ce qui est de l'évolution des termes de l'échange sont particulièrement grands. La situation des 20 pays d'Afrique subsaharienne qui n'exportent ni hydrocarbures ni produits miniers s'est détériorée depuis 2000, les prix des produits qu'ils importent (combustibles, produits alimentaires et produits manufacturés relativement complexes) ayant augmenté plus vite que ceux de leurs produits d'exportation (qui sont pour l'essentiel des produits agricoles tropicaux ou des articles manufacturés à forte intensité de main-d'œuvre).

Il y a aussi de grandes différences, bien que moins prononcées, entre les pays d'Amérique latine et des Caraïbes, ce qui s'explique par le fait que leur commerce extérieur est plus diversifié. Les gains ont été plus importants pour l'Amérique du Sud, tandis que la plupart des pays d'Amérique centrale et plusieurs pays des Caraïbes (dont presque tous dépendent beaucoup de l'importation de pétrole et de l'exportation d'articles d'industries de main-d'œuvre) ont subi une détérioration marquée de leurs termes de l'échange. Enfin, les termes de l'échange des pays d'Asie de l'Est, du Sud-Est et du Sud se sont nettement détériorés, ce qui est dû au fait que les articles manufacturés à forte intensité de main-d'œuvre constituent une grande partie de leurs exportations et qu'ils importent de plus en plus d'énergie et de matières premières.

Les variations des termes de l'échange ont entraîné des hausses ou des baisses notables du revenu réel des pays qui ont un important commerce extérieur. Entre 2004 et 2007, la [détérioration des termes de l'échange] des pays en développement classés comme exportateurs d'articles manufacturés a représenté près de 1 % du PIB par an. Au contraire, les exportateurs de pétrole et de produits

Graphique 2.2

TERMES DE L'ÉCHANGE NETS DE TROC DANS DIFFÉRENTS GROUPES DE PAYS

A. Selon la structure du commerce extérieur[a]

(Indices, 2000 = 100)

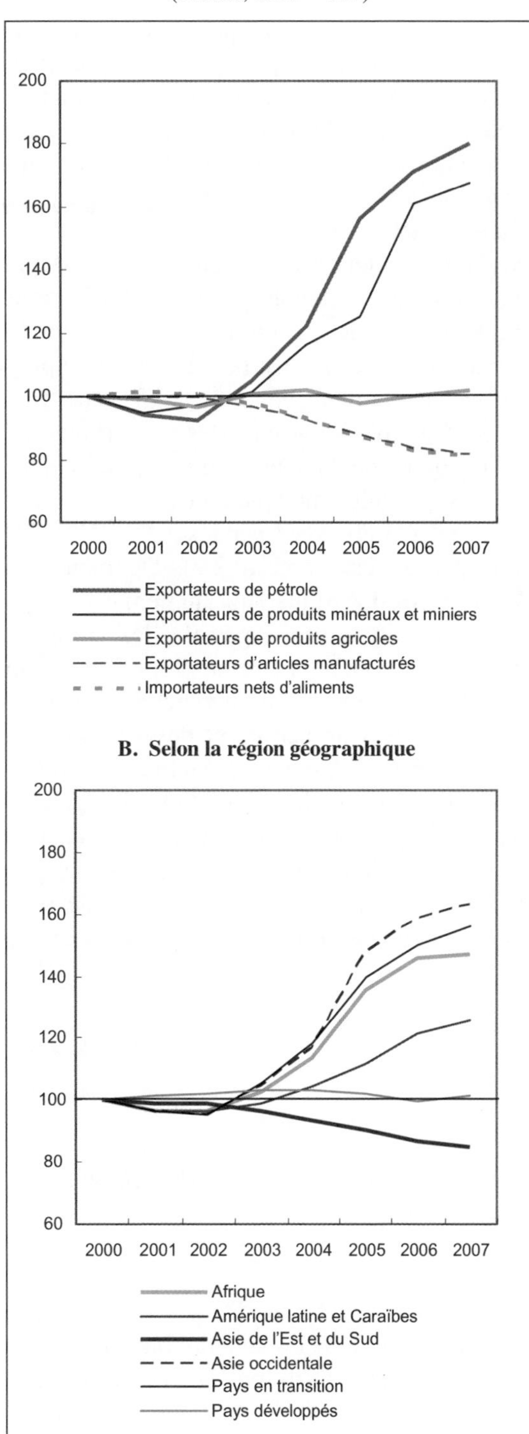

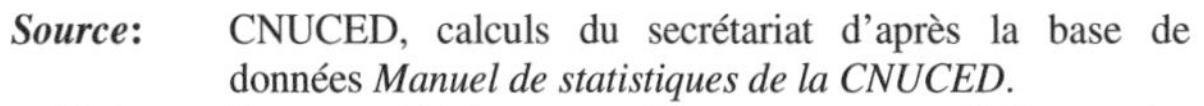

Source: CNUCED, calculs du secrétariat d'après la base de données *Manuel de statistiques de la CNUCED*.

Note: Sont considérés comme importateurs nets d'aliments les pays à faible revenu et à déficit vivrier, à l'exclusion de ceux qui sont exportateurs d'hydrocarbures, de minéraux et de produits miniers.

[a] Pays en développement ou en transition.

miniers ont bénéficié d'une très forte amélioration des termes de l'échange, représentant 7,5 % du PIB pour les premiers et environ 4 % du PIB pour les seconds. Dans bon nombre de ces pays, ces gains d'aubaine paraissent avoir été en partie compensés par l'augmentation des bénéfices rapatriés par les sociétés transnationales qui exploitent leurs ressources naturelles. En pareil cas, le *revenu intérieur brut* a plus progressé que le *produit intérieur brut* (la différence résultant de l'amélioration des termes de l'échange), mais le *revenu national brut* a moins progressé que le *revenu intérieur brut* (en raison de l'augmentation des paiements à des non-résidents). On peut citer comme exemple des exportateurs de produits minéraux comme le Chili, le Pérou et la Zambie où, entre 2004 et 2007, 60 % ou plus des gains résultant de la hausse du cours des produits minéraux et miniers ont été absorbés par les bénéfices rapatriés (tableau 2.2). De même, dans plusieurs pays d'Afrique subsaharienne et pays en transition exportateurs de pétrole, les compagnies étrangères paraissent s'être approprié une bonne part des gains d'aubaine. En revanche, dans d'autres pays exportateurs de pétrole et de gaz naturel, tels que l'Algérie, l'Angola, l'Arabie saoudite, la Bolivie, l'Équateur, la Fédération de Russie, le Koweït, la République bolivarienne du Venezuela et la République islamique d'Iran, la hausse des prix et l'amélioration des termes de l'échange ne se sont pas accompagnées d'une augmentation de la part des paiements nets à l'étranger dans le revenu intérieur brut. On peut donc penser que ce sont les pays producteurs qui se sont approprié la totalité des gains ou presque. Ce sont des pays dans lesquels l'extraction et l'exportation de pétrole et de gaz sont dominées par des compagnies appartenant à l'État, ou qui ont récemment renégocié leurs contrats avec des compagnies étrangères pour s'approprier une plus grande part du revenu de l'exploitation des hydrocarbures.

L'essentiel, pour les pays qui bénéficient d'une amélioration des termes de l'échange, est d'employer le surcroît de recettes de manière à promouvoir leur développement à long terme.

L'essentiel, pour les pays qui bénéficient d'une amélioration des termes de l'échange, est d'employer le surcroît de recettes de manière à promouvoir leur développement à long terme. Il importe donc que ces pays s'approprient la plus grande part possible des gains d'aubaine, soit en confiant l'exploitation des ressources à des entreprises nationales, soit au moyen d'un système de taxation et de redevances qui assure une répartition équitable de la rente entre les acteurs nationaux et les investisseurs étrangers. Le fait que le pétrole et les produits miniers se traitent actuellement à un prix très élevé pourrait offrir une occasion de renégocier les conditions de partage de la rente lorsqu'elles sont encore défavorables au pays producteur. En outre, il faut que ces pays emploient la rente pour financer de manière durable des investissements dans les infrastructures et dans le secteur social et des investissements productifs.

C. La crise alimentaire mondiale

1. L'envolée des prix des produits alimentaires en 2007 et 2008

Les cours internationaux des produits alimentaires ont à peu près doublé entre janvier 2006 et mai 2008, et ils ont augmenté de plus de 80 % depuis avril 2007 (graphique 2.1). Un large éventail de produits alimentaires ont participé à cette hausse. La flambée actuelle, qui a commencé en juin 2007, a touché en premier le blé, dont le prix avait plus que doublé en mars 2008, bien qu'il ait baissé un peu par la suite. Le prix du maïs a augmenté de 66 % depuis juillet 2007 et le prix du riz a triplé depuis septembre 2007 et bondi d'environ 160 % en quelques mois, de janvier à mai 2008 (graphique 2.3). Les prix des graines oléagineuses et des huiles végétales ont été multipliés par environ 2,5 depuis le début de 2006 (graphique 2.1).

Tableau 2.2

IMPACT DES VARIATIONS DES TERMES DE L'ÉCHANGE ET DES PAIEMENTS DE REVENUS NETS SUR LE REVENU NATIONAL DISPONIBLE DE DIFFÉRENTS GROUPES DE PAYS EN DÉVELOPPEMENT, MOYENNE SUR LA PÉRIODE 2004-2006

(En pourcentage du PIB)

	Effets des variations		Impact net
	Des termes de l'échange	Des paiements de revenus nets	
Exportateurs de pétrole et de gaz *dont*:	**7,5**	**-2,0**	**5,5**
Algérie	**4,6**	**0,0**	**4,6**
Angola	**16,4**	**-3,9**	**12,5**
Arabie saoudite	**9,5**	**0,6**	**10,0**
Azerbaïdjan	**9,3**	**-7,1**	**2,2**
Bolivie	**2,6**	**0,2**	**2,9**
Fédération de Russie	**4,3**	**-0,5**	**3,8**
Guinée équatoriale	**18,7**	**-11,6**	**7,1**
Iran (République islamique d')	**3,9**	**0,6**	**4,5**
Kazakhstan	**8,6**	**-4,9**	**3,6**
Koweït	**10,2**	**2,4**	**12,6**
Nigéria	**5,5**	**-3,3**	**2,2**
Venezuela (République bolivarienne du)	**7,1**	**1,0**	**8,1**
Exportateurs de minéraux et de produits miniers *dont*:	**3,9**	**-2,1**	**1,8**
Botswana	**-0,8**	**-0,3**	**-1,1**
Chili	**6,3**	**-3,7**	**2,5**
Jamaïque	**2,3**	**-1,1**	**1,2**
Papouasie-Nouvelle-Guinée	**6,6**	**-1,5**	**5,0**
Pérou	**2,7**	**-2,1**	**0,6**
Zambie	**6,5**	**-4,0**	**2,5**
Exportateurs de produits agricoles	**-0,2**	**-0,1**	**-0,4**
Exportateurs de produits manufacturés	**-0,6**	**-0,1**	**-0,7**

***Source*:** Calculs du secrétariat de la CNUCED, d'après des données de l'ONU; FMI, base de données *Balance of Payments Statistics*; CEPALC, base de données *Balance of Payments Statistics*; Economist Intelligence Unit, *Country Reports*; sources nationales; et CNUCED pour les estimations de la valeur unitaire et du volume des exportations et des importations.

***Note*:** Pour la définition des paiements de revenus nets, voir le texte.

Graphique 2.3

CONSOMMATION, PRODUCTION, STOCKS ET PRIX MONDIAUX DES CÉRÉALES

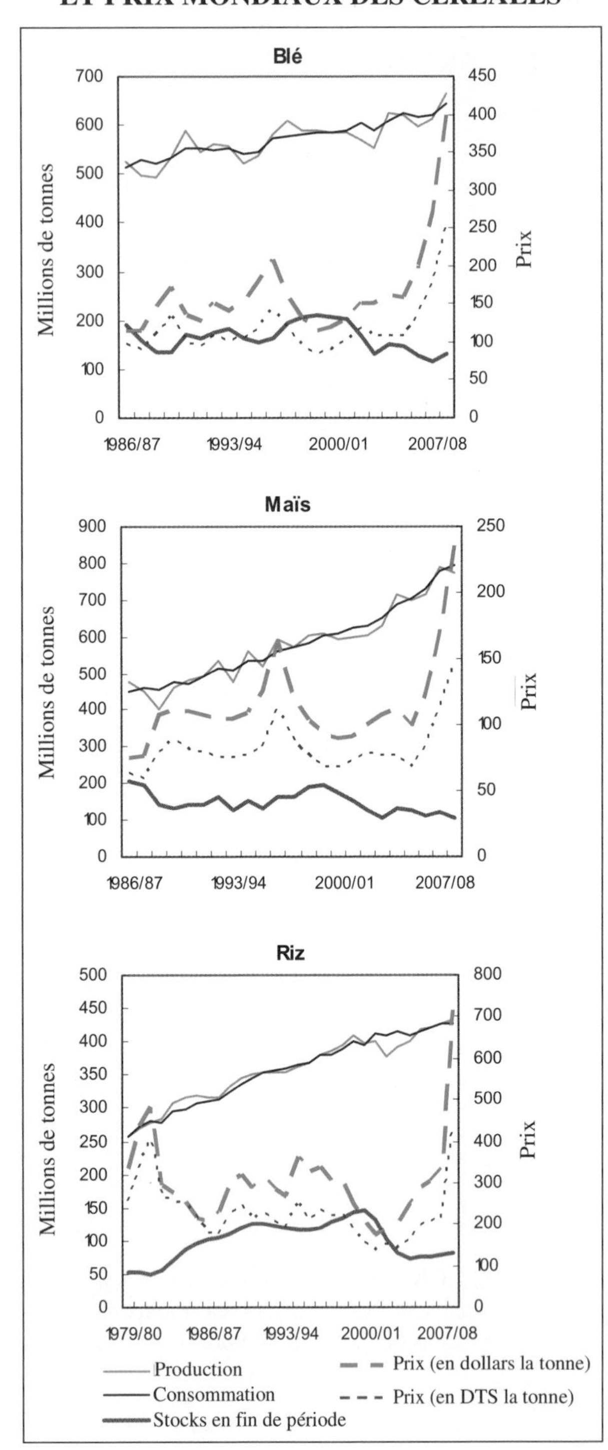

Source: Calculs du secrétariat de la CNUCED, d'après United States Department of Agriculture, base de données *Production, Supply and distribution Online;* CNUCED, *Statistiques de prix des produits de base en ligne*; et FMI, base de données *International Financial Statistics.*

Note: Les prix de 2008 ne sont qu'indicatifs (moyenne sur la période janvier-mai).

La flambée des prix des produits alimentaires en 2007 et 2008 tient à plusieurs raisons; d'une part, l'expansion de la production mondiale s'est ralentie, en raison d'un déclin du rythme de progression des rendements des cultures et d'expansion des terres cultivées[9] et d'autre part, la demande des pays en développement en forte croissance a beaucoup augmenté (*Rapport sur le commerce et le développement 2005*, chap. II). Toutefois, l'analyse des statistiques mondiales de consommation et de production de blé, de maïs et de riz sur les dernières décennies (graphique 2.3) montre que, lors des précédentes périodes de déficit comparables, la hausse des prix a été beaucoup moins prononcée qu'aujourd'hui. On ne peut donc pas expliquer cette hausse récente uniquement par l'évolution de la consommation et de la production. Comme nous l'avons déjà indiqué, elle est aussi liée au renchérissement du pétrole et du fret et, dans une certaine mesure, à la dépréciation du dollar (IMF, 2008). En outre, comme les stocks de nombreux produits alimentaires sont tombés à des niveaux sans précédent[10], ils ne peuvent pas amortir les effets d'une forte variation de la demande ou de l'offre sur les prix (Merryll Lynch, 2008).

Cette situation tend à amplifier les effets de la spéculation. Ce n'est pas par simple coïncidence si la récente hausse des prix des produits alimentaires a commencé en même temps que la crise du crédit hypothécaire aux États-Unis. Il se pourrait que des spéculateurs, toujours à la recherche d'un gain rapide, sentant les tensions qui commençaient à se manifester sur le marché mondial des produits alimentaires, aient remanié leurs portefeuilles en achetant davantage de contrats à terme sur ces produits (voir encadré 2.1). En outre, si les stocks avaient été plus fournis, une augmentation soudaine de la demande ou une baisse soudaine de l'offre aurait facilement été absorbée par le déstockage, ce qui aurait réduit l'incitation à spéculer. C'est pourquoi, l'évolution globale du marché des produits alimentaires au niveau mondial depuis le milieu de 2007 ayant été caractérisée par une sensibilité accrue à des événements survenus sur d'autres marchés, les chocs ont eu un impact beaucoup plus fort sur les prix mondiaux qu'en temps ordinaire.

Les événements qui ont déclenché l'explosion des prix n'ont pas été les mêmes pour tous les produits. Dans le cas du blé, le principal facteur a été les intempéries qui ont considérablement réduit les récoltes en Australie et en Europe. La hausse du prix du maïs a été due en grande partie à la politique de promotion des biocarburants (éthanol) des États-Unis, qui a fait doubler la quantité de maïs employée pour produire de l'éthanol entre 2006 et 2008, en partie au détriment de la production de maïs destiné à l'alimentation (WAOB, 2008). La demande de biocarburants est aussi une des causes de la forte hausse du prix des huiles végétales. D'après OECD-FAO (2008), plus de la moitié de l'augmentation de la demande de céréales et d'huiles végétales entre 2005 et 2007 est imputable à la production de biocarburants. Une grande proportion de l'accroissement de l'emploi de céréales (essentiellement maïs) pour produire des biocarburants est due à la politique menée par les États-Unis. D'après la FAO, en 2007, la consommation mondiale de maïs a progressé de près de 40 millions de tonnes et, sur ce total, 30 millions de tonnes ont été employées pour la production d'éthanol, principalement aux États-Unis, qui sont le premier producteur et exportateur mondial de maïs (FAO, 2008a). Le Département de l'agriculture des États-Unis considère que l'augmentation de la production d'éthanol du pays au cours des cinq dernières années et les modifications connexes de la structure du marché intérieur du maïs ont eu un impact plus fort sur l'équilibre mondial de l'offre et de la demande de céréales secondaires que dans les années 80 et 90 (USDA, 2008a: 18). Tout donne à penser que la demande de biocarburants a fait monter les prix des produits alimentaires, mais à long terme la relation entre les deux dépendra de l'évolution du prix du pétrole ainsi que des biocarburants de la «deuxième génération».

Il y a aussi eu d'importants effets de substitution. En raison de la hausse du prix du maïs, les consommateurs se sont rabattus sur d'autres céréales (telles que le riz et le blé), tandis que les producteurs ont réduit les surfaces affectées à la culture du riz, du blé et du soja pour accroître la culture de maïs. Tout cela a fait monter les prix du riz, du blé et du soja. La hausse du prix du soja en 2007 a été due avant tout à la forte baisse de la récolte associée à la réduction des superficies cultivées. La situation devrait s'inverser en 2008, avec une production accrue de céréales vivrières et une baisse de la production de maïs. Par exemple, le prix du blé a commencé à chuter à partir de mars 2008, lorsqu'on a commencé à anticiper une hausse du rendement. La hausse récente du prix du maïs a été due à des intempéries. La très forte hausse du prix du riz a été due essentiellement à des mesures de restriction des exportations adoptées par quelques-uns des principaux pays exportateurs et au fait que certains pays importateurs ont cherché à accroître leurs stocks stratégiques de céréales. Ces mesures ont été prises pour protéger les consommateurs nationaux inquiétés par la pénurie. Elles ont aussi été motivées par l'inflation des prix alimentaires sur le marché intérieur due à la hausse des coûts de production, notamment pour les carburants et les engrais. Toutefois, ces mesures ont réduit l'offre déjà relativement faible sur le marché international et cela a accéléré la hausse des cours mondiaux.

On ne peut pas expliquer cette hausse récente uniquement par l'évolution de la consommation et de la production.

L'évolution récente du marché des produits alimentaires a aussi des causes historiques. L'une des raisons majeures des pénuries actuelles – caractérisées par la faiblesse de l'offre et le déclin des stocks – est qu'on a négligé l'agriculture depuis une vingtaine d'années. Depuis les années 80, l'agriculture a souffert du sous-investissement dans de nombreux pays en développement, comme le reconnaît aujourd'hui la Banque mondiale (2008). Dans le cadre des programmes d'ajustement structurel, de nombreux pays en développement, surtout en Afrique, avaient été poussés à démanteler leurs institutions d'appui à l'agriculture et à abandonner divers instruments de politique agricole, tels que la subvention des intrants, la stabilisation des prix des produits et la différenciation territoriale des prix, qui encourageaient l'exploitation de terres distantes (*Rapport sur le commerce et le développement de 1998:* Deuxième partie). Un des objectifs des réformes était de faire monter les prix des produits agricoles pour inciter les agriculteurs à accroître leur production. Mais cet objectif n'a pas été atteint. En outre, tout en incitant les pays en développement à libéraliser le commerce des produits agricoles, les pays développés continuaient d'accorder d'importants soutiens à leur propre agriculture.

Les agriculteurs des pays les moins avancés (PMA) ont été particulièrement pénalisés par cette évolution. Ils n'ont pas réussi à soutenir la concurrence des importations de produits agricoles subventionnés par les pays développés. Cela a fait enfler les importations de produits alimentaires et a réduit les revenus des agriculteurs (FAO, 2003a)[11]. En outre, les agriculteurs manquaient de sources de financement pour des investissements visant à accroître la productivité (UNCTAD, 2007b). Enfin, pour aggraver les choses, l'aide publique au développement affectée à l'agriculture a diminué, passant d'environ 7,5 milliards de dollars par an dans les années 80 à la moitié de ce montant sur la période 1995-2005 (World Bank, 2008: 41).

Les perspectives semblent meilleures pour certaines cultures vivrières en 2008, mais il faudra un certain temps avant que les stocks retrouvent leur niveau normal. Il se pourrait que les prix baissent un peu par rapport au niveau actuel, mais ils resteront sans doute élevés et très volatils (FAO, 2008b; OECD-FAO, 2008; et USDA, 2008b). Il est probable que les marchés resteront extrêmement sensibles à d'éventuels chocs réduisant la demande et aux changements d'humeur des investisseurs, en fonction de l'évolution du marché financier international et des mesures officielles qui influent sur la rentabilité de la production de biocarburants.

Les perspectives semblent meilleures pour certaines cultures vivrières en 2008; il se pourrait que les prix baissent un peu, mais ils resteront élevés et très volatils.

2. *Impact de la hausse des prix alimentaires mondiaux*

L'impact de la hausse du prix des aliments varie selon les pays et les groupes de population. Au niveau des pays, il dépend en grande partie de la structure du commerce extérieur. Les exportateurs nets de produits alimentaires peuvent profiter de l'amélioration de leurs termes de l'échange, mais actuellement certains d'entre eux y renoncent et préfèrent restreindre les exportations pour garantir la sécurité alimentaire nationale. En revanche, plusieurs pays importateurs nets ont été mis en difficulté.

Les chiffres montrent que l'évolution des cours internationaux des produits alimentaires (y compris les graines oléagineuses et les huiles végétales) en 2006-2007 n'a eu qu'un effet mineur sur la balance du commerce des produits alimentaires des pays développés (tableau 2.3). Les pays pour lesquels l'impact a été le plus fort sont l'Australie et la Nouvelle-Zélande, dont l'excédent a baissé de plus de un point de pourcentage du PIB depuis 2000, ce qui est dû principalement à une contraction du volume des exportations. Le déficit du Japon a légèrement augmenté, atteignant 1 % du PIB, et dans les pays développés d'Amérique du Nord et d'Europe, les importations et les exportations de produits alimentaires sont restées à peu près équilibrées.

L'impact a été beaucoup plus prononcé dans les pays en développement. Les importations nettes ont augmenté en Amérique centrale (y compris Mexique) et dans les Caraïbes, tandis que l'excédent de l'Amérique du Sud, imputable principalement à l'Argentine, a continué de croître. Les pays d'Asie du Sud-Est ont conservé un excédent de l'ordre de 1,9 % de leur PIB et le déficit des pays en transition est tombé de 1,3 % du PIB en 2000 à 0,7 % en 2007. Les importations nettes de l'Afrique subsaharienne (hors Afrique du Sud) sont passées de 1,3 % du PIB en 2000 à 1,9 % en 2007. Les ménages ayant le pouvoir d'achat le plus bas ont été particulièrement pénalisés par la hausse et la volatilité du prix des produits alimentaires. La part du revenu des ménages consacrée à l'alimentation est beaucoup plus élevée dans les pays en développement et en particulier dans les PMA que dans les pays développés. D'après les estimations de la FAO, elle est de 60 à 80 % dans les pays en développement, contre 10 à 20 % dans les pays développés (FAO, 2008c). Enfin, la part des aliments de base dans la consommation alimentaire totale est beaucoup plus grande dans les couches les plus pauvres de la population que pour la moyenne des ménages.

L'influence de la hausse des cours internationaux sur les prix intérieurs varie selon les pays, en fonction du taux de change, du coût du transport et des mesures internes de contrôle des prix, ainsi que de la politique commerciale et de la structure du réseau de distribution des produits alimentaires. Comme, dans les pays en développement, les ménages achètent peu de produits alimentaires transformés, l'influence de la hausse du cours international des produits primaires sur le prix des aliments au détail est plus forte. Dans de nombreux pays en développement, la récente inflation des vivres a largement dépassé l'inflation globale et a été beaucoup plus prononcée que dans les pays développés. En comparaison, dans ces derniers, la contribution directe de la hausse des cours des produits alimentaires à l'inflation globale est minime (OECD-FAO, 2008: encadré 2.1).

Tableau 2.3

COMMERCE DE PRODUITS ALIMENTAIRES EN POURCENTAGE DU PIB, PAR GRANDS GROUPES DE PAYS, 2000-2007

(*En pourcentage*)

	Importations nettes			Importations brutes			Exportations brutes		
	2000	2006	2007	2000	2006	2007	2000	2006	2007
Ensemble du monde	**0,1**	**0,0**	**0,1**	**1,1**	**1,3**	**1,3**	**1,1**	**1,2**	**1,3**
Pays développés	**0,1**	**0,1**	**0,1**	**1,0**	**1,2**	**1,2**	**0,9**	**1,1**	**1,1**
Amérique	-0,2	-0,1	-0,2	0,4	0,5	0,5	0,6	0,6	0,7
Asie	0,9	0,9	1,0	0,9	1,0	1,1	0,1	0,1	0,1
Europe	0,1	0,2	0,2	1,7	1,9	1,9	1,6	1,7	1,7
Océanie	-3,1	-2,2	-1,7	0,7	0,7	0,7	3,8	3,0	2,4
Pays en développement	**0,0**	**-0,2**	**-0,1**	**1,6**	**1,5**	**1,5**	**1,6**	**1,7**	**1,6**
Afrique	1,4	1,3	1,6	2,8	2,7	2,9	1,4	1,3	1,2
Afrique du Nord	2,4	1,9	2,3	3,4	3,1	3,4	1,1	1,2	1,1
Afrique australe	-0,5	-0,2	0,1	1,2	1,3	1,4	1,7	1,5	1,4
Afrique de l'Est	0,3	1,1	1,8	3,0	4,1	4,5	2,8	3,0	2,7
Afrique de l'Ouest	1,4	1,9	2,0	2,7	3,1	3,2	1,3	1,2	1,2
Afrique centrale	3,5	2,1	2,1	4,0	2,3	2,3	0,5	0,2	0,1
Amérique	-0,9	-1,6	-1,4	1,2	1,2	1,3	2,1	2,8	2,6
Amérique du Sud	-1,7	-2,8	-2,5	0,8	0,7	0,7	2,5	3,5	3,2
Amérique centrale, y compris Mexique	0,2	0,3	0,6	1,7	1,9	2,1	1,5	1,6	1,5
Caraïbes	2,2	3,2	3,7	3,7	4,1	4,5	1,5	0,9	0,8
Asie	0,2	0,1	0,2	1,6	1,4	1,5	1,4	1,3	1,3
Asie du Sud	0,2	-0,1	0,1	1,2	1,0	1,0	1,0	1,1	0,9
Asie de l'Est	0,4	0,4	0,5	1,2	1,2	1,2	0,9	0,8	0,7
Asie occidentale	1,7	1,0	1,1	2,5	2,0	2,1	0,8	1,0	1,0
Asie du Sud-Est	-1,7	-1,9	-1,9	2,5	2,4	2,4	4,2	4,3	4,3
Océanie	1,9	1,6	1,5	5,4	5,7	6,0	3,6	4,2	4,5
Pays en transition	**1,3**	**0,9**	**0,7**	**2,4**	**1,9**	**1,6**	**1,1**	**1,0**	**1,0**
Asie	0,9	0,8	0,7	2,8	2,2	2,0	1,9	1,4	1,3
Europe	1,4	0,9	0,6	2,4	1,9	1,6	1,0	0,9	0,9
Pour mémoire									
Afrique subsaharienne hormis l'Afrique du Sud	1,3	1,7	1,9	3,2	3,2	3,3	1,9	1,5	1,4
Pays les moins avancés	2,1	2,0	2,2	3,7	3,6	3,7	1,6	1,6	1,5
Pays sans littoral	0,4	0,6	0,6	3,1	2,9	2,8	2,6	2,3	2,2
Petits pays en développement insulaires	2,1	1,9	2,4	5,7	5,7	6,0	3,6	3,8	3,6
Pays pauvres très endettés	1,1	2,1	2,4	4,0	4,5	4,8	2,9	2,4	2,3
G-7	0,2	0,3	0,2	0,8	1,0	1,0	0,6	0,7	0,8

***Source*:** Calculs du secrétariat de la CNUCED, d'après la base de données *Manuel de statistiques de la CNUCED;* CNUCED, *Statistiques de prix des produits de base en ligne*; et sources nationales.

***Note*:** Produits alimentaires y compris graines oléagineuses et huiles végétales. Les données relatives à 2007 sont des estimations.

D'après l'Organisation des Nations Unies (United Nations (2008)), la contribution de la hausse des cours mondiaux des produits alimentaires à la hausse de l'indice global des prix à laconsommation a été comprise entre 1/3 environ et plus de la moitié dans les pays en développement en 2007 et a été particulièrement forte en Asie (y compris Asie occidentale). Les pressions à la hausse se sont intensifiées en 2008 dans toutes les régions en développement et surtout dans les pays importateurs de pétrole et de produits alimentaires.

L'USDA (2008a) a fait une simulation pour comparer les effets d'une hausse des prix des aliments dans les pays en développement et dans les pays développés. Une hausse de 50 % des cours des aliments de base fait augmenter le coût du panier alimentaire au détail de 6 % dans un pays riche et de 21 % dans un pays à faible revenu et à déficit vivrier. En conséquence, la part du revenu consacré à l'alimentation ne passe que de 10 à 10,6 % pour un consommateur à haut revenu alors qu'elle bondit de 50 % à plus de 60 % pour un consommateur à faible revenu. Il est donc probable que les ménages pauvres, qui sont généralement acheteurs nets de produits alimentaires, tels que petits paysans, paysans sans terres et segments défavorisés de la population urbaine, devront réduire leur consommation de vivres et d'autres produits de première nécessité. Au contraire, les paysans riches et les agroentreprises pourraient retirer un avantage direct de la hausse, car en général ils sont mieux équipés pour répondre aux variations des prix et pour exploiter de nouveaux débouchés. L'impact de la récente hausse des prix des produits alimentaires ne sera pas le même dans tous les pays en développement et dépendra de la structure de la pauvreté, des revenus et des dépenses dans chaque pays, mais elle pourrait aggraver sensiblement la pauvreté globale dans les pays à faible revenu (Polaski, 2008; Ivanic and Martin, 2008).

3. *Politiques adéquates face à la crise alimentaire*

La récente flambée des cours mondiaux des produits alimentaires pourrait bien ne pas être qu'un épisode sans lendemain, comme il s'en est produit pour la dernière fois en 1995-1996, mais plutôt le signe d'une transformation structurelle de l'économie alimentaire mondiale. C'est pourquoi on ne peut pas se contenter de mesures d'urgence telles qu'une augmentation de l'aide alimentaire, et, pour le long terme, il faudra promouvoir l'investissement, l'innovation et les gains de productivité dans l'agriculture.

Il faut évidemment prendre des mesures d'urgence pour éviter que les ménages les plus pauvres souffrent de la disette. L'aide alimentaire doit être fournie d'une manière qui ne fausse pas les signaux donnés par le marché et qui ne compromet pas la production locale. Les gouvernements des pays en développement devront mettre en place des filets de sécurité pour donner aux pauvres de quoi acheter leur nourriture. Un des principaux problèmes qui se posent dans ces pays est de trouver les moyens de préserver le revenu réel des ménages pauvres pour leur permettre d'acheter assez de nourriture sans enclencher une spirale inflationniste des prix et des salaires. Un complément de revenu sous forme de transferts ciblés en faveur des ménages les plus nécessiteux aiderait à contenir l'effet inflationniste de la hausse des prix alimentaires. Ces transferts doivent se fonder sur un large consensus de la société au sujet du partage de la facture alimentaire. Mais dans bon nombre des pays concernés, il sera très difficile de prélever sur le budget de l'État de quoi financer ces dépenses sociales additionnelles sans réduire d'autres dépenses publiques et notamment des investissements urgents dans les infrastructures. C'est pourquoi une augmentation de l'aide internationale, qui permettrait aux pays pauvres de résoudre ce problème de distribution, serait justifiée. C'est aussi une des raisons pour lesquelles il faut, d'un point de vue tant macroéconomique que social, de nouvelles mesures visant à réduire la volatilité des prix des produits primaires et de nouveaux mécanismes de réponse rapide pour en atténuer les effets.

> On ne peut pas se contenter de mesures d'urgence pour le long terme, il faudra promouvoir l'investissement et les gains de productivité dans l'agriculture.

Afin de résoudre durablement le problème de l'approvisionnement alimentaire, il sera tout aussi important, voire plus, de prendre des mesures pour inciter les petits paysans à accroître leur production, par exemple sous la forme d'une aide financière leur permettant d'acheter des intrants essentiels tels que semences et engrais. Cela devrait se faire dans le cadre plus général de programmes de réforme du système financier des pays en développement en vue de promouvoir l'investissement dans les secteurs productifs (voir aussi chap. IV). Dans ce cadre, il vaudrait peut-être la peine d'examiner la contribution éventuelle de méthodes de production agricole respectueuses de l'environnement[13]. En général, ces méthodes nécessitent moins d'énergie importée et dégagent peu de carbone, ce qui réduit la vulnérabilité des agriculteurs face à des chocs exogènes. Elles s'appuient davantage sur les ressources et les connaissances traditionnelles locales et sont relativement faciles à appliquer à petite échelle.

Au niveau international, il faut une réponse mondiale concertée et coordonnée à la pénurie alimentaire, qui doit tenir compte des liens entre les marchés des cultures vivrières, des biocarburants et du pétrole, ainsi que de la nécessité plus générale de réduire la consommation de combustibles fossiles pour atténuer le changement climatique. Dans ce cadre, il vaudrait peut-être la peine d'explorer des mécanismes de coopération entre producteurs et consommateurs, notamment dans le secteur pétrolier, dans lequel une gestion rationnelle des réserves restantes est dans leur intérêt mutuel. En outre, vu les événements récents, les responsables des pays développés pourraient envisager de modifier le poids relatif de la réduction totale des émissions et du remplacement des combustibles fossiles par des biocarburants ou par d'autres formes d'énergies renouvelables. Cela pourrait nécessiter une révision des politiques nationales de subvention aux producteurs de biocarburants, des mesures protectionnistes visant l'éthanol et le biodiesel et une obligation d'accroître la part des biocarburants dans la consommation totale de carburants. Quoi qu'il en soit, il faut absolument éviter que la production de biocarburants réduise l'offre de vivres.

En outre, il pourrait être nécessaire d'agir au niveau international pour lutter contre les excès spéculatifs sur le marché mondial des produits primaires, qui sont étroitement liés aux mouvements des marchés financiers. Il faudrait notamment des mesures autorisant une intervention concertée des gouvernements sur les marchés des produits alimentaires s'il y a de fortes raisons de penser que c'est la spéculation qui fait monter les prix. En revanche, il convient de décourager des mesures telles que l'interdiction d'exporter, les accords bilatéraux sur le commerce des produits alimentaires ou les objectifs nationaux concernant la part des biocarburants dans le total de la consommation d'énergie, car elles contribuent à l'instabilité du marché mondial et peuvent contrecarrer l'incitation à accroître la production résultant de la hausse des prix.

> Il pourrait être nécessaire d'agir au niveau international pour lutter contre les excès spéculatifs sur le marché mondial des produits primaires.

Les pays en développement pauvres dont la balance commerciale se détériore en raison de la hausse des prix des produits primaires sont très tributaires de l'aide financière internationale. L'APD sous forme de dons est particulièrement importante pour les pays pauvres qui sont importateurs nets à la fois de pétrole et de vivres. Il pourrait être nécessaire à ce propos de réviser le calcul du montant de l'APD requise pour atteindre les objectifs du Millénaire pour le développement (voir chap. V) pays par pays[14].

À plus long terme, il faut accroître la production agricole, notamment par un progrès continu de la productivité. Cela exigera d'importants investissements, dans des domaines tels que les infrastructures, la distribution d'eau, l'amélioration des semences et des engrais, l'enseignement et la R-D agricole[15].

D. Le problème persistant de l'instabilité des marchés des produits primaires

1. Historique

On considère depuis longtemps que les pays en développement sont victimes d'un [«problème des produits primaires»], comportant trois aspects: premièrement, le déclin séculaire des prix, en particulier ceux des produits exportés par les pays en développement, par rapport aux prix des produits manufacturés exportés principalement par les pays développés; deuxièmement, la forte volatilité des prix; et troisièmement le fait que les producteurs des pays en développement ne reçoivent qu'une fraction du prix final des produits[16]. En raison de l'essor des échanges entre pays en développement, la structure géographique du commerce de produits primaires et de produits manufacturés a beaucoup changé. De nombreux pays en développement restent tributaires de l'exportation de quelques produits primaires et doivent importer les produits manufacturés et en particulier les biens d'équipement, mais certains sont devenus d'importants exportateurs de produits manufacturés et importateurs de produits primaires provenant d'autres pays en développement[17].

De nombreux pays en développement dépendent toujours des recettes d'exportations de produits primaires pour financer les importations de biens d'équipement et de biens intermédiaires qu'ils ne peuvent pas fabriquer eux-mêmes mais qui sont indispensables pour leur transformation structurelle. Les variations des prix des produits primaires ont donc un impact immédiat sur la capacité de formation de capital et de croissance des pays exportateurs. De nombreux autres pays, dont un nombre croissant de pays en développement, doivent importer des produits primaires, soit comme matières premières pour l'industrie, soit pour la consommation courante. Dans ces pays, les variations des prix se répercutent tant sur les coûts de production que sur les prix à la consommation.

Les variations des prix des produits primaires ont un impact immédiat sur la capacité de formation et de croissance des pays exportateurs.

Dans une économie mondiale de plus en plus intégrée, la question du niveau et de la stabilité des prix des produits primaires n'est plus seulement d'intérêt national; elle a aussi une dimension mondiale. De même que les salaires déterminent les revenus et le pouvoir d'achat des travailleurs et une partie des coûts de production des entreprises, les prix des produits primaires ont un effet notable sur les revenus des producteurs et les coûts des utilisateurs. Ils sont donc un facteur important pour la stabilité macroéconomique et la croissance de l'économie mondiale. L'impact macroéconomique mondial de leurs variations dépend de la réaction de la demande dans les pays exportateurs. Si, pour un volume d'exportations inchangé, le surcroît de revenu provenant de la hausse des prix des produits primaires est entièrement absorbé par l'augmentation des importations des pays exportateurs de produits primaires, cela a généralement pour effet de stimuler l'économie mondiale. Cela s'explique par le fait que l'essentiel de la demande de produits primaires est peu élastique, si bien que l'alourdissement de la facture d'importations tend à se traduire par une baisse de l'épargne. Si en revanche la hausse des prix des produits primaires ne se traduit pas par une augmentation des importations des pays exportateurs de ces produits, elle tend à freiner la croissance mondiale. Une chute des prix des produits primaires aura probablement un effet similaire, à moins que les pays exportateurs de ces produits puissent maintenir le niveau de leurs importations grâce à un financement externe compensant la baisse des recettes d'exportations.

La hausse des prix de produits essentiels a aussi une autre dimension internationale, à savoir qu'elle peut générer des pressions inflationnistes incitant les banques centrales à durcir leur politique monétaire, même lorsque la conjoncture appellerait plutôt à un assouplissement. C'est pourquoi la stabilité des prix à court terme et une gestion prévoyante de l'évolution des prix des produits primaires entrant dans le commerce international pourraient grandement contribuer à stabiliser l'offre et la demande et, par conséquent, à créer un climat macroéconomique propice à l'investissement, dans les pays exportateurs comme dans les pays importateurs.

Nonobstant la récente amélioration du potentiel de croissance des exportateurs de produits primaires, de nombreux pays en développement resteront très vulnérables face aux variations de l'offre et de la demande sur les marchés internationaux des produits primaires tant qu'ils n'auront pas assez progressé dans leur processus de diversification et d'industrialisation. Ils pourraient même subir un sévère ralentissement en cas de récession mondiale. Dans la prochaine sous-section, nous examinerons la dépendance des pays en développement et des pays en transition à l'égard des produits primaires et ses incidences sur l'investissement et la croissance.

2. Dépendance à l'égard des produits primaires et volatilité des prix

La part des produits primaires (y compris les combustibles) dans le total des exportations des pays en développement est tombée d'environ 73 % en 1980-1983 à 33 % en 2003-2006. Cette évolution de la structure des exportations, caractérisée par une proportion accrue de produits manufacturés, s'est produite dans toutes les régions en développement. Toutefois, la diversification dans l'industrie manufacturière a été très concentrée dans un petit nombre de pays, essentiellement les nouveaux pays industriels d'Asie de l'Est et du Sud. En dehors de cette région, les exportations de produits primaires représentaient encore quelque 51 % des exportations des pays en développement en 2003-2006 et la part des seules exportations de combustibles était de 34 %. Le nombre de pays très tributaires de l'exportation de produits primaires n'a pas beaucoup changé depuis 1995 (tableau 2.4). Cette dépendance est particulièrement forte en Afrique, où les exportations de produits primaires représentaient 79 % du total des exportations en 2003-2006[18]. Les exportations de pétrole de quelques pays contribuent beaucoup au poids des produits primaires dans les exportations de la région, mais la grande majorité des pays africains dépendent de l'exportation de produits primaires autres que le pétrole. Il y a une relation étroite entre cette dépendance et la pauvreté et le surendettement extérieur, comme l'indique le fait que la part des produits primaires dans les exportations est particulièrement élevée dans les pays pauvres très endettés (PPTE)[19].

Les économies dépendantes des produits primaires sont exposées à des chocs exogènes considérables associés à l'alternance de flambée et d'effondrement des cours internationaux (Cashin et McDermott, 2002; Cashin, McDermott et Scott, 1999). Ces fortes variations des prix se traduisent aussi par une volatilité relativement élevée des termes de l'échange de troc de nombreux pays en développement, qui a une grande influence sur le solde de leurs opérations courantes et sur leur croissance (comme nous le verrons à la section D du chapitre III).

Même si la tendance est haussière depuis 2002, la volatilité reste très forte et elle s'est même aggravée au cours des trente dernières années. Sur les quatre dernières décennies, la volatilité globale des prix des produits de base autres que les combustibles, mesurée par l'écart par rapport à la tendance exponentielle, a été moins forte sur la période 1998-2007 que sur la période 1968-1977, mais plus forte que sur les périodes 1978-1987 et 1988-1997[20].

Pour montrer que les prix des produits de base sont plus volatils que ceux des produits manufacturés, on peut comparer l'évolution de l'indice des prix de tous les produits primaires sauf les combustibles, de l'indice de la valeur unitaire des produits manufacturés exportés par les pays développés et de l'indice du prix du pétrole brut, autour de leurs tendances respectives (graphique 2.4A). Le graphique 2.4B indique les variations trimestrielles de ces indices en termes nominaux. L'indice d'instabilité des prix des produits de base autres que les combustibles calculé par la CNUCED fait apparaître une légère augmentation de la volatilité entre les périodes 1996-2001 et 2002-2007[21]. Cela est dû principalement à une forte volatilité des huiles végétales et des graines oléagineuses et du groupe produits minéraux, minerais et métaux.

Les motifs précis de cette volatilité diffèrent selon les pays et les produits. Mais de manière générale, elle est due à la faiblesse de l'élasticité de la demande et de l'offre à court terme. C'est pour cela que les variations de prix tendent à amplifier considérablement les hausses ou baisses subites de l'offre ou de la demande. Dans le cas des métaux et produits minéraux, des matières premières et de l'énergie, les variations des prix sont fortement déterminées par la demande et donc étroitement liées à l'activité industrielle et économique mondiale. Les prix des produits agricoles sont très influencés par les variations de l'offre et par des facteurs non économiques tels que la météo. En outre, comme nous l'avons déjà expliqué, le faible niveau des stocks tend à accroître la volatilité des prix d'un produit. Dans le cas particulier du pétrole, il y a encore d'autres facteurs tels que les tensions géopolitiques[22]. En outre, les prix des produits primaires étant exprimés en dollars, une partie de leur variation est due aux mouvements des taux de change. Enfin, comme nous l'avons vu dans l'encadré 2.1, la spéculation joue un rôle de plus en plus important.

Cette instabilité a des effets négatifs au niveau macroéconomique comme au niveau microéconomique. Les problèmes qu'elle provoque sont aggravés dans les pays en développement et en particulier les plus pauvres d'entre eux parce que leur économie est plus sensible aux chocs exogènes[23].

Au niveau macroéconomique, les fortes variations à court terme des prix des produits primaires et des recettes d'exportation ont un impact direct sur la balance commerciale, mais elles peuvent avoir aussi un effet indirect de par leur influence sur le taux de change réel de la monnaie du pays exportateur. Une forte hausse des prix peut provoquer une appréciation de la monnaie et donc réduire la compétitivité internationale d'autres produits d'exportation. Cela s'explique par le fait qu'une augmentation subite des recettes d'exportation n'entraîne pas immédiatement une hausse de la demande d'importation. Si un pays émergent ne parvient pas à contrer la hausse de sa monnaie par la politique monétaire ou par une politique de taux de change, cela incitera les spéculateurs à acheter des actifs libellés dans cette monnaie, ce qui contribuera à renforcer son appréciation. Au contraire, en cas de forte chute des prix, il peut être difficile à un pays exportateur de maintenir le niveau de ses importations de biens essentiels, et l'incertitude qui entoure l'évolution des prix accroît le risque pays aux yeux des partenaires commerciaux et des créanciers internationaux.

De plus, dans beaucoup de ces pays, le budget dépend beaucoup des impôts et autres prélèvements sur le secteur primaire. L'accroissement des dépenses et des investissements publics faisant suite à une période de hausse des prix des produits primaires se révèle souvent trop coûteux lorsque les prix retombent et qu'il faut éviter d'accroître la dette publique. Ces fluctuations peuvent empêcher un pays d'entretenir et de moderniser régulièrement ses infrastructures, ce qui est indispensable pour appuyer le processus de diversification, en complément de l'investissement privé dans les capacités de production. Elles peuvent aussi obliger le secteur public à diminuer les dépenses d'éducation et de santé et d'autres dépenses sociales visant à réduire la pauvreté. En outre, la hausse du prix des aliments essentiels et des produits énergétiques importés peut amener les États à distribuer des subventions pour éviter une hausse des prix à la consommation socialement inacceptable et qui pourrait compromettre la réduction de la pauvreté et la réalisation d'autres objectifs de développement humain. La volatilité des prix des produits primaires tend aussi à rendre plus difficile la maîtrise de la dette publique, intérieure et extérieure (ce point sera développé dans le chapitre VI) et a été considérée comme une des principales causes des crises de surendettement subies par les pays les plus pauvres (Cohen *et al.*, 2008).

Tableau 2.4

DÉPENDANCE À L'ÉGARD DES EXPORTATIONS DE PRODUITS PRIMAIRES, PAR RÉGION, 1995-1998 ET 2003-2006

(*Nombre de pays dans lesquels les exportations de produits primaires représentent plus de 50 % des exportations*)

	Tous produits primaires confondus[a]		Trois produits au moins		Un seul produit	
	1995-1998	2003-2006	1995-1998	2003-2006	1995-1998	2003-2006
Pays en développement et pays en transition	**118**	**113**	**82**	**84**	**47**	**50**
Pays en développement	**108**	**103**	**78**	**78**	**45**	**46**
Afrique	46	45	37	34	21	23
Amérique latine	30	27	15	17	6	7
Asie de l'Est et du Sud	7	8	4	6	1	2
Asie occidentale	9	9	9	9	8	6
Océanie	16	14	13	12	9	8
Pays en transition	**10**	**10**	**4**	**6**	**2**	**4**
***Pour mémoire*:**						
Pays les moins avancés	38	38	31	31	19	20
Pays pauvres très endettés	38	36	30	28	15	15

***Source*:** Calculs du secrétariat de la CNUCED, d'après la base de données *Manuel de statistique* de la CNUCED.
[a] Produits primaires: CTCI Rev.2: 1 à 4 + 68, 667 et 971.

Au niveau du producteur, l'instabilité et l'imprévisibilité des recettes font qu'il est difficile de prendre des décisions d'investissement rationnelles sur la base d'un calcul de rentabilité. De plus, en raison de cette incertitude, les banques et autres établissements financiers se méfient de ce genre d'investissement, si bien que leur financement est très coûteux.

3. *Moyens de réduire l'instabilité des prix des produits primaires*

La récente flambée des prix n'a peut-être pas les mêmes causes que celles qui l'ont précédée et n'a peut-être pas non plus les mêmes effets économiques et sociaux, mais quoi qu'il en soit elle montre bien la nécessité de chercher des solutions au problème de la volatilité des prix des produits primaires en général, comme l'ont souligné de nombreuses déclarations politiques ces dernières années. Toutefois, les fortes variations des prix des produits primaires n'ont rien de nouveau, et le débat international sur la stabilisation des prix et sur les mesures à prendre pour réduire les problèmes liés à l'instabilité des marchés des produits primaires a déjà une longue histoire[24]. On a déjà tenté diverses approches ayant pour but: a) de réduire les fluctuations des prix par des interventions sur le marché; b) de réduire l'impact des fluctuations des prix sur les revenus des producteurs; et c) de permettre aux producteurs de ne pas réduire leurs niveaux de dépenses durant les périodes de baisse des prix et des revenus.

a) Mécanismes de stabilisation des prix

Dans les années 70 et 80, des accords internationaux de produit (AIP), réunissant producteurs et consommateurs, étaient censés stabiliser les prix par des interventions directes sur le marché, principalement sous la forme de stocks tampons et/ou de quotas d'exportation. Dans le cas des stocks tampons, des organismes à financement international achetaient le produit et le stockaient lorsque le prix tombait en dessous de la tendance à long terme, ou le vendaient lorsque le prix était élevé, cherchant ainsi à équilibrer artificiellement l'offre et la demande. Les quotas d'exportation étaient plutôt des mesures de soutien des prix. Les accords sur le caoutchouc et le cacao fonctionnaient au moyen de stocks tampons, les accords sur le café et le sucre au moyen de quotas d'exportation et l'accord sur l'étain combinait les deux.

Les AIP souffraient de divers dysfonctionnements d'ordre technique, opérationnel et politique. Sur le plan technique, il était difficile de déterminer le prix de référence à long terme et il fallait une certaine flexibilité à cet égard. Le stockage était coûteux, surtout durant les longues périodes de dépression des prix, et les AIP manquaient de ressources. Sur le plan opérationnel, il s'est révélé impossible d'éviter les tricheries et la recherche de rentes. En outre, il y avait des problèmes plus généraux d'action collective, par exemple lorsqu'il fallait obtenir l'accord d'un grand nombre de pays n'ayant pas tous les mêmes intérêts. En particulier, l'objectif de stabilisation des prix des uns n'était pas toujours compatible avec l'objectif de soutien des prix des autres.

L'appui politique aux AIP s'est érodé dans les années 80 car, outre les difficultés opérationnelles et financières des accords existants, une doctrine de plus en plus influente, propagée en particulier par les institutions internationales de financement, considérait l'intervention sur les marchés comme une cause d'inefficience de l'allocation des facteurs de production. Les partisans de cette doctrine prônaient la libéralisation en tant que moyen d'imposer la vérité des prix. En raison de ces différents facteurs, il ne restait qu'un seul AIP opérationnel à la fin des années 80[25]. Les résultats obtenus par les AIP dans les années 70 et 80 ont été mitigés, mais certains d'entre eux ont relativement bien réussi à stabiliser les prix et auraient pu continuer s'ils avaient été dotés de ressources financières suffisantes. Les cartels de producteurs ont des objectifs autres que la stabilisation des prix à court terme, mais ils y ont parfois contribué, comme l'OPEP pour le pétrole ou la Central Selling Organization de De Beers pour les diamants (Gilbert, 1996).

Graphique 2.4

VOLATILITÉ COMPARÉE DES PRIX DES PRODUITS PRIMAIRES AUTRES QUE LES COMBUSTIBLES, DU PÉTROLE BRUT ET DES PRODUITS MANUFACTURÉS

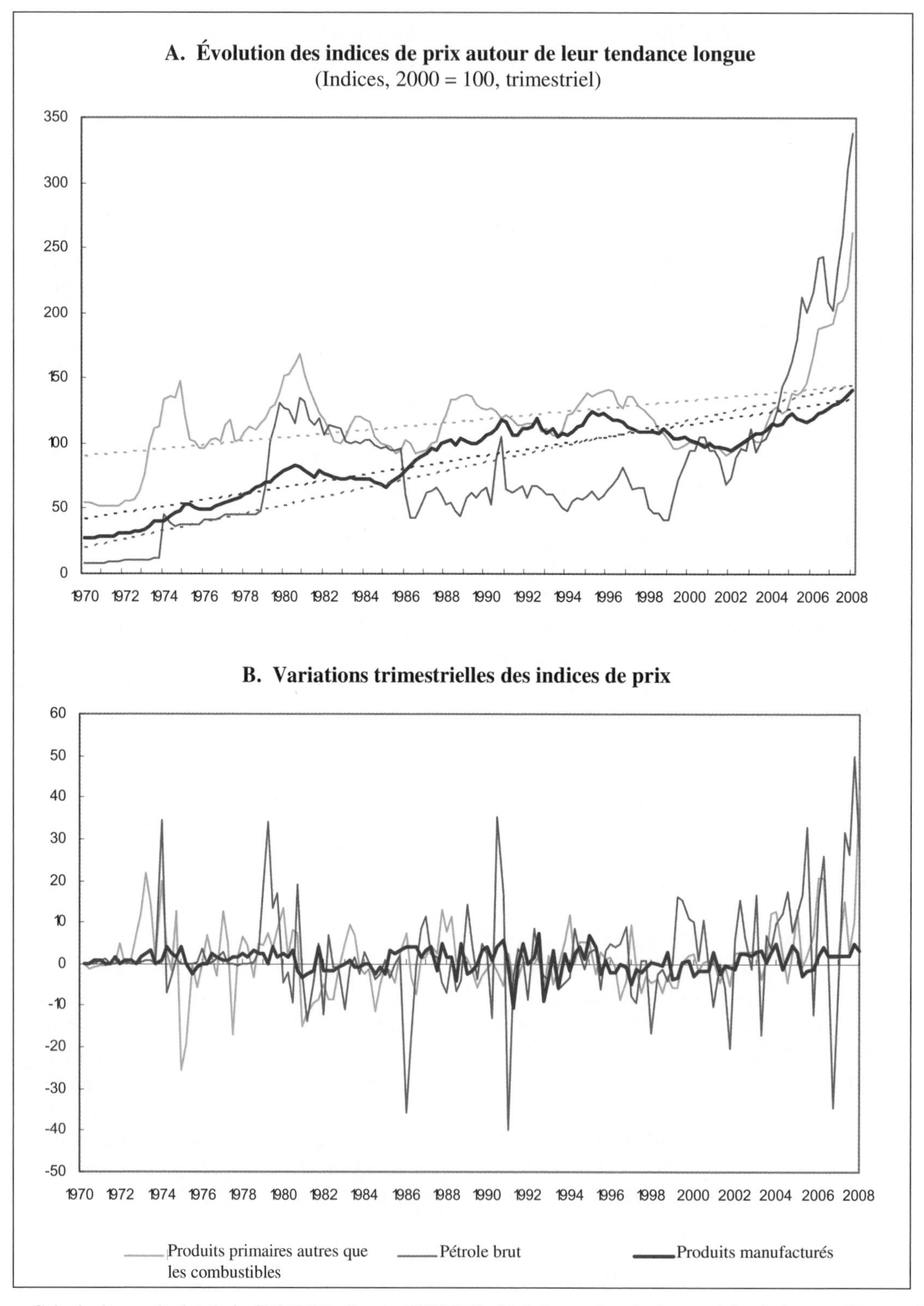

Source: Calculs du secrétariat de la CNUCED, d'après CNUCED, Statistiques de prix des produits de base en ligne; et Division de statistique de l'ONU, Bulletin mensuel de statistique, diverses parutions.

***Note*:** Les lignes en pointillé indiquent la tendance longue des indices de prix correspondants.

La réduction de l'instabilité des marchés internationaux des produits primaires peut être considérée comme un bien public mondial qui faciliterait la gestion macroéconomique et contribuerait à stabiliser l'économie mondiale. Elle aiderait en outre à stabiliser les recettes des pays exportateurs.

b) Politiques de stabilisation des revenus

Pour stabiliser les revenus des producteurs, on peut employer d'autres moyens que le lissage des prix, à savoir des mesures conçues pour atténuer l'impact des variations des prix sur les revenus. Au niveau national, les gouvernements de nombreux pays en développement intervenaient sur le marché, jusqu'aux années 90, par le biais d'offices nationaux de commercialisation ou de caisses de stabilisation. Ces interventions n'avaient pas d'effet direct sur les cours internationaux mais servaient à amortir leur impact sur le prix payé aux cultivateurs. En outre, les organismes en question fournissaient aux producteurs divers services de vulgarisation et des crédits à des taux abordables. Toutefois, ils se sont souvent révélés peu efficaces et exposés à de sérieux problèmes de gouvernance.

> La réduction de l'instabilité des marchés internationaux des produits primaires peut être considérée comme un bien public mondial...

Conformément à la doctrine néolibérale souvent dans le cadre de programmes d'ajustement structurel, ces institutions ont été démantelées dans la plupart des pays en développement, tandis que, la plupart des pays développés ont conservé des mécanismes complexes et coûteux de soutien et de stabilisation des revenus agricoles. Dans les pays en développement, la réduction des interventions n'a pas apporté les gains de productivité, l'accélération de la croissance et la transformation structurelle qu'on en attendait (voir par exemple UNCTAD, 2003b). Au contraire, elle a accru la vulnérabilité des producteurs, les exposant à l'instabilité considérable du marché mondial (Akiyama *et al.*, 2001). Aux risques de prix contre lesquels ils étaient auparavant protégés se sont ajoutées des difficultés croissantes de financement de l'investissement et la baisse des recettes. L'investissement est indispensable pour accroître la productivité de manière à pouvoir réagir aux signaux donnés par le marché mondial. Dans le cas du cacao, d'après Ul Haque (2003), la volatilité des prix à la production a été plus forte dans des pays qui ont démantelé leur office de commercialisation (Cameroun et Côte d'Ivoire) qu'au Ghana, qui l'a gardé.

> ... qui faciliterait la gestion macroéconomique et contribuerait à stabiliser l'économie mondiale.

c) Mécanisme de financement compensatoire

Indépendamment de ces mécanismes nationaux visant à atténuer l'impact des fluctuations des prix sur les revenus des producteurs du secteur primaire, le FMI et l'UE ont offert aux États des financements compensatoires. Ces financements avaient pour but d'éviter que la baisse des recettes d'exportation résultant de chocs exogènes sur les marchés des produits primaires oblige les pays concernés à réduire leurs importations. Les principaux mécanismes internationaux de financement compensatoire qui ont été mis en œuvre jusqu'à présent sont la Facilité de financement compensatoire (FFC)[26] du FMI, et les systèmes STABEX, SYSMIN et FLEX[27], créés par l'UE et les pays ACP (Afrique, Caraïbes et Pacifique) au titre des accords de Lomé et de Cotonou. Toutefois, ces mécanismes n'ont pas pu résoudre les problèmes des pays en développement à la satisfaction des différentes parties prenantes (UNCTAD, 2007c)[28].

Un des principaux défauts de ces mécanismes était la lenteur du processus, en raison de laquelle le financement compensatoire finissait par avoir un effet procyclique alors qu'il était censé être un instrument anticyclique. La FFC et le STABEX ont bien fonctionné jusqu'au milieu des années 90, mais ensuite il est devenu très difficile d'en bénéficier en raison des conditions de plus en plus rigoureuses introduites lors de leurs fréquentes révisions. La FFC n'a presque jamais servi depuis 2000. Elle a perdu son intérêt, en particulier pour les pays à faible revenu, non seulement parce qu'elle n'était pas assortie de conditions de faveur, mais aussi parce que «c'était devenu un mécanisme complexe, difficile à employer et à administrer» (IMF, 2004 5). Jusqu'à présent, aucun pays n'a eu recours à la Facilité pour chocs exogènes, de création récente, en vertu de laquelle des prêts assortis de conditions de faveur peuvent être accordés pour répondre aux besoins des pays les plus pauvres qui ont accès à la Facilité pour la réduction de la pauvreté et la croissance. Les mécanismes de l'EU n'étaient pas accessibles à tous les pays en développement exportateurs de produits de base, mais offraient des conditions de faveur. Les concours du STABEX étaient en fait des dons, mais comme ils étaient considérés comme une forme d'APD, les pays de l'UE avaient tendance à les prélever sur l'APD globale.

De manière générale, la portée des divers mécanismes et les ressources dont ils disposaient pour faire face à des chocs exogènes étaient insuffisantes compte tenu de l'ampleur desdits chocs (Griffith-Jones et Ocampo, 2008), et le financement compensatoire serait devenu beaucoup trop coûteux en raison du déclin persistant des prix des produits primaires jusqu'à la fin des années 90. En outre, les mécanismes compensatoires ont été critiqués du fait qu'ils ne garantissaient pas que les États qui recevaient les fonds les redistribuent aux producteurs affectés.

d) Instruments du marché financier liés aux produits de base

Depuis les années 90, l'étude des moyens d'atténuer l'impact de l'instabilité a été axée sur l'emploi d'instruments de gestion du risque fondés sur le marché[29]. Ces méthodes de couverture du risque peuvent aussi être utiles pour se prémunir contre une hausse des prix à l'importation.

Les instruments de gestion du risque de prix associés aux produits primaires se traitent sur des bourses de contrats à terme et d'options. Un contrat à terme est un engagement d'acheter ou de vendre une certaine quantité d'un produit à un prix prédéterminé. Une option est un contrat qui donne le droit, mais pas l'obligation, d'acheter ou de vendre un contrat à terme à un prix donné jusqu'à une certaine date. Elle protège contre une évolution défavorable des prix tout en laissant la possibilité de profiter d'une évolution favorable, contrairement au contrat à terme. Il y a en outre des produits sur mesure, tels que les swaps, traités hors bourse, qui permettent de bloquer un prix à moyen ou à long terme[30].

L'emploi de ces instruments de gestion du risque tend à augmenter, mais il reste limité dans les pays en développement et particulièrement en Afrique. Cela est dû au fait que les producteurs et les pouvoirs publics ne connaissent et ne comprennent pas bien ces instruments généralement complexes, au coût élevé des transactions et à la nécessité de bloquer des liquidités importantes, et au fait qu'il n'est pas possible de se couvrir pour des échéances relativement éloignées, notamment dans le cas des produits agricoles. En outre, il y a très peu d'intermédiaires locaux et l'accès aux places internationales où se traitent ces instruments est souvent difficile, notamment à cause du manque de moyens de communication.

La création de bourses de produits peut être un moyen de surmonter certains de ces obstacles. Depuis 2003, le volume des échanges sur les bourses de produits des pays en développement a progressé deux fois plus vite que celui des bourses existant de plus longue date dans les pays développés (UNCTAD, 2007d). En conséquence, la part des pays en développement dans le total du négoce de contrats à terme et d'options a augmenté, atteignant près d'un tiers en 2006. Cette expansion a été facilitée par les progrès des technologies de l'information et de la communication. Les bourses de produits établies dans les pays en développement peuvent offrir des instruments de couverture mieux adaptés aux besoins des producteurs et négociants locaux et sont plus proches des producteurs. Elles aident à réduire les coûts de transaction, fournissent un mécanisme de découverte et de transparence des prix, réduisent le risque de contrepartie, ont des règles pour faire respecter les contrats et facilitent le financement. Dans une certaine mesure, elles peuvent contribuer à combler le vide institutionnel résultant du fait que les États ont cessé d'intervenir sur les marchés des produits primaires.

4. Instabilité des prix des produits primaires et cohérence des politiques

Malgré les progrès de l'industrialisation et bien que la part de l'industrie manufacturière et des services dans la production totale ait beaucoup augmenté au cours des deux dernières décennies, les prix des produits primaires sont toujours une variable clef dans les stratégies de développement de la majorité des pays en développement. La stabilité de la croissance des revenus tirés de la production de produits primaires a une influence sur la propension à investir et facilite le financement de nouvelles capacités de production, que ce soit dans le secteur primaire lui-même ou dans l'industrie manufacturière ou les services. Une stabilité relative des prix de ces produits serait dans l'intérêt non seulement des exportateurs mais aussi des pays importateurs et serait donc bénéfique pour l'ensemble de l'économie mondiale. Une croissance régulière des revenus dans le secteur primaire contribue à accroître la demande internationale d'autres biens et services et améliore la prévisibilité des prix de revient dans les industries consommatrices de produits primaires.

La diversification et l'industrialisation sont les meilleurs moyens, à long terme, de réduire la dépendance d'un pays à l'égard de quelques produits primaires et donc sa vulnérabilité face à la volatilité ou au déclin des prix de ces produits. Toutefois, c'est un processus complexe qui demande beaucoup de temps, car il exige une formation de capital et l'acquisition de compétences, et qui dépend beaucoup de la stabilité des recettes d'exportation des produits primaires.

La libéralisation du marché des produits primaires et la privatisation n'ont pas réduit l'instabilité des cours internationaux. Les résultats de la déréglementation des marchés financiers et des marchés de produits, qui ne transmettent pas aux producteurs des indications de prix fiables, sont largement critiqués. Depuis quelques années, les institutions économiques internationales semblent plus ouvertes à des idées neuves au sujet de la nécessité d'actions multilatérales pour réduire l'impact des fluctuations excessives des prix des produits primaires sur le développement et sur la stabilité macroéconomique au niveau mondial. Une des raisons de cette évolution est qu'aujourd'hui certains pays en développement importent beaucoup de produits primaires et bon nombre d'entre eux ont les moyens de fournir un financement additionnel pour des mécanismes de stabilisation des prix ou des revenus. Par ailleurs, les grands pays industriels se préoccupent eux aussi de plus en plus du problème de la volatilité des prix des produits primaires. Toutefois, il est peu probable que les obstacles politiques à des accords multilatéraux entre producteurs et utilisateurs pour créer des mécanismes internationaux de stabilisation des prix puissent être surmontés dans un proche avenir; il faut donc prendre d'urgence d'autres mesures pour traiter les causes ou les effets de la volatilité des prix.

La fourniture de liquidités officielles suffisantes pour avoir un effet anticyclique en cas de chocs externes devrait être un des principaux objectifs d'une architecture financière internationale conçue pour faciliter le développement.

Les causes de l'instabilité des marchés des produits primaires ne peuvent pas être entièrement éliminées, mais des mesures de réglementation visant à empêcher les excès spéculatifs sur les marchés à terme pourrait beaucoup contribuer à limiter l'ampleur des fluctuations. Une plus grande stabilité des taux de change serait aussi utile. Pour ce qui est des mesures internationales visant à atténuer les effets de cette instabilité, une des options réalistes consisterait à améliorer et à appliquer à plus grande échelle des mécanismes de financement compensatoire, en tenant compte des leçons tirées de l'expérience. La fourniture de liquidités officielles suffisantes pour avoir un effet anticyclique en cas de chocs externes devrait être un des principaux objectifs d'une architecture financière internationale conçue pour faciliter le développement (Griffith-Jones et Ocampo, 2008). Pour contribuer à un développement soutenu et à la stabilité macroéconomique mondiale, ces mécanismes devront être dotés de ressources financières beaucoup plus importantes que par le passé. Ils devraient être employés non seulement pour compenser la contraction des recettes d'exportation en cas de chute des prix des produits exportés, mais aussi, comme la FFC dans son principe, le surcoût des importations en cas de forte hausse des prix de produits essentiels, en particulier les vivres et l'énergie.

Il pourrait être nécessaire de différencier la forme des paiements compensatoires en fonction de la nature du choc exogène. S'il s'agit d'un déclin probablement temporaire des prix, les paiements compensatoires pourraient être fournis sous la forme de crédits assortis de conditions de faveur à l'appui de la balance des paiements, distribués par les institutions internationales de financement. Ces prêts seraient remboursables une fois les prix remontés au-dessus d'un seuil convenu. Par contre, lorsqu'il s'agit de soutenir les revenus, soit des producteurs de certains produits agricoles soit des consommateurs souffrant de la flambée des prix de l'énergie ou d'aliments de base importés, des paiements compensatoires sous forme de dons paraissent plus appropriés, parce qu'ils ont pour but d'aider une partie de la population à maintenir un certain niveau de consommation. Toutefois, ils ne doivent pas être déduits de l'APD déjà fournie à l'appui des infrastructures économiques et des secteurs productifs (voir aussi chap. V).

Un mécanisme de financement compensatoire plus efficace et moins bureaucratique que les précédents devra en particulier ne pas avoir d'effet procyclique. Pour cela, on pourrait par exemple envisager des paiements automatiques lorsque les prix atteignent un seuil de déclenchement prédéterminé. Pour ce qui est des critères d'attribution, en principe il devrait être suffisant qu'un pays n'ait aucun moyen d'agir sur la cause du choc qui motive un financement compensatoire. Les éventuelles conditions doivent être directement liées aux modalités des ressources fournies. Si le financement prend la forme d'un don, il serait justifié d'exiger sa redistribution aux producteurs sous forme de soutien des revenus, ou aux consommateurs lorsqu'il s'agit de compenser le surcoût de l'importation d'aliments ou d'énergie.

Le système économique international gagnerait en cohérence si les nations faisaient de nouveaux efforts, au niveau multilatéral, pour contenir les fluctuations des cours internationaux des produits primaires…

En revanche, lorsque le financement compensatoire prend la forme d'un prêt, les créanciers et les gouvernements bénéficiaires devraient, pour déterminer son emploi, tenir compte de la nécessité de produire un revenu pour payer le service futur de la dette, au lieu de compter uniquement sur un redressement incertain des prix. À cet effet, il semble préférable de financer des investissements productifs dans d'autres secteurs de manière à réduire la dépendance à l'égard des produits primaires.

… tout en permettant des ajustements en douceur, en fonction de la situation fondamentale du marché et de transformations structurelles.

Au niveau national, des mécanismes institutionnels conçus pour amortir l'impact des variations des cours internationaux sur les revenus des producteurs peuvent être utiles. Leur but serait non seulement de modifier la distribution des revenus au niveau national et de réduire la pauvreté ou d'éviter son aggravation, mais aussi de donner aux producteurs les moyens de faire les investissements nécessaires pour accroître régulièrement leur productivité. L'expérience acquise avec des systèmes de soutien des revenus, notamment dans de nombreux pays développés, pourrait fournir des enseignements utiles, mais en général ces systèmes sont trop coûteux pour les pays en développement. Néanmoins, un fonds dans lequel les pays en développement mettraient de côté une partie des recettes perçues lorsque les cours internationaux sont élevés en prévision de périodes moins fastes pourrait être utile. Il pourrait lisser le revenu des producteurs du pays sans trop tirer sur les ressources budgétaires. Dans certains cas, en particulier lorsque les gains d'aubaine sont dus à une hausse des cours du pétrole ou de produits miniers, qui sont des ressources naturelles épuisables, de tels fonds pourraient appuyer l'investissement dans d'autres secteurs afin d'accélérer la diversification et la transformation structurelle et, à terme, de réduire la dépendance à l'égard des produits primaires.

Les différentes mesures, qu'elles soient nationales ou internationales, doivent bien sûr être complémentaires. Un recours accru à de nouveaux instruments de gestion des risques de prix et de financement pourrait apporter une grande contribution aux efforts de développement et de réduction de la pauvreté des pays en développement. Il ne ferait pas disparaître la volatilité des prix et ne la réduirait sans doute guère, mais il pourrait aider à protéger les producteurs contre des fluctuations excessives. Si elles sont prises en coordination avec une action plus générale de renforcement du rôle du système bancaire national dans le financement de l'investissement, des mesures qui encouragent les banques locales à offrir de tels instruments, ou à faire fonction d'intermédiaire dans ce domaine, complétées par des mesures de réglementation appropriée pour éviter les excès spéculatifs, pourraient contribuer à atténuer l'impact de la volatilité des prix des produits primaires sur les producteurs. Elles pourraient aussi faciliter le financement de l'augmentation des capacités de production ou des gains de productivité. Si ces diverses mesures parviennent à stabiliser l'environnement économique national, il pourrait être justifié de subventionner l'emploi d'instruments de couverture du risque pour certains producteurs.

Nonobstant l'utilité de mécanismes nationaux de ce genre pour atténuer les effets de l'instabilité des prix, le système économique international gagnerait en cohérence si les nations faisaient de nouveaux efforts, au niveau multilatéral, pour contenir les fluctuations des cours internationaux des produits primaires tout en permettant des ajustements en douceur, en fonction de la situation fondamentale du marché et de transformations structurelles, comme celles associées au changement climatique. Un renforcement institutionnel et financier des mécanismes de soutien est nécessaire pour réduire ou annuler l'impact négatif que peuvent avoir de fortes fluctuations des prix des produits primaires, non seulement sur les exportateurs lorsque les prix baissent, mais aussi sur les pays en développement importateurs de certains produits primaires lorsque les prix montent.

Notes

1 Voir par exemple le communiqué publié à l'issue de la réunion des ministres des finances du G-8 à Osaka (Japon), le 14 juin 2008 (disponible au centre d'information du G-8: http://www.g7.utoronto.ca/finance/fm080614-statement.pdf), dans lequel les ministres se disent préoccupés non seulement par le niveau élevé des prix des produits primaires, en particulier le pétrole et les produits alimentaires, mais aussi par leur volatilité.

2 Voir IEA (2008). D'après les données de BP (2008), la production aurait en fait baissé de 0,2 % en 2007.

3 D'après certains observateurs, la renégociation des contrats d'extraction de ressources naturelles, visant à modifier la répartition de la rente entre les pays producteurs et les compagnies transnationales, est un frein supplémentaire à l'investissement (IMF, 2008: encadré 1.5).

4 Voir par exemple the *Financial Times*, 9 mai 2008.

5 Goldman Sachs, dans un article paru dans le *Financial Times*, 6 mai 2008.

6 Baffes (2007) analyse l'effet du prix du pétrole brut sur le prix d'autres produits primaires et conclut que si le pétrole reste très cher pendant un certain temps, la récente hausse devrait durer beaucoup plus longtemps que les précédentes, du moins pour les produits alimentaires, les engrais et les métaux précieux.

7 Les données relatives au Baltic Dry Index proviennent de Capital Link Shipping (http://shipping.capitallink.com/baltic_exchange/stock_chart.html) et les données relatives à l'Overall Liner Trade Index d'ISL, 2008.

8 Classification des pays à faible revenu et à déficit vivrier (LIFDC) établie par la FAO (http://www.fao.org/countryprofiles/lifdc.asp?lang=en (consultée le 8 juillet 2008)).

9 Le rendement global moyen de toutes les cultures a progressé de 2 % par an entre 1970 et 1990, mais seulement de 1,1 % entre 1990 et 2007. L'expansion des terres cultivées a atteint en moyenne quelque 0,15 % par an sur les trente-huit dernières années. Le ralentissement des gains de rendement est probablement lié au changement climatique, à la réduction de l'effort de recherche-développement dans le secteur agricole et aux limites de la quantité d'eau disponible pour l'agriculture (USDA, 2008a).

10 Les stocks de céréales sont au plus bas depuis trente ans. D'après l'Organisation des Nations Unies pour l'alimentation et l'agriculture (FAO, 2008a): «Un certain nombre de changements dans les politiques mises en œuvre depuis les Accords du Cycle d'Uruguay ont contribué à la réduction des stocks dans les principaux pays exportateurs, à savoir: la taille des réserves détenues par des institutions publiques, les coûts de stockage élevés des denrées périssables, le développement d'autres instruments moins onéreux de gestion du risque, l'augmentation du nombre de pays ayant la capacité d'exporter, et les progrès des technologies de l'information et des transports.». Le Département de l'agriculture des États-Unis d'Amérique (USDA, 2008a) donne quelques autres explications de la faiblesse des stocks, outre la libéralisation du commerce international qui a abaissé les obstacles au commerce et facilité les échanges et donc réduit la nécessité de détenir des stocks au niveau national. Ces raisons sont la réduction des stocks de céréales détenus par la Chine et le fait que les gouvernements jugent moins nécessaire de conserver des stocks tampons après une vingtaine d'années pendant lesquelles les prix sont restés modiques et stables. Le secteur privé a aussi réduit ses stocks après de nombreuses années d'abondance sur le marché mondial, pour réduire le coût du stockage et en raison de l'adoption de méthodes de production en flux tendus.

11 Pour une analyse plus fouillée de cette question, voir Herrmann, 2007.

12 La facture mondiale des importations de vivres devrait augmenter de 26 % en 2008. La hausse prévue atteint 77 % pour le riz et quelque 60 % pour le blé et les huiles végétales.

13 C'est une des recommandations contenues dans le rapport de l'Évaluation internationale des connaissances, des sciences et des technologies agricoles pour le développement (IAASTD), processus intergouvernemental auquel participent plus de 400 experts et qui est coparrainé par la FAO, le Fonds pour l'environnement mondial (FEM), le Programme des Nations Unies pour le développement (PNUD), le Programme des Nations Unies pour l'environnement (PNUE), l'Organisation des Nations Unies pour l'éducation, la science et la culture (UNESCO), la Banque mondiale et l'Organisation mondiale de la santé (OMS).

14 Indépendamment des effets sur les termes de l'échange et sur la balance des paiements, du point de vue de la sécuritéalimentaire il faudra fournir aux pays importateurs de vivres un financement commercial à court terme supplémentaire tenant compte de l'augmentation du coût de leurs importations. La Décision ministérielle de Marrakech sur les mesures concernant les effets négatifs possibles du programme de réforme sur les pays les moins avancés et les pays en développement importateurs nets de produits alimentaires visait à remédier aux difficultés que pourraient rencontrer les pays à faible revenu pour financer leurs importations de produits alimentaires suite à la libéralisation et à la réforme du commerce des produits agricoles dans le cadre des accords commerciaux multilatéraux. Toutefois, le

principe qui est à l'origine de cette décision est tout aussi pertinent face aux récentes hausses de prix résultant d'autres facteurs, puisque son but est d'éviter une pénurie d'aliments de base due à l'insuffisance des possibilités de financement à des conditions commerciales. Pour pallier les contraintes de liquidités des PMA et des pays en développement importateurs nets de produits alimentaires, et faciliter l'importation d'urgence qui peut être nécessaire indépendamment de son effet net sur la balance commerciale, la CNUCED et la FAO ont formulé conjointement en 2003 une proposition de création d'une facilité internationale pour le financement des importations de produits alimentaires (FAO, 2003b). À la lumière de l'actuelle crise alimentaire mondiale, cette proposition pourrait être réexaminée et sérieusement envisagée.

15 Pour un exposé plus détaillé des politiques qu'on pourrait envisager en réponse à la crise alimentaire, voir UNCTAD, 2008b.

16 Cela a été imputé à la faiblesse du pouvoir de négociation des exportateurs face aux importateurs, en particulier les sociétés transnationales (STN), et au pouvoir croissant des réseaux de grande distribution de produits alimentaires.

17 Bien qu'une grande partie du surcroît de la demande de produits primaires de ces dernières années soit imputable à des pays en développement en forte croissance, comme la Chine et l'Inde, ce qui a stimulé le commerce Sud-Sud, les importations des pays développés représentaient encore plus de 65 % du total en 2006.

18 Par exemple, les hydrocarbures représentent 95 % des exportations de l'Angola, le cacao 90 % des exportations de Sao Tomé-et-Principe, le minerai de fer 64 % des exportations de la Mauritanie et le coton 64 % des exportations du Bénin.

19 La part des exportations de produits primaires a été calculée par la CNUCED d'après les bases de données *Manuel de statistique* de la CNUCED et COMTRADE de l'ONU.

20 Cette analyse se fonde sur l'indice de l'instabilité des prix des produits de base autres que les combustibles de la CNUCED. Il convient de souligner que le choix des périodes est important lorsqu'on fait des comparaisons historiques de la volatilité des prix des produits primaires. Toutefois, on constate une augmentation de la volatilité même en choisissant d'autres périodes que celles mentionnées dans le texte. Par exemple, la volatilité globale des prix des produits autres que les combustibles a été plus forte sur la période 1986-2007 que sur la période 1973-1985, périodes qui ont été retenues par Dehn, Gilbert et Varangis, 2004 pour la mesure de l'évolution de la volatilité.

21 Cet indice est calculé tous les mois, alors que les chiffres employés pour dessiner le graphique 2.4 sont trimestriels, étant donné qu'on ne dispose pas de données mensuelles sur la valeur unitaire à l'exportation des produits manufacturés des pays développés.

22 Pour une analyse plus détaillée des prix des produits primaires, voir Dehn, Gilbert et Varangis, 2004, et pour la volatilité du prix du pétrole, voir UNCTAD, 2005.

23 Pour un examen détaillé des effets négatifs de l'instabilité des prix des produits primaires, voir World Bank, 2000; Dehn, Gilbert et Varangis, 2004; et Parimal, 2006. Pour une analyse portant plus particulièrement sur les effets sur les recettes budgétaires, voir Asfaha, 2007.

24 Pour un compte rendu détaillé de l'évolution de la politique internationale des produits primaires, voir UNCTAD, 2002b; 2003a; 2004; et 2008c.

25 Aujourd'hui, les AIP servent surtout de cadre pour les débats et pour la transparence des marchés et aucun d'entre eux ne contient de clauses économiques visant à stabiliser les prix. Pour plus de précisions sur le fonctionnement des différents AIP et leurs problèmes, voir Gilbert, 1996; et South Centre, 2004. Pour une évaluation plus générale des politiques de gestion de l'offre, voir Lines, 2007.

26 La FFC a été créée en 1963 pour aider les pays ayant des difficultés de balance des paiements dues à des déficits temporaires des recettes d'exportation provoqués par des facteurs externes sur lesquels ils n'ont aucune influence. Elle a été élargie en 1979 pour couvrir la diminution des recettes touristiques et des envois de fonds des travailleurs émigrés, puis en 1981 pour compenser le surcoût des importations de céréales. Elle a été rebaptisée en 1988 Facilité de financement compensatoire et d'urgence, mais quelque temps après les mots «d'urgence» ont été supprimés.

27 Jusqu'en 2000, l'UE fournissait à ses partenaires ACP des financements compensatoires au moyen du STABEX pour les produits agricoles et du SYSMIN pour les produits miniers. Ces deux mécanismes avaient été introduits dans le cadre de la Convention de Lomé en 1975 et ils ont été révisés lors des reconductions ultérieures de cette convention. Lorsque la Convention de Lomé a été remplacée par l'Accord de Cotonou de 2000, le STABEX et le SYSMIN ont été remplacés par le mécanisme FLEX (Financement des fluctuations à court terme des recettes d'exportation), qui devait apporter un appui budgétaire supplémentaire à court terme aux pays ACP dont les recettes d'exportation baissaient de plus de 2 %. L'objectif était de préserver les politiques et réformes macroéconomiques et sectorielles menacées par la chute des recettes d'exportation (European Commission, 2004). Cette aide n'est pas accordée en fonction des fluctuations des prix d'un produit donné, mais en cas de perte de recettes d'exportation et d'aggravation du déficit budgétaire. Le système FLEX semble souffrir des mêmes défauts que les autres mécanismes du même genre, en particulier la lenteur des décaissements et, apparemment, l'insuffisance des ressources. Il sera probablement réformé dans le cadre de la négociation des nouveaux accords de partenariat européen qui remplaceront l'Accord de Cotonou après son expiration.

28 Pour une analyse plus détaillée, voir Hewitt, 2007.

29 La CNUCED a joué un grand rôle dans la promotion de l'emploi de ces instruments depuis le début des années 90 (voir par exemple UNCTAD, 1998). En 1999, la Banque mondiale, avec la participation de la CNUCED, entre autres institutions, a créé le Groupe de travail international sur les risques liés aux produits de base dans les pays en développement, chargé de faciliter l'accès des acteurs économiques des pays en développement à ces instruments. Cette initiative a été inspirée par un document de la Banque mondiale (World Bank, 1999) qui avait eu une grande influence. Toutefois, il semble que jusqu'à présent seul un petit nombre de projets pilotes ont été exécutés avec succès dans ce cadre.

30 Pour une analyse détaillée des instruments de gestion des risques liés aux produits primaires, de leurs avantages et de leurs inconvénients, voir UNCTAD 1998; UNCTAD 2005; et Rutten et Youssef 2007. Ces derniers ont fait une étude de l'emploi de ces instruments sur le marché du café, qui est le plus important marché de produit primaire, après celui du pétrole.

Bibliographie

Akiyama T et al. (2001). Commodity market reforms: Lessons of two decades. World Bank Regional and Sectoral Studies. Washington, DC, March.

Asfaha S (2007). National revenue funds: their efficacy for fiscal stability and intergenerational equity. Winnipeg, International Institute for Sustainable Development.

Baffes J (2007). Oil spills on other commodities. Policy Research Working Paper WPS4333. Washington, DC, World Bank.

BP (2008). Statistical Review of World Energy. British Petroleum, June.

Burghardt G (2008). Volume surges again. Futures Industry Magazine. March/April.

Burkhard J (2008). The price of oil: A reflection of the world. Testimony before the Committee on Energy and Natural Resources, United States Senate, Cambridge Energy Research Associates, Washington, DC, 3 April.

Cashin P and McDermott CJ (2002). The long-run behavior of commodity prices: Small trends and big variability. IMF Staff Papers, 49(2). Washington, DC, International Monetary Fund.

Cashin P, McDermott C J and Scott A (1999). Booms and slumps in world commodity prices. IMF Working Paper 99/155. Washington, DC, International Monetary Fund.

CERA (2008). IHS/CERA Upstream Capital Costs Index: Cost of constructing new oil and gas facilities reaches new high. Cambridge Energy Research Associates. 14 May. Press release. Available at: http://www.cera.com/aspx/cda/public1/news/pressReleases/pressReleaseDetails.aspx?CID=9487.

Cohen D et al. (2008). Lending to the poorest countries: A new counter-cyclical debt instrument. OECD Development Centre Working Paper 269. Paris, OECD.

Dehn J, Gilbert C and Varangis P (2004). Commodity price volatility. In: Aizenman J and Pinto B, eds. Managing Volatility and Crises: A Practitioner's Guide. Washington, DC, World Bank.

European Commission (2004). Agricultural commodity chains, dependence and poverty: A proposal for an EU action plan, COM(2004)89 final. Brussels.

FAO (2003a). Some trade policy issues relating to trends in agricultural imports in the context of food security. Report of the 64th Session of the Committee on Commodity Problems. Rome, 18–21 March.

FAO (2003b). Financing normal levels of commercial imports of basic foodstuffs in the context of the Marrakesh Decision on least-developed and net food-importing developing countries. Rome.

FAO (2008a). Soaring food prices: Facts, perspectives, impacts and actions required, HLC/08/INF/1. Rome.

FAO (2008b). Food outlook. Rome, June.

FAO (2008c). Crop prospects and food situation. Rome, April.

Financial Times (2008). Analyst warns of oil at $200 a barrel, 6 May.

Financial Times (2008). The Lex Column. Commodities: mining, and Commodities: oil, 9 May.

Gilbert C (1996). International commodity agreements: an obituary notice. *World Development, 24(1).*

Griffith-Jones S and Ocampo JA (2008). Compensatory financing for shocks: What changes are needed? Initiative for Policy Dialogue Working Paper. New York.

Harris J (2008). Written testimony before the Senate Committee on Homeland Security and Governmental Affairs, Commodity Futures Trading Commission, United States Senate. Washington, DC. 20 May. Available at: http://hsgac.senate.gov/public/_files/052008Harris.pdf.

Herrmann M (2007). Agricultural support measures of advanced countries and food insecurity in developing countries: Economic linkages and policy responses. In: Guha-Khasnobis B, Acharya SS and Davis B, eds. Food Security: Indicators, Measurement, and the Impact of Trade Openness. Oxford, Oxford University Press.

Hewitt A (2007). Compensatory finance: Options for tackling the commodity price problem. Winnipeg, International Institute for Sustainable Development.

IEA (2008). Oil market report. Paris, International Energy Agency, May.

IFDC (2008). World fertilizer prices soar as food and fuel economies merge. International Center for Soil Fertility and Agricultural Development. Press release, 19 February. Available at: http://www.ifdc.org/i-wfp021908.pdf.

IMF (2004). Review of the compensatory financing facility. Washington, DC.

IMF (2006). World Economic Outlook. Washington, DC, September.

IMF (2008). World Economic Outlook. Washington, DC, April.

ISL (2008). Shipping Statistics and Market Review, 529(4). Bremen, Institute of Shipping Economics and Logistics.

Ivanic M and Martin W (2008). Implications of higher global food prices for poverty in low-income countries. Policy Research Working Paper, WPS 4594. Washington, DC, World Bank.

Lines T (2007). Supply management: Options for commodity income stabilization. Winnipeg, International Institute for Sustainable Development.

Lukken W (2008). Written testimony before the Senate Appropriations Subcommittee on Financial Services and General Government and the Senate Committee on Agriculture, Nutrition and Forestry, United States Senate. 17 June. Available at: http://www.cftc.gov/stellent/groups/public/@newsroom/documents speechandtestimony/opalukken-41.pdf.

Masters MW (2008). Testimony before the Committee on Homeland Security and Governmental Affairs, United States Senate. Masters Capital Management LLC. Washington, DC, 20 May. Available at: http://hsgac.senate.gov/public/_files/052008Masters.pdf.

Merryll Lynch (2008). Commodity volatility: a primer. Global Commodity Paper No. 7. New York.

OECD-FAO (2008). Agricultural Outlook 2008–2017. Organisation for Economic Co-operation and Development and Food and Agriculture Organization. Paris and Rome.

OPEC (2008). OPEC Monthly Oil Market Report. Vienna, May.

Parimal J (2006). Rethinking policy options for export earnings. South Centre Research Papers, No. 5. Geneva.

Polaski S (2008). Rising food prices, poverty, and the Doha round. Policy Outlook, No. 41. Washington, DC, Carnegie Endowment for International Peace.

Rubin J and Tal B (2008). Will soaring transport costs reverse globalization? *CIBC World Markets StategEcon,* 27 May.

Rutten L and Youssef F (2007). Market-based price risk management: An exploration of commodity income stabilization options for coffee farmers. Winnipeg, International Institute for Sustainable Development.

South Centre (2004). Commodity market stabilization and commodity risk management: Could the demise of the former justify the latter? South Centre analytical note, SC/TADP/AN/COM/, Geneva.

Ul Haque (2003). Commodities under neoliberalism: The case of cocoa. G-24 Discussion Paper No. 25. New York and Geneva, UNCTAD, January.

UNCTAD (1998). A survey of commodity risk management instruments. UNCTAD/COM/15/Re.2, Geneva.

UNCTAD (2002a). The Least Developed Countries Report 2002: Escaping the Poverty Trap. United Nations publication, sales no. E.02.II.D.13, New York and Geneva.

UNCTAD (2002b). The effects of financial instability and commodity price volatility on trade, finance and development. Note prepared by the UNCTAD Secretariat for the WTO Working Group on Trade, Debt and Finance. Geneva, 10 July.

UNCTAD (2003a). Economic development in Africa: Trade performance and commodity dependence. United Nations publication, New York and Geneva.

UNCTAD (2003b). Report of the Meeting of Eminent Persons on Commodity Issues. TD/B/50/11, Geneva.

UNCTAD (2004). Beyond Conventional Wisdom in Development Policy: An Intellectual History of UNCTAD, 1964-2004. New York and Geneva.

UNCTAD (2005). The exposure of African Governments to the volatility of international oil prices, and what to do about it. Paper prepared for the African Union Extraordinary Conference of Ministers of Trade on African Commodities. UNCTAD/DITC/ COM/2005/11, Geneva, 6 December.

UNCTAD (2007a). The development role of commodity exchanges. TD/B/COM.1/EM.33/2, Geneva.

UNCTAD (2007b). The Least Developed Countries Report 2007: Knowledge, Technological Learning and Innovation for Development. United Nations publication, sales no. E.07.II.D.8, New York and Geneva.

UNCTAD (2007c). Commodities and development. TD/B/COM.1/82, Geneva.

UNCTAD (2007d). The development role of commodity exchanges. TD/B/COM.1/EM.33/2, Geneva.

UNCTAD (2008a). Development and Globalization: Facts and Figures 2008. United Nations publication, New York and Geneva.

UNCTAD (2008b). Addressing the global food crisis: Key trade, investment and commodity policies in ensuring sustainable food security and alleviating poverty. A note by the UNCTAD secretariat for the High-level Conference on World Food Security: The Challenges of Climate Change and Bioenergy, Rome, 3–5 June.

UNCTAD (2008c). The changing face of commodities in the twenty-first century. TD/428, Geneva.

UNCTAD (various issues). Trade and Development Report. United Nations publication, New York and Geneva.

United Nations (2008). World Economic Situation and Prospects 2008: Update as of mid-2008. New York.

United States Senate (2006). The role of market speculation in rising oil and gas prices: A need to put the cop back on the beat. Staff report prepared by the Permanent Subcommittee on Investigations of the Committee on Homeland Security and Governmental Affairs. Washington, DC.

USDA (2008a). Global agricultural supply and demand: Factors contributing to the recent increase in food prices. United States Department of Agriculture. Washington, DC, May.

USDA (2008b). Grains: World markets and trade. United States Department of Agriculture. Washington, DC, May.

WAOB (2008). World Agricultural Supply and Demand Estimates No. 460. World Agricultural Outlook Board, United States Department of Agriculture. Washington, DC.

World Bank (1999). Dealing with commodity price volatility in developing countries: A proposal for a marketbased approach. Washington, DC, International Task Force on Commodity Risk Management, World Bank. Washington, DC.

World Bank (2000). Global Economic Prospects 2000. Washington, DC.

World Bank (2008). World Development Report 2008: Agriculture for Development. Washington, DC

Chapitre III

FLUX INTERNATIONAUX DE CAPITAUX, SOLDE DES OPÉRATIONS COURANTES ET FINANCEMENT DU DÉVELOPPEMENT

A. Introduction

Les chefs d'État et de gouvernement, réunis à Monterrey (Mexique) en mars 2002, se sont engagés, dans le Consensus de Monterrey, à attirer et à accroître les entrées de capitaux productifs (par. 21) et à assurer la viabilité de la dette (par. 47). Le début du millénaire a été marqué par le fait que, collectivement, les pays en développement sont devenus exportateurs nets de capitaux, alors qu'ils étaient traditionnellement importateurs. Depuis la crise financière asiatique de 1997-1998, les flux internationaux de capitaux vont de plus en plus «à contresens», c'est-à-dire des pays pauvres vers les pays riches. L'ampleur de ce nouveau phénomène a amené certains à dire quelques pays en développement avaient créé un «excédent d'épargne» mondial (Bernanke, 2005)[1].

Le fait que les pays en développement soient devenus exportateurs nets de capitaux contredit les théories classiques de la croissance. Ces théories postulent que, si les marchés des capitaux sont ouverts, les capitaux se déplaceront des pays riches vers les pays pauvres pour exploiter le taux de rentabilité plus élevé que sont censés offrir ces derniers et combler leur «déficit d'épargne». Elles prédisent en outre que les entrées de capitaux stimuleront la croissance.

Toutefois, ces prédictions ne sont pas confirmées par l'histoire récente. Outre que les capitaux circulent «à contresens», les pays en développement exportateurs nets de capitaux ont en général un taux de croissance et un taux d'investissement plus élevés que ceux qui sont importateurs nets de capitaux. Cela remet aussi en question un autre postulat de la théorie économique classique, à savoir qu'il y a une corrélation étroite entre la libéralisation du compte de capital et la croissance.

Cette contradiction entre la théorie et les faits peut paraître troublante. Toutefois, elle ne l'est que du point de vue des principes fondamentaux de la théorie économique néoclassique, et en particulier si l'on se fonde sur l'idée que l'évolution du compte des opérations courantes est déterminée par le comportement d'un agent représentatif qui bénéficie d'une prévision parfaite et qui maximise une fonction d'utilité intertemporelle. Elle ne l'est plus dès lors qu'on admet que ces postulats sont faux.

Dans le présent chapitre, nous examinerons les principales questions que soulève le «paradoxe des flux de capitaux», à savoir le fait que les capitaux semblent circuler à contresens, pour définir un cadre unifié permettant de mieux comprendre les mécanismes qui déterminent le solde des opérations courantes et leur interaction avec les facteurs qui agissent sur l'investissement et la croissance. Nous examinerons aussi les facteurs qui ont contribué à améliorer la balance des paiements de nombreux pays en développement au point de remplacer le déficit des opérations courantes par un excédent dont la contrepartie est une sortie nette de capitaux.

Le constat le plus important est que, dans les pays qui sont très tributaires de l'exportation de produits primaires, les variations du solde des opérations courantes sont en grande partie déterminées par l'évolution du cours de ces produits, tandis que dans les pays dont la production et les exportations sont plus diversifiées, c'est le taux de change réel qui joue le rôle clef. Cette dernière observation va dans le sens des recherches récentes qui ont montré non seulement qu'une monnaie surévaluée est néfaste pour la balance extérieure, mais aussi qu'un taux de change réel compétitif est indispensable pour obtenir une croissance de la demande globale à court terme et de l'emploi à long terme (Frenkel et Taylor, 2006; Eichengreen, 2007; et Rodrik, 2007).

Dans la section B nous donnerons un aperçu de l'évolution récente du solde des opérations courantes de différents groupes de pays en développement. Dans la section C nous analyserons différents épisodes de retournement du solde des opérations courantes de pays en développement au cours des trois dernières décennies et mettrons en lumière les facteurs qui sont généralement propices à une amélioration de la balance extérieure et à une accélération de la croissance. Dans la section D nous reprendrons les éléments fondamentaux des cadres théoriques traditionnels pour examiner les relations entre la libération du compte de capital, le solde des flux de capitaux, l'investissement et la croissance. Nous soulignerons la divergence entre les prédictions du modèle classique fondé sur le «déficit d'épargne» et le modèle néoclassique de la croissance et les observations montrant qu'il n'est pas toujours nécessaire d'attirer des capitaux pour stimuler la croissance et qu'au contraire il se peut même qu'une accélération de la croissance d'un pays en développement coexiste avec une sortie nette de capitaux. Dans la section E nous conclurons par des recommandations de politique économique aux niveaux national et international.

B. Évolution récente du solde des opérations courantes des pays en développement

À la fin des années 90, le solde global des opérations courantes des pays développés est devenu négatif, alors qu'il était auparavant positif, et celui des pays en développement est devenu largement excédentaire (graphique 3.1). L'évolution du solde global (graphique 3.1A) est très influencée par le comportement des deux plus grandes économies de chacun de ces groupes, à savoir les États-Unis et la Chine. La Chine peut s'appuyer sur l'existence d'une énorme réserve de main-d'œuvre, mais elle est en outre un exemple remarquable de pays en développement qui a réussi à générer une épargne considérable et à réaliser un important excédent des opérations courantes et une accumulation rapide de capital.

Il y a une très grande hétérogénéité au sein des groupes pays développés et pays en développement, comme on peut le voir en comparant les graphiques 3.1A et 3.1B. Le second montre l'évolution de la moyenne arithmétique des soldes des opérations courantes. La moyenne des soldes des pays en développement était encore négative au début du XXIe siècle, mais l'écart entre les pays en développement et les pays développés s'est beaucoup réduit depuis. Toutefois, dans le même temps, la dispersion au sein des deux groupes s'est accrue, comme le montrent les courbes qui retracent l'évolution des 25e et 75e centiles de la distribution (par pays) du solde des opérations courantes. La fourchette interquartile est passée de 6 % du PIB en 1997 à 11,5 % du PIB en 2007.

L'inversion de l'évolution des soldes des opérations courantes des pays en développement a commencé autour de 1998, probablement en réaction aux crises financières qui ont frappé plusieurs de ces pays dans la deuxième moitié des années 90. Elle est principalement imputable aux pays émergents (graphique 3.2). En 2007, les pays en développement émergents avaient éliminé ou quasiment éliminé leur déficit des opérations courantes (graphique 3.2A), tandis que celui des autres pays en développement restait important (graphique 3.2B). L'évolution des pays en transition d'Europe du Sud-Est et de la Communauté d'États indépendants (CEI) a été différente: alors que, globalement, le déficit des opérations courantes des pays émergents de ce groupe s'est creusé, celui des autres pays en transition a beaucoup diminué.

Graphique 3.1

SOLDE DES OPÉRATIONS COURANTES DES PAYS EN DÉVELOPPEMENT, DES PAYS DÉVELOPPÉS ET DES PAYS ÉMERGENTS D'EUROPE, 1980–2007

(*En pourcentage du PIB*)

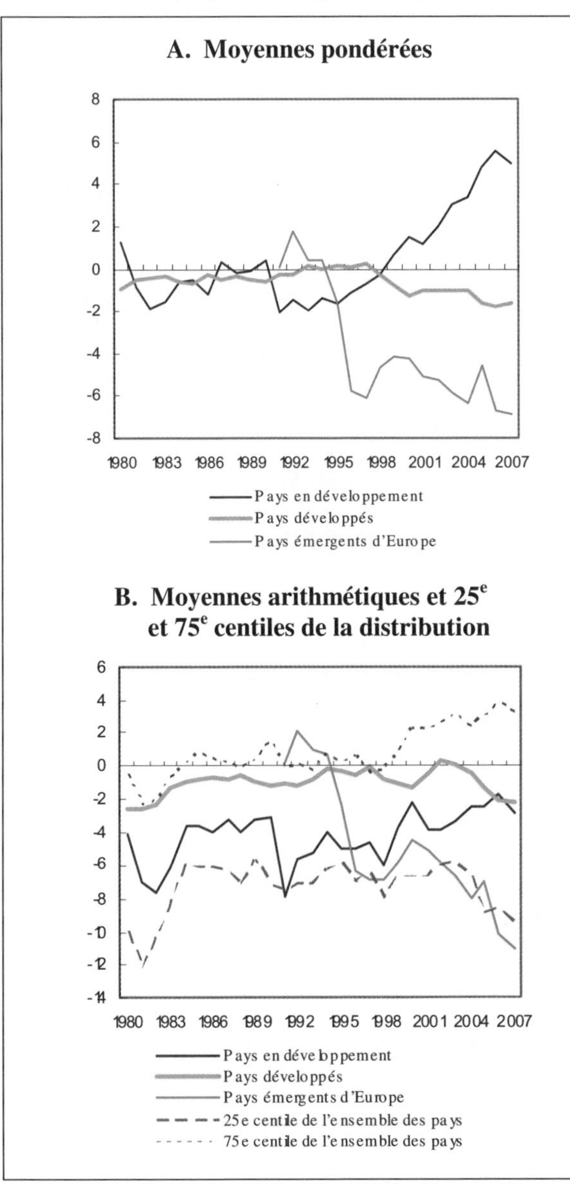

***Source*:** Calculs du secrétariat de la CNUCED, d'après Division de statistique de l'ONU, Département des affaires économiques et sociales, données de la comptabilité nationale; base de données *Manuel de statistique* de la CNUCED; et FMI, base de données *Balance of payments*.

***Note*:** Pays émergents d'Europe: Estonie, Lettonie, Lituanie, République tchèque, Slovaquie et Slovénie. Le 75e (25e) centile est la valeur en dessous de laquelle se trouvent 75 (25) % des observations.

Le fait que l'amélioration globale des soldes des opérations courantes est imputable essentiellement aux économies émergentes peut s'explique par le fait que les autres pays n'avaient qu'un accès limité au marché international des capitaux et n'ont donc guère été affectés par les crises financières des dix dernières années. Cette observation est encore plus paradoxale du point de vue de la théorie économique dominante, car selon cette théorie, ce sont les pays émergents qui, en raison de leur plus grande ouverture au marché financier international, devraient attirer le plus de capitaux (ou «épargne extérieure») et donc avoir les déficits courants les plus importants (encadré 3.1). Or c'est dans les pays émergents d'Asie en particulier que l'augmentation des entrées brutes a été plus que compensée par l'augmentation des sorties brutes (graphique 3.3)[2].

Le graphique 3.3 fait apparaître les trois vagues de flux de capitaux vers et depuis les pays en développement et montre leurs effets sur les différentes régions. La première vague a commencé au milieu des années 70 et s'est terminée avec la crise de la dette au début des années 80. La deuxième a commencé après le plan Brady au début des années 90 et s'est terminée avec l'arrêt soudain des flux de capitaux provoqué par les crises d'Asie et de Russie. La troisième a commencé au début des années 2000 et n'est pas encore terminée. La première fut caractérisée par d'importantes entrées nettes de capitaux, car les sorties brutes de capitaux des pays en développement étaient minimes. Durant la deuxième, la hausse des entrées brutes de capitaux s'est accompagnée d'une hausse des sorties brutes. Enfin, durant la troisième, les sorties brutes, essentiellement associées à l'accumulation de réserves de change, particulièrement en Asie, ont dépassé les entrées brutes, si bien que le solde a été une sortie nette de capitaux des pays en développement.

Graphique 3.2

SOLDE DES OPÉRATIONS COURANTES DES PAYS EN DÉVELOPPEMENT ET DES PAYS EN TRANSITION, PAR RÉGION, 1980-2007

(*Moyenne en pourcentage du PIB*)

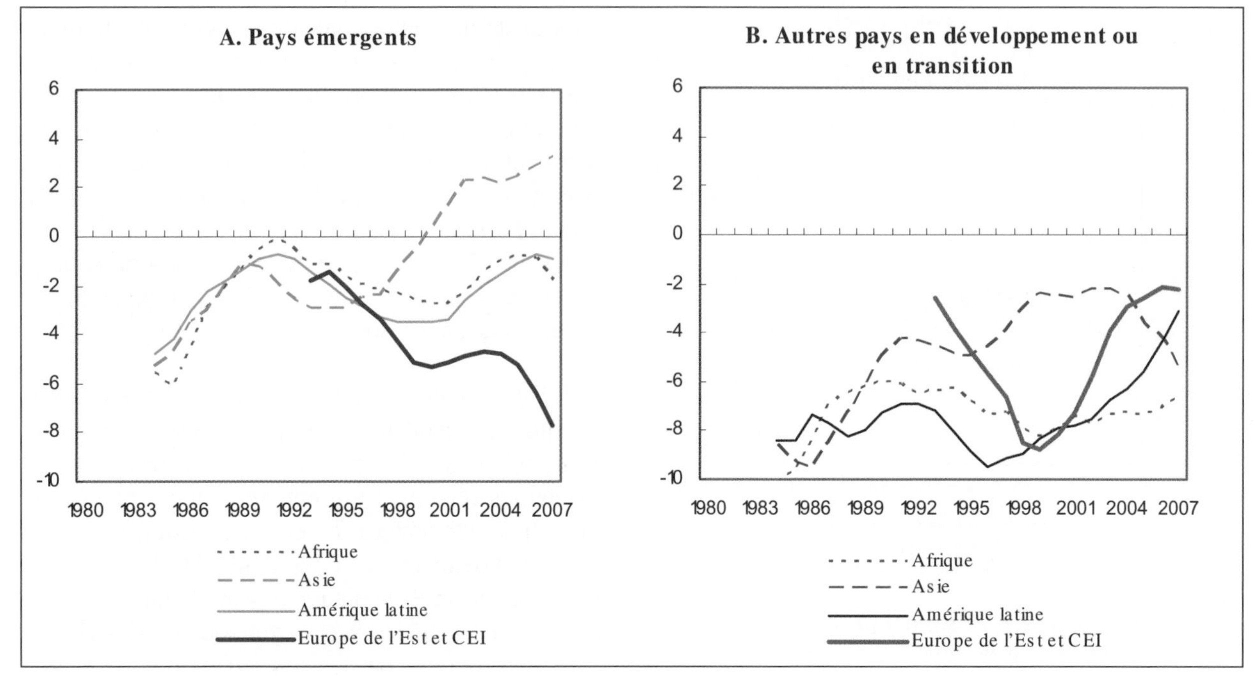

***Source*:** Calculs du secrétariat de la CNUCED, d'après FMI, bases de données *Balance of Payments* et *World Economic Outlook;* et *CNUCED,* base de données *Manuel de statistique.*

***Note*:** Moyennes arithmétiques et moyennes glissantes sur cinq ans. La région Europe de l'Est et CEI ne comprend pas la Fédération de Russie.

Encadré 3.1

COMPTE DES OPÉRATIONS COURANTES ET FLUX NETS DE CAPITAUX: QUELQUES DÉFINITIONS

Dans la terminologie habituelle, les entrées de capitaux correspondent à l'achat d'actifs nationaux par des non-résidents (plus les dons), la vente d'actifs nationaux par des non-résidents étant définie comme entrée de capitaux négative. De même, les sorties de capitaux correspondent à l'acquisition d'actifs étrangers par des résidents, et la vente d'actifs étrangers par des résidents est définie comme sortie de capitaux négative.

Dans le système de la comptabilité nationale, le solde des opérations courantes correspond à la fois à l'écart entre l'épargne nationale et l'investissement national et à l'écart entre le revenu national et la dépense nationale. Cela signifie que lorsque les dépenses intérieures dépassent le revenu national, le déficit des opérations courantes qui en résulte correspond au transfert de ressources étrangères qui finance l'excédent de dépenses; ce transfert est parfois qualifié d'«épargne extérieure».

Le solde des opérations courantes est égal au total du solde des importations et exportations de biens et de services, du solde des paiements au titre des revenus des facteurs entre résidents et non-résidents, et du solde des transferts courants. La balance des paiements étant conçue comme une identité comptable, le solde des opérations courantes est aussi égal au total net des flux de capitaux, des variations des réserves internationales et des erreurs et omissions. Dans la comptabilité de la balance des paiements, ces trois derniers postes sont comptabilisés séparément, mais les expressions «*entrées nettes de capitaux*» et «*sorties nettes de capitaux*», telles qu'elles sont employées ici, correspondent au total net du solde du compte de capital, des variations des réserves et des erreurs et omissions nettes, sauf indication contraire, et sont donc identiques au solde des opérations courantes (mais avec le signe opposé). En d'autres termes, un excédent des opérations courantes est équivalent à une sortie nette de capitaux et un déficit des opérations courantes à une entrée nette de capitaux. Cette convention est différente de celle employée dans le *Rapport sur le commerce et le développement 1999* (partie 2, chap. V).

Graphique 3.3

FLUX DE CAPITAUX, SOLDE DES OPÉRATIONS COURANTES ET VARIATION DES RÉSERVES DANS LES PAYS EN DÉVELOPPEMENT ET DANS LES PAYS EN TRANSITION, PAR RÉGION, 1981-2007

(*Moyennes pondérées par le PIB en pourcentage du PIB*)

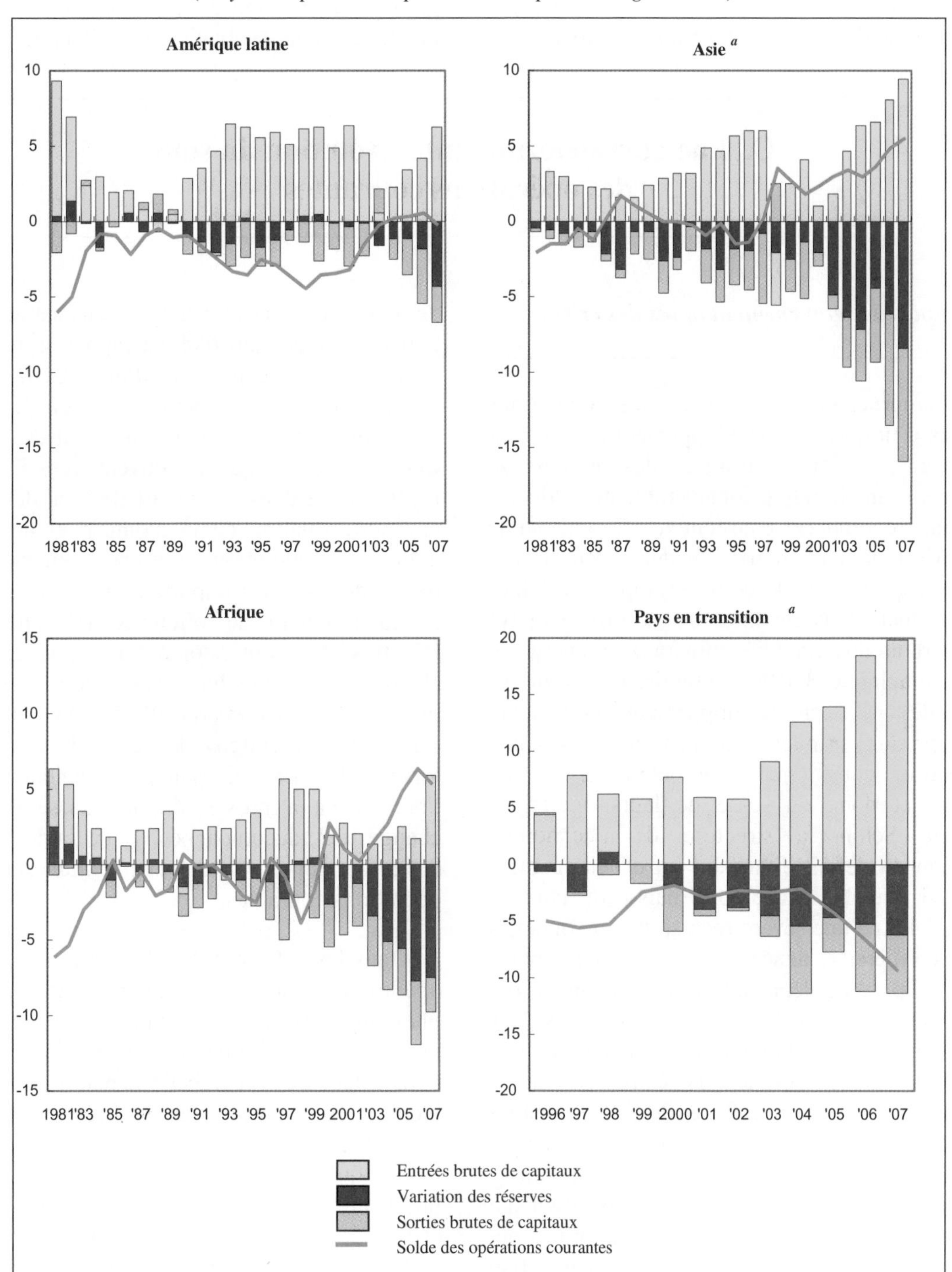

Source: Calculs du secrétariat de la CNUCED, d'après FMI, bases de données *Balance of Payments, International Financial Statistics* et *World Economic Outlook*; et sources nationales.

***Note*:** Pour les variations des réserves, une valeur négative correspond à une augmentation. Les entrées brutes de capitaux sont égales au total des investissements directs, des investissements de portefeuille et des autres types de placement. Les sorties brutes de capitaux sont égales à la somme de l'investissement direct à l'étranger, des investissements de portefeuille et des autres placements à l'étranger.

[a] À l'exclusion des grands producteurs de pétrole. La catégorie pays en transition inclut la Bulgarie et la Roumanie.

Pour de nombreux pays dont la balance commerciale est déterminée principalement par la demande mondiale de produits primaires, l'amélioration du solde des opérations courantes a été associée à la hausse des cours de ces produits. En particulier, le solde des opérations courantes des exportateurs de pétrole s'est inversé et a beaucoup augmenté lorsque la hausse du cours du pétrole a commencé, tandis que pour les importateurs nets de produits primaires, l'effet sur le solde des opérations courantes a été négatif. De nombreux pays émergents d'Asie font partie de cette dernière catégorie. Toutefois, ils ont compensé l'alourdissement de leur facture d'importation de produits primaires par une augmentation encore plus importante des recettes d'exportation de produits manufacturés, ayant décidé de maintenir une légère sous-évaluation de leur monnaie.

C. Facteurs déterminant l'évolution du solde des opérations courantes

1. *Exemples de retournement après des crises*

Le retournement du solde des opérations courantes d'un pays en développement est souvent associé à une forte variation des termes de l'échange. L'amélioration considérable du solde des opérations courantes consécutive à une telle variation est particulièrement évidente dans le cas des pays exportateurs de pétrole (graphique 3.4A), ainsi que, mais dans une moindre mesure, des pays qui exportent des produits minéraux, minerais et métaux (graphique 3.4B). Toutefois, ces dernières années, des pays en développement producteurs d'autres produits primaires ont aussi bénéficié d'une amélioration considérable de leurs termes de l'échange et donc du solde de leurs opérations courantes. Selon la structure de l'économie, l'inversion du déficit d'un pays en développement peut aussi être due à une forte baisse du taux de change réel ou à une sévère récession. Au cours des vingt dernières années, les redressements déclenchés par une dépréciation de la monnaie ont fréquemment fait suite à des crises financières dans des pays émergents. On peut citer comme exemple les cas de la République de Corée et de la Fédération de Russie en 1998 et de l'Argentine en 2002. La Chine est aussi un bon exemple d'ajustement dû à une dépréciation de la monnaie: après la crise monétaire de 1992, le cours du yuan a beaucoup baissé et par la suite les autorités ont maintenu pendant de longues années une parité fixe par rapport au dollar (voir graphique 3.5).

La plupart des crises monétaires et financières du passé peuvent être assez bien décrites au moyen de quelques grandes caractéristiques de deux types de régime de taux de change. Dans certains pays, le taux de change était fixé par rapport à une monnaie de réserve, en général le dollar. Cela était assez fréquent dans des petits pays où les autorités monétaires cherchaient ainsi à stabiliser l'économie. Cette stratégie, qui a souvent réussi à enrayer l'inflation, a dans la plupart des cas débouché sur une surévaluation de la monnaie et un important déficit des opérations courantes, en raison de la baisse du coût des importations provenant du pays de la monnaie de référence (Flassbeck, 2001) D'autres pays ont adopté un régime de taux de change souple. Les hausses de leurs taux d'intérêt, induites par les écarts d'inflation, ont entraîné d'importantes entrées de capitaux à court terme lorsque les flux de capitaux étaient totalement libres. Cela a provoqué une hausse du taux de change réel, accompagnée d'une rapide expansion des importations et d'une aggravation du déficit des opérations courantes.

Dans les deux cas, la détérioration du solde des opérations courantes a alarmé les investisseurs internationaux jusqu'au point où ils ont déclenché une soudaine et brutale sortie de capitaux. La perte de confiance des marchés financiers internationaux incite généralement les gouvernements et les banques centrales à prendre des mesures défensives, telles qu'une hausse des taux d'intérêt, des interventions sur le marché des changes et des efforts de réduction du déficit budgétaire, en dépit de la dégradation de la conjoncture interne. C'est ce qui s'est passé en République de Corée en 1998, lorsque son économie, bien que relativement saine, a subi la contagion de la crise financière qui avait frappé d'autres pays d'Asie de l'Est ayant opté pour

Graphique 3.4

SOLDE DES OPÉRATIONS COURANTES ET PRIX DES PRODUITS PRIMAIRES POUR LES PAYS EXPORTATEURS DE PÉTROLE OU DE PRODUITS MINÉRAUX ET MINIERS, 1980-2007

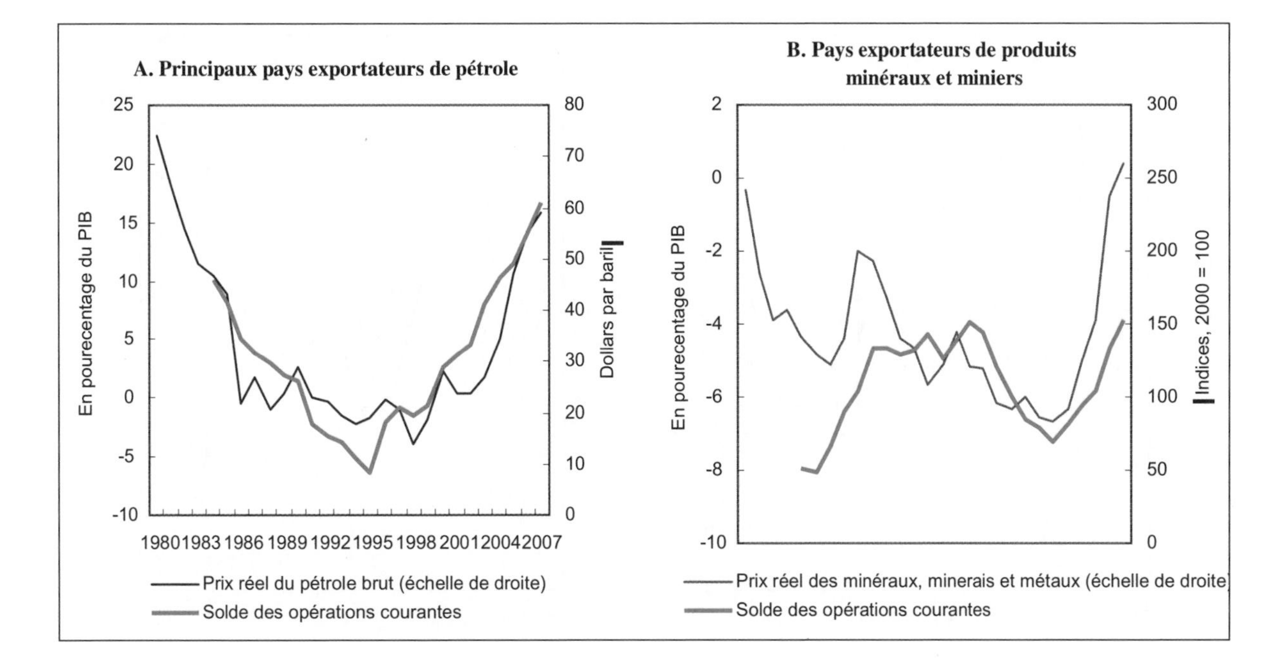

Source: Calculs du secrétariat de la CNUCED, d'après FMI, bases de données *Balance of Payments* et *World Economic Outlook*; CNUCED, statistiques de prix des produits de base en ligne; et CNUCED, base de données *Manuel de statistique*.

Note: Les données relatives au solde des opérations courantes sont des moyennes arithmétiques glissantes sur cinq ans. Le groupe des exportateurs de produits minéraux et miniers se compose des pays suivants: Chili, Ghana, Guinée, Mozambique, Niger, Papouasie-Nouvelle-Guinée, Pérou, Suriname et Zambie. Prix réel du pétrole brut: moyenne des pétroles Dubai/Brent/Texas, non pondérée (en dollars par baril), déflatée par l'indice des prix à la consommation des États-Unis (2000 = 100). Prix réel des minéraux, minerais et métaux: indice des prix des minéraux, minerais et métaux déflaté par l'indice des prix à la consommation des États-Unis (2000 = 100).

la stratégie de la parité fixe. Le problème a été dû au fait que la parité de la monnaie coréenne était de facto restée fixe après la libération du compte de capital, les autorités n'ayant pas tenu compte du risque d'un afflux de capitaux spéculatifs dû au niveau relativement bas du taux d'intérêt sur le dollar. Le rapide redressement du solde des opérations courantes a été dû à une contraction de la production et des importations. Par la suite, une dépréciation en termes réels a permis de conserver un excédent modeste pendant un certain temps (graphique 3.5A).

La crise argentine de 2002 a obéi à un schéma similaire (graphique 3.5B): le régime de caisse d'émission fondé sur les réserves en dollar a entraîné une forte surévaluation du peso, aggravée par le fait que les États-Unis ne sont qu'un importateur secondaire de produits argentins, tandis que le Brésil, son principal partenaire commercial, avait dévalué sa monnaie en 1999. L'abandon de la caisse d'émission, en 2002, a provoqué une brutale chute de la monnaie. S'ajoutant à une contraction très sévère de l'économie, cela a provoqué une variation du solde des opérations courantes équivalente à 10 % du PIB en 2002, suivie d'une rapide accélération de la croissance, initialement stimulée par le remplacement des importations et l'expansion des exportations.

En Chine, l'excédent des opérations courantes a commencé à gonfler en 2001, accompagné d'une inflation modérée. Cette évolution s'est produite dans un environnement caractérisé par une croissance rapide de l'économie mondiale et un taux de change toujours fixé au niveau très bas atteint en 1993, lorsque les autorités chinoises avaient laissé chuter le cours nominal du yuan

Graphique 3.5

INVERSION DU SOLDE DES OPÉRATIONS COURANTES, CROISSANCE DU PIB ET TAUX DE CHANGE EFFECTIF RÉEL DE QUELQUES PAYS

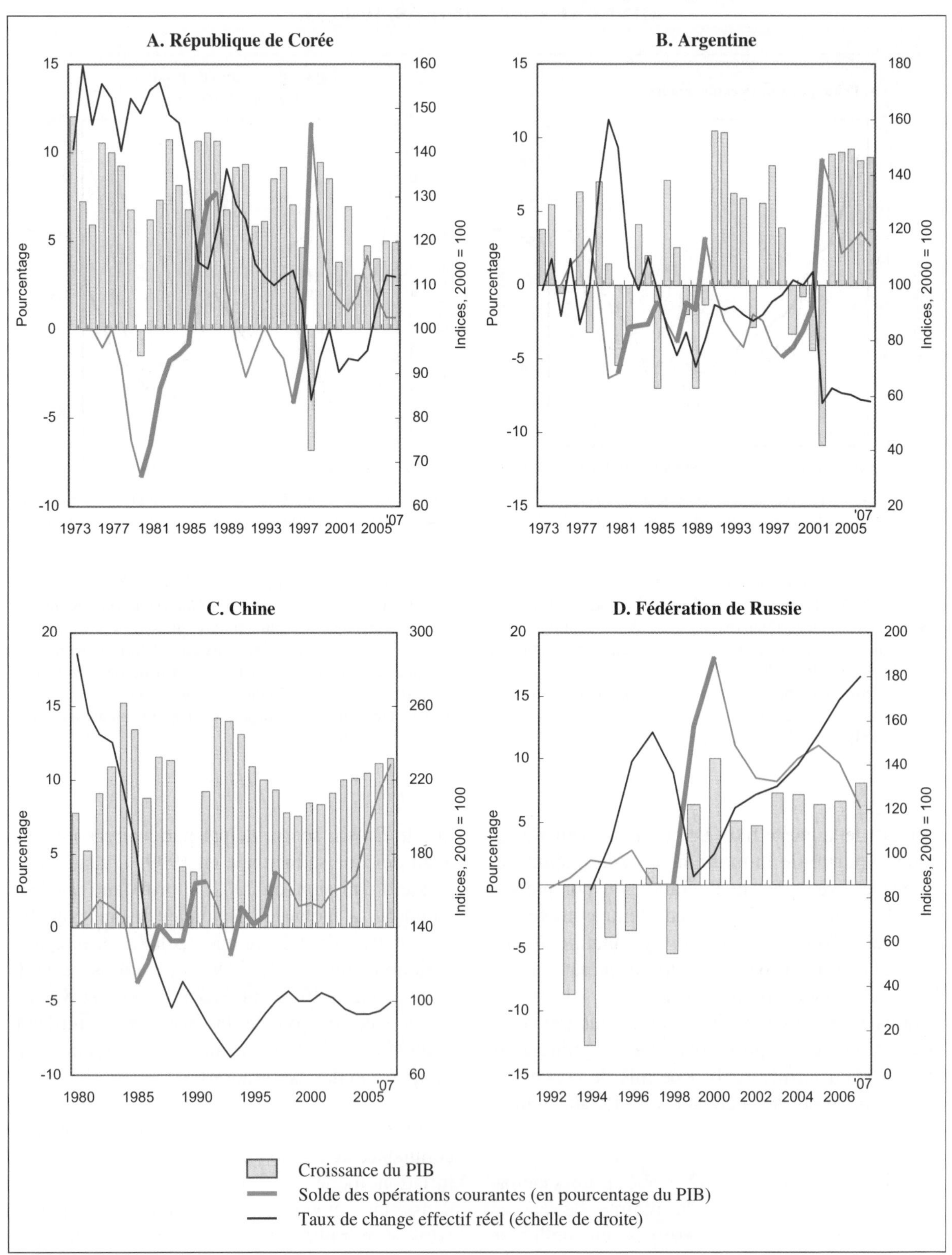

Source: Calculs du secrétariat de la CNUCED, d'après FMI, bases de données *Balance of Payments* et *International Financial Statistics*; JPMorgan; et base de données *Manuel de statistique* de la CNUCED.

Note: Les parties en gras de la courbe du solde des opérations courantes indiquent l'inversion d'un déficit.

avant de fixer sa parité par rapport au dollar de manière unilatérale. Cette dépréciation de la monnaie avait entraîné un redressement du solde des opérations courantes, qui est devenu positif, mais l'excédent a quelque peu diminué après la crise asiatique (graphique 3.5C): comme les monnaies d'autres pays d'Asie, qui sont en concurrence avec les exportateurs chinois sur le marché mondial se sont fortement dépréciées, la récession de ces pays a fait stagner les exportations chinoises.

Le redressement du solde des opérations courantes de la Fédération de Russie après la crise financière de 1998 a été dû avant tout à une évolution favorable des termes de l'échange et à la croissance des exportations de gaz et de pétrole (graphique 3.5D). Bien que l'écart de taux d'intérêt par rapport au dollar se soit rétréci après 1998, des possibilités de gains spéculatifs sont réapparues avec l'accélération de l'inflation et la remontée des taux d'intérêt nominaux. L'appréciation du rouble qui s'en est suivie a annulé les gains de compétitivité qu'avait apportés à l'économie russe la dépression associée à la crise de 1998. Cela pourrait entraver la diversification de l'économie nécessaire pour faire face à de futures baisses du cours du pétrole et à l'épuisement des réserves.

Ces quatre exemples montrent qu'un rapide redressement du solde des opérations courantes résulte généralement soit d'une amélioration des termes de l'échange soit d'une baisse du taux de change réel. Nous avons fait une analyse économétrique pour déterminer quels sont, pour différents pays, les facteurs de ce redressement et les conditions dans lesquelles il est associé à une accélération du taux de croissance du PIB, qui donne à penser que ce schéma est valable pour un grand nombre d'autres pays. Nous passerons en revue les résultats de ce travail dans les paragraphes qui suivent, la méthode employée pour définir les épisodes de retournement du solde des opérations courantes et les résultats détaillés de l'analyse économétrique sont décrits dans l'annexe du présent chapitre.

2. *Facteurs associés au redressement du solde des opérations courantes*

Pour l'analyse économétrique, nous avons recensé 268 épisodes. Leurs principales caractéristiques sont résumées dans le tableau 3.1. Plus de trois quarts de ces épisodes concernent des pays en développement, quelque 10 % des pays en transition et les autres 15 % des pays développés[3]. En moyenne, chaque épisode a commencé par un déficit du solde des opérations courantes équivalent à quelque 10 % du PIB. Il a duré environ quatre ans et le redressement du solde des opérations courantes cumulé sur la période a représenté quelque 12 % du PIB. Dans les pays développés, le déficit initial et l'ampleur du retournement ont été environ moitié moindres que dans les pays en développement ou en transition. Le taux de croissance du PIB durant la période de redressement a été en général moins élevé qu'avant, mais l'écart n'est que de 0,5 point de pourcentage. Globalement, l'activité économique a eu tendance à croître à un rythme plus rapide après le retournement d'environ 1 point de pourcentage de plus qu'avant.

En général, les retournements ont été associés à une forte baisse du taux de change réel suivie d'une remontée modérée. Après la fin de l'épisode, le taux de change réel était d'environ 20 % moins élevé qu'avant. Les producteurs des pays concernés étaient donc plus compétitifs à l'exportation après l'épisode qu'avant. Font exception à ce schéma les pays en transition, dans lesquels la période de redressement du solde des opérations courantes a été associée à une hausse du taux de change réel.

Le graphique 3.6 illustre l'évolution de plusieurs variables pendant l'épisode, faisant une distinction entre les pays développés et les pays en développement. Dans les deux catégories de pays, le taux de croissance du PIB a atteint son niveau le plus bas dans l'année qui a suivi le déclenchement de l'épisode. La crise s'est généralement produite à un moment pendant lequel la production effective était plus élevée que le potentiel à long terme[4]. Dans les pays en développement, le taux de change réel a culminé à une période avant le retournement et a diminué pendant plusieurs périodes après. En revanche, dans les pays développés, il a commencé à diminuer plusieurs périodes avant l'épisode et ensuite il est resté à peu près constant.

Dans les pays en développement (mais pas dans les pays développés), les retournements ont souvent été précédés d'une amélioration des termes de l'échange. Dans les deux catégories de pays, les taux d'intérêt réels ont beaucoup monté avant le retournement, probablement en raison de vaines tentatives des autorités monétaires de défendre un taux de change nominal, et ils ont commencé à chuter aussitôt après.

Tableau 3.1

ANALYSE DES ÉPISODES DE REDRESSEMENT DU SOLDE DES OPÉRATIONS COURANTES: RÉCAPITULATION DES VARIATIONS DU TAUX DE CROISSANCE DU PIB ET DU TAUX DE CHANGE EFFECTIF RÉEL (TCER)

	Solde des opérations courantes au début de l'épisode	Ampleur du retournement	Durée	Variations du						Nombre d'épisodes
				Taux de croissance du PIB			TCER			
				(t - t - 1)	(t + 1 - t)	(t + 1- t- 1)	(t - t - 1)	(t + 1 - t)	(t + 1 - t - 1)	
	(En pourcentage du PIB)		(Années)	(Points de pourcentage)						
Ensemble des pays	-10,0	12,3	4,2	-0,5	1,3	0,6	-21,5	4,7	-19,4	268
Pays développés	-5,4	6,4	4,0	-0,6	1,4	0,6	-9,0	6,4	-3,3	40
Pays en transition	-12,3	14,5	4,6	7,3	4,3	10,7	-24,4	28,8	-14,0	22
Pays en développement	-10,7	13,2	4.0.2	-1,1	1,0	-0,3	-23,6	2,7	-22,6	206
Afrique	-13,2	14,6	4,3	-1,4	0,7	-0,9	-26,6	1,1	-26,1	97
Amérique latine et Caraïbes	-7,7	10,6	4,1	-1,8	2,4	0,3	-18,0	8,9	-12,7	52
Asie et Pacifique, hors Asie occidentale	-6,8	9,9	4,0	-1,2	1,4	0,3	-24,1	-3,0	-26,6	37
Asie occidentale	-13,0	19,6	4,9	2,3	-2,2	0,3	-25,7	4,5	-27,0	20

***Source*:** Calculs du secrétariat de la CNUCED, d'après la base de données *Manuel de statistique* de la CNUCED; Banque mondiale, base de données *World Development Indicators*; FMI, bases de données *Balance of Payment* et *International Financial Statistics*; JP Morgan; et sources nationales.

***Note*:** Les valeurs indiquées à la période «t» sont la moyenne des valeurs constatées sur les différents épisodes de retournement et les valeurs correspondants aux périodes «t - 1» et «t + 1» sont la moyenne des valeurs sur les trois années précédent et suivant l'épisode.

Graphique 3.6

ÉVOLUTION DES PRINCIPES VARIABLES MACROÉCONOMIQUES AVANT ET APRÈS UN RETOURNEMENT DU SOLDE DES OPÉRATIONS COURANTES

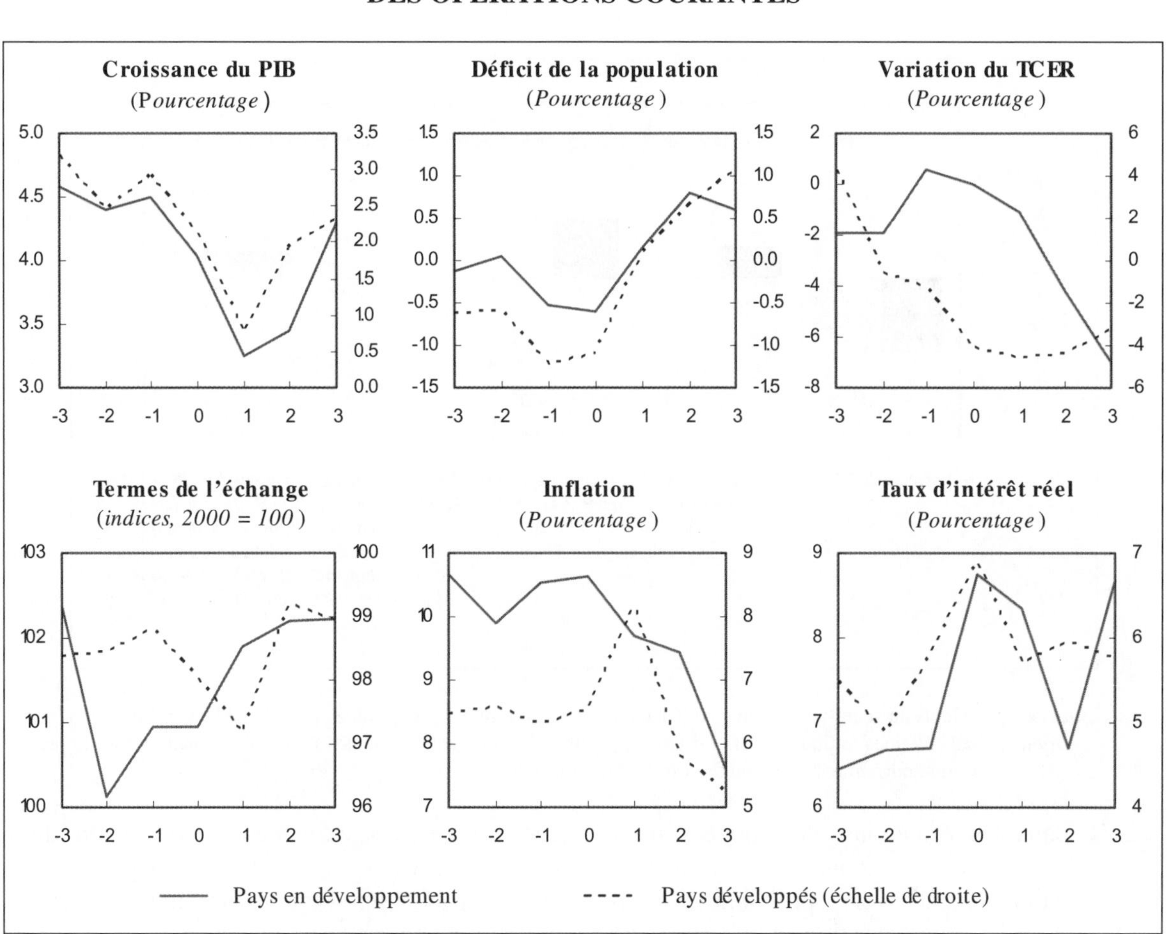

***Source*:** Voir tableau 3.1.

***Note*:** Les chiffres indiqués en abscisse correspondent aux années qui précèdent et qui suivent le retournement.

En résumé, cette analyse montre que le retournement du solde des opérations courantes est généralement précédé d'une amélioration des termes de l'échange et d'une baisse du taux de change réel, et que son redressement ultérieur permet d'appliquer une politique monétaire plus favorable à l'investissement et à la croissance. Toutefois, les variations du solde des opérations courantes sont déterminées par plusieurs facteurs autres que le taux de change réel et les termes de l'échange. L'analyse économétrique donne une idée de l'importance relative de quelques autres facteurs qui peuvent contribuer au retournement du solde des opérations courantes dans les pays développés ou dans les pays en développement[5].

Les principaux résultats de cette analyse sont récapitulés dans le graphique 3.7 (pour plus de détails, voir le tableau 3.A1 de l'annexe du présent chapitre). Ce graphique montre l'effet d'une variation équivalente à un écart-type de chacune des variables sur la probabilité d'un retournement du solde des opérations courantes[6]. Le choix d'un écart-type permet de normaliser les variations des différentes variables du fait que la probabilité d'une variable supérieure est très faible[7].

Les retournements du solde des opérations courantes sont corrélés avec une baisse du taux de change réel dans toutes les catégories d'économies – développées, en développement et en transition –, mais une analyse plus approfondie montre que l'effet des variations du taux de change réel est plus fort dans les économies développées. Une baisse du taux de change effectif réel accroît la probabilité d'un retournement du solde des opérations courantes

Graphique 3.7

FACTEURS DÉTERMINANT LA PROBABILITÉ D'UN RETOURNEMENT DU SOLDE DES OPÉRATIONS COURANTES

(*Pourcentage*)

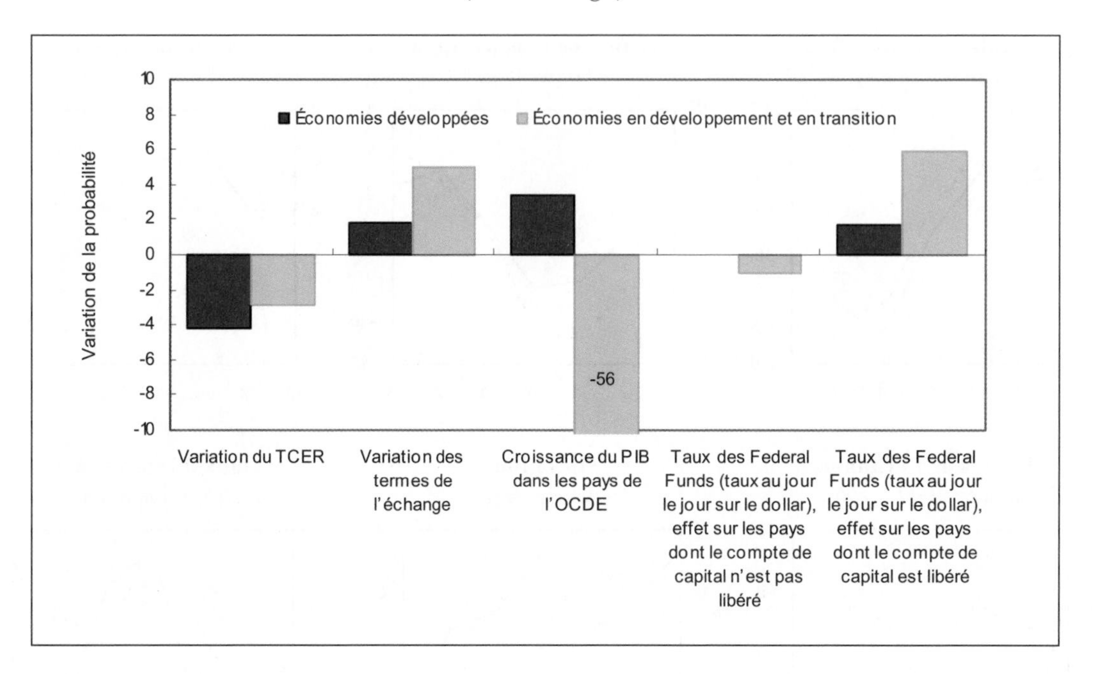

Source: Calculs du secrétariat de la CNUCED, d'après les données récapitulées dans le tableau 3.1 de l'annexe.
Note: Les colonnes indiquent l'effet d'une variation égale à un écart-type de la variable considérée sur la probabilité d'un retournement du solde des opérations courantes.

de 4,2 % dans les économies développées mais seulement de 2,8 % dans les économies en transition ou en développement[8]. La probabilité d'un redressement dû à une variation des termes de l'échange est presque trois fois plus élevée (5 %) dans les pays en développement et en transition que dans les pays développés (1,8 %). On voit donc que les chocs exogènes ont un effet majeur sur le solde des opérations courantes des pays en développement.

L'analyse économétrique confirme aussi que le solde des opérations courantes des pays en développement ou en transition est inversement corrélée avec la croissance du PIB des pays développés (c'est-à-dire qu'une accélération de la croissance des pays développés accroît la probabilité d'un retournement dans les pays en développement et en transition). Une baisse du taux de croissance du PIB des pays de l'OCDE accroît la probabilité d'une détérioration dans les pays en développement de plus de 50 % (la colonne du graphique 3.7 est tronquée à -10 %). Dans les pays développés, la corrélation est opposée, mais l'effet est moins prononcé et le coefficient n'est pas significatif[9]. Le graphique montre aussi que les chocs financiers exogènes (modification du taux directeur des États-Unis) n'ont presque aucun effet sur la probabilité d'un retournement du solde des opérations courantes des pays en développement dont le compte de capital n'est pas libéré. Par contre, lorsque le compte de capital est libéré, ils peuvent avoir un effet positif important: une hausse du taux des Federal Funds (taux au jour le jour) accroît la probabilité d'un retournement d'environ 6 %.

Globalement, ces résultats donnent à penser que le retournement du solde des opérations courantes des pays en développement est déterminé beaucoup plus par des chocs externes sur le marché des produits ou le marché financier que par les décisions autonomes d'épargne et d'investissement des agents économiques nationaux.

Pour étudier les conditions dans lesquelles un pays peut redresser le solde de ses opérations courantes sans passer par une longue et sévère crise économique, nous avons subdivisé les épisodes repris dans le tableau 3.1 en trois catégories: expansion, contraction et autres. Les épisodes qui ont été suivis par une accélération de la croissance d'au moins 1 point de pourcentage sont classés dans la catégorie expansion, ceux qui sont suivis par une baisse du taux de croissance d'au moins 1 point sont classés dans la catégorie contraction et le reste dans la catégorie autres. Sur cette base, on obtient la ventilation suivante: sur un total de 193 épisodes, 57 expansions, 77 contractions et 59 autres[10].

Au sein de chacune de ces catégories, on peut faire une autre distinction entre les épisodes accompagnés d'une dépréciation de la monnaie et ceux accompagnés d'une appréciation. On voit dans le tableau 3.2 que plus de 75 % des épisodes ont été accompagnés d'une baisse du taux de change réel. Les rares épisodes accompagnés d'une hausse du taux de change réel ont été dus à une amélioration des termes de l'échange plus de deux fois plus importantes que celles associées aux épisodes accompagnés d'une dépréciation. En outre, les épisodes de la catégorie expansion qui ont été accompagnés d'une hausse du taux de change réel sont aussi associés à une amélioration plus prononcée des termes de l'échange[11].

Tableau 3.2

VARIATION DES TAUX DE CHANGE ET DES TERMES DE L'ÉCHANGE DURANT LES ÉPISODES DE RETOURNEMENT DU SOLDE DES OPÉRATIONS COURANTES, PAR CATÉGORIE D'ÉPISODE

Épisode avec:	Catégorie d'épisode							
	Expansion		Contraction		Autres		Total	
	Nombre d'épisodes	Termes de l'échange (%)	Nombre d'épisodes	Termes de l'échange (%)	Nombre d'épisodes	Termes de l'échange (%)	Nombre d'épisodes	Termes de l'échange (%)
Baisse du taux de change réel	42	26	58	20	50	18	150	21
Hausse du taux de change réel	15	120	19	10	9	33	43	53
Total	57	51	77	17	59	20	193	28

***Source*:** Voir tableau 3.1.

La conclusion selon laquelle les retournements accompagnés d'une expansion nécessitent soit une forte amélioration positive des termes de l'échange soit une dépréciation de la monnaie est confirmée par un test formel permettant de vérifier l'influence de plusieurs autres facteurs qui pourraient agir sur la probabilité d'un tel retournement (graphique 3.8)[12]. Une baisse du taux de change réel accroît la probabilité d'un retournement accompagné d'une expansion d'environ 3,5 % et une amélioration des termes de l'échange l'accroît d'environ 7 %. Une augmentation de l'écart entre le taux d'intérêt nominal du pays concerné et celui du dollar réduit la probabilité d'un retournement accompagné d'une expansion de 13 %, ce qui donne à penser que les taux d'intérêt nominaux élevés ont une grande influence négative sur la probabilité d'un retournement accompagné d'une expansion. La conjoncture mondiale joue aussi un rôle important: une accélération de la croissance des pays de l'OCDE entraine une augmentation de 18 % de la probabilité d'un retournement accompagné d'une expansion dans les pays en développement et dans les pays en transition.

L'analyse des facteurs déterminant un retournement accompagné d'une contraction n'a pas donné de résultats probants: le modèle statistique a montré que les seules variables de prédiction solides étaient l'écart entre la production réelle et la production potentielle et le taux d'intérêt nominal (plus celui-ci est élevé plus il est probable que le retournement s'accompagnera d'une contraction). Certaines des régressions décrites dans l'annexe ont montré qu'une plus grande ouverture au commerce extérieur est associée à une probabilité plus élevée d'épisodes accompagnés d'une contraction et que l'ouverture du compte de capital est associé à une probabilité moins élevé. Cela pourrait signifier que les retournements accompagnés d'une expansion présentent plusieurs caractéristiques communes: une baisse du taux de change réel, une amélioration des termes de l'échange et une politique monétaire expansionniste. Par contre, les retournements accompagnés d'une contraction s'expliquent chacun par des facteurs spécifiques.

Graphique 3.8

FACTEURS DÉTERMINANT LA PROBABILITÉ D'UN RETOURNEMENT DU SOLDE DES OPÉRATIONS COURANTES ACCOMPAGNÉ D'UNE EXPANSION, DANS LES PAYS EN DÉVELOPPEMENT ET DANS LES PAYS EN TRANSITION

(*En pourcentage*)

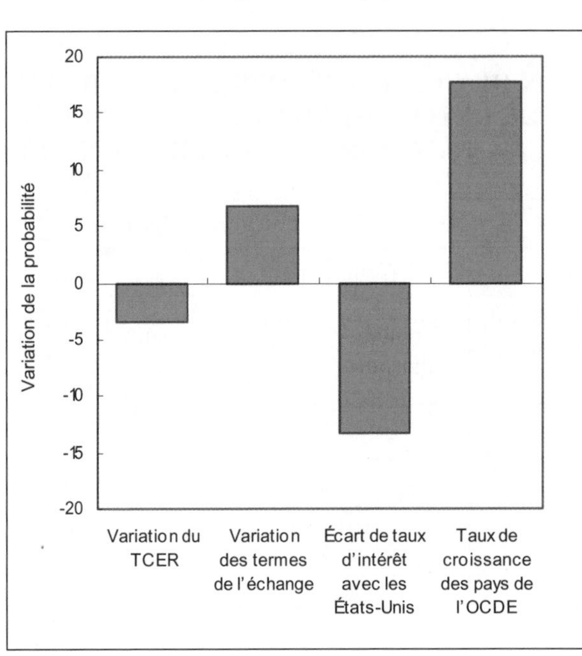

Source: Calculs du secrétariat de la CNUCED, sur la base des données reprises dans le tableau 3.A2 de l'annexe.
Note: Les colonnes indiquent l'effet d'une variation égale à un écart-type de la variable considérée sur la probabilité d'un redressement du solde des opérations courantes accompagné d'une expansion.

D. Capitaux étrangers et croissance

Le fait que, depuis le début du XXIe siècle, les capitaux circulent «à contresens», et qu'en même temps un nombre croissant de pays en développement qui sont exportateurs nets de capitaux ont obtenu un taux de croissance élevé remet en question les fondements théoriques des politiques économiques habituellement recommandées aux pays en développement.

Rares sont les économistes qui contestent que le sens des flux de capitaux internationaux et la croissance de la production des pays importateurs et exportateurs de capitaux contredisent les prédictions du modèle orthodoxe. Il y a par contre désaccord au sujet de l'explication de ce phénomène. Certains soutiennent qu'un simple élargissement du modèle orthodoxe peut donner des prédictions conformes aux observations. D'autres affirment que les problèmes que soulève l'approche néoclassique sont plus profonds et qu'il faut employer un modèle économique totalement différent. Dans la présente section, nous exposerons plusieurs arguments en faveur de cette seconde position.

1. Les modèles orthodoxes de l'épargne et du développement

a) Le modèle du déficit d'épargne

La plupart des théories de la croissance et des explications des écarts de revenus considérables entre pays se fondent sur la dotation de facteurs de production et/ou de ressources naturelles de chaque pays. Les pays qui ont plus de biens d'équipement et/ou une main-d'œuvre mieux formée seraient censés avoir un revenu par habitant plus élevé. Pour rattraper les pays riches, les pays pauvres auraient donc besoin de plus de capitaux. Toutefois, si la formation de capital est fonction du niveau de revenu, ils sont dans un cercle vicieux, n'ayant pas assez de capital justement parce qu'ils sont pauvres. En d'autres termes, leur épargne serait insuffisante pour financer leurs capacités de production de biens d'équipement ou de produits d'exportation permettant d'importer ces biens. Dans ce cadre théorique, une économie pauvre ne peut pas obtenir un taux de croissance suffisant pour rattraper les pays riches tant que son épargne et son investissement n'ont pas atteint un seuil critique (voir Sachs *et al.*, 2004). La théorie traditionnelle du développement a été guidée par l'idée qu'il fallait combler ce déficit d'épargne par des capitaux provenant de pays disposant de revenus plus élevés et d'une épargne abondante.

En conséquence, la stratégie recommandée pour lutter contre la pauvreté dans le monde et pour permettre aux pays pauvres de rattraper les pays riches a deux axes. Premièrement, il faut améliorer la dotation de facteurs des pays en développement en leur donnant accès aux facteurs qui leur manquent, soit par l'investissement étranger privé soit par l'aide publique au développement. Deuxièmement, il faut que les pays développés ouvrent leur marché aux produits des pays en développement qui possèdent en abondance des ressources naturelles ou de la main-d'œuvre mais peu de capitaux pour que ces derniers puissent accroître leurs recettes d'exportation et ainsi financer l'importation de biens d'équipement plus productifs.

La théorie du déficit d'épargne s'appuie sur le modèle classique de la croissance des années 40 et 50, le modèle Harrod-Domar (Harrod, 1939; et Domar, 1957). Ce modèle «capital-main-d'œuvre» met en évidence certaines conditions nécessaires de la croissance, mais n'explique pas les relations fonctionnelles entre ces différentes conditions. La plupart des approches fondées sur cette théorie considèrent que le taux d'accumulation du capital est déterminé par l'écart entre l'intensification du capital (ratio capital/main-d'œuvre) et son élargissement (montant d'épargne par habitant nécessaire pour maintenir un ratio capital/main-d'œuvre constant compte tenu de l'expansion démographique et de l'usure du stock de capital existant). Si la productivité totale des facteurs est constante, la production par habitant augmente tant que l'épargne par habitant est supérieure à l'investissement minimum nécessaire (Sachs *et al.*, 2004:124).

En conséquence, on recommande aux pays dont la croissance est relativement lente d'accroître leur épargne pour financer la formation de capital requise. Cette idée est plausible dans la mesure où l'investissement productif est un des facteurs déterminants de la croissance. Toutefois, si l'on considère qu'en gros l'épargne intérieure est égale à l'investissement productif, elle est triviale. Elle revient à dire que les économies qui investissent beaucoup ont un taux de croissance plus élevé que celles qui investissent peu. Le modèle de Harrod-Domar prédit donc ce qu'il postule: l'épargne est nécessaire pour la croissance et un taux d'épargne élevé vaut mieux qu'un taux faible[13].

En raison de son caractère tautologique, cette approche ne permet pas de formuler des recommandations vraiment significatives. L'argument selon lequel il faut accroître l'épargne totale en attirant l'épargne extérieure pour accroître l'investissement productif se fonde sur l'idée que les ménages sont la seule source d'épargne nationale et que l'épargne est automatiquement employée pour financer des investissements en capital fixe. Si l'on élimine un ou l'autre de ces postulats, l'épargne extérieure devient un facteur secondaire pour la promotion de l'investissement productif. Dès lors, les autres sources d'épargne intérieure, notamment les bénéfices des entreprises, et la nature des activités dans lesquelles cette épargne est investie acquièrent une importance majeure, comme nous le verrons au chapitre IV. L'histoire de l'Amérique latine au cours du dernier quart du XXe siècle a montré que l'augmentation des entrées de capitaux (autrement dit la disponibilité de l'épargne extérieure) n'est pas synonyme d'une augmentation des investissements. Malgré d'importantes entrées nettes de capitaux, le taux d'investissement est resté faible et la croissance modeste.

b) Le modèle néoclassique

Les descriptions orthodoxes plus récentes du comportement de l'économie à long terme sont fondées sur le modèle de croissance néoclassique pur initialement formulé par Solow (1956) et Swan (1956). D'après ce modèle, l'épargne détermine l'accumulation de capital (comme dans le modèle de Harrod-Domar), mais l'épargne et l'investissement ne sont pas toujours liés à la croissance (contrairement à ce que postule le modèle de Harrod-Domar). L'épargne (et l'investissement) ne déterminent la croissance que lorsque l'économie n'est pas en état d'équilibre, mais ils n'ont pas d'influence lorsqu'elle est en équilibre. Sur le long terme, la croissance serait déterminée uniquement par la technologie, qui elle-même est déterminée de manière exogène par des variables non économiques.

Les travaux ultérieurs fondés sur ce modèle, comme ceux de Cass et Koopmans (Cass, 1965; et Koopmans, 1965) ont en quelque sorte «endogénéisé» le taux d'épargne. À cet effet, ils ont modélisé le comportement d'un individu représentatif cherchant à optimiser l'utilité sur sa vie entière. Cette école postule une capacité de prévision parfaite et une aversion pour le risque: elle part du principe que les consommateurs préfèrent un niveau de consommation stable et que toute variation transitoire de leurs revenus est, normalement, compensée par une variation de leur épargne (une chute temporaire du revenu entraîne une baisse de l'épargne et vice versa). Par contre, une variation durable du revenu a l'effet contraire. Si le taux de croissance du PIB augmente durablement, les individus passeront immédiatement à un niveau de consommation supérieur et l'accélération de la croissance entraînera une baisse de l'épargne.

Par contre, s'il y a un choc endogène lié au taux d'épargne, par exemple si une modification des préférences incite les ménages à épargner davantage, cela entraîne une augmentation à la fois de l'investissement et du taux de croissance (comme dans le modèle de Harrod-Domar), du moins durant la transition jusqu'à un nouvel état d'équilibre. Le modèle prédit donc des interactions différentes entre l'épargne et la croissance selon la nature du choc et sa durée. En réponse à une variation temporaire du taux de croissance, les revenus et l'épargne varient dans la même direction alors qu'en réponse à une variation permanente ils varient en sens opposé. En réponse à une variation du taux d'épargne (résultant par exemple d'une modification des préférences), le revenu et l'épargne varient dans la même direction. Toutefois, dans ce cas de figure, c'est l'épargne qui est la cause et le revenu l'effet.

Ces postulats se fondent sur un modèle d'économie fermée, dans lequel, *ex-post*, l'épargne nationale est toujours égale à l'investissement. Dans les modèles d'économies ouvertes (liberté de mouvement des capitaux), la situation est différente. Comme les épargnants peuvent investir à l'étranger, le modèle néoclassique de l'économie ouverte postule qu'il ne devrait pas y avoir de corrélation entre les décisions d'épargne et d'investissement des agents nationaux.

Comme l'a fait observer Lucas (1990), compte tenu du postulat du modèle selon lequel les bénéfices par unité de production sont identiques dans tous les pays, le rendement marginal du capital doit être plus élevé dans les pays qui ont un stock de capital relativement petit (c'est-à-dire les pays pauvres), ce qui implique qu'il devrait y avoir un flux net de capitaux vers les pays pauvres. C'est pourquoi le constat que les flux de capitaux des pays développés vers les pays en développement sont relativement modestes a été appelé «paradoxe de Lucas». Ce paradoxe a suscité une vaste littérature cherchant à expliquer les facteurs qui limitent l'incitation à investir dans les économies en développement. Les auteurs récents ont cherché à l'expliquer en accordant plus d'importance à la productivité totale des facteurs (TFP) qu'à l'accumulation de facteurs, la variation de la TFP étant (dans le modèle de Solow-Swan) la part de l'augmentation de la productivité globale qui ne peut être imputée ni au travail ni au capital. Selon cette explication, si la TFP reflète bien le rendement de l'investissement, les pays dans lesquels les gains de productivité sont les plus rapides investiront davantage. En outre, dans ces pays le taux d'épargne sera moins élevé qu'ailleurs parce que les agents anticipent le potentiel de consommation future, qui augmente avec le progrès de la productivité.

Comme, par définition, le solde des opérations courantes est égal à l'écart entre l'épargne nationale et l'investissement national, le modèle néoclassique prédit que les pays dans lesquels la productivité progresse relativement vite doivent avoir un solde négatif (Gourinchas et Jeanne, 2007). S'il n'y a pas de contrôle des mouvements de capitaux, il ne devrait pas y avoir de lien direct entre les décisions des agents nationaux relatives à l'épargne et à l'investissement. En d'autres termes, le modèle néoclassique de l'économie ouverte prédit qu'une augmentation exogène de l'épargne nationale sera associée à une amélioration du solde des opérations courantes, mais n'aura pas d'effet sur l'investissement et la croissance du pays concerné.

Pour résumer, de même que le modèle fondé sur le déficit d'épargne, le modèle néoclassique prédit une corrélation entre l'épargne (égale à l'investissement) et la croissance dans le cas d'une économie fermée. Toutefois, dans le cas des économies ouvertes, le modèle du déficit d'épargne prédit que les pays ayant un solde des opérations courantes négatif croissent plus rapidement que ceux qui ont un excédent, tandis que dans le modèle néoclassique l'impact des entrées de capitaux sur la croissance diffère selon que c'est l'épargne ou la productivité qui a initialement varié.

c) Étude empirique

Le modèle néoclassique se fonde sur trois postulats clefs: i) on peut décrire l'économie en étudiant le comportement d'un agent représentatif; ii) l'agent représentatif est totalement rationnel et maximise son utilité intertemporelle avec une connaissance parfaite de l'avenir; iii) l'économie est dans un état d'équilibre à long terme caractérisé par le plein emploi (voir aussi l'encadré 3.2). Si un de ces postulats est faux, le modèle perd sa validité, de même que les recommandations qui en découlent. Les postulats ont effectivement été contestés, mais les partisans du modèle ont soutenu qu'il fallait juger sa validité non seulement d'après ceux-ci, mais aussi par sa capacité de prédiction. Or les faits mettent en doute cette capacité.

Les statistiques montrent une corrélation très significative entre l'épargne et la croissance au cours des vingt dernières années (graphique 3.9). Cette observation n'est pas compatible avec la prédiction du modèle néoclassique, selon laquelle il n'y pas de corrélation entre l'épargne nationale et l'investissement national dans les économies ouvertes[14]. Dans la réalité, la relation entre le solde des opérations courantes et la croissance est beaucoup plus ambiguë. La corrélation à long terme est négative et statistiquement significative pour les pays développés, comme le prédit le modèle (graphique 3.10A), mais elle est positive et statistiquement significative également, bien qu'un peu moins, pour les pays en développement ou en transition, ce qui contredit le modèle (graphique 3.10B)[15].

Les analyses empiriques de Gourinchas et Jeanne (2007) font apparaître une corrélation positive entre le solde des opérations courantes et la progression de la PTF et une corrélation négative entre les entrées nettes de capitaux et le rattrapage technologique. Ces deux observations réfutent les prédictions du modèle néoclassique; pour notre propos, en particulier, elles contredisent la prédiction selon laquelle les pays en développement qui sont engagés dans un processus de rattrapage technologique relativement rapide importeront plus de capital (c'est-à-dire auront un déficit des opérations courantes plus important). Cette analyse axée sur l'accroissement de la PTF permet aussi d'expliquer le paradoxe de Lucas (étant donné que dans la plupart des pays en développement la progression de la PTF est moins rapide que dans les pays avancés). Toutefois, elle révèle un autre paradoxe, à savoir que les capitaux semblent plus attirés par les pays en développement qui ont un rythme de croissance relativement lent que vers ceux qui sont en forte croissance. Ils ont appelé ce constat le «paradoxe de l'allocation».

D'après quelques auteurs, des modifications marginales du modèle néoclassique suffisent à lever ces divergences entre les prédictions du modèle et les données d'observation. Par exemple, Prasad, Rajan et Subramanian (2007) soutiennent que l'absence d'effets positifs sur la croissance des entrées de capitaux dans les pays en développement serait due à l'inefficience de l'intermédiation financière dans ces pays. Selon eux, diverses carences institutionnelles (telles que la faiblesse de la protection des droits de propriété) limitent la capacité des intermédiaires financiers d'employer efficacement les capitaux étrangers pour financer des transactions auxquelles elles ne sont pas parties, et en particulier les projets d'investissement qui ont une longue période de gestation et une faible rentabilité initiale.

Toutefois, ces mêmes auteurs montrent aussi que la forte corrélation entre les entrées nettes de capitaux et le comportement du taux de change réel a un impact négatif notable sur les industries d'exportation. En fait, les activités axées sur l'exportation sont très souvent les plus dynamiques de l'économie d'un pays et cette corrélation négative pourrait fort bien s'expliquer par le fait que les entrées de capitaux tendent à faire monter le taux de change réel et provoquent parfois même une surévaluation de la monnaie. Rodrik et Subramanian (2008) proposent une explication supplémentaire en faisant une distinction entre les économies contraintes par l'épargne et celles qui sont contraintes par l'investissement. Ils postulent qu'il existe une contrainte de l'épargne si des investissements potentiellement rentables ne peuvent pas être financés en raison de la cherté du capital. Les entrées de capitaux assoupliraient la contrainte d'épargne et, en faisant baisser les taux d'intérêt, stimuleraient l'investissement et la croissance. En revanche, dans les économies contraintes par l'investissement, les entrées de capitaux n'ont pas d'effet sur l'investissement et la croissance, mais elles stimulent la consommation. Dans ce cas, l'afflux de capitaux étrangers peut avoir un impact négatif sur la croissance du fait qu'il entraîne une hausse du taux de change réel qui nuit aux activités d'exportation. Toutefois, ces auteurs ne vont pas jusqu'à expliquer pour quelle raison une économie serait sujette à une contrainte liée à l'épargne ou à l'investissement.

Pour résumer, on peut dire qu'un nombre non négligeable d'analyses empiriques remettent en question les prédictions des modèles de croissance néoclassiques. La structure de ces modèles et les méthodes économétriques conçues pour contrôler la validité de leurs prédictions ont été affinées en vue d'éliminer les contradictions entre les observations et les prédictions, mais l'écart résiduel est souvent interprété d'une manière ad hoc, en invoquant par exemple des problèmes structurels des pays en développement, tels que l'imperfection de leur marché financier, ou des carences institutionnelles. Mais ne serait-il pas plus rationnel d'essayer d'expliquer les faits observés par un autre modèle? C'est ce que nous chercherons à faire dans la sous-section suivante.

2. *Une autre approche de la relation entre épargne et investissement*

Les explications fondées sur les travaux de Schumpeter et Keynes mettent l'accent sur la manière dont les profits assurent l'ajustement de l'épargne et de l'investissement. Elles partagent l'idée que les économies ne se développent pas selon un sentier prédéterminé et connu à l'avance, mais qu'elles subissent des chocs exogènes concernant les quantités et les prix, ainsi que des modifications de politique. Cette approche, ne postulant pas une information et une prévision parfaites, ne postule pas non plus l'existence d'un mécanisme qui préserverait ou rétablirait automatiquement le plein emploi. Elle donne donc une image plus réaliste des économies en développement, qui sont souvent caractérisées par une structure économique fragile et des excédents de capacité. Les bénéfices sont le résidu des recettes, contrairement aux salaires ou aux loyers, qui sont normalement le fruit d'un contrat révisé périodiquement. Cela implique entre autres que, si une économie n'a pas encore atteint un régime de plein emploi ou si son potentiel de croissance n'est pas totalement exploité, toute augmentation de la demande globale (intérieure ou extérieure) entraînera un accroissement de la production et des bénéfices.

Cette approche implique aussi que l'essentiel de l'ajustement aux signaux donnés par une modification des prix ou des comportements de consommation passe par une variation des bénéfices, qui influe sur les décisions d'investissement des entreprises. Par exemple, une baisse du taux d'épargne n'implique pas une chute de l'investissement (contrairement à ce que soutient le modèle néoclassique); au contraire, elle entraîne une hausse des bénéfices qui donne aux entreprises à la fois la volonté et la possibilité d'investir en finançant l'investissement par les bénéfices non distribués (*Rapport sur le commerce et le développement 2006*, annexe 2 du chapitre I). On peut appliquer le même raisonnement à une amélioration du solde des opérations courantes dû à une variation des prix favorables aux producteurs nationaux. Entraînant une hausse des bénéfices, l'augmentation du solde des exportations incite les producteurs à investir davantage et les effets de l'accroissement des exportations et de l'investissement sur les revenus généreront un surcroît d'épargne. Il en résulte que l'augmentation de l'épargne n'est plus une condition préalable ni d'une augmentation de l'investissement ni d'un redressement du solde des opérations courantes.

En revanche, un déficit des opérations courantes, dû par exemple à une hausse des prix à l'importation, à une chute des prix à l'exportation ou à une hausse du taux d'intérêt réel, peut avoir un impact négatif

Graphique 3.9

CORRÉLATION ENTRE L'ÉPARGNE INTÉRIEURE ET LE TAUX DE CROISSANCE DU PIB PAR HABITANT, MOYENNE SUR LA PÉRIODE 1985-2005

(*En pourcentage*)

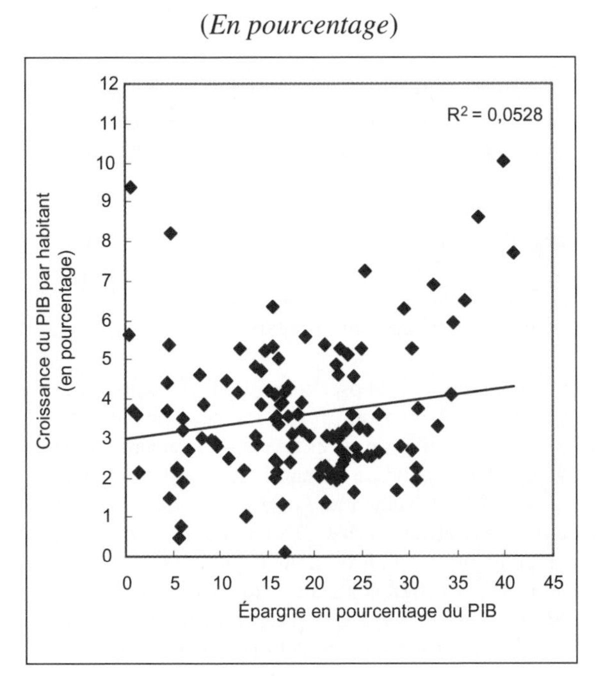

***Source*:** Calculs du secrétariat de la CNUCED d'après la base de données du *Manuel de statistiques* de la CNUCED; et Banque mondiale, *World Development Indicators*.

***Note*:** L'échantillon se compose de 130 pays développés, en développement ou en transition.

négatif considérable sur la production nationale, entraînant une contraction de l'épargne et de l'investissement planifié. Le déficit des opérations courantes qui apparaît est équivalant à une entrée nette de capitaux, mais cette entrée de capitaux est le symptôme d'un choc négatif et n'induira certainement pas une augmentation des investissements productifs planifiés. Au contraire, il est probable que les projets d'investissement seront revus à la baisse en raison de la diminution des bénéfices ou du chiffre d'affaires[16].

Considérer que les pays en développement ont un «déficit d'épargne» persistant implique une confusion entre le faible niveau de l'épargne des ménages et le comportement du solde des opérations courantes de l'ensemble de l'économie. Un pays ne prend pas de décisions concernant l'épargne, la consommation, l'investissement et le solde des opérations courantes. Le comportement du solde des opérations courantes est normalement déterminé par des chocs qui proviennent souvent du fait que les partenaires commerciaux du pays considéré modifient l'orientation de leurs politiques macroéconomiques ou d'une variation importante de la compétitivité des producteurs nationaux par rapport à ceux du reste du monde (par exemple lorsque le taux de change nominal s'écarte trop de son niveau d'équilibre) ou par des variations des cours des produits primaires.

Les variations du taux de change réel et des cours des produits primaires sont les chocs les plus fréquents pour les pays en développement et ils ont des effets immédiats et importants sur leur balance commerciale et le solde de leurs opérations courantes. Une aggravation du déficit des opérations courantes résultant d'une hausse du taux de change réel (et donc d'une perte de compétitivité des producteurs du pays) peut être temporairement financée par des entrées nettes de capitaux, mais tôt ou tard elle exigera un ajustement qui prend généralement la forme d'une baisse du taux de change réel. En fait, la surévaluation des monnaies est le plus fréquent et le plus fiable des signes précurseurs des crises financières qu'ont connues de nombreux pays en développement au cours des quinze dernières années[17].

Si l'on considère que le déséquilibre des opérations courantes est déterminé par les résultats à l'exportation et par la demande d'importation et non par un transfert international d'épargne, on peut comprendre pourquoi un excédent des opérations courantes et l'accumulation d'actifs étrangers peuvent favoriser la croissance à long terme. Le fait que plusieurs pays en développement accumulent rapidement des réserves de change, au lieu d'employer ces fonds pour accroître encore leurs importations, est dû aux efforts qu'ils font pour préserver leur compétitivité résultant de la sous-évaluation de leur monnaie, qui elle-même, dans la plupart des cas, fait suite à une grave crise financière. C'est aussi parce que ces pays veulent éviter d'être dépendants du marché international des capitaux et de sa volatilité. Pour une économie en développement ouverte, c'est la seule manière de mettre sa politique monétaire au profit de l'investissement intérieur et de l'accroissement des capacités de production.

Encadré 3.2

L'ÉCHEC DU MODÈLE NÉOCLASSIQUE

Bien que la plupart des économistes reconnaîtraient que les postulats du modèle néoclassique sont très loin de la réalité, ce modèle continue de servir de base pour la formulation de recommandations économiques. Un de ses défauts est qu'il approche les questions macroéconomiques avec un raisonnement microéconomique qui peut déboucher sur des recommandations erronées. Kaldor (1983:83) illustre ce problème dans les termes suivants:

> Les religions primitives sont anthropomorphes. Elles ont des dieux qui ressemblent à des êtres humains tant physiquement que moralement… [L'économie anthropomorphe] applique à l'économie d'un pays les mêmes principes et règles de conduite qui se sont révélés valables pour un individu ou une famille – gagner sa vie, limiter ses dépenses en fonction de ses revenus, éviter de vivre au-dessus de ses moyens et ne pas s'endetter. Ce sont là des principes éprouvés de comportement prudent pour un individu, mais appliqués à la conduite de l'économie d'un pays ils mènent à des absurdités.
>
> Si un individu réduit ses dépenses, cela n'entraîne pas de baisse de son revenu. En revanche, si un État réduit les dépenses publiques par rapport au produit des impôts et autres prélèvements, il réduit la dépense totale de l'économie et en conséquence le niveau de production et de revenus… Une telle politique n'est avisée qu'en période de surchauffe (demande excessive et pénurie de main-d'œuvre).

Pour diverses raisons, il est faux de croire qu'une économie complexe, composée de millions d'agents ayant des intérêts divergents, fonctionne de la même manière que celle de l'île de Robinson Crusoé. Par exemple, les prix n'assurent l'équilibre de l'offre et de la demande que si celles-ci sont déterminées par des facteurs indépendants les uns des autres. Or ce n'est pas le cas pour l'un des prix les plus importants, celui de la main-d'œuvre. Les salaires sont un coût, qui influence donc l'offre de biens et de services, mais ils déterminent aussi le revenu de la grande majorité de la population et influent donc aussi sur la demande de biens et de services. De même, un agent peut réduire sa consommation pour investir davantage, mais dans une économie complexe, dans laquelle les décisions relatives à l'épargne et à l'investissement sont prises indépendamment par différents acteurs, une augmentation de l'épargne (qui équivaut à une baisse de la demande de biens de consommation) n'entraîne pas automatiquement une augmentation de l'investissement et ce peut même être le contraire. Comme l'a dit Keynes (1936), la décision de ne pas dîner aujourd'hui a un effet négatif sur l'activité consistant à préparer le repas du jour sans stimuler immédiatement aucune autre activité. Si les entreprises ne connaissent pas l'avenir, elles réagiront à la baisse de la demande et des bénéfices par une réduction de l'investissement qui entraîne une baisse des revenus.

Dans les modèles néoclassiques, c'est le postulat du plein emploi qui empêche une augmentation du taux d'épargne de faire chuter la demande globale. Dans la version fermée du modèle, la hausse de l'épargne entraîne une baisse immédiate du taux d'intérêt et, les entreprises étant censées avoir une connaissance parfaite de l'avenir et donc anticiper une accélération de la croissance, elles réagissent en accroissant leur investissement. Cela signifie qu'elles investissent davantage alors même que leurs stocks d'invendus gonflent et que leurs capacités de production ne sont pas pleinement employées. Il est difficile d'imaginer un entrepreneur en chair et en os se comporter ainsi. En outre, il n'existe pas de pays où le taux d'intérêt est déterminé par l'offre d'épargne financière et moins encore par l'offre d'épargne réelle. Les taux d'intérêt à court terme sont soit déterminés par la banque centrale, lorsque la politique monétaire se fait sans contrainte externe, soit influencés par la spéculation financière à court terme.

Dans la version ouverte du modèle néoclassique, c'est l'épargne extérieure (équivalant au déficit des opérations courantes) qui comble un éventuel écart entre la demande et l'offre d'épargne nationale au taux d'intérêt réel en vigueur, et qui, en d'autres termes, fournit le supplément de ressources nécessaire pour financer l'investissement. Toutefois, puisque au niveau mondial la somme des soldes des opérations courantes est nulle par définition (elle paraît parfois non nulle en raison d'erreurs statistiques), il faut se demander comment la «décision» d'un pays d'avoir un déficit des opérations courantes fait que le reste du monde «décide» d'avoir un excédent. C'est une question à laquelle le modèle ne donne pas de réponse et qui est pourtant essentielle pour le succès d'une politique macroéconomique axée sur la croissance.

La plupart des économistes conviendraient que les postulats ci-dessus sont contestables, mais la réponse habituelle des néoclassiques est qu'il faut juger les modèles d'après la validité de leurs prédictions et non d'après celle de leurs postulats. Les données empiriques examinées dans le présent chapitre montrent que ni les postulats de ce modèle ni ses prédictions ne sont valables.

Graphique 3.10

CORRÉLATION ENTRE LA BALANCE COURANTE ET LA CROISSANCE DU PIB PAR HABITANT, 1985-2005

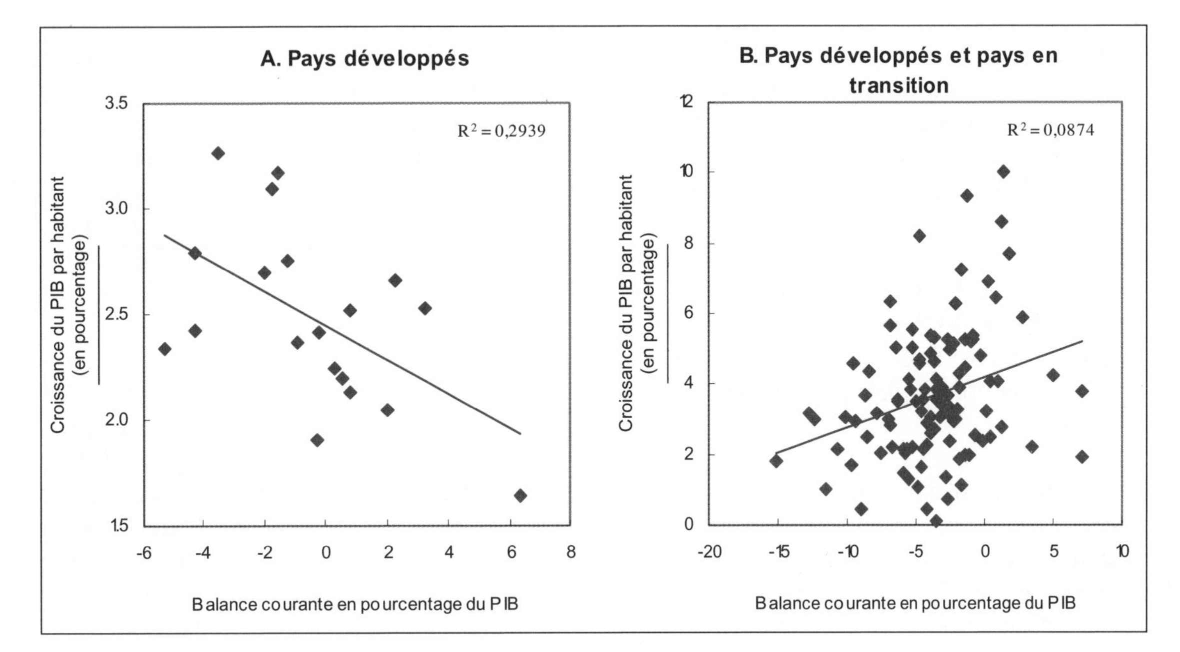

***Source*:** Calculs du secrétariat de la CNUCED d'après la base de données du *Manuel de statistiques* de la CNUCED; et Banque mondiale, *World Development Indicators*.

***Note*:** L'échantillon du graphique A se compose de 19 pays développés et l'échantillon du graphique B se compose de 111 pays en développement et pays en transition.

E. Conséquences en termes de politique économique

1. Politiques macroéconomiques

Un des traits majeurs du processus économique est son instabilité et son caractère cyclique. L'incertitude, la chute des bénéfices et la contraction de la demande peuvent déprimer l'activité des investisseurs et arrêter brutalement un processus de formation de capital et de croissance amorcé avec succès. Il est donc de la plus grande importance, pour obtenir une croissance et un rattrapage soutenus, que les politiques macroéconomiques atténuent efficacement les chocs, permettent de surmonter rapidement les perturbations cycliques et donnent aux entreprises un environnement stable, les incitant à investir dans les capacités de production. Un des éléments cruciaux est la disponibilité de ressources suffisantes, fiables et pas trop coûteuses pour financer l'investissement.

L'instabilité monétaire, les épisodes d'hyperinflation et les crises financières fréquentes ont forcé de nombreux pays en développement à adopter des politiques économiques produisant exactement l'effet contraire de ce qui serait nécessaire pour encourager l'investissement. Les politiques macroéconomiques «saines» prescrites par le Consensus de Washington, conjuguées avec la libéralisation financière, entraînent rarement une augmentation de l'investissement et une accélération de la croissance, alors que d'autres approches ont permis à plusieurs pays d'Asie de l'Est et du Sud-Est d'accélérer leur processus de rattrapage.

En Asie, des politiques monétaires souples et expansionnistes, avec des taux d'intérêt directeurs peu élevés et des interventions de l'État sur le marché financier, ont maintenu la sous-évaluation des monnaies depuis la crise financière de 1997-

1998. La politique budgétaire a été employée de manière pragmatique pour stimuler la demande en cas de fléchissement conjoncturel. Le graphique 3.11 montre l'ampleur de la stimulation monétaire: en Asie du Sud, de l'Est et du Sud-Est, le taux d'intérêt directeur (réel et nominal) a dans l'ensemble été nettement moins élevé que le taux de croissance (réel et nominal) au cours des vingt dernières années, sauf pendant la crise financière (voir aussi chap. IV, encadré 4.1). Au contraire, les taux d'intérêt directeurs ont été très élevés en Amérique latine, où la politique monétaire a été employée en priorité pour enrayer l'inflation, si bien que les taux d'investissement et de croissance sont restés faibles. Ce n'est que depuis 2003 que la majorité des pays de cette région ont opté pour une politique monétaire plus souple et ont obtenu globalement une croissance satisfaisante.

Cela donne à penser que, pour obtenir une croissance soutenue des revenus, il faut une gestion économique active visant à faire en sorte que l'investissement planifié ait en permanence tendance à dépasser l'épargne planifiée. Un tel environnement macroéconomique permet une expansion vigoureuse, même si la propension à épargner des ménages reste inchangée. Le surcroît d'épargne correspondant à l'augmentation de l'investissement provient à terme de l'accroissement des profits et du revenu total, l'augmentation initiale de l'investissement étant financée par le crédit bancaire (voir aussi chap. IV).

Si la croissance et l'investissement en capital fixe sont entravés par la politique monétaire et le niveau du taux de change, les efforts d'amélioration de la gouvernance ou de libération des forces du marché risquent de ne pas produire les résultats attendus, et une politique monétaire trop restrictive peut être un obstacle majeur au développement. Appliquant le programme du Consensus de Washington, dont le but était de faire régner la vérité des prix, de nombreux pays ont au contraire faussé deux des prix les plus importants, le taux de change et le taux d'intérêt. Cela explique peut être pourquoi le Consensus de Washington n'a pas été appliqué à Washington: les États-Unis, après un bref flirt avec l'orthodoxie monétariste au début des années 80, en sont revenus à la régulation de l'économie par le taux d'intérêt, appliquant une politique monétaire exceptionnellement laxiste depuis une vingtaine d'années.

Certes, la stabilité des prix fait partie de la stabilité générale nécessaire pour encourager l'investissement dans les capacités de production. Les pays aux prises avec une inflation élevée et ayant tendance à s'aggraver peuvent avoir plus de mal à amorcer et à entretenir un processus de développement et de rattrapage que les pays à faible inflation. Si l'on ne dispose pas d'un nombre d'instruments suffisant pour contenir efficacement les pressions inflationnistes, les tentatives de stimulation du développement au moyen de politiques expansionnistes risquent d'échouer en provoquant une flambée des prix. Des politiques des revenus et des salaires appropriées pourraient aider à préserver la stabilité des prix de manière que la politique monétaire puisse être employée pour appuyer un processus de développement tiré par l'investissement sans risques d'accélération de l'inflation.

On pourrait soutenir que l'exemple de l'Asie montre qu'il faudrait compléter ces politiques par une certaine réglementation des mouvements de capitaux. Il est vrai que le contrôle des entrées de capitaux a aidé certains pays à contenir, voire à prévenir dans une certaine mesure des crises. Toutefois, le principal objectif de ces pays était de préserver un taux d'intérêt nominal peu élevé, raison pour laquelle les possibilités d'arbitrage et l'incitation à la spéculation étaient de toute manière faibles. Ce n'est que lorsque les politiques économiques appliquées n'ont pas permis d'éviter la spéculation monétaire et les afflux de capitaux à court terme déstabilisateurs qui l'accompagnent qu'un contrôle plus rigoureux des flux de capitaux s'est révélé utile, comme en Malaisie par exemple. Toutefois, il importe de noter que ces mesures interventionnistes additionnelles ont été épisodiques et ne sont pas un élément central des stratégies de développement des pays d'Asie.

2. *Nécessité d'une coordination internationale des politiques*

La spéculation internationale sur les arbitrages de taux d'intérêt et les gains de change est la principale cause de la surévaluation de la monnaie et des crises financières qui en découlent (voir aussi *Rapport sur le commerce et le développement 2004* et *2007*). La hausse d'une monnaie causée par un afflux des capitaux spéculatifs nuit au fonctionnement normal du marché des changes qui devrait empêcher l'apparition de déficits importants et durables des opérations courantes. En outre, l'ajustement à la surévaluation de la monnaie due aux capitaux spéculatifs peut être extrêmement coûteux, comme l'ont amplement démontré les crises financières d'Asie et d'Amérique latine.

Graphique 3.11

TAUX D'INTÉRÊT RÉELS À COURT TERME ET CROISSANCE DU PIB EN ASIE ET EN AMÉRIQUE LATINE, 1986-2007

(Pourcentage)

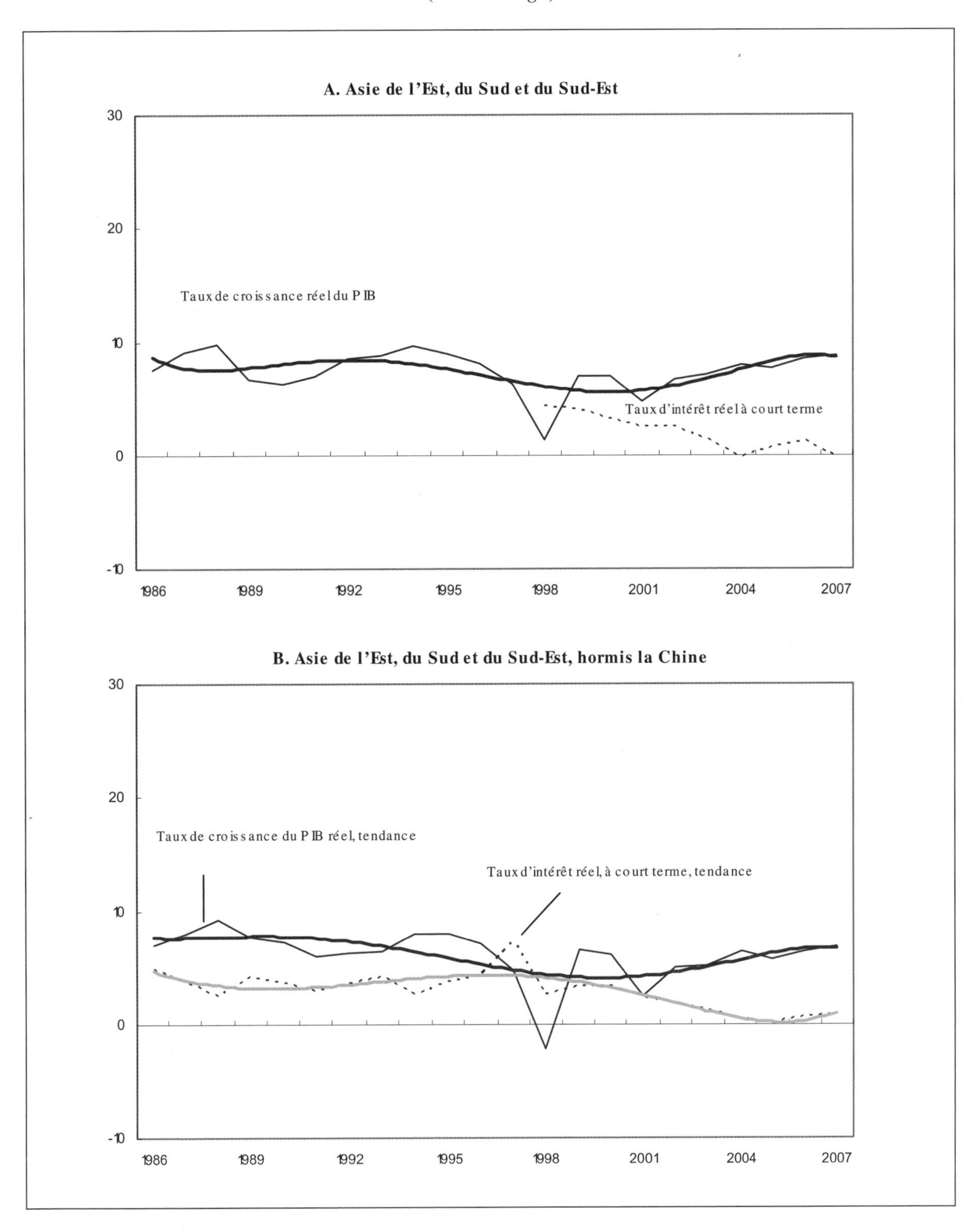

Graphique 3.11 (suite)

TAUX D'INTÉRÊT RÉELS À COURT TERME ET CROISSANCE DU PIB EN ASIE ET EN AMÉRIQUE LATINE, 1986-2007

(*Pourcentage*)

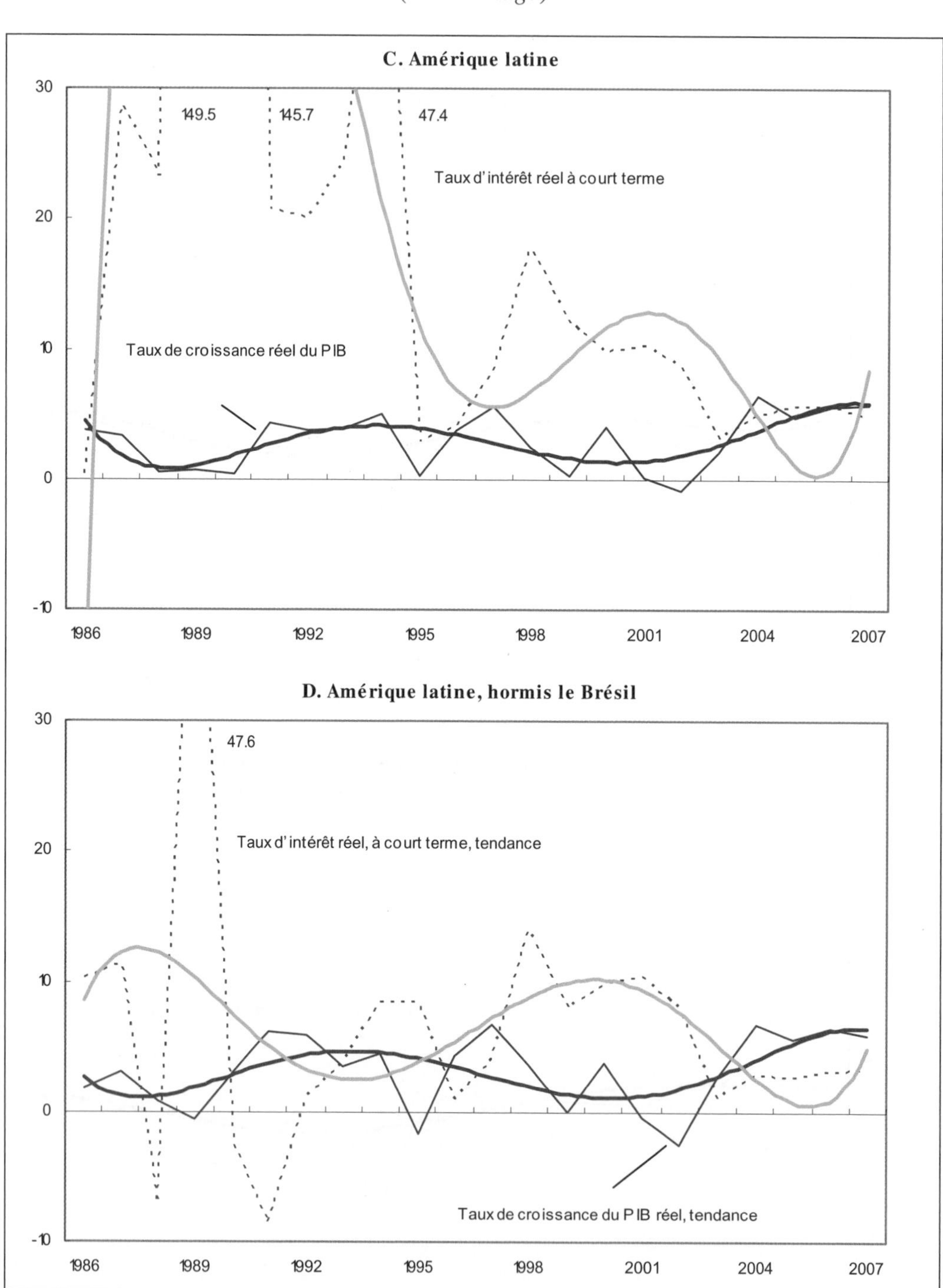

Source: Calculs du secrétariat de la CNUCED, d'après OCDE, *International Development Statistics* en ligne; FMI, base de données International Financial Statistics; CNUCED, base de données Manuel de statistique; et Thomson Datastream.

Note: Les taux d'intérêt réels à court terme sont pondérés par le PIB. Asie de l'Est, du Sud et du Sud-Est: Bangladesh, Inde, Indonésie, Malaisie, Philippines, Province chinoise de Taiwan, République de Corée, Singapour et Thaïlande. Amérique latine: Argentine, Brésil, Colombie, Costa Rica, Mexique, Pérou, Uruguay et Venezuela (République bolivarienne du).

Un renforcement de la coopération internationale en matière de politiques macroéconomiques et financières pourrait être nécessaire pour contenir les flux spéculatifs et limiter leur impact sur la stabilité de l'économie mondiale. Cette coopération pourrait aussi contribuer à éviter que les gouvernements manipulent le taux de change pour accroître la compétitivité internationale de leurs producteurs. La compétitivité des pays au niveau mondial est un jeu à somme nulle. Tous les pays peuvent simultanément faire croître leur productivité, leurs salaires et le volume de leurs échanges extérieurs de manière à accroître le bien-être économique global, mais ils ne peuvent pas tous simultanément accroître leur part du marché mondial ou améliorer le solde de leurs opérations courantes. Il y a un problème d'addition, comme l'ont reconnu les auteurs du rapport sur la croissance de la Commission de la croissance et du développement (2008:94-96). Les efforts faits par les entreprises pour accroître leur part de marché au détriment de leurs concurrents sont un aspect essentiel du bon fonctionnement de l'économie de marché, mais si des pays font des efforts similaires pour gagner des parts de marché au détriment d'autres pays ayant un niveau de développement comparable, ils se livrent à une concurrence d'une nature très différente et malsaine[18].

Un cadre de règles internationales régissant les relations monétaires et financières, similaires à celles qui régissent l'emploi de mesures de politique commerciale dans les accords de l'Organisation mondiale du commerce (OMC), accroîtrait la cohérence de la gouvernance économique mondiale. Le Secrétaire général de la CNUCED a suggéré l'adoption d'un code de conduite visant à éviter la manipulation des taux de change, des salaires, des impôts ou des subventions dans le but d'accroître la part d'un pays sur le marché mondial et d'empêcher les marchés financiers de fausser la compétitivité des nations (CNUCED, 2008). L'adoption d'un tel code de conduite témoignerait d'un nouvel esprit de multilatéralisme en matière de gouvernance économique mondiale, qui permettrait de mettre en balance les avantages éventuels résultant de l'ajustement du taux de change réel pour un pays et les inconvénients que cela pourrait avoir pour les autres pays affectés par cet ajustement. Par exemple, les modifications importantes du taux de change nominal devraient être soumises à une surveillance et à une négociation multilatérales. Seule l'application de telles règles pourrait permettre à tous les partenaires commerciaux d'éviter une perte ou un gain global de compétitivité injustifiés et aux pays en développement d'éviter systématiquement le piège de la surévaluation qui a été un des grands obstacles à leur prospérité par le passé.

Notes

1 Pour une analyse antérieure, voir *Rapport sur le commerce et le développement 2006*, chap.I, sect. D.

2 On a aussi constaté que les pays en développement en forte croissance ont en général un déficit moindre que les autres pays en développement (Prasad, Rajan et Subramanian, 2007).

3 L'échantillon se compose de 22 pays développés, 20 pays en transition et 91 pays en développement, les fréquences relatives étant respectivement de 0,55, 0,90 et 0, 44.

4 Dans les pays en transition, la relation est différente: la croissance s'est accélérée avant l'épisode et le retournement s'est généralement produit à un moment où la production était supérieure au potentiel à long terme.

5 Cette analyse consiste à isoler l'effet d'une variable donnée en gardant constantes toutes les autres variables du modèle.

6 Si l'on dit par exemple qu'une baisse du taux de change réel accroît la probabilité de retournement du solde des opérations courantes de 4,2 %, cela signifie qu'une baisse du taux de change réel égale à un écart-type accroît la probabilité d'un retournement du solde des opérations courantes de 4,2 %.

7 Si la variable considérée a une distribution normale (gaussienne), cette probabilité est d'environ 30 %.

8 En outre, nous montrons dans l'annexe que le taux de change réel est statistiquement significatif dans les régressions qui ne portent que sur les pays développés, mais à peine dans les régressions portant sur les pays en développement et en transition.

9 De plus, lorsqu'on inclut la croissance des pays de l'OCDE dans les pays développés, la régression pourrait avoir un biais endogène.

10 Pour 75 des épisodes du tableau 3.1, on ne disposait pas de données suffisantes pour calculer le taux de croissance du PIB avant et après le retournement.

11 Parmi les épisodes de retournement de la catégorie autres, la variation des termes de l'échange est presque deux fois plus forte dans les épisodes accompagnés d'une appréciation de la monnaie que dans les épisodes accompagnés d'une dépréciation.

12 Comme précédemment, dans l'explication qui suit, nous nous fondons sur une variation de la variable considérée égale à un écart-type.

13 Traditionnellement, on définit l'investissement global comme étant égal à la somme de l'épargne nationale et de l'épargne extérieure. C'est une terminologie trompeuse parce que l'épargne extérieure n'est que la contrepartie du

déficit des opérations courantes. Or le pouvoir d'achat qui est transféré par les flux de capitaux peut aussi être employé pour la consommation; il n'y a pas de mécanisme garantissant que les capitaux importés soient affectés à l'investissement.

[14] Cela a été souligné pour la première fois par Feldstein et Horioka (1983) qui ont expliqué leurs observations par une faible mobilité des capitaux ou par des obstacles aux mouvements de capitaux, même entre pays industriels. Si les capitaux pouvaient librement circuler, ils se dirigeraient vers les pays qui offrent les possibilités d'investissement les plus productives, dans le monde entier (Obstfeld et Rogoff, 1996:162).

[15] La figure concernant les pays avancés exclut l'Irlande et le Luxembourg, qui sont des cas extrêmes. Si l'on inclut ces deux pays dans les calculs, la corrélation reste positive mais n'est plus significative (elle reste positive et significative si l'on exclut uniquement le Luxembourg). Le graphique 3.10A illustre une corrélation simple, qui ne tient pas compte d'autres facteurs qui pourraient aussi influer sur la croissance du PIB et le solde des opérations courantes, mais Prasad, Rajan et Subramanian (2007) montrent que ces résultats restent valables lorsqu'on contrôle l'effet d'autres facteurs déterminant la croissance, y compris l'investissement.

[16] Il en va de même dans le cas où un excédent des opérations courantes est l'effet d'un choc positif stimulant les exportations, ce qui entraîne une augmentation des bénéfices des entreprises exportatrices et a des effets de second tour positifs sur la production et l'investissement global.

[17] Ce raisonnement s'applique aussi aux politiques concernant la dette extérieure et son remboursement. Pour rembourser la dette extérieure, il faut une amélioration du solde des opérations courantes. Celle-ci peut être due soit à un écart de taux de croissance entre le pays débiteur et le pays créancier (avec une baisse relative du revenu réel du débiteur) soit à des gains de compétitivité des producteurs du pays débiteur qui entraînent un transfert des dépenses, les consommateurs délaissant les produits d'importation au profit de produits d'origine nationale. Mais cela implique une perte de compétitivité et de parts de marché pour les producteurs des pays créanciers. Si les gouvernements de ces pays n'acceptent pas cette perte de compétitivité et cherchent à la compenser par une action sur le taux de change, la défaillance du débiteur est inévitable. En d'autres termes, un pays créancier ne peut pas préserver sa position à l'exportation et s'attendre simultanément au remboursement de sa dette. Les analyses classiques des flux nets de capitaux entre les pays et de la dette extérieure ne tiennent généralement pas compte de ce paradoxe.

[18] Ce problème de la généralisation ne concerne pas les efforts faits par les pays en développement pour rattraper les pays développés et accroître leur part du marché mondial. Il concerne surtout la concurrence entre pays ayant un niveau de développement similaire et une perte permanente de parts de marché qui normalement n'est pas l'effet du rattrapage des pays en développement.

Bibliographie

Bernanke B (2005). The global saving glut and the United States current account deficit. Remarks at the Sandrige Lecture, Virginia Association of Economics. Richmond, Virginia, 14 April. Available at: www.federalreserve.gov/boarddocs/speeches/2005/200503102/default.htm.

Cass D (1965). Optimum growth in an aggregate model of capital accumulation. *Review of Economic Studies*, 32: 233–240, July.

Chinn M and Ito H (2007). A new measure of financial openness. Mimeo. Madison, University of Wisconsin.

Commission on Growth and Development (2008). The growth report: Strategies for sustained growth and inclusive development. Washington, DC, World Bank.

Domar ED (1957). Essays in the theory of economic growth. New York, Oxford University Press.

Eichengreen B (2007). The real exchange rate and economic growth. Berkeley, University of California. Mimeo. July.

Feldstein M and Horioka CY (1983). Domestic saving and international capital flows. *Economic Journal*, 90: 314–329.

Flassbeck H (2001). The exchange rate: Economic policy tool or market price? UNCTAD Discussion Paper No. 157. Geneva, UNCTAD.

Frenkel R and Taylor L (2006). Real exchange rate, monetary policy and employment. New York, United Nations Department of Economic and Social Affairs. Working Paper No. 19, February.

Gourinchas PO and Jeanne O (2007). Capital flows to developing countries: The allocation puzzle. NBER Working Paper No. 13602, November.

Harrod RF (1939). An essay in dynamic theory. *Economic Journal*, 49: 14–33.

IMF (2007). Exchange rates and adjustment of external imbalances. *World Economic Outlook*, April.

Kaldor N (1983). The economic consequences of Mrs. Thatcher. London, Gerald Duckworth & Co. Ltd.

Kaufmann D, Kraay A and Mastruzzi M (2007). Governance matters VI: Aggregate and individual governance indicators, 1996–2006. World Bank, Policy Research Working Paper Series 4280.

Keynes JM (1936). General theory of employment, interest and money. London, Macmillan, Cambridge University Press, for Royal Economic Society.

Koopmans TC (1965). On the concept of optimal economic growth. In: *The Economic Approach to* Development *Planning*. Amsterdam, North-Holland.

Levy Yeyati E and Sturzenegger F (2005). Classifying exchange rate regimes: Deeds vs. words. *European* Economic *Review*, 49: 1603–1635, August.

López de Silanes F et al. (2004). The regulation of labor. *Quarterly Journal of Economics*, 119(4): 1339–1382. Available at: http://works.bepress.com/florencio_lopez_de_silanes/3.

Lucas RE Jr. (1990). Why doesn't capital flow from rich to poor countries? *American Economic Review*, 80(2): 92–96.

Papers and proceedings of the hundred and second annual meeting of the American Economic Association, May.
Obstfeld M and Rogoff K (1996). *Foundations of international macroeconomics*. Cambridge, MA, MIT Press.
Prasad E, Rajan R and Subramanian A (2007). Foreign capital and economic growth. NBER Working Paper 13619.
Rodrik D (2007). The real exchange rate and economic growth: Theory and evidence. Mimeo. Kennedy School of Government. Harvard University, Cambridge, MA, August.
Rodrik D and Subramanian A (2008). Why did financial globalization disappoint? Mimeo. March.
Sachs JD et al. (2004). Ending Africa's Poverty Trap. *Brookings Papers on Economic Activity*, Issue 1.
Solow R (1956). A Contribution to the theory of economic growth. *Quarterly Journal of Economics*, 70(1): 65–94.
Swan T (1956). Economic growth and capital accumulation. *Economic Record*, 32(2): 334–61.
UNCTAD (2008). Report of the Secretary-General of UNCTAD to UNCTAD XII: Globalization for development: Opportunities and challenges, document TD/413. United Nations publication, New York and Geneva.
UNCTAD (various issues). *Trade and Development Report*. United Nations publications, New York and Geneva.

Annexe du chapitre III

ANALYSE ÉCONOMÉTRIQUE DES DÉTERMINANTS DE RETOURNEMENTS DU SOLDE DES OPÉRATIONS COURANTES ACCOMPAGNÉS D'UNE EXPANSION OU D'UNE CONTRACTION DE L'ÉCONOMIE

Pour mieux comprendre l'importance relative des différents facteurs, et en particulier des variations des taux de change réels et des termes de l'échange, qui peuvent déclencher un retournement positif du solde des opérations courantes, le secrétariat de la CNUCED a fait une analyse comparée de ces facteurs et des conditions auxquelles ils sont associés à une accélération du taux de croissance dans un certain nombre de pays. La présente annexe décrit la méthode employée pour définir les épisodes de retournement et donne les résultats détaillés de l'analyse économétrique.

1. Définition des épisodes de retournement

Pour définir les épisodes de retournement du solde des opérations courantes, nous avons employé une approche similaire à celle décrite dans IMF (2007). Nous avons considéré qu'un épisode commence (t = 0) lorsque le solde des opérations courantes s'améliore d'au moins l'équivalent de 0,5 point de pourcentage du PIB au cours des trois années suivantes et qu'il se termine (t = T) lorsqu'au moins 50 % de la détérioration initiale a été annulée et que le solde des opérations courantes reste inférieur au niveau qu'il avait atteint à t = T pendant au moins trois ans. En outre, nous n'avons retenu que des épisodes importants et durables. Nous avons donc exclu tous les épisodes dans lesquels l'ajustement cumulé du solde des opérations courantes a été inférieur à 2,5 % du PIB et tous ceux dans lesquels le solde s'est ensuite détérioré jusqu'à redescendre en dessous du niveau atteint à t = 0 dans un délai de cinq ans suivant le début de l'épisode. Dans le cas des épisodes qui ont duré plus de huit ans, nous avons écourté en choisissant l'année durant laquelle a été réalisé l'excédent du solde des opérations courantes le plus élevé (ou le déficit le moins élevé) entre les années 5 et 8. L'échantillon d'épisodes couvre 133 pays (22 pays développés, 91 pays en développement et 20 pays en transition) sur la période 1975-2006.

2. Analyse économétrique

Les estimations d'un modèle Probit visant à évaluer la relation entre la probabilité d'un retournement et le comportement de plusieurs variables macroéconomiques sont récapitulées dans le tableau 3.A1. La variable dépendante prend la valeur 1 durant les première et deuxième années de l'épisode de retournement et 0 durant les périodes calmes. Toutes les périodes turbulentes en dehors de la première ou de la deuxième année de l'épisode ont été retirées de l'échantillon[1].

Les variables explicatives sont les suivantes:

- Solde des opérations courantes rapportées au PIB (CAB);
- Variation du taux de change effectif réel (DREER);
- Taux de croissance du PIB (GDPGR);
- Déficit de production (OUTPUTGAP);
- Variation des termes de l'échange (DTOT);
- Croissance du crédit (CRGR);
- Logarithme de l'inflation (In(INF));
- Ouverture au commerce extérieur (OPEN);
- Logarithme du PIB par habitant (In(GDP_PC));
- Moyenne du taux de croissance du PIB des pays de l'OCDE (OECDGR);
- Taux des Federal Funds des États-Unis (US FF RATE);
- Variable fictive prenant la valeur 1 pour les pays dont le compte de capital est ouvert (KA OPEN);
- Interaction entre l'ouverture du compte de capital et le US FF RATE (KA OPEN*US FF RATE);
- Variable fictive prenant la valeur 1 pour les pays dont le taux de change est fixe (FIX XRATE); et
- Variable fictive prenant la valeur 1 pour les pays ayant un régime de taux de change intermédiaire (INTER XRATE)[2].

Comme la variable US FF RATE ne varie que dans le temps et pas selon les pays, nous avons regroupé les écarts-types au niveau de l'année. L'estimation ponctuelle ne peut pas être interprétée comme indiquant l'existence d'une relation de cause à effet allant de la variable explicative à la probabilité d'un épisode de retournement. Néanmoins, le résultat peut donner une idée des corrélats des épisodes de retournement.

Le tableau 3.A1 montre que, comme prévu, il y a en général retournement lorsqu'un solde des opérations courantes négatif est accompagné d'une baisse du taux de change réel[3]. Le corollaire de ce constat est que les pays qui ont un régime de taux de change flottant ont moins de chances que les pays ayant un taux de change fixe de pouvoir redresser leur solde des opérations courantes. L'analyse statistique montre que la variable fictive FIX XRATE est négative et statistiquement significative. La régression confirme les conclusions de l'analyse récapitulées dans le graphique 3.6 et donne à penser que les épisodes de retournement ont tendance à se produire lorsque le taux de croissance est faible et que la production est nettement inférieure aux capacités, tandis que l'inflation ne joue pas un rôle majeur. L'ouverture du régime de commerce extérieur a un coefficient positif (mais pas toujours significatif) dans les pays développés et un effet négatif dans les pays en développement ou en transition. Le signe positif du PIB par habitant indique que les retournements sont plus fréquents dans les pays en développement à revenu intermédiaire que dans les pays en développement à bas revenu. Pour ce qui est des facteurs externes, tout donne à penser que la probabilité d'un retournement du solde des opérations courantes dans les pays en développement est inversement liée à la croissance du PIB dans les pays développés. Le comportement du taux d'intérêt des États-Unis a une très grande influence sur les pays dont le compte de capital est ouvert mais n'a pas d'effet sur la probabilité de retournement dans ceux dont le compte de capital est fermé.

3. Distinction entre les épisodes accompagnés d'une expansion et les épisodes accompagnés d'une contraction

Dans l'analyse économétrique décrite ci-après, nous avons cherché à déterminer à quelles conditions une économie peut passer d'une situation de déficit des opérations courantes à un excédent sans subir une longue et importante crise économique. À cet effet, nous avons groupé les épisodes de retournement analysés dans la première partie en deux catégories, selon qu'ils s'accompagnent d'une expansion ou d'une contraction. Les épisodes accompagnés d'une expansion sont ceux qui ont été suivis d'une augmentation du taux de croissance d'au moins un

Tableau 3.A1

FACTEURS DÉTERMINANT UN RETOURNEMENT DU SOLDE DES OPÉRATIONS COURANTES

	(1)	(2)	(3)	(4)	(5)	(6)
CAB	-1,198	-1,260	-0,745	-0,611	-1,388	-1,474
	(7,94)***	(8,12)***	(3,39)***	(3,23)***	(7,72)***	(7,79)***
DREER	-0,093	-0,086	-0,197	-0,126	-0,090	-0,086
	(1,96)*	(1,57)	(2,56)**	(2,20)**	(1,56)	(1,32)
GDPGR	-0,510	-0,692	-1,063	-1,033	-0,559	-0,731
	(2,19)**	(3,24)***	(3,85)***	(3,53)***	(2,10)**	(3,10)***
OUTPUTGAP	-0,835	-0,970	-0,402	-0,370	-0,799	-0,960
	(4,19)***	(4,73)***	(1,16)	(1,24)	(3,65)***	(3,88)***
DTOT	0,097	0,110	0,063	0,052	0,126	0,142
	(1,98)**	(2,29)**	(0,86)	(0,91)	(2,08)**	(2,37)**
CRGR	0,055	0,043	-0,060	-0,052	0,054	0,044
	(1,69)*	(1,17)	(2,65)***	(2,96)***	(1,55)	(1,10)
ln(INF)	0,009	0,008	0,002	-0,001	0,001	0,001
	(1,16)	(0,97)	(0,22)	(0,15)	(0,08)	(0,11)
OPEN	-0,008	0,011	0,029	0,053	-0,054	-0,037
	(0,35)	(0,44)	(1,12)	(3,18)***	(1,90)*	(1,14)
ln(GDP_PC)	0,021	0,018	0,014	0,014	0,053	0,046
	(3,01)***	(2,58)***	(0,55)	(0,80)	(4,80)***	(4,11)***
OECDGR	-0,591	-0,530	0,019	0,040	-0,684	-0,658
	(2,59)***	(2,65)***	(0,22)	(0,56)	(2,34)**	(2,55)**
US FF RATE	-0,005	-0,003	-0,001	-0,001	-0,004	-0,003
	(1,67)*	(1,08)	(0,22)	(0,45)	(1,14)	(0,82)
KA OPEN*US FF RATE	0,015	0,014	0,006	0,006	0,020	0,020
	(3,04)***	(3,55)***	(1,93)*	(2,58)***	(2,49)**	(2,57)**
KA OPEN	-0,127	-0,115	-0,125	-0,196	-0,123	-0,113
	(4,35)***	(4,38)***	(1,77)*	(2,25)**	(3,21)***	(3,20)***
FIX XRATE		-0,056		-0,041		-0,053*
		(2,42)**		(2,68)***		(1,74)
INTER XRATE		-0,026		-0,019		-0,027
		(1,43)		(1,40)		(1,10)
Nombre d'observations	1 382	1 285	365	342	1 017	943
Groupe	Tous pays confondus		Pays développés		Pays en développement ou en transition	

***Note*:** Pour les définitions des variables et les sources, voir la note explicative à la fin de la présente annexe. Estimations Probit avec écarts-types groupés au niveau de l'année. La variable dépendante est une variable fictive qui prend la valeur 1 dans les deux premières de l'épisode et la valeur 0 dans la phase de tranquillité. Les phases de turbulence qui ne se produisent pas durant les deux premières années de l'épisode ne sont pas incluses dans l'échantillon. Les variables explicatives sont la moyenne sur les trois années précédant l'épisode. Les statistiques z robustes sont indiquées entre parenthèses.

* Significatif à 10 %.

** Significatif à 5 %.

*** Significatif à 1 %.

point de pourcentage. Les épisodes accompagnés d'une contraction sont ceux qui ont été suivis d'une baisse du taux de croissance d'au moins un point de pourcentage. Les autres épisodes sont définis comme «neutres».

Pour vérifier l'hypothèse selon laquelle, afin qu'un retournement soit accompagné d'une expansion, il faut soit une forte amélioration des termes d'échange soit une baisse du taux de change réel, nous avons fait un test formel contrôlant l'influence des autres facteurs susceptibles d'agir sur la probabilité d'un tel retournement. Le tableau 3.A2 récapitule les résultats d'une analyse multivariable des facteurs qui déterminent les retournements accompagnés d'une expansion. Chaque observation correspond à un épisode et la variable dépendante prend la valeur 1 si l'épisode est accompagné d'une expansion et la valeur 0 s'il est neutre ou accompagné d'une contraction. Comme dans le tableau 3.A1, les facteurs contrôlés sont les suivants:

- Solde des opérations courantes rapportées au PIB (CAB);
- Variation du taux de change effectif réel (DREER);
- Déficit de production (OUTPUTGAP);
- Variation des termes de l'échange (DTOT);
- Logarithme de l'inflation (In(INF));
- Ouverture au commerce extérieur (OPEN);
- Logarithme du PIB par habitant (In(GDP_PC));
- Moyenne du taux de croissance du PIB des pays de l'OCDE (OECDGR);
- Ouverture du compte de capital (KA OPEN).

En outre, nous avons contrôlé l'influence des facteurs suivants:

- L'écart entre le taux d'intérêt sur la monnaie du pays considéré et le taux du dollar des États-Unis (DIR-FFR), qui indique dans quelle mesure la politique monétaire du pays considéré est plus ou moins expansionniste que celle des États-Unis;
- La qualité des institutions (INSTQUAL, moyenne des six indices construits par Kaufmann, Kraay et Mastruzzi, 2007)[4]; et
- Un indicateur de rigidité du marché du travail (LMR).

Comme prévu, les régressions montrent que la variable «déficit de production» est positive et très significative, ce qui indique que les pays englués dans une crise profonde ont une plus forte probabilité de rebondir et d'obtenir une croissance soutenue et plus élevée après le retournement. En outre, un taux de change compétitif et une amélioration des termes de l'échange ont une forte valeur prédictive pour les épisodes de retournement accompagnés d'une expansion, et cela vaut aussi pour les politiques monétaires expansionnistes, qui ont un effet direct et indirect par l'intermédiaire de la compétitivité du taux de change réel. En revanche les pays qui appliquent une politique de taux d'intérêt élevé ont moins de chances d'obtenir un retournement accompagné d'une expansion. Il n'y pas de corrélation significative avec la probabilité d'un retournement accompagné d'une expansion et les variables inflation, montant du déficit des opérations courantes au début du retournement, contrôle des capitaux, ouverture au commerce extérieur, PIB par habitant et indicateur de la rigidité du marché du travail. En outre, les pays ayant de «bonnes institutions», au sens de Kaufmann, Kraay et Mastruzzi (2007), ont nettement moins de chances d'obtenir un redressement du solde des opérations courantes accompagné d'une expansion. En revanche, l'analyse montre une fois de plus que des facteurs externes (pour lesquels l'indicateur de substitution employé est le taux de croissance des pays de l'OCDE) ont une influence déterminante sur la probabilité d'un retournement accompagné d'une expansion.

Le tableau 3.A3 donne les résultats de la même analyse pour les épisodes accompagnés d'une contraction. Dans ce cas, le modèle ne permet pas d'expliquer pourquoi les pays en question ne renouent pas avec la croissance après l'épisode. Les seuls prédicteurs ayant une certaine robustesse sont le déficit de production et le taux d'intérêt nominal: plus le taux d'intérêt nominal est élevé plus il est probable que le retournement s'accompagnera d'une contraction. Dans certains cas, l'ouverture du régime de commerce extérieur est associée à une plus forte probabilité de retournement accompagné d'une contraction tandis que l'ouverture du compte de capital est associée à une probabilité réduite de contraction. Toutefois, ces résultats ne sont pas très significatifs.

Tableau 3.A2

FACTEURS DÉTERMINANT UN RETOURNEMENT DU SOLDE DES OPÉRATIONS COURANTES ACCOMPAGNÉ D'UNE EXPANSION

	(1)	(2)	(3)	(4)	(5)	(6)
DREER	-0,449	-0,583	-0,534	-0,557	-0,704	-0,651
	(2,08)**	(2,41)**	(2,40)**	(2,60)***	(3,08)***	(2,86)***
DTOT	0,131	0,116	0,135	0,103	0,081	0,111
	(2,15)**	(1,83)*	(2,34)**	(1,59)	(1,09)	(1,70)*
OUTPUTGAP	6,228	5,533	6,050	6,125	4,915	5,847
	(4,58)***	(4,28)***	(4,46)***	(4,44)***	(4,13)***	(4,39)***
DIR-FFR	-0,032	-0,042	-0,047	-0,043	-0,053	-0,057
	(1,81)*	(1,83)*	(2,01)**	(2,27)**	(2,51)**	(2,53)**
ln(INF)	-0,041	-0,186	-0,062	-0,180	-0,422	-0,222
	(0,16)	(0,66)	(0,24)	(0,76)	(1,70)*	(0,92)
CAB	0,011	0,012	0,012	0,013	0,011	0,012
	(1,59)	(1,69)*	(1,64)	(1,75)*	(1,59)	(1,60)
KA OPEN	0,112	0,193	0,248	0,309	0,412	0,418
	(0,86)	(1,30)	(1,62)	(1,98)**	(2,33)**	(2,36)**
OECDGR	5,530	5,756	5,462	6,042	6,275	5,932
	(3,83)***	(3,42)***	(3,22)***	(4,55)***	(4,35)***	(3,92)***
ln(GDP_PC)				0,081	0,081	0,097
				(1,55)	(1,53)	(1,77)*
OPEN				-0,033	-0,166	-0,105
				(0,42)	(1,62)	(1,07)
INSTQUAL				-0,208	-0,246	-0,232
				(2,30)**	(2,26)**	(2,08)**
LMR				0,003	0,002	0,002
				(1,44)	(0,68)	(0,99)
Nombre d'observations	155	129	135	152	126	132
Groupe	Tous pays confondus	Pays en développement	Pays en transition	Tous pays confondus	Pays en développement	Pays en développement et en transition

Note: Pour les définitions des variables et les sources, voir la note explicative à la fin de la présente annexe. Estimations Probit avec écarts-types robustes. La variable dépendante est une variable fictive qui prend la valeur 1 pour les épisodes de retournement accompagnés d'une expansion et la valeur 0 pour les autres épisodes. La variable DREER est la variation du taux de change effectif réel et la variable DTOT est la variation des termes de l'échange sur les trois années antérieures à l'épisode. Les autres variables sont des moyennes sur la durée de l'épisode.

* Significatif à 10 %.

** Significatif à 5 %.

*** Significatif à 1 %.

Tableau 3.A3

FACTEURS DÉTERMINANT UN RETOURNEMENT DU SOLDE DES OPÉRATIONS COURANTES ACCOMPAGNÉ D'UNE CONTRACTION

	(1)	(2)	(3)	(4)	(5)	(6)
DREER	0,048	0,073	0,082	0,058	0,118	0,120
	(0,23)	(0,31)	(0,38)	(0,28)	(0,48)	(0,53)
DTOT	-0,099	-0,076	-0,085	-0,090	-0,068	-0,079
	(1,04)	(0,80)	(0,94)	(1,01)	(0,73)	(0,94)
OUTPUTGAP	-7,326	-7,331	-7,390	-7,390	-7,558	-7,565
	(4,86)***	(4,68)***	(4,75)***	(5,02)***	(4,89)***	(4,93)***
DIR-FFR	0,032	0,034	0,034	0,055	0,063	0,061
	(1,70)*	(1,40)	(1,44)	(2,50)**	(2,24)**	(2,26)**
ln(INF)	0,033	0,046	0,008	0,130	0,200	0,128
	(0,14)	(0,19)	(0,03)	(0,54)	(0,83)	(0,54)
CAB	-0,003	-0,006	-0,006	-0,008	-0,007	-0,009
	(0,40)	(0,87)	(0,89)	(1,02)	(0,83)	(1,03)
KA OPEN	-0,107	-0,228	-0,272	-0,362	-0,588	-0,597
	(0,75)	(1,29)	(1,64)	(2,09)**	(2,67)***	(3,00)***
OECDGR	-1,795	-2,644	-2,489	-2,353	-3,210	-2,983
	(1,33)	(1,61)	(1,54)	(1,61)	(1,77)*	(1,71)*
ln(GDP_PC)				0,018	-0,008	-0,005
				(0,31)	(0,13)	(0,09)
OPEN				0,116	0,389	0,298
				(1,09)	(2,25)**	(2,10)**
INSTQUAL				0,084	0,081	0,111
				(0,83)	(0,64)	(0,93)
LMR				-0,003	-0,001	-0,001
				(1,13)	(0,36)	(0,32)
Nombre d'observations	155	129	135	152	126	132
Groupe	Tous pays confondus	Pays en développement	Pays en transition	Tous pays confondus	Pays en développement	Pays en développement et en transition

Note: Pour les définitions des variables et les sources, voir la note explicative à la fin de la présente annexe.
Estimations Probit avec écarts-types robustes. La variable dépendante est une variable fictive qui prend la valeur 1 pour les épisodes de retournement accompagnés d'une contraction et la valeur 0 pour les autres épisodes. La variable DREER est la variation du taux de change effectif réel et la variable DTOT est la variation des termes de l'échange sur les trois années précédant l'épisode. Les autres variables sont des moyennes sur la durée de l'épisode.

* Significatif à 10 %.

** Significatif à 5 %.

*** Significatif à 1 %.

Notes explicatives des tableaux 3.A1, 3.A2 et 3.A3

DÉFINITION DES VARIABLES ET SOURCES

Variable	Définition	Source
CAB	Solde des opérations courantes divisé par le PIB	Banque mondiale, *World Development Indicators*
DREER	Variation du taux de change effectif réel: écarts du taux de change effectif réel par rapport à sa moyenne sur les périodes sans perturbations. Sont définies comme telles les périodes qui commencent trois ans après la fin de l'épisode et celles qui se terminent trois ans avant son début.	FMI, *International Financial Statistics*; et sources nationales
GDPGR	Croissance du PIB	Base de données *Manuel de statistique* de la CNUCED
In(GDP_PC)	Logarithme du PIB par habitant (PPA en dollars internationaux constants de 2000)	FMI, *World Economic Outlook*; et sources nationales
OUTPUTGAP	Déficit de production: écart entre le taux de croissance effectif du PIB et sa valeur tendancielle (en pour cent)	FMI, *World Economic Outlook*; et sources nationales
DTOT	Variation des termes de l'échange	Calculs de la CNUCED, d'après FMI, *World Economic Outlook;* et sources nationales
CRGR	Croissance du crédit total aux résidents	Banque mondiale, *World Development Indicators*
Ln(INF)	Logarithme de l'inflation	FMI, *International Financial Statistics*; et sources nationales
OPEN	Ouverture du commerce: total des importations et des exportations divisé par le PIB	FMI, *World Economic Outlook;* et sources nationales
OEGDGR	Taux de croissance moyen du PIB des pays de l'OCDE	Base de données *Manuel de statistique* de la CNUCED
US FF RATE	Taux des *federal funds* des États-Unis	Sources nationales
KA OPEN	Variable fictive prenant la valeur 1 pour les pays dont le compte de capital est ouvert	Chinn et Ito (2007)
KA OPEN*US FF RATE	Interaction entre KA OPEN et US FF RATE	Chinn et Ito (2007)
FIX XRATE	Variable fictive prenant la valeur 1 pour les pays ayant un régime de taux de change fixe	Levy Yeyati et Sturzenegger (2005)
INTER XRATE	Variable fictive prenant la valeur 1 pour les pays ayant un régime de taux de change intermédiaire	Levy Yeyati et Sturzenegger (2005)
DIR-FFR	Écart entre le taux d'intérêt sur la monnaie du pays considéré et le taux d'intérêt sur le dollar des États-Unis	Sources nationales
INSTQUAL	Indicateur de qualité des institutions	Kaufmann, Kraay et Mastruzzi (2007)
LMR	Indicateur de rigidité du marché du travail	López de Silanes *et al.* (2004)

Notes

[1] En supposant qu'un pays connaisse un épisode de retournement qui commence en 1998 et dure jusqu'en 2002, la variable dépendante prend la valeur 0 en 1975-1977 et 2003-2006, et la valeur 1 en 1998-1999. Les valeurs sur la période 2000-2002 sont retirées de l'échantillon.

[2] Le taux de change flottant est la variable fictive exclue.

[3] Toutefois, la baisse du taux de change réel n'est largement antérieure au retournement que dans le sous-échantillon des pays développés.

[4] Voir aussi l'exposé des indicateurs de gouvernance à la section D du chapitre VI.

Chapitre IV

SOURCES INTÉRIEURES DE FINANCEMENT ET INVESTISSEMENT DANS LES CAPACITÉS DE PRODUCTION

A. Introduction

Nul ne conteste qu'on ne peut obtenir une élévation durable du niveau de vie qu'avec une expansion de la production et des gains de productivité continus. Cela exige un taux d'investissement élevé dans les infrastructures, les usines et équipements, ainsi que dans des domaines comme l'éducation et la recherche-développement. Par contre, il y a des divergences de vues au sujet de la meilleure manière de financer ces différents types d'investissement. Pour qu'il y ait investissement privé, il faut que les entrepreneurs aient non seulement un motif d'investir, à savoir l'attente de bénéfices futurs, mais aussi les moyens de financer l'achat des biens d'équipement nécessaires.

Une école influente de la pensée économique considère que l'investissement est financé par une réserve d'épargne qui provient principalement des ménages. Selon cette école, pour maximiser l'investissement des entreprises, il faut accroître l'épargne nationale et l'efficience de l'intermédiation financière. Elle recommande donc de réduire les dépenses budgétaires pour assainir les finances publiques et d'accroître le taux d'épargne des ménages et l'importation de capitaux (épargne étrangère) par des taux d'intérêt relativement élevés. L'amélioration de l'efficience des intermédiaires financiers (bancaires et non bancaires) et du marché boursier est censée accroître les ressources financières accessibles aux entreprises pour leur investissement, renforcer la supervision de l'investissement et faciliter la répartition des risques.

Selon une autre conception du financement de l'investissement – associée à Keynes et surtout à Schumpeter – l'accumulation de capital dans l'industrie est financée avant tout par l'épargne des entreprises (c'est-à-dire les bénéfices), alors que la contribution de l'épargne volontaire des ménages à l'investissement productif est secondaire. Analysant les différents exemples de rattrapage économique de pays d'Asie de l'Est depuis la Deuxième Guerre mondiale, la CNUCED a souligné l'importance du lien entre les bénéfices des entreprises et l'épargne et de l'interaction dynamique entre les bénéfices et l'investissement (voir en particulier les éditions 1994, 1996, 1997 et 2003 du *Rapport sur le commerce et le développement*). Elle a imputé le niveau élevé du taux d'épargne national à l'importance de l'épargne des entreprises plus qu'à celle de l'épargne des ménages. Une forte rentabilité donne aux entreprises simultanément un motif d'investir et les moyens de financer de nouveaux investissements, ce qui accroît les bénéfices futurs en augmentant le taux d'utilisation des capacités et en accélérant les gains de productivité.

Ces deux conceptions s'inscrivent dans le cadre de la controverse plus générale concernant la relation de cause à effet entre l'épargne, l'investissement et le crédit dont nous avons parlé au chapitre III. Une des hypothèses que nous examinerons ici est que la qualité des institutions monétaires et financières d'un pays et en particulier du système bancaire a des répercussions importantes sur les interactions entre l'épargne, l'investissement et le crédit: si l'investissement peut être financé par les banques, qui ont le pouvoir de créer de la monnaie *ex nihilo* par le crédit, l'existence préalable d'une réserve d'épargne n'est pas une condition nécessaire de l'investissement; l'augmentation de l'épargne sera générée ultérieurement par l'accroissement des revenus. En d'autres termes, la structure et le fonctionnement du système financier d'un pays n'est pas neutre à l'égard du processus de mobilisation des ressources et de financement de l'investissement. La manière dont une économie fonctionne et répond à la politique monétaire peut être différente selon que c'est le marché des capitaux ou l'intermédiation bancaire qui prédominent dans son système financier. En outre, les établissements financiers, et en particulier les banques commerciales et les banques de développement, ne sont pas seulement des intermédiaires passifs qui facilitent les transactions entre les autres agents économiques. Ce sont des acteurs dynamiques qui répartissent les ressources entre différents agents et secteurs économiques à certaines fins (consommation ou investissement), conformément à leurs propres objectifs ou stratégies. Ils influent donc sur la structure et l'activité économiques d'un pays. Leur rôle s'inscrit souvent dans le plan de développement stratégique des conglomérats privés ou des pouvoirs publics.

Dans la section B nous examinerons les principales sources de financement de l'investissement dans les pays en développement ou en transition. Dans la section C nous examinerons la transformation récente des systèmes financiers résultant de la mondialisation du marché financier et des réformes nationales. Dans la section D nous analyserons les principales conséquences de ces transformations et les caractéristiques actuelles des systèmes financiers des pays en développement et des pays en transition. Enfin nous résumerons les conclusions les plus importantes de ces analyses et formulerons les recommandations qui en découlent.

B. Principales sources de financement de l'investissement

D'un point de vue microéconomique, le financement peut provenir de sources internes, telles que l'autofinancement (bénéfices non distribués), ou de sources externes (crédit bancaire, obligations ou actions par exemple). D'un point de vue macroéconomique (c'est-à-dire pour l'ensemble de l'économie), le financement peut être d'origine nationale ou étrangère, mais seul le financement d'origine étrangère crée un engagement pour l'économie nationale. On peut faire une autre distinction entre l'épargne étrangère et l'épargne nationale, cette dernière pouvant être décomposée en trois catégories, épargne des ménages, épargne des entreprises et épargne de l'État. D'un point de vue comptable, l'épargne générale dans l'ensemble de l'économie durant une période donnée doit être égale à l'investissement total.

1. *Le rôle des bénéfices*

Une des grandes conditions du développement est que les entreprises aient accès à des sources fiables, suffisantes et pas trop coûteuses de financement pour leurs investissements. La meilleure façon de satisfaire cette condition est de financer les investissements par les bénéfices de l'entreprise elle-même. Une politique économique contribuant à créer une interaction positive entre l'investissement et les bénéfices a pour effet simultané d'inciter les entreprises à investir et de leur donner les moyens de financer leurs investissements[1].

La proportion de ces bénéfices qu'une entreprise décide de ne pas distribuer dépend de ses projets d'investissement. Dans la mesure où une faible distribution est associée à un taux d'investissement élevé, à long terme elle est un signe de forte accumulation et de dynamisme. Ce dynamisme et la répartition des bénéfices entre l'investissement et les dividendes varient considérablement selon les pays et ont une influence majeure sur le rythme global de l'accumulation et de l'industrialisation.

Tableau 4.1

ÉPARGNE ET INVESTISSEMENT DES MÉNAGES ET DES ENTREPRISES NON FINANCIÈRES DANS DIFFÉRENTS PAYS ET SUR DIFFÉRENTES PÉRIODES

(*En pourcentage du PIB*)

	Période	Ménages		Entreprises non financières		**Pour mémoire:** Part des bénéfices dans la valeur ajoutée manufacturière
		Épargne	Investissement fixe	Épargne	Investissement fixe	
Brésil	1995-2003	7,0	5,5	12,3	11,4	-
Chili	1996-2003	8,4	6,0	9,8	14,9	81,7[a]
Chine	1995-2003	17,3	4,8	12,8	25,5	-
Colombie	1995-2002	5,5	3,0	8,1	9,6	-
Côte d'Ivoire	1995-2000	2,8	1,6	4,1	7,4	-
Égypte	1996-2003	10,6	4,7	8,1	6,8	-
Mexique	1995-2002	7,5	4,8	10,2	13,0	82,0[a]
Niger	1995-2003	8,9	3,1	1,8	5,3	54,1[b]
Province chinoise de Taiwan	1995-2003	12,4	1,0	10,6	14,8	-
République de Corée	1995-2003	-	-	11,0	20,1	78,0[b]
République islamique d'Iran	1996-2003	18,4	10,3	6,6	11,7	75,0
Tunisie	1995-2002	7,8	6,5	8,8	12,4	-
Pour mémoire:						
Japon	1960-1970	13,3	8,0	15,0	22,7	67,2[c]
Province chinoise de Taiwan	1983-1990	17,0	4,3	9,6	12,4	58,9
République de Corée	1980-1984	10,3	5,3	8,3	20,0	72,8

***Source*:** Calculs du secrétariat de la CNUCED, d'après la base données *Statistiques de comptabilité nationale* de l'ONU; *Rapport sur le commerce et le développement 1997*, tableau 44; base de données *Statistiques macroéconomiques nationales* de la Province chinoise de Taiwan; et ONUDI, base de données *Industrial Statistics*.

***Note*:** Les bénéfices sont égaux à la valeur ajoutée manufacturière après déduction de la masse salariale brute.

[a] 1995-2000.

[b] 1995-2002.

[c] 1963-1970.

Les données sur les liens entre l'importance respective de l'épargne des entreprises et de l'épargne des ménages et les différences entre pays en matière d'épargne et d'investissement sont lacunaires. Nous présentons dans le tableau 4.1, pour les pays en développement pour lesquels les données sont disponibles, la répartition de l'épargne et de l'investissement entre les ménages et les entreprises non financières sur la période 1995-2003, période pour laquelle on dispose des données les plus complètes.

Il est difficile de tirer des conclusions générales d'un échantillon aussi limité que celui présenté dans ce tableau, mais les données dont on dispose indiquent que dans la plupart des cas, un taux d'investissement en capital fixe élevé est associé à un taux d'épargne des entreprises élevé, alors que le lien entre le taux d'investissement des entreprises et le taux d'épargne des ménages est beaucoup plus faible. Le niveau élevé des investissements en capital fixe des entreprises de la Chine, de la République de Corée et de la Province chinoise de Taiwan sur la période 1995-2003, ainsi qu'au Japon dans la période de rattrapage accélérée des années 60 et en République de Corée et dans la Province chinoise de Taiwan dans les années 80, a été associé à un taux d'épargne des entreprises beaucoup plus élevé que dans la plupart des autres pays. Le taux d'épargne des ménages a aussi été plus élevé, mais l'écart par rapport aux autres pays est moins prononcé, en particulier dans les pays autres que la Chine. *A contrario*, le taux d'épargne des ménages relativement élevé de l'Égypte et de la République islamique d'Iran ne s'est pas accompagné d'un taux d'épargne élevé des entreprises ni d'un taux d'investissement élevé. Il est aussi intéressant de voir que le niveau relativement élevé de l'épargne des entreprises de certains pays d'Amérique latine ne s'est pas accompagné d'un niveau comparable d'investissement en capital fixe des entreprises. Cela pourrait indiquer que, dans ces pays, les entreprises ont tendance à distribuer plus de dividendes pour la consommation ou à placer leurs bénéfices en titres plutôt que d'accroître leur investissement en capital fixe.

Le tableau 4.1 montre aussi que le niveau relatif de l'épargne des entreprises n'est pas totalement proportionnel à la part des bénéfices dans la valeur ajoutée. Cela signifie que des facteurs autres que la propension à réinvestir les bénéfices doivent jouer un rôle important sur les décisions des entreprises de réinvestir leurs bénéfices plutôt que de distribuer des dividendes. Ces facteurs sont notamment la charge fiscale pesant sur les entreprises et le régime d'amortissement.

La répartition sectorielle de l'épargne et de l'investissement en Chine est frappante à deux titres au moins. Premièrement, le taux d'investissement des entreprises est nettement plus élevé que dans les autres pays. En outre, alors que le taux d'épargne des entreprises est aussi très élevé, le taux d'épargne des ménages l'est encore plus. Cela pourrait donner l'impression que le taux d'investissement considérable des entreprises résulte de l'importance de l'épargne des ménages urbains chinois, qui doivent économiser beaucoup en raison des carences de la protection sociale, de l'augmentation sensible des dépenses d'éducation et de l'incertitude de l'évolution future de leurs revenus (voir par exemple Chamon et Prasad, 2007)[2]. En revanche, la part des entreprises non financières et de l'État dans l'épargne totale a augmenté depuis le milieu des années 90 et les entreprises sont devenues la première source d'épargne nationale en 2004. Les estimations relatives à la période écoulée depuis 2004 (c'est-à-dire les années qui suivent celles visées par le graphique 4.1) indiquent que la contribution des entreprises non financières à l'épargne nationale a continué de dépasser celle des ménages (Barnett et Brooks, 2006; Yu, 2008). Cela est dû à la fois à l'augmentation de la rentabilité des entreprises, en particulier des entreprises d'État, et au durcissement de la politique monétaire, qui a réduit la disponibilité du crédit bancaire (Barnett et Brooks, 2006; He et Cao, 2007).

2. *Financement externe de l'investissement des entreprises*

Le financement externe de l'investissement est généralement fourni par des intermédiaires financiers et en particulier par les banques. Ces intermédiaires peuvent faciliter les transactions portant sur des instruments financiers sans modifier les échéances ni la rémunération et sans acheter ni émettre eux-mêmes des titres. Dans ce sens, ils constituent un «marché des capitaux» et leurs activités sont désignées par l'expression «financement direct». Mais les établissements

Graphique 4.1

CHINE: VENTILATION SECTORIELLE DE L'ÉPARGNE TOTALE, 1992-2004

(*En pourcentage*)

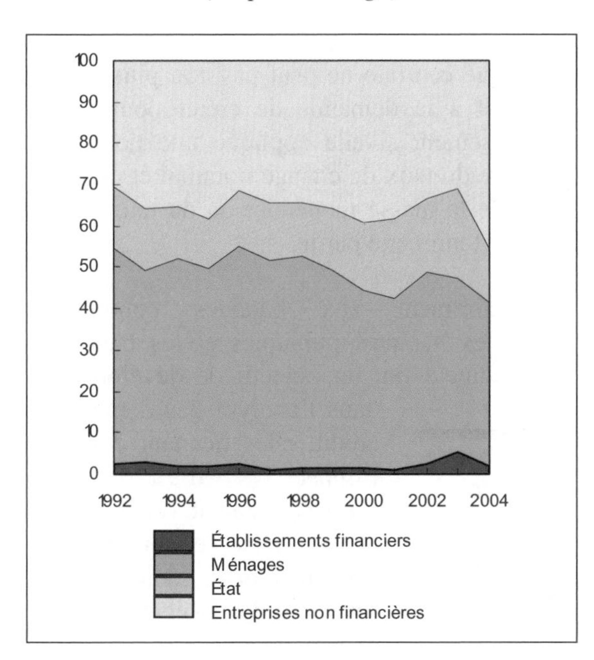

Source: Calculs du secrétariat de la CNUCED, d'après *China Statistical Yearbook*, diverses parutions.

financiers et en particulier les banques peuvent aussi dissocier les conditions des actifs achetés par les emprunteurs de celles des engagements assumés par les créanciers. En général, les banques empruntent à court et à moyen terme et prêtent à plus longue échéance. Ces activités bancaires classiques, dans lesquelles il y a une relation contractuelle entre la banque et les déposants d'une part et, entre la banque et les emprunteurs d'autre part, sont désignées par l'expression «financement indirect».

La prédominance du financement «direct» ou «indirect» peut avoir des conséquences macroéconomiques et influer sur certains aspects du processus économique. Dans le cas du financement direct, l'absence de transformation des échéances a fait que les détenteurs d'obligations et d'actions possèdent des actifs à long terme, ce qui signifie qu'ils doivent les vendre sur le marché des capitaux au cas où ils ont besoin de liquidités. Cela contribue à la volatilité du marché des capitaux qui passe par des épisodes d'euphorie et de pessimiste excessif. Le financement indirect expose les banques commerciales à un risque de liquidité (c'est-à-dire qu'il se peut que leurs déposants retirent leurs fonds alors qu'elles ne peuvent pas recouvrer immédiatement des créances à long terme), ce qui peut poser un dilemme à la banque centrale: elle peut être obligée de financer les banques en difficulté, ce qui implique une création de monnaie et peut encourager la prise de risque excessive pour éviter une contagion qui peut transformer un problème de liquidités limité en une crise de solvabilité systémique. Un autre aspect important est que le financement bancaire a tendance à créer des relations durables entre les établissements bancaires et les entreprises et donc des partenariats à long terme qui peuvent influer sur la stratégie et la gouvernance des entreprises[3].

Le rôle des banques – publiques et privées – dans le financement de l'investissement productif n'est pas dû seulement au fait qu'elles ont l'avantage d'opérer à grande échelle, si bien qu'elles peuvent procéder à la transformation des échéances et à l'intermédiation de l'épargne de manière plus efficiente que les ménages, et de leur pouvoir d'investigation, qui leur permet de remédier à l'asymétrie de l'information entre initiés et non-initiés plus efficacement que le marché boursier. La création de monnaie sous forme de crédit bancaire pour financer des investissements productifs joue un rôle important, en particulier dans les pays dont le système financier est caractérisé par des relations durables entre les entreprises et leur banque principale. D'après Minsky (1982), il est impossible à une entreprise de gérer ses rentrées et sorties de liquidités de manière à ne jamais être en découvert. De ce point de vue, la création de crédit est essentielle car elle permet aux entreprises d'investir sans épargner au préalable.

La création de crédit bancaire pour financer des investissements productifs joue un rôle important.

La création de crédit par le système bancaire est particulièrement importante pour les entreprises et en particulier les jeunes entreprises qui sont très tributaires de l'emprunt pour financer leurs investissements en capital fixe et leur fonds de roulement[4]. Il y a création de crédit *ex nihilo* lorsqu'une banque commerciale accorde à une entreprise un crédit qui peut être financé par un emprunt à la banque centrale via le guichet d'escompte ou par une opération d'open market, ce qui entraîne une augmentation de la masse monétaire. La valeur nominale de l'expansion des capacités de production de l'entreprise et la production de biens et services supplémentaires auxquels sert le crédit additionnel entraînent une augmentation du revenu global et créent la contrepartie, dans l'économie réelle, de l'augmentation de la masse monétaire. L'accroissement des rentrées de trésorerie de l'entreprise lui permet de rembourser le prêt. La hausse des bénéfices des entreprises et de l'épargne des ménages qui résulte de ce surcroît d'activité dans l'économie réelle entraîne un équilibrage *ex post* de l'investissement et de l'épargne globaux.

Ce processus de création de crédit peut être inflationniste s'il se heurte à des contraintes de ressources, par exemple si le taux d'expansion du crédit dépasse le taux de croissance potentiel de l'économie. Toutefois, ce risque est limité lorsque la création de crédit accroît la production réelle en permettant d'exploiter des facteurs de production sous-utilisés ou inutilisés ou en accroissant la productivité des facteurs de production.

> En raison de leur mission de développement, il ne faut pas s'attendre à ce que les banques à capitaux publics soient aussi rentables que des banques commerciales à capitaux privés.

Plusieurs obstacles peuvent entraver ce processus de création de crédit par le biais d'une expansion maîtrisée de la masse monétaire. Premièrement, il se peut que les entreprises n'aient pas le genre de garanties qu'exigent les banques commerciales pour prêter: par exemple, la banque peut refuser les garanties que l'entreprise a à offrir, ou il se peut que les droits de priorité soient mal protégés, ce qui empêche d'employer certains actifs comme caution. Deuxièmement, la quantité de crédit (et donc l'émission de monnaie) ne doit pas dépasser certaines limites, qui sont déterminées par le montant des dépôts que les banques peuvent recevoir, leur accès au financement interbancaire et au financement de la banque centrale et la réglementation financière. En outre, le fait que les banques puissent créer du crédit n'empêche pas qu'il faut générer une épargne pour l'avenir puisqu'à terme l'emprunteur doit rembourser. Mais dans ce cas la relation de cause à effet entre l'épargne, l'investissement et le crédit est l'inverse de ce que postule la théorie dominante: le crédit bancaire finance l'investissement qui, s'il est rentable, génère une épargne (bénéfices), laquelle est ensuite employée pour rembourser le crédit.

Troisièmement, la banque centrale ne peut pas appliquer une politique monétaire indépendante et accroître la base monétaire si l'économie est «dollarisée» (c'est-à-dire si une monnaie étrangère a seul cours légal). Son action est aussi très limitée si elle opère un système de caisse d'émission, qui ne lui permet d'accroître la base monétaire que si les réserves de change augmentent. Quatrièmement, une banque centrale ne peut pas non plus répondre totalement à la demande de crédit pour financer l'investissement si elle applique une politique de parité fixe du taux de change nominal et emploie la gestion de la masse monétaire ou du taux d'intérêt pour maintenir cette parité.

Contrairement aux banques commerciales privées, les banques publiques et les banques de développement ont un objectif de développement: dans l'analyse des demandes de crédit, elles tiennent compte de l'impact d'un projet d'investissement sur le développement socio-économique et pas seulement de sa rentabilité. Elles financent des projets qui seraient généralement jugés trop risqués par des banques privées, soit parce que le recouvrement de l'investissement est très long, comme dans le cas des projets d'infrastructure, soit parce que l'investissement est fait par une petite entreprise ou une entreprise novatrice dans le but de fabriquer de nouveaux produits ou d'appliquer de nouvelles méthodes de production. En raison de leur mission de développement, les banques à capitaux publics ont tendance à concentrer leurs activités dans des domaines caractérisés par l'asymétrie de l'information et par la nature immatérielle des investissements. C'est pourquoi il ne faut pas s'attendre à ce qu'elles soient aussi rentables que des banques commerciales à capitaux privés. Au contraire, si l'on exigeait d'elles une rentabilité excessive, leurs dirigeants seraient obligés de s'écarter de leur mission de développement (Levy Yeyati, Micco et Panizza, 2007)[5]. Certains projets novateurs seront inévitablement des échecs commerciaux pour la simple raison que ce n'est qu'en les réalisant qu'on peut découvrir s'ils sont rentables ou non[6]. Par conséquent, pour jouer le rôle d'une source publique de capital-risque, une banque de développement devrait plutôt chercher à limiter le coût des erreurs inévitables qu'à réduire le plus possible le risque de faire de telles erreurs.

Un autre aspect de la mission de développement des banques à capitaux publics et des banques de développement est lié à la coordination des projets d'investissement. La rentabilité d'un investissement peut dépendre d'investissements simultanés dans des activités d'amont et d'aval, en particulier dans le cas des activités autres que la production de biens ou services entrant dans le commerce ou de celles qui exigent une certaine proximité géographique. Le meilleur exemple est celui des infrastructures physiques. Toutefois, cela vaut aussi pour la disponibilité des intrants nécessaires (main-d'œuvre ayant les compétences requises et intrants adaptés au niveau technologique du pays) et pour la présence d'un acheteur pour la production d'une entreprise. À cet égard, un des grands problèmes des entrepreneurs, qui se comportent en agents indépendants et motivés par leur seul intérêt, est de coordonner l'investissement de manière à pouvoir mutuellement bénéficier des effets d'entraînement en amont et en aval. Lorsque ces avantages mutuels sont réalisés, l'utilité sociale d'un investissement dépasse la rentabilité privée. Il est donc probable qu'une banque agissant dans l'intérêt du développement économique national global (comme une banque publique ou une banque de développement) sera mieux placée pour financer des investissements dont la rentabilité dépend beaucoup d'investissements complémentaires. C'est ce rôle qu'ont joué les banques de développement au Japon, en République de Corée et dans la province chinoise de Taiwan (voir par exemple Khan, 2004).

Les banques nationales de développement sont souvent sous-financées, en particulier lorsqu'elles n'ont pas accès à des ressources telles que les dépôts des particuliers ou des administrations publiques. C'est une des raisons pour lesquelles elles s'associent souvent avec des banques commerciales pour cofinancer leurs clients. Ainsi, ces dernières années, la Banque brésilienne de développement (Banco do Desenvolvimento de Todos os Brasileiros – BNDES) s'est associée avec des banques commerciales privées pour la moitié environ de ses prêts[7]. Ce cofinancement permet à la banque de développement d'investir dans un plus grand nombre de projets et de diversifier ses risques. En outre, l'association avec une autre banque permet d'avoir un deuxième avis sur la viabilité des projets et donc de réduire le risque de financer des projets non viables.

Les résultats obtenus par les banques d'État chinoises ont été moins satisfaisants, ce qui tendrait à montrer qu'en l'absence d'un dispositif institutionnel complémentaire, les banques d'État peuvent difficilement optimiser l'allocation du crédit. Le fait que les décisions de crédit étaient fondées sur des motifs politiques ou d'autres motifs non économiques a entrainé un énorme accroissement des créances irrécouvrables des principales banques d'État, qui a causé de sérieux problèmes au système bancaire chinois dans les années 90. Le Gouvernement a pris il y a quelques années diverses mesures pour résoudre ce problème[8]. Selon les statistiques officielles, le montant total des créances improductives et leur part dans le total de l'actif bancaire[9] ont diminué en dépit de l'apparition de nouveaux crédits problématiques (Allen, Qian et Qian, 2008).

Dans la plupart des pays en développement ou en transition, l'essentiel de l'intermédiation financière se fait par les banques. Toutefois, on considère de plus en plus qu'un marché obligataire local efficient peut apporter une grande contribution à l'intermédiation financière[10]. Le développement du marché obligataire local présente un intérêt particulier pour le secteur public car l'émission d'obligations d'État aide à financer le déficit budgétaire sans provoquer d'inflation et permet aussi de stériliser d'importants afflux de capitaux. En outre, l'existence d'un marché obligataire local offre aux emprunteurs privés l'accès à des financements à long terme, en particulier pour l'investissement dans la construction et les infrastructures. Dans la mesure où les banques des pays en développement ou en transition offrent essentiellement des crédits à court terme, l'absence de marché obligataire contraint les entreprises à financer leurs investissements à long terme par des emprunts à court terme. Cela peut entraîner des écarts importants entre les échéances de leurs actifs et celles de leurs passifs ou les amener à recourir davantage au marché international des capitaux pour financer leurs investissements, ce qui s'accompagne d'un risque de change. Ces deux facteurs aggravent la fragilité financière. Leur combinaison a été la cause première de la crise financière d'Asie de l'Est.

Le marché boursier a été amené à jouer un rôle assez important dans quelques-uns des pays en développement ou en transition les plus avancés, en particulier ceux qui ont mené de vastes privatisations. Pour jauger l'importance du marché boursier dans un système financier, on se fonde souvent sur la capitalisation boursière. Toutefois, la capitalisation boursière indique la valeur de marché d'une catégorie d'actifs financiers, mais ne dit pas grand-chose sur le financement obtenu par l'émission d'actions sur une période donnée. Ainsi, la capitalisation boursière augmente en cas de hausse des cours des actions sans que cela génère le moindre financement supplémentaire. Il est vrai que l'existence d'une bourse importante et un niveau relativement élevé des cours des actions constituent un cadre favorable pour l'émission de nouvelles actions, mais ils n'incitent pas forcément les entreprises à recourir au marché primaire: les actionnaires peuvent avoir des réticences à ouvrir leur capital à de nouveaux investisseurs puisque cela affaiblit leur contrôle de l'entreprise. En d'autres termes, la capitalisation boursière en dit plus sur la structure des portefeuilles financiers que sur le financement de l'investissement. Ce qui importe pour le financement des investissements, c'est le montant des émissions sur le marché primaire, comme nous le verrons plus loin.

3. *Financement de l'investissement et asymétries de l'information*

Lorsqu'ils doivent décider des modalités de financement de leurs investissements, les entrepreneurs ont de bonnes raisons microéconomiques de ne pas considérer les différentes formes de financement comme des substituts parfaits[11]. La théorie de l'ordre de préférence en matière de structure du capital postule que les différentes formes de financement de l'investissement et les décisions en matière de production ne sont pas neutres. Selon elle, le choix d'une structure capitalistique dépend de facteurs financiers (capacités d'autofinancement, accès au marché du crédit ou au financement par émission d'actions et fonctionnement du marché du crédit) et des caractéristiques de l'entreprise (possibilités d'investissement, rentabilité et taille). Selon cette théorie, pour le financement de leurs investissements, les entreprises ont une hiérarchie, préférant le financement interne au financement externe et le financement par la dette au financement par les fonds propres. Les entreprises très rentables peuvent autofinancer leur croissance en préservant un ratio d'endettement constant. Les entreprises moins rentables ou pas encore rentables sont obligées de recourir au financement externe. Les variations du taux d'endettement d'une entreprise dépendent donc de son besoin de financement externe, qui est lui-même déterminé par le degré auquel ses possibilités d'investissement dépassent ses capacités d'autofinancement (Myers et Majluf, 1984; Fazzari, Hubbard et Petersen, 1988)[12].

D'après la théorie des préférences, les entreprises préfèrent l'autofinancement (amortissement plus bénéfices non distribués) parce qu'il permet aux dirigeants de protéger la confidentialité de leurs connaissances concernant la valeur réelle des actifs de l'entreprise et la qualité de ses investissements. En raison de l'asymétrie de l'information, il est très coûteux ou même impossible à des bailleurs de fonds externes d'évaluer en toute connaissance de cause la qualité des actifs d'une entreprise et la rentabilité de ses investissements[13]. En outre, l'autofinancement permet d'éviter les coûts associés à la nécessité de limiter d'éventuels conflits d'intérêts entre les gérants de l'entreprise et les bailleurs de fonds externes.

L'asymétrie de l'information est aussi la raison pour laquelle, selon la théorie des préférences, le financement par la dette est préférable à l'émission d'actions. Le degré d'asymétrie de l'information et donc les coûts associés aux conflits d'intérêts sont moins élevés pour le financement par la dette que pour le financement par augmentation de capital. Cela est dû au fait que le financement par la dette, par exemple sous forme de crédit bancaire, permet une sélection et un suivi des projets d'investissement et de leur exécution directement au niveau de l'entreprise. Les banques peuvent exiger des sûretés et, en cas de difficultés financières, les créanciers ont en général une priorité sur le produit de la liquidation des actifs et sur les bénéfices, les actionnaires devant se contenter de l'éventuel résidu. La hiérarchie des différentes catégories de créances en général est un facteur qui a une grande influence sur les décisions de financement externe.

En outre, les acheteurs d'actions peuvent penser qu'une entreprise ne procède à une émission que lorsqu'elle juge ses actifs surévalués. Ils peuvent aussi penser que si une entreprise décide de faire une augmentation de capital, c'est parce qu'elle ne parvient pas à obtenir d'autres financements, soit parce que ses projets d'investissement sont très aléatoires, soit parce que son ratio d'endettement est déjà à un niveau inquiétant et d'éventuelles difficultés pourraient l'empêcher d'assurer le service de sa dette[14]. En conséquence, pour une entreprise qui cherche à financer des investissements, l'émission d'actions est en général plus coûteuse que l'endettement.

Les entreprises peuvent aussi préférer se financer par la dette plutôt que par émission d'actions par crainte d'être victimes d'une OPA, en particulier lorsque le marché financier sous-évalue leurs actifs[15]. Il se peut que le processus de détermination des cours sur les bourses fonctionne bien pour ce qui est de l'efficience liée à l'information, ou arbitrage financier, qui signifie que tous les participants ont immédiatement accès à toute information nouvelle concernant les actions d'une entreprise, de manière qu'aucun ne puisse tirer profit de cette information publique. Par contre, il n'est pas certain qu'il soit aussi efficient pour ce qui est de l'évaluation fondamentale des entreprises, qui devrait avoir pour effet que le cours d'une action correspond assez précisément à sa rentabilité probable à long terme (Kregel et Burlamaqui, 2006).

Il est fréquent que les besoins de financement des entreprises des pays en développement dépassent leur capacité d'autofinancement, …

Les entreprises des pays en développement ont souvent des problèmes différents de celles des pays développés lorsqu'elles cherchent à financer leurs projets d'investissement. Il est fréquent que les besoins de financement dépassent leur capacité d'autofinancement, en particulier lorsqu'il faut renouveler rapidement les biens d'équipement pour moderniser la technologie ou mettre au point de nouveaux produits. D'après Singh (1997), c'est un problème qu'ont connu de nombreuses entreprises d'Asie de l'Est, qui ont dû recourir non seulement à l'autofinancement mais aussi à des ressources externes pour financer leurs investissements et accroître leur part du marché mondial.

… en particulier lorsqu'il faut renouveler rapidement les biens d'équipement pour moderniser la technologie ou mettre au point de nouveaux produits.

En général, l'industrialisation et le rattrapage économique exigent l'application de techniques nouvelles (c'est-à-dire nouvelles pour l'économie concernée) pour la production de nouveaux produits ou l'emploi de nouveaux procédés. On considérait traditionnellement que les grandes entreprises et les conglomérats étaient mieux placés pour faire avancer l'industrialisation dans des secteurs qui exigent d'importants investissements en capital fixe, une expérience de la production manufacturière et la coordination d'investissements dans un grand nombre de branches de production (Amsden, 2001). Toutefois, depuis quelques années, on attache plus d'importance à l'emploi des technologies de l'information et de la communication (TIC) comme moyen d'obtenir des gains de productivité. Cela a amené à s'intéresser davantage au rôle des entreprises nouvelles, souvent relativement petites, dans l'application de techniques innovantes.

Il est rare que les jeunes entreprises et les entreprises particulièrement innovantes, dont les projets peuvent être jugés trop risqués par des bailleurs de fonds externes, aient une capacité d'autofinancement suffisante ou puissent générer rapidement la trésorerie nécessaire. En pareille situation, l'asymétrie de l'information est particulièrement forte parce qu'on n'a pas d'antécédents démontrant les capacités d'entrepreneur ou du dirigeant ni la rentabilité de l'entreprise; les données relatives aux activités antérieures non innovantes de l'entreprise ne sont pas d'une grande aide. Les entreprises innovantes ont généralement énormément de difficultés à obtenir un crédit bancaire parce qu'elles n'ont pas d'autres garanties à offrir que des actifs incorporels, qui sont en partie le savoir-faire de leur personnel et généralement très spécifiques (Hall, 2002). Il est donc difficile aux éventuels créanciers d'évaluer la rentabilité probable d'un projet. S'il divulguait aux bailleurs de fonds externes toutes les informations dont il dispose au sujet de son innovation, l'entrepreneur donnerait des renseignements confidentiels qui l'exposeraient à l'imitation et risqueraient de réduire considérablement sa capacité de rentabiliser son investissement. Mais d'un autre côté, les banques seront réticentes à financer un investissement initial qui rendrait possible un investissement productif et des gains de productivité si elles ne peuvent pas s'approprier une part du profit justifiant leur prise de risque[16]. Cela peut donner naissance à une situation dans laquelle chaque banque attend qu'une autre fasse le premier pas pour tirer profit de la découverte des capacités réelles de l'entrepreneur qui en résulte (Emran et Stiglitz, 2007)[17].

Dans ce genre de situation, le financement informel fourni par des parents ou amis de l'entrepreneur peut être une source de capital-risque importante pour le démarrage d'un projet innovant lorsque les possibilités de financement sont limitées[18]. Toutefois, lorsque le besoin de financement augmente beaucoup, cela n'est généralement pas suffisant et l'entrepreneur aura peut-être besoin de faire appel à un fonds de capital-risque[19]. Le capital-risque est un financement de l'investissement, sous forme de fonds propres ou d'apports liés aux fonds propres, dans des jeunes entreprises non cotées en bourse, l'investisseur étant un intermédiaire financier alimenté par différentes sources (banques, caisses de retraite, compagnies d'assurances et fondations)[20]. On peut considérer que les fonds de capital-risque sont des spécialistes de la collecte d'informations sur l'actif et les projets d'investissement d'entreprises à fort potentiel de croissance. Comme les gérants de fonds de capital-risque sont souvent aussi des spécialistes techniques, ils sont moins gênés par l'asymétrie de l'information que les pourvoyeurs traditionnels de crédits bancaires ou de prises de participation.

Il est fréquent que les fonds de capital-risque mettent leurs connaissances spécialisées à la disposition des entreprises dans lesquelles ils investissent en échange d'une partie de leurs bénéfices futurs. Grâce à leurs connaissances et à leur expérience technique, ils peuvent jouer une fonction de conseiller ou de gérant autre que financier, ce qui leur permet de mieux évaluer la viabilité industrielle et commerciale d'un projet. Il se peut que ces fonctions non financières soient plus importantes que la seule contribution financière, car elle aide à limiter les risques de perte et à maximiser la rentabilité de l'investissement (Lerner, 1995). Comme en général les fonds de capital-risque retirent leur mise au bout d'un certain temps, on peut considérer que le capital-risque est une forme de financement hybride, part dette et part fonds propres (Hall, 2002). Cela signifie que les entreprises innovantes seront probablement amenées à adopter une hiérarchie un peu différente dans le choix de leur structure capitalistique et, pour ce qui est du financement externe, à ne recourir au financement bancaire qu'après avoir obtenu un financement initial sous forme de capital-risque[21].

Toutefois, le capital-risque en tant que solution pour le financement de l'investissement a ses limites, notamment dans les pays en développement, parce que les fonds de capital-risque ont besoin d'un marché boursier actif leur permettant de récupérer leur mise en introduisant l'entreprise en bourse. En outre, cela leur permet de remployer leurs fonds pour financer d'autres entreprises (Hall, 2002)[22]. Enfin, pour que le nombre d'associés ne soit pas trop élevé, il faut que les investisseurs en capital-risque apportent chacun un montant relativement élevé. Ce montant peut dépasser ce dont disposent la plupart des éventuels bailleurs de fonds dans les pays en développement. Traditionnellement, ces pays ont employé des banques à capitaux d'État, et notamment les banques nationales de développement pour combler les lacunes du financement de l'investissement[23]. Par exemple, Amsden (2001), décrit en détail le rôle joué par ces banques dans de nombreux pays d'industrialisation récente[24]. En raison de l'importance de leurs créances improductives, plusieurs banques d'État et banques nationales de développement de nombreux pays ont été démantelées dans le cadre des réformes financières des années 90. Toutefois, depuis quelques années, elles ont suscité un renouveau d'intérêt en tant qu'instrument pour la réalisation d'une stratégie de développement.

C. Les réformes financières dans les pays en développement et dans les pays en transition

Jusqu'aux années 80, il était fréquent que l'État intervienne dans le secteur financier, que ce soit dans les pays développés ou dans les pays en développement. Le principal objectif de ces interventions était d'appuyer l'industrialisation, la reconstruction de l'après-guerre et le développement. Dans de nombreux pays en développement, les pouvoirs publics ont cherché à atteindre ces objectifs en fournissant des financements à des conditions de faveur à certains secteurs et activités, au moyen d'une réglementation des taux d'intérêt et de l'allocation des crédits. La réglementation des activités bancaires, l'appui de l'État à des réseaux de banques coopératives, la création d'intermédiaires financiers spécialisés et la création de banques commerciales et de banques de développement appartenant directement à l'État étaient des éléments essentiels de la politique financière de ces pays. En outre, les transactions financières internationales et l'entrée de banques étrangères étaient soumises à diverses restrictions.

Ces politiques ont été de plus en plus critiquées dans les années 70 et, après la crise de la dette du début des années 80, la théorie dominante et les conseils en matière de politique de développement ont souligné les problèmes associés à l'interventionnisme et les avantages du laisser-faire, notamment dans le secteur financier[25]. Selon la théorie de la «répression financière» (Shaw, 1973; McKinnon, 1973), l'épargne était déprimée en raison de la rentabilité faible, voire négative, des actifs financiers. On considérait que cette faible rentabilité était due à une allocation et un emploi très suboptimaux de l'épargne, encourageait la détention d'actifs en devises étrangères et la fuite des capitaux et incitait les épargnants à placer leur épargne dans des actifs physiques improductifs au lieu de prêter à des entrepreneurs pour financer des investissements productifs. On soutenait que le faible niveau des taux d'intérêt et les directives de l'État en matière d'allocation du crédit réduisaient la qualité des investissements et accroissait l'intensité de capital, ce qui faussait la structure de la production et du commerce. Le manque d'efficience de l'intermédiation financière était imputé à l'absence de concurrence entre banques. On considérait aussi que les interventions de l'État dans le système financier national étaient coûteuses, vu la proportion relativement élevée de créances improductives dans le bilan des banques d'État (voir par exemple World Bank, 1989: 2, 60).

Les conseils en matière de politique de développement ont souligné les problèmes associés à l'interventionnisme et les avantages du laisser-faire.

Selon la théorie dominante, le déplafonnement des taux d'intérêt encouragerait l'épargne et attirerait des ressources vers le système bancaire, ce qui stimulerait l'investissement et la croissance. Le fait de s'en remettre aux forces du marché pour déterminer l'allocation du crédit aurait pour conséquence que seuls les projets ayant une rentabilité supérieure au taux d'intérêt du marché seraient financés. La segmentation du marché, entre un secteur bancaire formel prêtant à des taux anormalement bas à certains emprunteurs privilégiés et un secteur informel prêtant à taux très élevé aux autres devait disparaître. Sur le plan international, la déréglementation consistait à ouvrir le marché financier national aux banques étrangères en vue d'intensifier la concurrence dans le secteur bancaire et à libérer les mouvements des capitaux pour attirer l'épargne étrangère.

Selon la théorie dominante, le déplafonnement des taux d'intérêt encouragerait l'épargne et attirerait des ressources vers le système bancaire, ce qui stimulerait l'investissement.

C'est en Amérique latine que les réformes financières ont été les plus radicales. Malgré les déboires des pays du Cône Sud[26], où les premières réformes de la fin des années 70 et du début des années 80 ont débouché sur des crises monétaires et bancaires, la déréglementation de l'allocation du crédit et la libération des taux d'intérêt sont devenues la règle dans la région. La plupart des pays, sauf en partie le Chili et la Colombie, ont ouvert leur compte de capital et, dans les années 90, les banques étrangères ont été autorisées à développer leurs activités. Au Mexique, les banques commerciales ont été reprivatisées entre 1991 et 1992, dix ans après avoir été nationalisées en pleine crise de la dette, et le nombre de banques à capitaux privés est passé de 18 à 37 en quelques années.

Plusieurs pays d'Amérique latine et pays en transition ont aussi cherché à accélérer le développement de leur marché boursier, considéré comme une source de financement à long terme libre de toute intervention gouvernementale. De nombreux pays ont créé une commission des opérations de bourse et amélioré la réglementation et le contrôle du négoce de valeurs mobilières et les systèmes de compensation et de règlement (Quispe-Agnoli et Vilán, 2008: 16). Ces réformes ont été menées dans un environnement propice au développement du marché des capitaux. En raison de l'afflux d'investissements de portefeuille étrangers, les cours boursiers ont rapidement monté dans plusieurs pays et la dette extérieure des États envers les banques commerciales a été échangée contre des titres dans le cadre du plan Brady.

Un autre élément majeur du développement du marché des capitaux a été la réforme des retraites, le système de retraite public par répartition étant complété ou remplacé par un système de caisses de pension privées. Dans le nouveau régime, les cotisations étaient versées sur des fonds individuels administrés par des institutions spécialisées. Cette épargne forcée à long terme pouvait être placée dans différents types d'actifs financiers, notamment des dépôts bancaires, des actions et des obligations. L'objectif premier de la réforme des retraites était de renforcer le système, mais elle était aussi censée accroître l'épargne à long terme et promouvoir le développement du marché des capitaux (World Bank, 1994: 23 et 254)[27].

Des réformes similaires ont aussi été menées dans d'autres régions. De nombreux pays d'Afrique ont procédé à de telles réformes dans le but de surmonter la crise due à une sévère détérioration de leurs termes de l'échange et à une baisse très prononcée des cours des produits primaires. Ce problème a été aggravé par le manque de diversification et la lenteur de la transformation structurelle, et la plupart des pays de la région ont perdu leur accès aux flux de capitaux privés. En raison de l'aide des institutions internationales de financement dont ils avaient besoin pour combler leur déficit extérieur, de nombreux pays d'Afrique ont entrepris une ambitieuse libéralisation de leur régime de commerce extérieur et de leur système financier dans le cadre de programmes d'ajustement structurel (Brownbridge et Harvey, 1998).

De nombreux pays d'Afrique ont procédé à des réformes financières dans le but de surmonter la crise due à une sévère détérioration de leurs termes et à une baisse très prononcée des cours des produits primaires.

En Asie de l'Est et du Sud-Est, la libéralisation du secteur financier n'a pas été une réponse à des crises macroéconomiques et financières; au contraire, elle a fait suite à de nombreuses années de croissance et d'industrialisation rapides, stimulées par un taux d'investissement en capital fixe élevé. Des interventions stratégiques de l'État dans le système financier, notamment sous forme d'allocations du crédit et de bonifications des taux d'intérêt, ont joué un rôle important dans le processus de rattrapage de plusieurs pays. La République de Corée a progressivement privatisé les banques à partir de 1981, l'État restant actionnaire des banques de développement et des banques spécialisées. La réglementation des taux d'intérêt et de l'allocation du crédit a été progressivement assouplie (Amsden et Euh, 1990). La libéralisation du secteur financier s'est accélérée à partir de 1993; une des principales réformes a consisté à abandonner le contrôle de l'emprunt extérieur privé en vigueur depuis la fin de la guerre[28].

En Asie de l'Est et du Sud-Est, la libéralisation du secteur financier a fait suite à de nombreuses années de croissance et d'industrialisation rapides appuyées par des interventions stratégiques de l'État dans le système financier.

Les pays nouvellement industrialisés de la deuxième vague sont allés encore plus loin en matière de libéralisation financière. En Indonésie, la Banque centrale a abandonné le contrôle direct de l'allocation du crédit et la réglementation des taux d'intérêt au début des années 80. La libéralisation de l'entrée sur le marché en 1988 a entraîné une multiplication du nombre de banques à capitaux privés et de banques à capitaux étrangers et une forte augmentation de leurs prêts (Batunanggar, 2002). En Thaïlande, la libéralisation du secteur financier a rapidement progressé au début des années 90, avec la levée du plafonnement des taux d'intérêt et la libération des opérations de change. La libération des opérations de capital a été menée encore plus loin en 1993 avec la création de la Bangkok International Banking Facility (BIBF) (zone bancaire offshore), dans le cadre d'un plan de promotion de la Thaïlande en tant que centre financier régional, tandis que l'accès des entreprises du pays au crédit extérieur devait être facilité (Khan, 2004: 10-13). Les pays nouvellement industrialisés de la deuxième vague ont développé leurs marchés obligataires et leurs marchés boursiers en renforçant le cadre institutionnel, notamment avec la création d'autorités de contrôle, de systèmes de compensation et de règlement et de mécanismes d'information. Plus récemment, différents pays ont cherché à harmoniser ces institutions et réglementations au niveau régional afin de créer un marché obligataire régional intégré (Eichengreen, Borensztein et Panizza, 2006; *Rapport sur le commerce et le développement 2007*, chap. V).

En Chine, la réforme financière a été plus lente. Jusqu'au début des années 80, la Banque populaire de Chine faisait fonction de banque centrale et de banque commerciale. La première étape de la réforme a consisté à transférer ses fonctions de banque commerciale à quatre banques, qui sont restées des banques d'État, chacune spécialisée dans le crédit à un secteur de l'économie, à savoir la construction, l'agriculture, l'industrie et le commerce. En outre ont été créées plusieurs banques régionales, coopératives de crédit rurales et urbaines et sociétés de placement et de fiducie (Allen, Qian et Qian, 2008). Un marché obligataire a été créé en 1981, mais jusqu'à présent il ne joue qu'un rôle secondaire dans le financement des entreprises privées. Les bourses créées au début des années 90 ont été assez volatiles et sont restées segmentées, et jouent un rôle moins important dans le financement du commerce et de l'investissement que les bénéfices des entreprises et le crédit bancaire.

La Turquie mise à part, les pays d'Asie occidentale ont réformé leur secteur financier de manière plus prudente et progressive et plusieurs d'entre eux n'ont que partiellement ouvert leur système bancaire aux banques privées et aux banques à capitaux étrangers[29]. Parallèlement, depuis la fin des années 70, plusieurs pays d'Asie occidentale et d'autres pays musulmans ont développé la banque islamique[30]. Cela consiste à appliquer dans le secteur financier les principes de la charia, qui interdisent le prêt à intérêts; les dépôts bancaires sont rémunérés par une participation aux bénéfices de la banque et les emprunteurs paient une part des bénéfices futurs estimés des activités financées au lieu de verser un intérêt[31]. Les banques peuvent en outre percevoir des commissions de transaction.

Dans les pays en transition, comme en Chine, la réforme financière s'est inscrite dans le cadre d'une transformation plus générale du système économique, la planification centralisée étant abandonnée au profit d'une allocation des ressources déterminée par le marché. En première étape, la plupart des pays en transition ont créé un système bancaire à deux niveaux, c'est-à-dire une banque centrale et de nouvelles banques commerciales. En Fédération de Russie, des centaines de banques privées ont commencé à opérer dans les années 90 et, en 1997, les banques privées à capitaux nationaux détenaient plus de 50 % du total de l'actif bancaire. Quelques-unes des banques les plus importantes faisaient partie de grands groupes industriels et opéraient essentiellement au sein de ces groupes (Aslund, 1996; Bonin et Wachtel, 2004). Dans les pays en transition d'Asie centrale, le système financier est resté dominé par les banques à capitaux d'État, qui assumaient les fonctions des anciens établissements financiers soviétiques, dont elles ont hérité un portefeuille comportant une grande proportion de créances improductives. La réglementation bancaire était quasi inexistante et de nombreuses banques sont restées petites et sous-capitalisées (Bonin et Wachtel, 2002). La réforme financière a consisté notamment à libérer les taux d'intérêt et à ouvrir le compte de capital. Dans la plupart des pays en transition, les établissements financiers appartenant à l'État ont perdu de leur importance avec la privatisation progressive menée dans les années 90, tandis que les activités des banques à capitaux étrangers et de quelques banques privées à capitaux nationaux se sont rapidement développées.

D. Résultats de la réforme et structure des marchés financiers

1. Crises financières et restructuration du secteur bancaire

Dans presque tous les cas, la réforme financière menée dans les pays émergents a été suivie d'une crise, alors que l'objectif consistant à améliorer les conditions du financement de l'investissement a rarement été atteint. Cela a été dû en partie au fait que dans la plupart des cas la réforme a été entreprise alors que le marché financier avait été fragilisé en raison de la stagnation et de l'instabilité de l'économie. Un autre facteur important est que la déréglementation des taux d'intérêt et de l'activité financière a rarement été accompagnée d'un renforcement suffisant de la réglementation prudentielle et du contrôle bancaire, ouvrant la porte à une spéculation accrue et à une prise de risques excessive, ainsi qu'à diverses irrégularités.

Dans la plupart des cas, les effets de la réforme financière se sont traduits par une phase initiale durant laquelle les activités financières ont connu une rapide croissance, mais qui a rendu le système de plus en plus vulnérable aux chocs survenant sur le marché international des capitaux et qui a incité les emprunteurs nationaux à se surendetter. Lorsque cela s'est terminé par des crises bancaires et monétaires, il a fallu d'importantes interventions de l'État pour atténuer l'impact de la crise sur l'économie réelle et pour renflouer et restructurer le système financier. La manière dont ces crises ont été gérées a remodelé le système financier des pays concernés, tout autant que la réforme initiale, en particulier dans les pays émergents. En outre, ces événements ont conduit de nombreux pays à repenser leur stratégie macroéconomique à partir de la fin des années 90, en cherchant à être moins tributaires du financement extérieur en tant que moyen d'accélérer la croissance.

Dans les pays émergents, l'effet immédiat de la libéralisation financière a été une hausse des taux d'intérêt et une multiplication des banques et autres établissements financiers. Le crédit intérieur a rapidement augmenté, mais l'évaluation des risques laissait souvent à désirer. Dans les nombreux pays qui ont complété la déréglementation du marché financier par une libéralisation du compte de capital, ce processus a été accéléré par une augmentation rapide des entrées de capitaux à court terme attirées par des taux d'intérêt relativement élevés. Le risque de change a été souvent sous-estimé par les créanciers.

L'allocation du crédit a beaucoup changé, mais rarement en faveur de l'investissement productif.

Pendant cette phase, l'allocation du crédit a beaucoup changé, en fonction des particularités de chaque pays, mais rarement en faveur de l'investissement productif. Dans la plupart des pays d'Amérique latine, le crédit à la consommation a augmenté beaucoup plus vite que le crédit à l'investissement en raison de la hausse des taux d'intérêt qui décourageait l'investissement productif. En même temps, la hausse du taux de change réel a aggravé le déficit des opérations courantes dans une période de faible croissance de la production intérieure. En Asie de l'Est et du Sud-Est, beaucoup de banques ont accru leurs prêts aux conglomérats ou groupes d'entreprise dont elles faisaient partie. Cela a contribué à un surinvestissement dans l'industrie, notamment en Malaisie, en République de Corée, ou dans la construction, comme en Thaïlande et en Indonésie (Pangestu, 2003: 4-5; Khan 2004: 37-40).

Les États ont été obligés d'intervenir pour renflouer les établissements financiers ce qui a eu un coût budgétaire considérable.

Le coût élevé du financement a alourdi le service de la dette des emprunteurs nationaux, si bien que bon nombre d'entre eux se sont surendettés et ont fait de la cavalerie (emprunter pour payer les intérêts sur la dette déjà contractée). Cela a entraîné une importante augmentation des créances improductives et un nombre croissant d'établissements financiers sont devenus exposés à des risques de change. Lorsque la fragilité du secteur financier est devenue évidente, les retraits des dépôts bancaires ont provoqué des problèmes de liquidité qui ont forcé les banques à réduire leurs prêts, même à des emprunteurs solvables, ce qui a aggravé les difficultés financières des entreprises et la récession. En même temps, les banques centrales ont souvent dû rehausser les taux d'intérêt pour éviter la chute de la monnaie et rétablir la confiance des investisseurs internationaux, ce qui a entraîné un durcissement des politiques monétaires.

Les facteurs qui ont déclenché les crises financières n'étaient pas les mêmes dans tous les pays, mais ils étaient presque toujours liés à des modifications de variables clefs du marché international des capitaux et à une aggravation du déficit des opérations courantes. Cette aggravation a été due à une brutale perte de compétitivité des entreprises des pays concernés provoquée en général par une hausse du taux de change réel. Sur la base des modèles standard de financement du déficit, cette aggravation du déficit extérieur aurait pu être interprétée comme le signe d'une disponibilité accrue d'épargne extérieure pour financer l'investissement. Toutefois, les investisseurs internationaux ont tôt ou tard compris que c'était en fait un signe de faiblesse, ce qui a entraîné un arrêt brutal des entrées de capitaux et de fortes dévaluations qui ont immédiatement alourdi le service de la dette. La hausse des taux d'intérêt, la rigueur budgétaire – fréquemment appuyée par des programmes de stabilisation du FMI – et la forte contraction de la demande intérieure ont provoqué une récession, mais par la suite la chute des monnaies a ouvert la voie à un redressement du solde des opérations courantes et à la reprise de l'économie (voir aussi chap. III, sect. D).

Dans la plupart des pays émergents qui sont passés par ce processus, les États et les banques centrales ont été obligés d'intervenir pour renflouer les établissements financiers et restructurer le système financier, ce qui a en général eu un coût budgétaire considérable. Au Mexique par exemple, la banque centrale a cherché à sauver le système bancaire par des injections de liquidité et par le rachat de créances improductives, venant au secours de 15 banques entre 1994 et 2000. En Argentine, lors de la crise bancaire de 1995, la banque centrale a recommencé à jouer le rôle de créancier en dernier recours[32] et a créé deux fonds pour recapitaliser ou racheter les actifs des banques privées en difficulté et pour financer la privatisation des banques appartenant aux provinces (Calcagno, 1997: 78-79).

De même au Brésil, l'État a commencé en 1995 à racheter les créances improductives des banques privées et à financer leur fusion avec d'autres banques. En outre, les banques d'État, dont bon nombre ne pouvaient pas recouvrer les prêts qu'elles avaient consentis à l'État, ont été restructurées et 12 d'entre elles ont été privatisées entre 1997 et 2005 (Freitas, 2007). Les dépenses engagées par l'État pour le sauvetage et la restructuration des banques, estimées à quelque 11 % du PIB de 1998, ont été une des principales causes du gonflement de la dette publique. Toutefois, cette intervention rapide visant à résoudre les problèmes de solvabilité du secteur bancaire a probablement contribué à éviter une crise bancaire encore plus grave lors de la crise monétaire de 1999. Cette dernière a été due à un arrêt brutal des entrées de capitaux, initialement provoqué par effet de contagion de la crise financière d'Asie de l'Est de la fin des années 90, et à une aggravation du déficit des opérations courantes (Sáinz et Calcagno, 1999: 28).

En République de Corée, le coût de l'intervention de l'État, sous forme de rachat de créances improductives, de remboursement de dépôts bancaires et de recapitalisation des établissements financiers nationaux, a représenté un quart du PIB annuel moyen sur la période 1997-2007 (Bank of Korea, 2007)[33]. De nombreuses banques à capitaux privés ont fermé et d'autres ont été rachetées, ce qui a accru la part de marché des banques à capitaux étrangers et les banques d'État: en 2006, ces dernières détenaient plus de 40 % du total de l'actif bancaire. En Thaïlande également, l'État a racheté des créances improductives, injecté des liquidités dans le système bancaire et nationalisé les banques en difficulté, dont certaines ont été ensuite privatisées tandis que d'autres sont restées propriété publique. La part du marché financier détenue par les établissements financiers à capitaux publics est montée jusqu'à 35 % en 2006. La restructuration du secteur financier a aussi entraîné une forte contraction des activités des établissements financiers non bancaires et une augmentation de la part de marché des banques à capitaux étrangers (tableau 4.2)[34].

En Indonésie, où à la fin de 1997 près de la moitié du total des prêts bancaires étaient devenus irrécouvrables (Batunanggar 2002: 9), les ressources mobilisées par l'État pour des injections de liquidités et pour la recapitalisation des banques ont atteint près de 50 % du PIB annuel en décembre 2000[35]. Le nombre de banques a été considérablement réduit, mais l'intervention de l'État a permis la survie de plusieurs grandes banques à capitaux privés ou publics, si bien que la structure de propriété du système bancaire a beaucoup moins changé que dans d'autres pays (tableau 4.2).

En Turquie également, où le nombre de banques avait rapidement augmenté après la libéralisation et la déréglementation du système financier, l'État a dû se porter au secours du système bancaire menacé par une crise financière. En réponse aux difficultés des banques à capitaux tant publics que privés, provoquées par la fuite des capitaux, la hausse du taux d'intérêt et, pour finir, la dévaluation, le Trésor a couvert les pertes des banques d'État par des titres. Il a aussi contribué à la recapitalisation des banques à capitaux privés devenues insolvables, dont la gestion a été confiée au Fonds d'assurance des dépôts d'épargne. Au total, l'État a injecté un montant équivalant à près de 25 % du PIB dans le système bancaire au début de 2001 (BDDK, 2001).

La Chine avait subi une crise monétaire au début des années 90, qui a entraîné une forte baisse du taux de change réel, mais elle est sortie indemne de la crise financière asiatique. Il n'y a pas eu dans ce pays de crise bancaire ouverte, mais le système bancaire avait accumulé un montant considérable de créances improductives suite à des prêts imprudents consentis par des banques d'État à des entreprises d'État. Au milieu des années 90, selon les estimations basses, le montant des créances improductives représentait 25 % du total des prêts bancaires (Yu, 2008), si bien que l'État a dû resolvabiliser le secteur bancaire et intervenir activement dans sa restructuration. La Banque centrale a recapitalisé les «quatre grandes» banques d'État et créé quatre sociétés de gestion d'actifs chargées d'acheter les créances improductives des banques et de restructurer les entreprises surendettées en vue de les introduire ultérieurement en Bourse[36]. Les petites banques commerciales et les coopératives de crédit rural ont aussi pu échanger leurs créances improductives contre des titres émis par des entités publiques, dont la Banque centrale. Une fois rétablies leur solvabilité et leur rentabilité, les principales banques ont ouvert leur capital à des investisseurs étrangers qui ont été

Tableau 4.2

PART DE MARCHÉ DES BANQUES SELON LEUR APPARTENANCE DANS DIVERS PAYS, 1994-2007

(*Pourcentage de l'actif bancaire total*)

	Banques à capitaux publics[a]			Banques à capitaux privés			Banques à capitaux étrangers		
	1994-1995	2000-2001	2006-2007	1994-1995	2000-2001	2006-2007	1994-1995	2000-2001	2006-2007
Argentine	37,8	29,3	40,1	42,9	19,8	32,3	19,3	51,0	27,6
Azerbaïdjan	79,1	59,4	51,0[b]	...	36,1	42,9[b]	...	4,5	6,1[b]
Brésil	51,9	34,6	29,5	40,0	36,5	48,4	8,1	28,9	22,2
Géorgie	58,4	0,0	0,0[b]	38,6	84,1	13,1[b]	3,0	15,9	86,9[b]
Inde[c]	83,8	76,9	69,2	8,9	15,7	23,4	7,3	7,4	7,4
Indonésie	...	52,8	45,3	...	38,8	45,3	...	8,4	9,4
Mexique	28,5[d]	25,2	14,2	60,3[d]	25,9	16,6	11,2[d]	49,0	69,3
Pakistan	92,0[e]	53,2	41,2	0,0[e]	30,3	47,1	8,0[e]	16,5	11,6
Rép. de Corée[f]	31,1[d]	42,9	41,8	60,0[d]	43,0	26,6	8,9[d]	14,1	31,6
Serbie	94,4	79,5	14,9[b]	5,4	13,7	6,4[b]	0,2	6,9	78,7[b]
Thaïlande	12,8[g]	35,5	35,0	78,0[g]	49,3	50,5	9,2[g]	15,2	14,6
Turquie	...	44,7	31,9	...	49,6	55,7	...	5,7	12,4
Ukraine	13,5[d]	11,9	8,9[b]	78,3[d]	76,6	56,1[b]	8,2[d]	11,6	35,0[b]

Source: Calculs du secrétariat de la CNUCED, d'après des sources nationales; et Banque européenne pour la reconstruction et le développement, *Structural Change Indicators*.

a Les banques à capitaux publics sont les suivantes: Brésil, Caixa Econômica Federal; Inde, State Bank of India et ses associés ainsi que les banques nationalisées; République de Corée, banques coopérations spécialisées; Thaïlande, établissements financiers spécialisés; et Mexique, banques de développement.

b 2006.

c Les banques rurales régionales sont incluses dans la catégorie des banques à capitaux privés.

d 1997.

e 1990.

f Le Shinhang Group est inclus dans la catégorie des banques à capitaux étrangers bien qu'il soit en partie détenu par des investisseurs nationaux.

g 1996.

autorisés à acquérir des participations minoritaires plafonnées à 20 %. Le but de cette mesure était de rapprocher les méthodes de gestion et la rentabilité des banques chinoises des normes internationales. La réforme et la restructuration du secteur financier ont considérablement modifié la structure financière de la Chine et créé de nouveaux agents et marchés, mais le système bancaire reste dominé par des banques d'État et la Banque centrale continue de fixer les taux d'intérêt sur les dépôts et les prêts.

Comme celle de l'Asie de l'Est, la crise financière subie par la Fédération de Russie a été à la fois une crise bancaire et une crise monétaire, liée à une forte exposition au risque de change et à des prêts considérables financés par l'emprunt extérieur et par des entrées de capitaux étrangers. Toutefois, les déséquilibres macroéconomiques et les carences structurelles et institutionnelles ont joué un rôle beaucoup plus important en Russie. Les banques avaient financé l'achat d'un montant considérable d'obligations du Trésor par des emprunts en dollars, ce qui leur a initialement permis de réaliser des bénéfices considérables en raison de l'important écart entre les taux d'intérêt sur les titres russes et sur les devises étrangères. Lorsque le Gouvernement fédéral a cessé de rembourser la dette intérieure en raison de l'érosion des recettes et que la Banque centrale a dû augmenter les taux d'intérêt pour défendre le rouble suite à la crise financière d'Asie, de nombreuses banques russes sont devenues insolvables. Là aussi, le secteur bancaire a fait l'objet d'une restructuration en profondeur suite à la crise. La Banque centrale a aidé les petites banques par des crédits de stabilisation et le Gouvernement a encouragé les fusions et les acquisitions de banques insolvables par des banques plus grandes pour consolider le système (Bonin et Wachtel, 2002).

Suite aux opérations de sauvetage et de restructuration, dans la plupart des pays en développement et des pays en transition, le secteur bancaire est devenu plus concentré et la part de marché des banques à capitaux étrangers a augmenté, particulièrement en Amérique latine (tableau 4.2). Au Mexique par exemple, la part des banques à capitaux étrangers, qui était inférieure à 0,5 % du total de l'actif bancaire en 1993, est montée à 70 % en décembre 2007 (Banco de México, 2007). Au Brésil, la part du total des actifs détenus par les banques à capitaux étrangers est passée de 7,5 % en 1994 à 30 % en 2001, mais elle a diminué ces dernières années car des banques brésiliennes à capitaux privés ont acheté quelques banques étrangères. En Argentine, l'influence et la part de marché des banques à capitaux étrangers ont considérablement augmenté après la crise de 1995, notamment grâce au régime de caisse d'émission. Au milieu de 1997, une seule des 10 plus grandes banques à capitaux privés était encore détenue par des investisseurs argentins. D'autre part, le nombre de banques à capitaux publics est tombé de 33 en 1994 à 12 en 2007 et les banques coopératives ont presque toutes disparu. Toutefois, après l'abandon du régime de caisse d'émission en 2001, les banques à capitaux étrangers n'ont plus été perçues comme des havres de sécurité et leur part de marché, après avoir dépassé 50 % en 2000, avait chuté de moitié en 2007. Au Brésil aussi, la part de marché des banques à capitaux publics a diminué, mais les banques contrôlées par l'État fédéral continuent de jouer un rôle important (tableau 4.2). En Fédération de Russie, le nombre de banques est tombé de 2 029 en 1996 à 1 089 en 2006. D'autres pays en transition ont mené des réformes similaires qui ont entraîné une réduction considérable du nombre de banques[37]. Ce processus a considérablement renforcé le rôle des banques à capitaux étrangers: en 2006, ces banques contrôlaient 12 % du total de l'actif bancaire en Fédération de Russie et 35 % en Ukraine, et la proportion était nettement plus élevée encore dans d'autres pays en transition[38].

> En Chine, malgré la réforme, le système bancaire reste dominé par des banques d'État et la banque centrale continue de fixer les taux d'intérêt sur les dépôts et les prêts.

Un certain nombre de pays africains ont aussi subi de graves crises bancaires dans les années 80 et 90[39]. En raison des carences du contrôle et de la réglementation bancaires, la plupart de ces crises ont été déclenchées par une brutale détérioration des termes de l'échange entre 1985 et 1992, qui a provoqué une récession et des problèmes de service de la dette extérieure (Daumont, Le Gall et Leroux, 2004)[40]. Dans les pays membres de la zone du franc CFA (Communauté financière africaine), l'impact de la détérioration des termes de l'échange a été aggravé par l'appréciation du franc CFA (Hoffmaister, Roldós et Wickham, 1997). Ces crises ont elles aussi eu un coût budgétaire élevé associé aux opérations de sauvetage des banques; ce coût a en général dépassé 10 % du PIB et il a même atteint 25 % du PIB en Côte d'Ivoire à la fin des années 80. La plupart des pays d'Afrique n'ont pas répondu à ces crises en revenant sur la libéralisation antérieure mais au contraire ils l'ont poursuivie et l'ont même parfois accélérée dans le cadre de programmes d'ajustement structurel. Cela a entraîné une transformation majeure du secteur bancaire de la plupart des pays d'Afrique, notamment pour ce qui est de la propriété des banques. Selon Honohan et Beck (2007), aujourd'hui seuls 7 % des banques d'Afrique appartiennent à l'État, contre 12 % dans les autres pays en développement, et quelque 45 % appartiennent à des investisseurs étrangers, contre 30 % dans les autres pays en développement. Sur la base de l'actif bancaire total, le poids des banques à capitaux étrangers est encore plus grand. La concentration du secteur bancaire est aussi beaucoup plus forte en Afrique que dans les autres régions. D'après Honohan et Beck (2007: 41), ces dernières années, la part de marché des trois premières banques des 22 pays pour lesquels on dispose de données était en moyenne de 73 %, contre 60 % dans le reste du monde. La libéralisation du secteur financier a donc entraîné une concentration accrue des banques, accompagnée d'une baisse du nombre et de la part de marché des banques nationales à capitaux publics ou privés, d'une part, et d'une domination de plus en plus marquée des banques à capitaux étrangers, d'autre part.

De manière générale, malgré les importantes interventions de l'État dans la restructuration du système bancaire et le renforcement du rôle des banques à capitaux étrangers dans la plupart des pays qui ont libéralisé et déréglementé leur secteur financier, les conditions de financement des entreprises et de l'investissement sont restées défavorables. L'accès au crédit est toujours segmenté et son coût est élevé, alors que la réforme financière était censée intensifier la concurrence et réduire le coût du crédit.

2. *Évolution du crédit bancaire*

Le ratio crédit bancaire au secteur privé/PIB a augmenté dans toutes les régions sauf l'Afrique depuis le début des années 90 (tableau 4.3). C'est en Asie de l'Est et du Sud-Est qu'il a été le plus élevé, mais dans cette région il a diminué après la crise financière de la fin des années 90. En Chine, en Malaisie, en République de Corée et à Singapour, le montant du crédit au secteur privé a dépassé 90 % du PIB (graphique 4.2). Le ratio n'était inférieur à 25 % que dans quelques pays à bas revenu de la région dans lesquels le secteur bancaire est rudimentaire, ainsi qu'en Indonésie et aux Philippines, où le crédit bancaire ne s'est jamais remis de la crise financière de 1998.

Dans de nombreux pays émergents, le financement bancaire du secteur privé a été caractérisé par des cycles d'expansion accélérée et de contraction.

En Amérique du Sud et en Amérique centrale, le crédit au secteur privé était très peu développé au début des années 90[41]. Il a augmenté durant la dernière décennie, mais en raison des crises bancaires décrites dans la précédente sous-section, cette progression n'a pas pu être maintenue. L'évolution a été similaire durant les années 90 dans de nombreux pays émergents d'Amérique latine et d'Asie de l'Est et du Sud-Est, le financement bancaire du secteur privé a été caractérisé par des cycles d'expansion accélérée et de contraction, les principales exceptions étant le Chili, la Chine et la République de Corée (graphique 4.2). Au Mexique (1995), en Indonésie, en Malaisie, aux Philippines, en Thaïlande et au Brésil (1999), en Turquie et en Argentine (2001), en Uruguay (2002) et en République dominicaine par exemple Senbet, 2008). D'après le FMI, sur les 25 pays d'Afrique pour lesquels on dispose de(2003), les crises bancaires ont entraîné une réduction sensible du crédit au secteur privé. Il en a été de même au Cameroun, en Côte d'Ivoire et au Bénin (Daumont, Le Gall et Leroux, 2004). À l'exception de la Turquie, le crédit au secteur privé ne s'est pas encore complètement rétabli dans aucun de ces pays. En revanche, dans les pays d'Asie du Sud et dans les pays en transition, le crédit bancaire au secteur privé est en croissance régulière depuis le début des années 90.

On considère qu'en Afrique les principaux problèmes du secteur financier sont l'insuffisance de la taille des banques, l'importance du crédit informel et les carences de la gouvernance (Honohan et Beck, 2007). Dans les pays les plus avancés d'Afrique du Nord et d'Afrique australe (Algérie, Égypte, Maroc et Tunisie, et Afrique du Sud et Namibie) et dans les grands pays d'Afrique de l'Est et de l'Ouest (Kenya et Nigéria), le secteur financier est plus développé et diversifié: il comprend des banques, des compagnies d'assurances, des fonds de pension et un marché des capitaux. Dans la majorité des

Tableau 4.3

CRÉANCES BANCAIRES SUR LE SECTEUR PRIVÉ DANS LES PAYS EN DÉVELOPPEMENT ET DANS LES PAYS EN TRANSITION, PAR RÉGION, 1990-2007

(*Médiane en pourcentage du PIB*)

	1990-1992	1996-1998	2004-2007
Amérique du Sud	17,9	26,6	21,2
Amérique centrale	12,9	18,2	30,2
Asie du Sud	14,0	21,8	28,4
Asie de l'Est et du Sud-Est	45,3	54,6	50,5
Asie occidentale	27,3	33,5	35,4
Afrique	12,8	9,8	12,3
Pays en transition	-	5,6	22,9

Source: Calculs du secrétariat de la CNUCED, d'après FMI, base de données, *International Financial Statistics*.

Note: Le Mexique est classé dans la région Amérique du Sud; la République dominicaine et Haïti sont classés dans la région Amérique centrale.

pays d'Afrique subsaharienne, il n'y a pas de marché des capitaux ou seulement un marché des capitaux embryonnaire et peu d'établissements financiers non bancaires, si données, le crédit bancaire représentait au moins 90 % de l'actif total du système financier dans 10 pays et au moins 70 % dans 15 pays ces dernières années (Quintyn, 2008). Néanmoins, pour l'ensemble de l'Afrique, le crédit bancaire au secteur privé reste très limité et dans de nombreux pays il n'atteint même pas 10 % du PIB. Il est nettement supérieur à la moyenne en Namibie, au Maroc, en Afrique du Sud et en Tunisie, ainsi que dans quelques petits pays insulaires.

Le crédit bancaire au secteur privé a progressé plus vite dans les pays en transition que dans les pays développés depuis le milieu des années 90, parallèlement à l'expansion du secteur privé en général, mais il est toujours relativement modique.

Dans plusieurs pays, le déclin du crédit au secteur privé (en pourcentage du PIB) s'est accompagné d'une expansion du crédit à l'État (graphique 4.2). En fait, dans la plupart des pays émergents, les obligations d'État constituent une proportion beaucoup plus élevée de l'actif bancaire que dans les pays dont le marché financier est plus mûr. Cela est dû en partie à la manière dont les gouvernements ont répondu à la crise: certains ont racheté les créances bancaires improductives en échange d'obligations du Trésor (Indonésie et Mexique) ou ont couvert les pertes subies par les banques en raison des crises elles-mêmes, comme en Argentine et en Turquie[42]. L'accroissement de la part des créances sur le secteur public dans l'actif bancaire total a aussi été dû à la forte contraction du crédit au secteur privé et à l'émission simultanée d'obligations du Trésor pour couvrir le coût budgétaire de la crise, dont une partie a été achetée par les banques. Le fait que les créances sur l'État constituent toujours une proportion importante de l'actif bancaire plusieurs années après les crises semble être dû au comportement plus prudent des banques, qui ont évité de consentir des prêts hasardeux.

Dans de nombreux pays émergents, depuis le début des années 90, la part des prêts aux ménages (pour la consommation et l'achat de logements) a fortement augmenté, au détriment du crédit au secteur productif et notamment à l'industrie manufacturière (tableau 4.4). Cela est dû en partie à la libéralisation financière, qui a éliminé les restrictions au crédit à la consommation et fait baisser la part du crédit à l'industrie manufacturière et à l'agriculture. En outre, l'ouverture aux banques à capitaux étrangers a permis à des banques ayant une grande expérience du crédit à la consommation de s'établir dans ces pays (IMF, 2006: 48, 60). En outre, les banques pouvaient penser que les crédits aux ménages leur permettraient d'obtenir un rendement plus élevé avec un risque réduit. Ce paradoxe est dû au fait que les consommateurs sont en général disposés à payer des taux d'intérêt plus élevés parce qu'ils ne comparent pas le coût du crédit à la rentabilité d'un projet financé par un prêt; en même temps, le taux de défaillance sur les crédits aux particuliers est plus faible et, lorsqu'il y a des pertes, elles sont en général moindres et plus prévisibles que les pertes sur les prêts de montants plus élevés consentis aux entreprises (IMF, 2006: 47).

Cette évolution est contraire aux deux grands objectifs de la réforme financière: accroître l'épargne des ménages et améliorer l'allocation du crédit en faveur des emplois les plus productifs. Dans son rapport sur la stabilité financière (*Global Financial Stability Report 2006*), le FMI dit que l'expansion rapide du crédit aux ménages pouvait aggraver les problèmes de la surconsommation, du déficit des opérations courantes et des cycles de spéculation et de crise immobilières. En outre, si le crédit est financé principalement par des capitaux extérieurs, il peut accroître le risque d'inversion brutale des flux de capitaux et de crise financière (IMF, 2006: 69).

La baisse relative du crédit bancaire aux secteurs productifs rend plus difficile le financement des investissements dont ces secteurs ont besoin pour accroître leur productivité et leur compétitivité dans un environnement économique de plus en plus ouvert. Le financement bancaire de l'agriculture est particulièrement faible dans les pays dans lesquels il est probablement le plus nécessaire: dans un échantillon de pays d'Afrique, la part de l'agriculture dans le crédit bancaire est systématiquement et nettement inférieure à sa part dans le PIB et dans l'emploi (graphique 4.3). En moyenne, le crédit à l'agriculture constitue quelque 8 % du total du crédit bancaire dans ces pays, alors que l'agriculture génère un quart de la valeur ajoutée totale et assure 60 % de l'emploi, voire jusqu'à 80 % dans plusieurs pays d'Afrique subsaharienne.

L'évolution actuelle de l'allocation sectorielle du crédit est conforme à ce qu'impliquent certains indicateurs fondamentaux du système bancaire. Dans les pays en développement et dans les pays en transition, les taux d'intérêt réels sur les crédits bancaires sont nettement plus élevés que dans les pays développés, malgré une tendance à la baisse au cours des cinq dernières années (encadré 4.1). Cela réduit la demande de crédit pour l'investissement dans des activités productives, car les entreprises doivent comparer le coût du crédit et la rentabilité prévue de leurs projets. En général, les ménages et l'État ne font pas de tels calculs.

Les taux d'intérêt réels sur les crédits bancaires sont particulièrement élevés en Amérique du Sud, en Afrique subsaharienne et dans les pays en transition: leur moyenne était d'environ 10 % entre 2003 et 2007. En Asie, elle est de quelque 5 %. En Asie, de manière générale, les taux sont moins élevés que la moyenne régionale dans les pays émergents d'Asie et plus élevés dans les pays à bas revenu. Le niveau élevé des taux d'intérêt réels est dû surtout à l'importance de la marge entre les taux débiteurs et créanciers, car les taux réels sur les dépôts sont plus bas, dans les pays en développement et en transition, que dans les pays développés (c'est-à-dire proches de zéro ou légèrement négatifs) (tableau 4.5). Les marges pratiquées en Afrique, en Amérique latine et dans les pays en transition peuvent être dues en partie au fait que le coût unitaire des activités bancaires est en général plus élevé dans les pays où le crédit bancaire ne représente qu'une petite proportion du PIB. Elles sont moins élevées en Asie et dans les Caraïbes, où cette proportion est plus grande. En Afrique particulièrement, ces marges sont généralement imputées à un niveau de risque accru. Toutefois, la rentabilité des actifs en Afrique, en Amérique latine et dans les pays en transition est très forte, ce qui signifie que le coût élevé du crédit bancaire n'empêche pas de faire des bénéfices plus élevés. En outre, la rentabilité des banques, qui est forte et tend à augmenter, donne à penser que c'est souvent l'absence de concurrence réelle, et pas seulement le niveau plus élevé du risque et des coûts d'exploitation, qui permet aux banques de demander des taux d'intérêt réels relativement onéreux[43].

Comme l'ont montré les crises récentes, la recherche d'une rentabilité élevée au moyen de marges et taux de prêt excessifs est dangereuse pour le système bancaire. Elle peut entraîner une sélection négative des entrepreneurs (puisque seuls les spéculateurs ou les entreprises déjà en difficulté empruntent à des taux très élevés) et une accumulation de créances improductives. Toutefois, les banques avaient besoin d'être très rentables pour réduire le poids des créances improductives figurant à leur actif au début du XXe siècle (tableau 4.6). La croissance relativement rapide des revenus au cours des dernières années, due à un environnement externe particulièrement favorable, et l'augmentation de la part des créances sur les États et les ménages, ont aidé les banques à améliorer leur solvabilité. Toutefois, des taux d'intérêt élevés accroissent le risque qu'un ralentissement de la croissance mondiale ou une récession entraînent une fois de plus une détérioration de la qualité des crédits bancaires. Il serait donc dans l'intérêt des banques elles-mêmes de réduire leurs marges et leurs taux de prêt, en accompagnant la baisse des taux directeurs.

Graphique 4.2

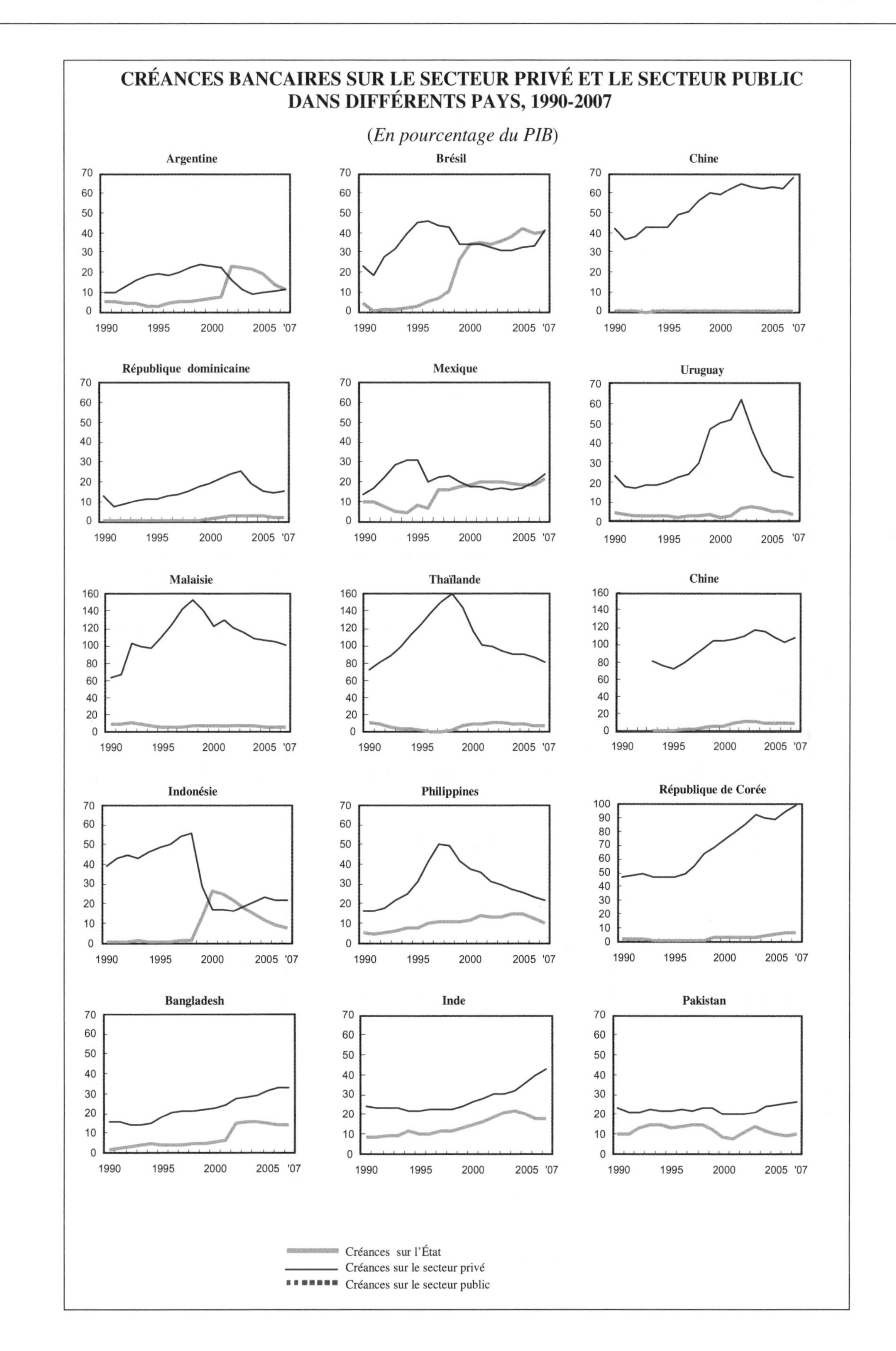

Graphique 4.2 (suite)

CRÉANCES BANCAIRES SUR LE SECTEUR PRIVÉ ET LE SECTEUR PUBLIC DANS DIFFÉRENTS PAYS, 1990-2007 (*suite*)

(*En pourcentage du PIB*)

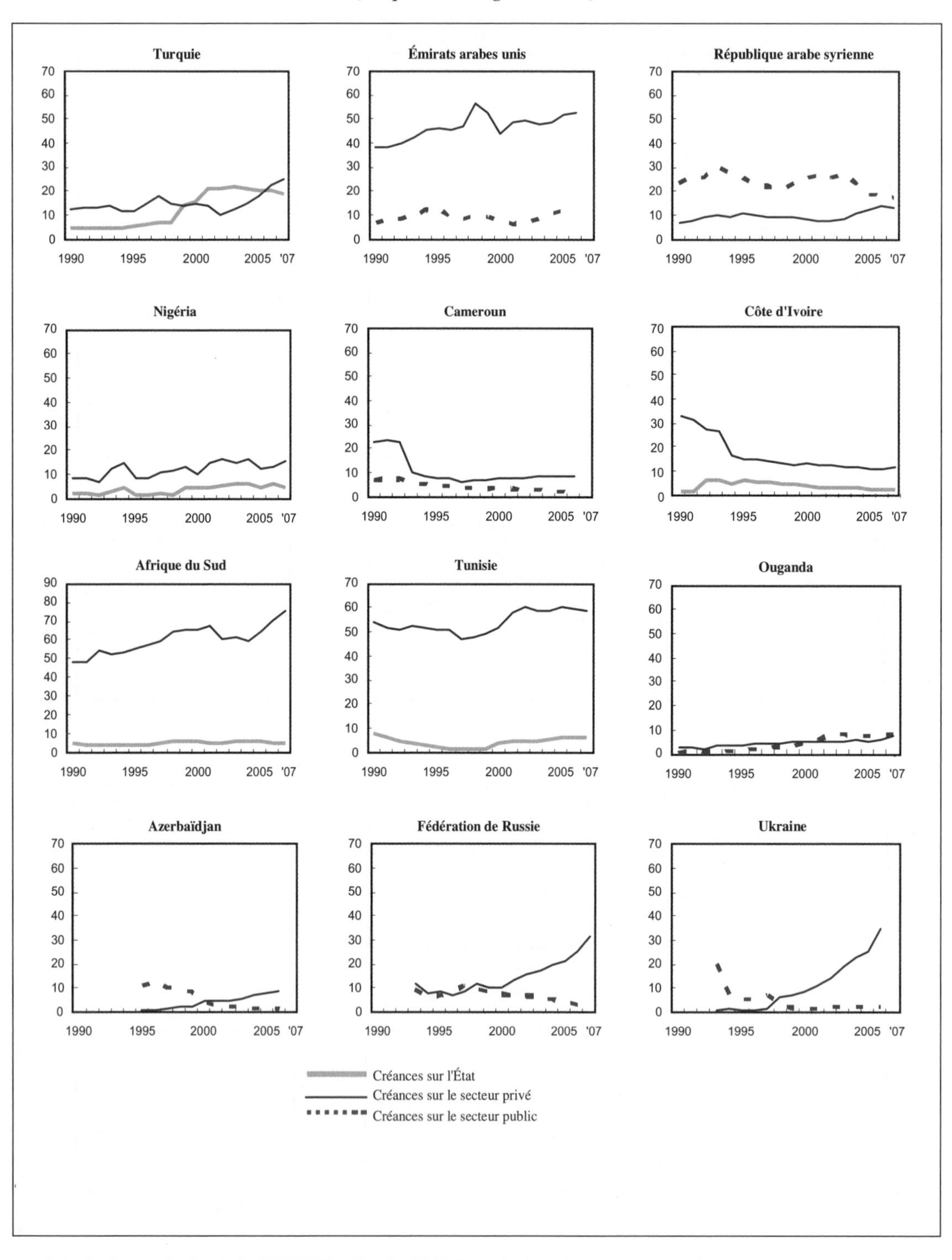

Source: Calculs du secrétariat de la CNUCED, d'après FMI, base de données, *International Financial Statistics*; et sources nationales.

Note: Pour la Chine, les créances sur le secteur privé incluent les créances sur les entreprises d'État et sur les gouvernements des régions.

Tableau 4.4

COMPOSITION DES CRÉANCES BANCAIRES SUR LE SECTEUR PRIVÉ DANS DIFFÉRENTS PAYS, 1990, 2000 ET 2007

(*En pourcentage du total*)

	Secteur primaire			Industrie manufacturière			Commerce de gros et de détail			Ménages			Autres agents privés		
	1990[a]	2000	2007	1990[a]	2000	2007	1990[a]	2000	2007	1990[a]	2000	2007	1990[a]	2000	2007
Argentine	10,1	10,4	13,1	31,9	15,3	18,9	8,1	9,0	6,9	20,8	29,7	32,5	29,1	35,6	28,6
Brésil	11,3	8,8	9,9	26,8	27,9	23,1	10,7	10,3	10,6	35,8	38,0	39,8	15,4	15,0	16,6
Chili	14,8	6,6	5,3	17,1	11,1	6,1	19,8	12,0	11,1	18,9	29,9	36,6	29,4	40,4	40,9
Égypte	8,8	2,4	1,8	31,7	34,1	35,9	27,4	22,8	17,7	2,8	12,8	16,4	29,3	27,9	28,2
Fédération de Russie	-	1,7	6,9	-	33,0	13,7	-	18,1	18,2	-	6,4	27,4	-	40,8	33,8
Gabon	21,1	13,6	-	8,7	1,1	-	15,3	17,6	-	15,4	33,8	-	39,5	33,9	-
Inde	12,1	11,0	12,5	45,0	42,3	27,6	13,9	15,6	9,9	9,3	11,2	23,3	19,7	19,9	26,7
Indonésie	8,3	10,0	8,2	29,7	40,8	20,5	21,9	16,9	21,7	9,8	15,3	28,3	30,3	17,0	21,3
Koweït	0,4	1,7	0,4	4,9	6,1	5,3	19,0	15,0	9,4	26,4	36,1	35,2	49,3	41,1	49,7
Namibie[b]	-	9,7	6,7	-	5,4	1,8	-	4,8	4,1	-	44,1	54,9	-	36,0	32,5
Thaïlande	7,2	3,1	1,9	25,1	28,7	25,2	28,3	20,1	16,3	10,6	11,1	30,4	28,8	37,0	26,2

Source: Calculs du secrétariat de la CNUCED, d'après les données des banques centrales des pays concernés; et FMI, *Financial System Stability Assessments Country Report*, diverses parutions.

Note: Autres agents privés: construction, électricité, gaz et eau, et autres services.

[a] 1995 pour le Brésil, 1991 pour l'Égypte, 1997 pour le Gabon et l'Inde et 1996 pour l'Indonésie.

[b] Les données correspondent aux années 2001 et 2005.

Graphique 4.3

AGRICULTURE: PART DU CRÉDIT BANCAIRE, DE LA VALEUR AJOUTÉE ET DE L'EMPLOI TOTAL, DIVERS PAYS D'AFRIQUE

(*En pourcentage*)

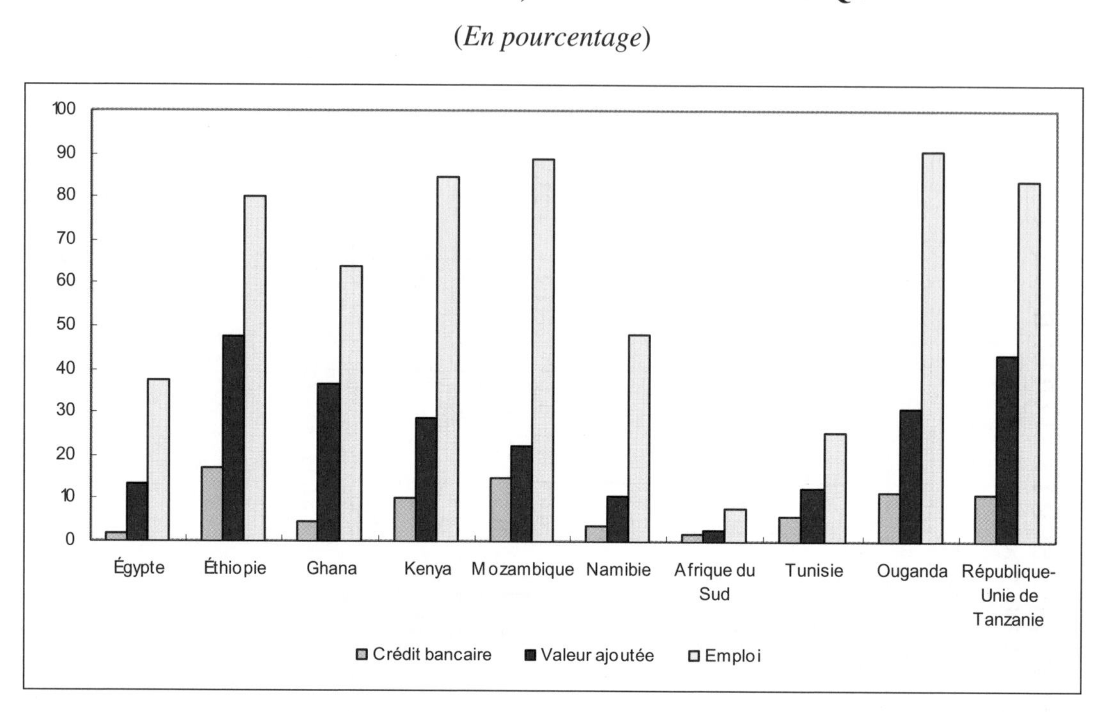

Source: Calculs du secrétariat de la CNUCED, d'après les données des banques centrales des pays concernés; FMI, *Financial System Assessment Reports*, diverses parutions; et CNUCED, base de données *Manuel de statistique*.

Note: Les données correspondent à l'année la plus récente pour lesquelles elles sont disponibles: 2002 pour le Kenya, le Mozambique, l'Ouganda et la République de Tanzanie; 2005 pour la Namibie, l'Afrique du Sud et la Tunisie; 2006 pour l'Égypte et l'Éthiopie; et 2007 pour le Ghana.

3. *Marché des capitaux*

Le renforcement du rôle du marché des capitaux dans le système financier a fait partie du programme de réforme de plusieurs pays émergents. En tant que source de financement à long terme, le marché des capitaux peut répondre à des besoins de financement de l'investissement des entreprises qui sont fréquemment négligés par les banques. Il est considéré comme un complément du système bancaire plutôt que comme un substitut, en particulier du fait que les banques souscrivent des émissions d'obligations, accordent des crédits relais, fournissent des circuits de distribution pour les obligations et actions, font partie du réseau du marché primaire et peuvent aussi accroître la liquidité sur le marché secondaire (Eichengreen, Borensztein et Panizza, 2006: 10).

Les marchés des capitaux des pays en développement et des pays en transition se sont renforcés depuis le début des années 90, mais ils restent négligeables dans la plupart des pays à bas revenu, surtout en Afrique subsaharienne. La capitalisation boursière a considérablement augmenté (tout en restant très instable) dans toutes les régions en développement, et surtout dans les pays émergents d'Asie et en Fédération de Russie (graphique 4.4). Le marché obligataire des pays émergents s'est aussi étoffé: le stock d'obligations intérieures de 26 de ces pays est passé de 700 milliards de dollars en 1993 à 6 400 milliards de dollars en 2007. Cela correspondait à 17 % du PIB en 1993 et plus de 100 % en 2007 (graphique 4.5). Les pays d'Asie sont en tête du classement, avec un stock d'obligations équivalant à 122 % de leur PIB, suivis par les pays d'Amérique latine (90 % du PIB) et par les pays émergents d'Europe (47 %).

Encadré 4.1

TAUX D'INTÉRÊT, INFLATION ET CROISSANCE

Dans le système bancaire des pays développés, il y a une relation stable entre les différents taux d'intérêt. Le taux le plus bas est celui appliqué par la banque centrale aux banques. Normalement, il est de 1 à 2,5 point de pourcentage plus élevé que le taux d'inflation, l'écart variant en fonction de l'orientation de la politique monétaire. Les taux servis par les banques sur les dépôts peuvent être légèrement plus élevés ou plus bas que le taux de la banque centrale, en fonction de la liquidité globale déterminée par l'action de la banque centrale et la demande de crédit. Le taux d'intérêt perçu par les banques commerciales sur leurs crédits est plus élevé, avec une marge relativement stable, comprise entre 2,3 et 3 % entre 2000 et 2007 (voir graphique).

En termes réels, tous ces taux sont proches du taux de croissance réel de l'économie. Une des conditions les plus importantes du développement est que le taux de croissance des revenus des différents secteurs, y compris le secteur financier, ne s'écarte jamais longtemps de celui de la valeur ajoutée de l'ensemble de l'économie.

Dans les pays en développement, le taux de la banque centrale est en moyenne beaucoup plus élevé que dans les pays développés, ce qui est dû en partie à une inflation plus forte. En outre, la marge entre le taux de la banque centrale et le taux des crédits bancaires est beaucoup plus élevée et moins stable. Sur la période 2000-2007, la marge entre le taux du marché monétaire, qui est proche du taux de la banque centrale, et le taux des crédits commerciaux a été en moyenne de 7,9 %, fluctuant dans une fourchette de 6,3 à 9,4 %. La marge moyenne était encore plus élevée, mais plus stable, dans les pays en transition.

Parmi les pays en développement, c'est en Asie de l'Est, du Sud-Est et du Sud que le taux moyen du marché monétaire et la marge des banques étaient les plus bas (4,7 % et 3,8 % respectivement). En termes réels, les taux des crédits bancaires dans ces sous-régions n'étaient guère plus élevés que dans les pays développés (5,4 % contre 4,3 %), en dépit d'une croissance réelle beaucoup plus rapide. Cela signifie que les conditions monétaires étaient extrêmement favorables à la croissance, l'investissement et la création d'emplois.

Dans les autres pays en développement ou en transition pour lesquels on dispose de données, les relations entre les différents taux d'intérêt et le taux d'inflation sont totalement différentes. Les taux sur les crédits bancaires sont restés extrêmement élevés en Amérique latine et dans les pays en transition d'Europe du Sud-Est et de la Communauté d'États indépendants, même s'ils ont baissé depuis 2002. Sur la période 2005-2007, la moyenne dépassait les 15 % en termes nominaux dans ces deux régions et en termes réels elle était de 7,5 % dans les pays en transition et de 9,3 % en Amérique latine. En Afrique, le taux d'intérêt réel sur les crédits bancaires a été en moyenne de 8,2 % sur cette période. Comme le taux de croissance du PIB réel était d'environ 6 % en Afrique et 5 % en Amérique latine, et de 7 % dans les pays en transition, ces conditions sont certainement prohibitives pour de nombreux investissements en capital fixe, particulièrement dans le cas des petites entreprises et des petites exploitations agricoles. Il n'est donc pas étonnant que les banques et autres établissements financiers soient peu disposés à offrir suffisamment de crédit à des taux abordables pour des investissements en capital fixe (machines et équipements) toujours hasardeux et préfèrent prêter à l'État ou financer l'immobilier jugé moins risqué.

On impute souvent le niveau élevé des taux d'intérêt sur les crédits bancaires et la marge considérable entre le taux de la banque centrale et le taux servi sur les dépôts, d'une part, et le taux des crédits, d'autre part, à un risque élevé de faillite et à des problèmes contractuels. Toutefois, dans une économie dont le taux de croissance réel est de 5 %, un taux d'intérêt réel de l'ordre de 10 % ou plus accroît le risque de faillite de la moyenne des entreprises. Si, comme c'est le cas dans de nombreux pays, un système bancaire non concurrentiel applique des taux aussi élevés, la fréquence des faillites n'a rien d'étonnant.

Ce cercle vicieux de taux d'intérêt excessivement élevés et de risque de faillite accru appelle des politiques financières plus volontaristes. Les gouvernements peuvent directement limiter les marges bancaires en employant des lois similaires aux lois contre l'usure appliquées par de nombreux pays développés. En outre, des banques à capitaux publics offrant des taux raisonnables aux épargnants et aux petites entreprises pourraient concurrencer directement le système bancaire privé cartellisé à grande échelle.

Encadré 4.1 (suite)

TAUX D'INTÉRÊT SUR LES CRÉDITS BANCAIRES, TAUX DU MARCHÉ MONÉTAIRE ET TAUX DE CROISSANCE DU PIB, 2000-2007

(*Moyenne arithmétique, en pourcentage*)

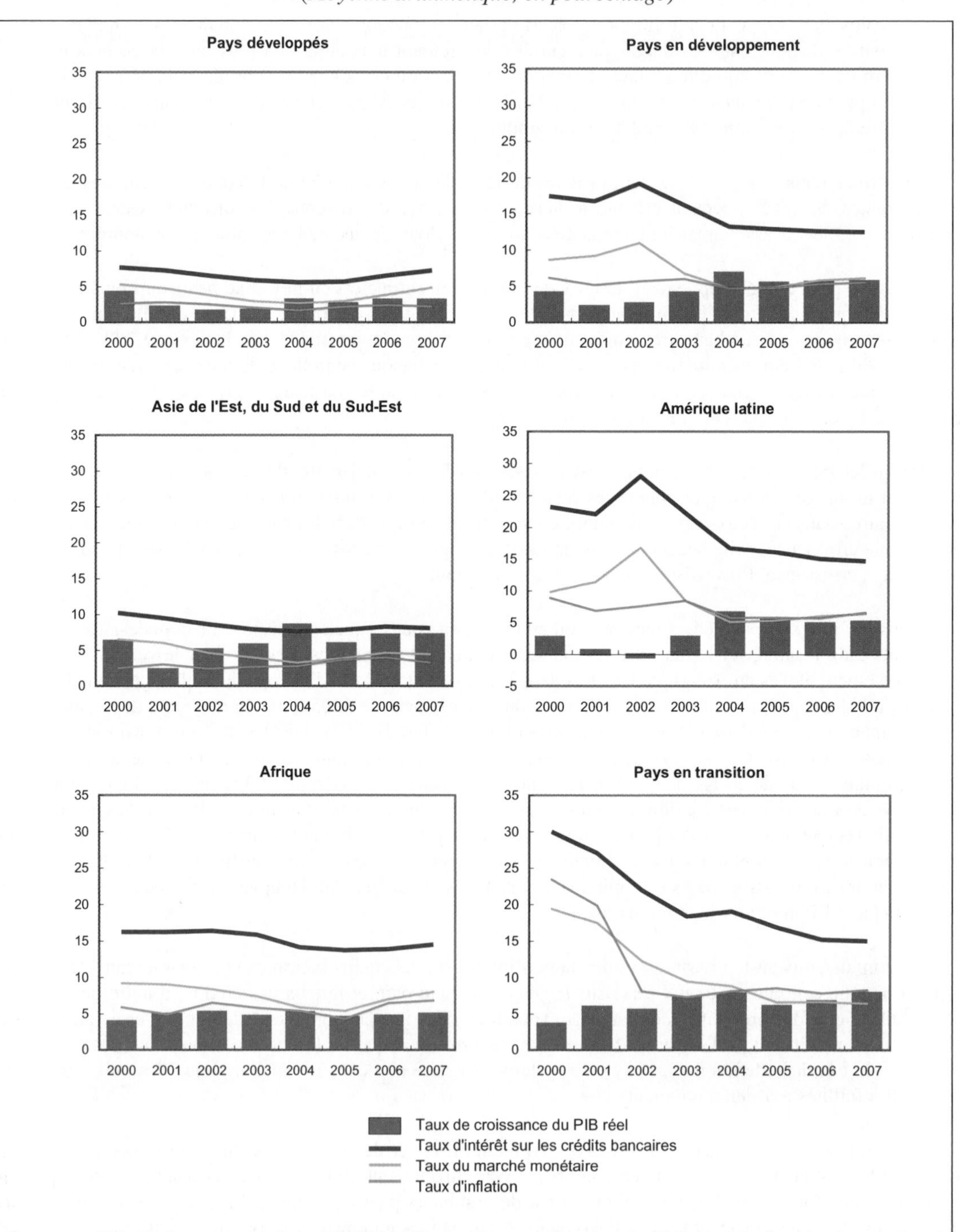

Source: Calculs du secrétariat de la CNUCED, d'après *Thomson Datastream*; FMI, base de données *International Financial Statistics*; CNUCED, base de données *Manuel de statistique*; et sources nationales.

Note: Les données concernant les périodes durant lesquelles le taux d'inflation dépassait 100 % ont été exclues. Les calculs sont fondés sur des données relatives à 71 pays: 23 pays développés, 38 pays en développement et 10 pays en transition d'Europe du Sud-Est et de la CEI. Les pays d'Europe orientale et les pays baltes ne sont pas considérés comme pays développés dans cet échantillon.

Tableau 4.5

INDICATEURS DU FINANCEMENT BANCAIRE DANS DIFFÉRENTES RÉGIONS, 1995-2007

(*En pourcentage*)

	Taux d'intérêt réel sur les dépôts (1)			Taux d'intérêt réel sur les crédits (2)			Marge réelle (2) - (1)		
	1995-1997	*1998-2002*	*2003-2007*	*1995-1997*	*1998-2002*	*2003-2007*	*1995-1997*	*1998-2002*	*2003-2007*
Pays développés	0,5	1,4	0,4	6,2	5,7	4,0	5,7	4,3	3,5
Pays en transition	-1,2	1,4	0,0	22,1	14,1	10,3	23,4	12,6	10,3
Pays en développement *dont*:	0,8	2,4	-0,3	10,3	11,5	8,2	9,2	9,1	8,4
Afrique *dont*:	-0,4	2,6	0,7	9,7	13,3	10,2	9,3	10,6	9,4
Afrique subsaharienne, sauf Afrique du Sud	-1,0	2,3	0,6	10,3	13,9	10,7	10,1	11,6	10,0
Amérique latine *dont*:	0,9	3,3	-0,7	12,8	13,9	9,0	11,9	10,6	9,7
Caraïbes	1,2	2,2	-0,2	8,8	9,6	6,7	7,6	7,4	7,0
Amérique centrale	-2,6	2,6	-2,9	7,8	13,2	9,3	10,4	10,6	12,2
Amérique du Sud	2,8	5,2	0,0	21,5	20,1	11,9	18,7	14,9	11,9
Asie *dont*:	1,8	1,2	-0,7	7,9	7,1	5,3	6,1	5,8	5,9
Asie de l'Est et du Sud-Est	3,2	0,8	-0,2	9,8	6,2	5,6	6,5	5,3	5,8
***Pour mémoire*:**									
Pays émergents d'Asie	3,1	3,3	0,1	6,2	6,9	4,1	3,0	3,6	4,0
Autres pays d'Asie	1,1	0,1	-1,1	8,8	7,1	5,9	7,7	7,0	7,0

***Source*:** Calculs du secrétariat de la CNUCED, d'après FMI, base de données *International Financial Statistics*.

L'essor du marché des capitaux a été stimulé à la fois par l'offre et par la demande. Du côté de la demande, certains investisseurs institutionnels qui préfèrent en général détenir les actifs à long terme ont pris de l'importance dans plusieurs pays en développement ou en transition. En Amérique latine, la réforme de la sécurité sociale a entraîné la création de fonds de pension qui, en décembre 2007, avaient accumulé pour 275 milliards de dollars d'actifs dans 10 pays[44]. Ces actifs représentaient 16 % du total du PIB de ces pays (AIOS, 2007). En Malaisie, en République de Corée et à Singapour, ainsi qu'en Afrique du Sud, les compagnies d'assurance ont pris de l'importance. Les fonds de placement sont une autre catégorie d'investisseur institutionnel qui détient généralement une proportion assez élevée d'actifs à long terme. Ces dernières années, l'actif géré par ces fonds a dépassé 10 % du PIB au Brésil, au Chili, en Malaisie, en République de Corée et en Afrique du Sud (IMF, 2005). Des facteurs internationaux ont aussi stimulé la demande d'actifs financiers de ces pays et l'ouverture du compte de capital aux investisseurs étrangers a été une politique visant délibérément à développer le marché des capitaux et à réaliser des économies d'échelle. En outre, depuis 2003, la hausse des recettes d'exportation a accru la liquidité intérieure dans plusieurs pays, en particulier les exportateurs de pétrole. En Asie occidentale, où une grande partie de l'épargne des ménages est traditionnellement détenue sous forme de dépôts à court terme et de biens immobiliers, l'accroissement de la liquidité a encouragé la diversification et a provoqué une hausse spectaculaire des marchés boursiers: malgré une brutale correction en 2006, la capitalisation boursière a été multipliée par 6,5 dans les pays membres du Conseil de coopération du Golfe (CCG) entre 2002 et

2007, dépassant largement les 100 % de leur PIB (Corm, 2008).

Du côté de l'offre, dans le cadre de la restructuration de la dette publique extérieure du Plan Brady, les crédits bancaires ont été remplacés par des obligations d'État qui pouvaient être négociées sur le marché des capitaux national ou international. Dans plusieurs pays, cela a constitué un tournant des modalités de financement des États, avec une baisse de la demande de financement monétaire et bancaire au profit de l'émission d'obligations du Trésor. La privatisation partielle ou totale de nombreuses entreprises publiques a aussi créé de nouveaux actifs financiers qui ont intéressé les investisseurs nationaux et/ou étrangers. Cette transformation structurelle a été particulièrement importante dans les pays en transition. D'autres entreprises ont recouru aux marchés des capitaux pour divers motifs. Certaines, après la restriction du crédit bancaire suite aux crises financières, y ont vu une source de financement de rechange; cela semble avoir été le cas par exemple en Malaisie, en République de Corée et en Fédération de Russie (IMF, 2005: 114-115). D'autres peuvent avoir vu dans l'essor des marchés boursiers la possibilité d'obtenir des financements peu onéreux et peu contraignants, comme ce fut le cas dans une certaine mesure en Chine (Yu, 2008; EURASFI, 2006: 139-140). Il semble aussi que dans certains pays les grandes entreprises aient été favorisées par le fait que la réglementation restreignait l'univers de placement des investisseurs institutionnels aux obligations et actions de quelques sociétés. Au Chili par exemple, les fonds de pension ont abondamment financé une poignée d'entreprises des secteurs de l'énergie et des télécommunications (ECLAC, 1994).

Le développement du marché des capitaux n'est pas nécessairement synonyme d'un meilleur accès au financement de l'investissement.

Le développement du marché des capitaux n'est pas nécessairement synonyme d'un meilleur accès au financement de l'investissement. En particulier, la capitalisation boursière relativement élevée de certains pays en développement ou en transition n'a pas toujours amélioré le financement de la plupart des entreprises. L'augmentation de la capitalisation boursière ne génère pas de financements si elle est due uniquement à la hausse des cours des actions déjà cotées. Le nombre de nouvelles émissions d'actions a été très limité dans la plupart des pays en développement ou en transition, à l'exception d'une poignée d'entre eux, dont la plupart sont des centres offshore (tableau 4.7). Cette source de financement a été négligeable en Amérique latine et dans les pays en transition.

Dans les pays en développement, le marché obligataire finance essentiellement le secteur public (graphique 4.5). En 2007, les obligations d'État représentaient 64 % du total de l'encours du marché obligataire en Asie, la part des entreprises non financières n'étant que de 13 %. Dans les autres régions, la part de la dette publique sur le marché obligataire intérieur était encore plus élevée, atteignant 71 % en Amérique latine et 94 % dans les pays émergents d'Europe. Le financement obligataire des entreprises a été modique: en 2007, le stock d'obligations d'entreprises ne représentait que 3,8 % du PIB en Amérique latine et 0,8 % du PIB dans les pays émergents d'Europe; le ratio était nettement plus élevé dans les pays émergents d'Asie mais il ne dépassait les 5 % du PIB que dans une poignée d'entre eux (Malaisie, province chinoise de Taiwan, République de Corée et Thaïlande). De plus, seul un petit groupe d'entreprises privées relativement importantes peuvent émettre des obligations, parce que l'émission d'obligations a un coût fixe élevé si bien que les émissions de petits montants sont peu économiques, et que la plupart des investisseurs institutionnels n'achètent que des obligations de grandes entreprises (IMF, 2005: 104, 119).

Dans plusieurs pays, l'augmentation de la dette obligataire de l'État en pourcentage du PIB a été due à une stratégie visant à remplacer la dette extérieure publique par la dette intérieure (voir aussi chap.VI). De plus, le coût des interventions de l'État dans la restructuration du secteur bancaire après les crises financières et la réforme des retraites ont créé de nouveaux besoins de financement du secteur public. Dans de nombreux pays, le besoin de financement résultant de la mise en place d'un système par capitalisation en remplacement de la retraite par répartition a été en partie couvert par l'émission d'obligations d'État achetées par les fonds de pension[45]. En décembre 2007, la dette publique représentait 37 % de l'actif total des fonds de pension de 10 pays d'Amérique latine qui avaient réformé leur régime de retraite[46].

Tableau 4.6

CRÉANCES IMPRODUCTIVES ET RENDEMENT DES ACTIFS DANS DIFFÉRENTES RÉGIONS, 2000-2007

(*En pourcentage*)

	Part des créances improductives dans le total des créances		Rendement des actifs	
	2000-2002	2003-2007	2000-2002	2003-2007
Pays développés	2,9	1,9	0,7	0,8
Pays en transition	14,3	8,7	-0,3	2,3
Pays en développement *dont*:	14,2	8,6	1,0	2,0
Afrique *dont*:	17,9	13,5	2,3	2,6
Afrique subsaharienne, sauf Afrique du Sud	19,5	13,3	2,8	3,1
Amérique latine *dont*:	9,5	5,1	0,1	1,9
Amérique centrale	6,2	5,4	1,5	1,9
Amérique du Sud	11,4	5,1	-0,8	1,8
Asie *dont*:	17,4	9,9	0,9	1,4
Asie de l'Est et du Sud-Est	16,4	9,6	0,8	1,3
Pour mémoire:				
Pays émergents d'Asie	16,4	10,0	0,8	1,0
Autres pays d'Asie	19,4	10,4	1,0	1,6

***Source*:** Calculs du secrétariat de la CNUCED, d'après FMI, *Global Stability Report*, diverses parutions.
***Note*:** En raison des limites des données disponibles, l'échantillon ne comprend que 41 pays en développement: 13 pays d'Afrique, 17 pays d'Amérique latine et 11 pays d'Asie.

4. *Financement étranger*

Pour une entreprise, il peut paraître avantageux de se financer en devises si elle peut emprunter à un coût moindre que sur le marché intérieur ou s'il n'y a tout simplement pas de possibilités d'emprunt auprès de sources nationales. Cela peut aussi être préférable pour les entreprises dont une grande partie du chiffre d'affaires est payé en devises, constituant un meilleur moyen de se couvrir contre le risque de change que l'achat de produits dérivés (World Bank, 2007).

Ces dernières années, les grandes entreprises publiques et privées des pays en développement et des pays en transition ont beaucoup accru leurs emprunts extérieurs, surtout depuis 2004

Graphique 4.4

CAPITALISATION BOURSIÈRE DES PAYS EN DÉVELOPPEMENT ET DES PAYS EN TRANSITION, PAR RÉGION, 1995-2006

(*En pourcentage du PIB*)

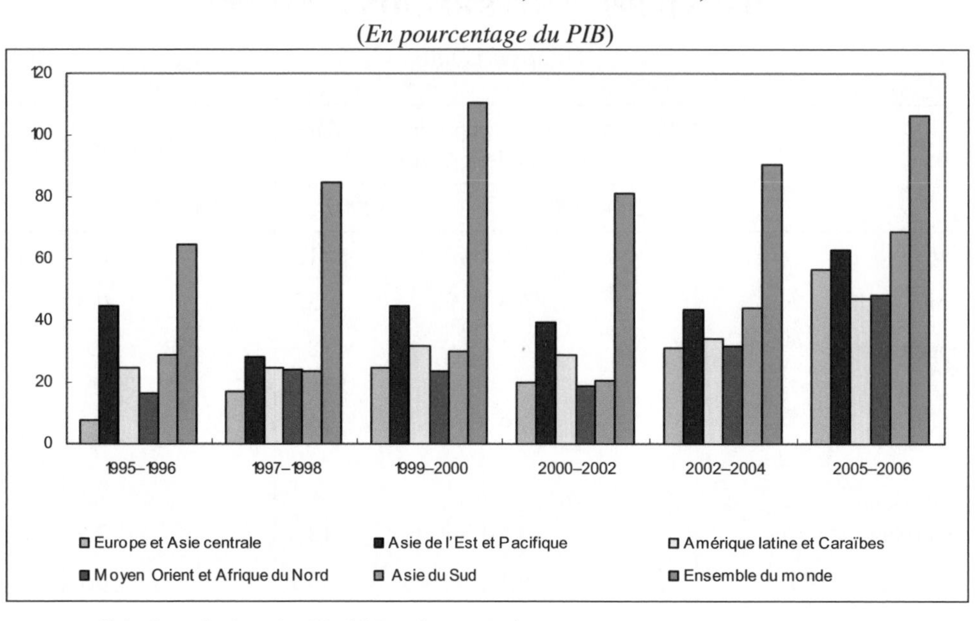

Source: Banque mondiale, base de données *World Develoment Indicators.*
Note: Les groupes de pays sont définis dans la source.

Graphique 4.5

STOCK D'OBLIGATIONS INTÉRIEURES DANS LES PAYS ÉMERGENTS, SELON LE TYPE D'ÉMETTEUR, DANS DIFFÉRENTES RÉGIONS, 1993, 2000 ET 2007

(*En pourcentage du PIB*)

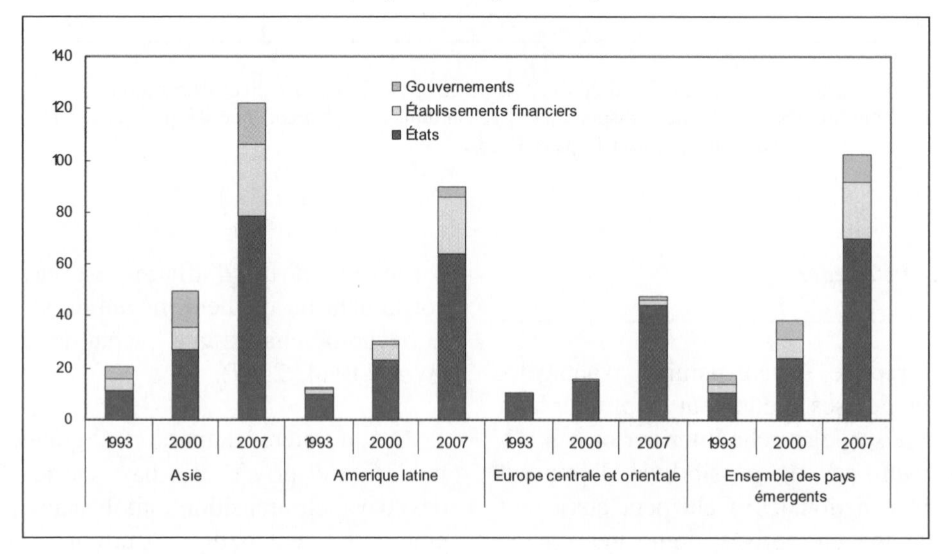

Source: Calculs du secrétariat de la CNUCED, d'après la base de données de la Banque des règlements internationaux (BRI): (www.bis.org/statistics/secstats.htm.).
Note: Asie: Chine, Hong Kong (Chine), Inde, Indonésie, Liban, Malaisie, Pakistan, Philippines, Province chinoise de Taiwan, République de Corée, Singapour, Thaïlande et Turquie. Amérique latine: Argentine, Brésil, Chili, Colombie, Mexique, Pérou et Venezuela (République bolivarienne du). Europe: Croatie, Fédération de Russie, Hongrie, Pologne, et République tchèque, Slovaquie.

(graphique 4.6). La croissance relativement rapide et soutenue de la plupart de ces pays avait amélioré leur note de solvabilité, tandis que le faible niveau des taux d'intérêt sur les monnaies internationales et l'abondance des liquidités incitaient les investisseurs étrangers à chercher de meilleurs rendements en prêtant à des pays et emprunteurs non traditionnels. L'emprunt des entreprises privées a représenté plus de 60 % de l'augmentation du crédit bancaire et de 75 % des émissions obligataires sur la période 2002-2006 (World Bank, 2007: 79).

D'après Ratha, Sutle et Mohapatra (2003: 458), le taux de progression annuelle composé de la dette extérieure des entreprises des pays en développement de la région Asie de l'Est et Pacifique a atteint 27 % entre 1990 et le début de la crise financière asiatique de 1997[47]. Cette dette a fortement chuté après la crise, tandis qu'en Amérique latine l'endettement extérieur des entreprises est resté élevé jusqu'en 2001. Depuis, ce sont les entreprises des pays en transition d'Europe orientale et d'Asie centrale qui ont le plus accru leurs emprunts en devises étrangères, et aujourd'hui ces emprunts représentent quelque 40 % du total de la dette extérieure des entreprises de l'ensemble des pays en développement et en transition (graphique 4.7).

L'emprunt extérieur des entreprises implique un risque important tant pour l'économie que pour l'entreprise.

Les emprunts des entreprises de six pays (Brésil, Chine, Inde, Mexique, Fédération de Russie et Turquie) représentent plus de la moitié de l'encours total de la dette extérieure d'entreprises des pays en développement ou en transition (tableau 4.8). Dans l'ensemble des pays en développement ou en transition, ainsi que dans les six pays ci-dessus, les crédits de consortiums bancaires représentent les deux tiers environ du financement extérieur. L'émission d'obligations est la deuxième source dans la plupart des pays. Pour ce qui est des émissions d'actions, les entreprises indiennes et chinoises ont été beaucoup plus actives que celles des autres pays en développement ou en transition.

La plupart des entreprises qui ont pu emprunter sur le marché international des capitaux sont de grandes entreprises à fort potentiel de croissance opérant dans les secteurs de la banque, des infrastructures ou des industries extractives. La corrélation entre l'accès au marché financier et la taille des entreprises n'est pas étonnante, étant donné que les entreprises qui opèrent au niveau international sont pour la plupart des grandes entreprises, qui sont aussi moins vulnérables que les petites entreprises en cas de choc et sont considérées comme plus solvables. En outre, elles peuvent négocier des conditions plus favorables et les créanciers peuvent espérer qu'elles soient jugées «trop grandes pour faire faillite», c'est-à-dire que l'État serait plus disposé à les aider en cas de difficultés financières (World Bank, 2007).

Toutefois, lorsqu'elles empruntent en devises étrangères, les entreprises ont tendance à sous-estimer les risques, tels qu'une hausse des taux d'intérêt étrangers ou une dépréciation de la monnaie nationale. Lorsque les taux de change sont restés longtemps stables, les entreprises dont les recettes sont libellées en monnaie nationale ont tendance à ne pas se couvrir contre le risque de change, ce qui rend toute l'économie plus vulnérable en cas de choc financier extérieur, comme on l'a vu dans plusieurs crises des vingt dernières années.

Du point de vue de l'ensemble de l'économie nationale, l'emprunt extérieur des entreprises peut vite devenir excessif, car en général une entreprise qui emprunte à l'étranger ne tient pas compte du niveau global d'endettement de son pays ni des effets que pourrait avoir une modification de l'environnement externe sur la viabilité de sa balance des paiements. C'est pourquoi une des grandes tâches des responsables de la politique financière est de trouver un moyen de surveiller efficacement l'exposition extérieure des grandes entreprises afin d'intervenir avant que des problèmes d'endettement mineurs ne se transforment en problèmes macroéconomiques majeurs. À cet égard, il importe que les responsables officiels comprennent les facteurs qui incitent les entreprises à emprunter à l'étranger. En restreignant le financement extérieur des entreprises, on pourrait éviter l'accumulation d'un risque de change considérable dans les bilans des entreprises dont les rentrées sont entièrement libellées en monnaie nationale, mais on pourrait aussi étouffer l'investissement si les entreprises ne peuvent pas trouver le financement à long terme dont elles ont besoin sur le marché national ou si son coût est beaucoup plus élevé que celui de l'emprunt

Tableau 4.7

INDICATEURS BOURSIERS DANS DIFFÉRENTS PAYS EN DÉVELOPPEMENT OU EN TRANSITION, PAR RÉGION, 2006

Bourses	Nombre d'entreprises cotées	Capitalisation boursière	Levée de capitaux par émissions d'actions
		(en pourcentage du PIB)	
Amérique latine			
Buenos Aires (Argentine)	106	23,7	0,2
Colombie	94	42,9	0,1
Costa Rica	17	8,8	0,0
Lima (Pérou)	221	44,4	0,4
Bourse mexicaine	335	42,0	0,1
Panama	35	41,8	0,5
Santiago (Chili)	246	119,6	0,4
São Paulo (Brésil)	350	66,5	1,5
Asie de l'Est, du Sud et du Sud-Est			
Bombay (Inde)	4 796	90,7	0,8
Bursa Malaysia	1 025	158,2	0,7
Colombo (Sri Lanka)	237	28,4	0,1
Bourses de Hong Kong	1 173	904,8	35,6
Jakarta (Indonésie)	344	38,1	0,5
Karachi (Pakistan)	628	12,3	0,1
Bourse de Corée (République de Corée)	1 689	95,6	0,6
National Stock Exchange India	1 156	85,7	1,6
Philippine Stock Exchange	240	58,0	1,0
Shanghai (Chine)	842	34,4	0,6
Shenzhen (Chine)	579	8,5	0,2
Bourse de Singapour	708	290,8	4,3
Taiwan (province chinoise)	693	167,2	0,6
Téhéran (République islamique d'Iran)	320	15,0	0,6
Thaïlande	518	68,0	1,9
Asie occidentale			
Abou Dhabi (Émirats arabes unis)	60	44,3	0,4
Amman (Jordanie)	227	207,4	23,7
Bahreïn	50	131,4	6,6
Beyrouth (Liban)	11	36,9	0,1
Koweït	181	105,9	4,0
Istanbul (Turquie)	316	41,4	0,4
Muscat Securities Market (Émirats arabes unis)	235	44,9	2,6
Palestine	33	64,3	0,0
Bourse saoudienne	86	89,9	1,0
Afrique			
BRVM (Afrique occidentale)	40	8,3	3,7
Le Caire et Alexandrie (Égypte)	595	84,9	2,9
Casablanca (Maroc)	63	75,5	0,1
Ghana	32	14,5	1,0
Johannesburg (Afrique du Sud)	389	287,0	5,2
Lusaka (Zambie)	15	26,9	0,1
Maurice	63	77,3	0,0
Nairobi (Kenya)	52	47,9	0,9
Namibie	28	2 499,7	0,3
Nigéria (2005)	215	16,8	3,0
Swaziland	6	7,3	0,0
Pays en transition			
Banja Luka (Bosnie-Herzégovine)	793	44,5	0,1
Kazakhstan	68	73,4	2,3
MICEX (Moscou)	190	90,0	0,0
Russian Trading System	346	98,3	0,0
Zagreb (Croatie)	182	68,7	0,1

***Source*:** World Federation of Exchanges (www.world-exchanges.org); et CNUCED, base de données *Manuel de statistique*.

Graphique 4.6

EMPRUNTS EXTÉRIEURS DES ENTREPRISES DES PAYS EN DÉVELOPPEMENT ET DES PAYS EN TRANSITION, PAR CATÉGORIE, 1998-2006

(*En milliard de dollars)*

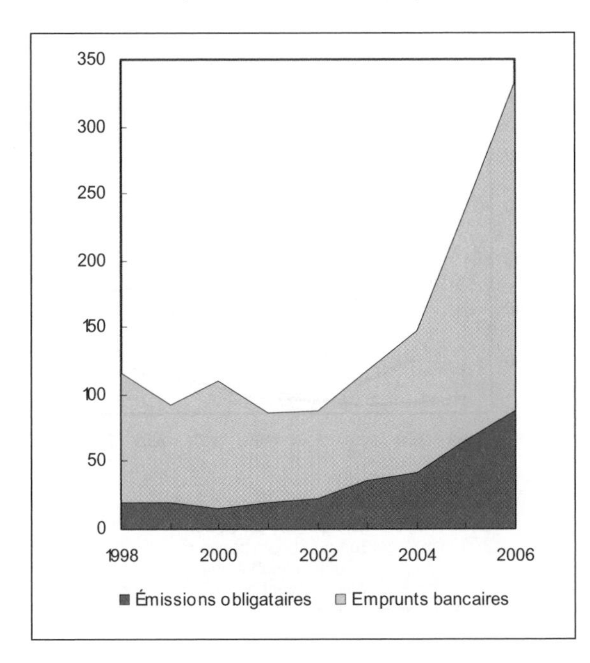

***Source*:** Banque mondiale, 2007, d'après *Dealogic*.

extérieur. Des normes de transparence rigoureuses pour les comptes des sociétés et des règles claires et cohérentes pour l'accès à l'emprunt extérieur pourraient aider à donner des signaux d'alerte en cas de risque de change excessif dans le bilan d'une entreprise. Ces normes et règles permettraient aussi de détecter les cas d'entreprises qui prennent des positions de change spéculatives dans leur bilan

5. Le financement de l'investissement du point de vue de l'entreprise

Vu les difficultés que rencontrent les investisseurs lorsqu'ils cherchent à obtenir un financement du système bancaire ou du marché des capitaux, il n'est pas étonnant que le réinvestissement des bénéfices soit la principale source de financement de l'investissement dans toutes les régions (tableau 4.9)[48]. Ce résultat a été obtenu sur la base d'enquêtes à partir desquelles on a calculé des moyennes par pays pour plus de 32 000 entreprises de 100 pays développés, en développement ou en transition sur la période 2002-2006. Au niveau mondial, les entreprises autofinancent environ deux tiers de leurs investissements et en financent 16 à 23 % (selon la taille de l'entreprise) par le crédit bancaire. La contribution de l'émission d'actions est mineure, puisqu'elle ne représente qu'environ 3 % du total, soit moins que la part de l'apport de parents et amis.

Les caractéristiques du financement des entreprises varient beaucoup selon la taille des entreprises et la région. Le financement bancaire est en général plus courant dans les grandes entreprises (surtout en Afrique), alors que les petites entreprises comptent davantage sur l'autofinancement et l'appel aux parents et amis. L'échantillon du tableau 4.9 montre que le recours à l'autofinancement est inférieur à la moyenne dans les pays développés, dans les pays émergents (sauf les pays en transition), en Amérique latine et aux Caraïbes et dans les pays en développement d'Asie, mais les autres sources de financement qui compensent cette différence varient selon les groupes de pays. Le financement par émission d'actions est plus important en Asie et dans les pays émergents d'Europe centrale et orientale, alors qu'en Amérique latine et dans les Caraïbes le crédit commercial représente une partie assez importante du financement total. Le crédit bail, inclus dans la catégorie «autres», est plus important pour les entreprises des pays développés et des pays émergents d'Europe centrale et orientale que pour celles des autres régions. La dernière ligne du tableau montre que les jeunes entreprises s'adressent beaucoup moins aux banques pour financer leurs investissements fixes que les entreprises plus anciennes; elles comptent davantage sur les parents et amis ainsi que sur le financement par émission d'actions.

Les contraintes dues aux limites de l'accès au crédit bancaire sont particulièrement fortes en Afrique.

Les contraintes dues aux limites de l'accès au crédit bancaire sont particulièrement fortes en Afrique, où plus de 80 % des petites entreprises (et environ 80 % de la population adulte) n'ont pas accès au système bancaire (tableau 4.9; voir aussi Honohan et Beck, 2007). Il en résulte une structure financière duale, dans laquelle les entreprises les moins favorisées doivent recourir aux parents et amis et à l'intermédiation financière informelle, dont divers types d'établissements de microfinance. Ces intermédiaires financiers comblent une lacune importante du système financier structuré, mais leur contribution est d'une utilité limitée pour l'investissement productif. Cela est dû au fait qu'ils prêtent en général des montants relativement modiques, avec des échéances proches et à des taux élevés, et ne peuvent donc être utiles que pour le financement temporaire du fonds de roulement ou l'achat d'équipement simple servant à fournir des services (Kota, 2007).

Les données par pays confirment la diversité de l'importance relative des différentes sources de financement de l'investissement en capital fixe (tableau 4.10). Le plus notable est peut-être que la structure du capital des entreprises chinoises, en 2003, différait beaucoup de celles des entreprises des autres pays dans la mesure où il semble qu'elles n'autofinançaient qu'une très petite proportion de leurs investissements, tandis que la catégorie «autres» jouait un rôle important. Cette catégorie inclut les fonds levés par les entreprises auprès de diverses sources et, pour les entreprises d'État, le financement par les collectivités locales, ainsi que le financement externe mobilisé par différents mécanismes, y compris le marché des capitaux[49]. Vu l'impossibilité de ventiler la catégorie «autres», il se peut qu'elle inclue par erreur une partie de l'autofinancement. En effet, d'après les résultats d'une enquête de 1999 (qui ont été employés pour la troisième partie du tableau concernant la Chine),

Graphique 4.7

EMPRUNTS EXTÉRIEURS DES ENTREPRISES DES PAYS EN DÉVELOPPEMENT ET DES PAYS EN TRANSITION, PAR RÉGION, 1999-2006

(En milliards de dollars)

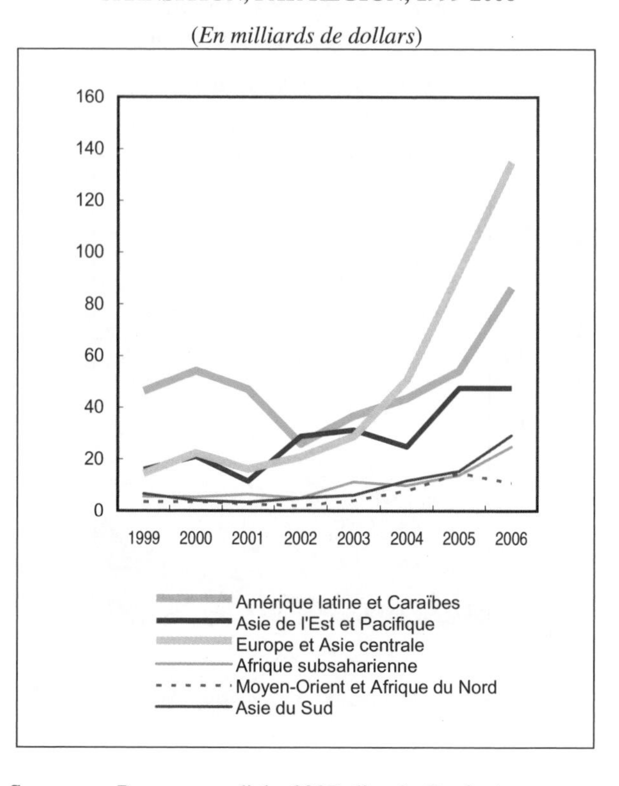

Source: Banque mondiale, 2007, d'après *Dealogic*.
Note: Les groupes de pays sont définis dans la source.

Tableau 4.8

FINANCEMENT EXTÉRIEUR DES ENTREPRISES DE CERTAINS PAYS EN DÉVELOPPEMENT OU EN TRANSITION, PAR TYPE, MOYENNE SUR 1998-2006

(En milliards de dollars)

	Émissions d'actions	Pourcentage total	Émissions d'obligations	Pourcentage total	Crédits consortiaux	Pourcentage total	Total
Pays en développement et pays en transition	133	9,1	325	22,2	1 004	68,6	1 461
Fédération de Russie	14	8,0	63	36,0	99	56,0	176
Chine	72	43,2	14	8,5	80	48,2	166
Brésil	9	5,3	56	34,0	100	60,7	165
Mexique	6	3,7	48	31,7	98	64,6	151
Turquie	2	1,9	9	10,9	72	87,2	83
Inde	13	18,9	8	11,5	49	69,7	71
Autres	17	2,7	126	19,4	505	77,9	648

Source: Banque mondiale, 2007, d'après *Dealogic*.

à l'époque, environ 60 % de l'investissement en capital fixe des entreprises chinoises étaient autofinancés (soit à peu près autant que dans les autres pays). Les circuits de financement informels – y compris les associations informelles, les créanciers privés et les organisations de crédits souterraines qui fonctionnent comme des banques mais perçoivent des taux d'intérêt très élevés – ont joué un rôle important dans l'économie chinoise, surtout pour les entrepreneurs privés qui n'ont pas accès au système bancaire officiel (Allen, Qian et Qian, 2005). Les entreprises chinoises recourent en outre beaucoup au financement par émission d'actions. Cela est dû en partie à la privatisation totale ou partielle d'entreprises d'État, car le nombre d'entreprises chinoises qui ont procédé à des augmentations de capital est relativement faible. Toutefois, Chen (2004: 1346) suggère que cela peut être dû à des facteurs propres à la Chine, tels que les carences de l'application du droit des sociétés et le fait que les actionnaires sont mal protégés, si bien que les actions sont devenues dans une certaine mesure une forme de financement «gratuite».

En Égypte et en Fédération de Russie, les bénéfices non distribués sont une des principales sources de financement de l'investissement, tandis qu'en Inde ce sont les banques. Au Brésil, le financement spécial du développement (catégorie fonds d'investissement) joue un rôle relativement important. La Banque nationale de développement (BNDES) est un exemple d'établissement financier solide et qui a survécu à la réduction de l'intervention de l'État dans les activités bancaires durant les années 90[50]. Elle est spécialisée dans les projets d'infrastructure et d'investissement dans l'industrie, qui absorbent respectivement environ un quart et un tiers de ses décaissements, et plus de quatre cinquièmes de son activité vise à aider les petites entreprises[51].

Pour résumer, la manière dont les entreprises financent leurs investissements productifs présente plusieurs caractéristiques qui s'observent dans tous les pays, comme l'importance du financement interne par rapport au financement externe et la place secondaire du financement par émission d'actions. Il y a néanmoins de grandes différences entre régions et entre types d'entreprises. De manière générale, le financement bancaire joue un rôle plus important dans les grandes entreprises alors que les petites entreprises et les entreprises nouvelles s'appuient davantage sur l'autofinancement et l'aide de parents et amis.

Cette diversité de l'importance relative des différences sources de financement de l'investissement peut être imputée à des asymétries de l'information entre le gérant de l'entreprise et les bailleurs de fonds externes en ce qui concerne la valeur de l'actif d'une entreprise et la qualité de ses projets d'investissement. L'autofinancement permet aux dirigeants de l'entreprise de protéger des renseignements confidentiels dont la divulgation exposerait l'entreprise à l'imitation et limiterait considérablement sa capacité d'appropriation des profits tirés de l'investissement. Toutefois, les PME et les nouvelles entreprises ont de grandes difficultés à trouver un financement externe approprié pour leurs investissements. Si elles recourent donc à l'autofinancement ou à l'aide de parents et amis, ce n'est généralement pas délibéré mais faute de choix.

Tableau 4.9

SOURCES DE FINANCEMENT DE L'INVESTISSEMENT DANS DIVERS GROUPES DE PAYS, 2002-2006

	Nombre de pays	Nombre d'entreprises	Auto-financement	Banques commerciales à capitaux locaux ou étrangers	Fonds d'investis-sement et États[a]	Crédit commercial	Fonds propres	Parents et amis	Autres
			(En pourcentage)						
Tous pays confondus									
Ensemble des entreprises	100	32 809	65,5	16,1	1,3	3,2	3,0	3,8	7,1
Petites entreprises	100	12 388	69,0	12,4	1,1	3,0	3,4	4,7	6,4
Moyennes entreprises	100	11 235	63,1	17,9	1,5	3,4	3,4	3,1	7,7
Grandes entreprises	100	9 036	59,7	22,9	2,5	3,4	2,9	1,5	7,1
Pays développés									
Ensemble des entreprises	5	2 592	59,3	20,0	0,6	3,0	3,8	1,2	12,0
Petites entreprises	5	1 618	63,2	18,1	0,3	2,7	3,2	1,7	10,9
Moyennes entreprises	5	575	53,4	22,8	0,8	3,0	5,0	0,4	14,5
Grandes entreprises	5	399	50,0	25,5	1,5	3,4	5,0	0,5	14,2
Pays émergents d'Europe									
Ensemble des entreprises	8	2 334	59,6	13,9	1,1	2,4	7,4	2,5	13,1
Petites entreprises	8	1 290	62,8	10,1	0,2	2,8	7,5	4,2	12,3
Moyennes entreprises	8	621	55,3	18,3	1,4	2,4	8,2	0,4	14,0
Grandes entreprises	8	423	57,8	18,0	3,0	1,4	6,5	0,1	13,2
Amérique latine et Caraïbes									
Ensemble des entreprises	20	7 845	60,6	20,2	1,5	6,8	1,2	2,7	7,0
Petites entreprises	20	2 622	62,2	18,6	1,1	6,4	0,8	3,2	7,8
Moyennes entreprises	20	3 265	58,9	21,2	1,1	7,6	1,6	2,8	6,9
Grandes entreprises	20	1 938	58,8	24,4	2,8	6,3	1,1	1,3	5,3
Afrique									
Ensemble des entreprises	31	6 100	73,8	12,7	1,3	2,1	0,8	3,7	5,6
Petites entreprises	31	2 642	77,8	8,9	1,1	2,4	0,8	4,3	4,8
Moyennes entreprises	31	2 059	69,9	16,1	2,0	1,9	1,0	2,5	6,6
Grandes entreprises	31	1 372	63,4	24,3	2,0	2,3	1,1	0,8	6,1
Asie de l'Est, de l'Ouest, du Sud et du Sud-Est									
Ensemble des entreprises	17	9 309	49,3	21,0	1,6	2,8	8,9	7,2	9,3
Petites entreprises	17	2 055	53,4	14,4	2,1	2,5	11,4	8,3	7,8
Moyennes entreprises	17	3 223	50,2	19,2	1,4	2,8	9,3	7,4	9,7
Grandes entreprises	17	3 928	46,4	25,9	2,8	3,1	8,0	5,0	8,8
Pays en transition d'Europe									
Ensemble des entreprises	12	3 008	72,5	14,5	1,0	2,3	1,9	3,2	4,6
Petites entreprises	12	1 448	77,0	10,4	0,4	1,7	2,0	5,0	3,5
Moyennes entreprises	12	915	69,8	16,5	1,0	2,5	2,3	2,5	5,4
Grandes entreprises	12	645	65,7	20,6	2,3	4,1	1,2	0,3	5,8
Pays en transition d'Asie centrale									
Ensemble des entreprises	7	1 621	81,4	10,1	1,9	1,3	0,2	2,9	2,2
Petites entreprises	7	713	84,6	7,7	1,0	0,4	0,0	4,5	1,8

	Nombre de pays	Nombre d'entreprises	Auto-financement	Banques commerciales à capitaux locaux ou étrangers	Fonds d'investis-sement et États[a]	Crédit commercial	Fonds propres	Parents et amis	Autres
			(*En pourcentage*)						
Moyennes entreprises	7	577	79,6	11,1	2,0	2,3	0,4	2,5	2,0
Grandes entreprises	7	331	77,8	14,0	3,1	1,2	0,1	1,0	2,8
Pour mémoire: moyenne par catégorie d'entreprises									
Ensemble des entreprises		32 809	58,9	19,5	1,3	3,7	4,7	3,6	8,2
Petites entreprises		12 388	67,7	12,5	0,7	3,5	4,2	4,9	6,4
Moyennes entreprises		11 235	56,8	20,6	1,4	4,3	4,8	3,4	8,7
Grandes entreprises		9 036	49,6	27,5	2,1	3,3	5,4	2,1	10,0
Entreprises nouvelles		1 070	63,9	13,8	1,7	2,7	6,0	6,1	5,8

***Source*:** Calculs du secrétariat de la CNUCED, d'après Banque mondiale, base de données *Enterprise Survey*.

***Note*:** Entreprises nouvelles = entreprises de moins de 2 ans; petites entreprises = moins de 20 salariés; moyennes entreprises = 20 à 99 salariés; grandes entreprises = plus de 99 salariés. La somme des nombres de petites, moyennes et grandes entreprises n'est pas toujours égale au total donné pour l'ensemble des entreprises car certaines entreprises n'ont pas fourni d'indications sur leur taille. Pays émergents d'Europe: Estonie, Hongrie, Lettonie, Lituanie, Pologne, République tchèque, Slovaquie et Slovénie.

[a] Total du financement assuré par des fonds d'investissement, des banques de développement et d'autres établissements publics.

Tableau 4.10

SOURCES DE FINANCEMENT DE L'INVESTISSEMENT DANS DIVERS PAYS, 1999-2006

	Nombre d'entreprises	Auto-financement	Banques commerciales à capitaux locaux ou étrangers	Fonds d'investis-sement et États[a]	Crédit commercial	Fonds propres	Parents et amis	Autres
		(*En pourcentage*)						
Brésil (2003)								
Ensemble des entreprises	1 351	56,3	14,3	8,5	8,7	4,3	1,2	6,7
Petites entreprises	226	58,0	10,8	5,7	13,0	3,5	2,2	6,7
Moyennes entreprises	736	58,6	14,8	6,4	8,2	3,8	1,4	6,9
Grandes entreprises	384	51,2	15,0	14,1	7,4	5,7	0,3	6,2
Chine (2003)								
Ensemble des entreprises	1 342	15,2	20,4	0,5	1,0	12,4	5,9	44,5
Petites entreprises	169	13,7	8,6	0,9	0,0	16,7	11,0	49,0
Moyennes entreprises	478	14,6	15,2	0,6	1,1	12,4	8,6	47,5
Grandes entreprises	686	16,2	26,8	0,4	1,2	11,4	2,7	41,1

	Nombre d'entreprises	Auto-financement	Banques commerciales à capitaux locaux ou étrangers	Fonds d'investissement et États[a]	Crédit commercial	Fonds propres	Parents et amis	Autres
		(En pourcentage)						
China (1999)								
Ensemble des entreprises	94	59,6	9,7	6,4	2,9	2,8	6,2	12,5
Petites entreprises	42	64,9	6,8	5,0	1,0	0,3	9,0	13,0
Moyennes entreprises	27	61,6	8,0	10,1	3,9	3,9	3,9	8,6
Grandes entreprises	25	48,4	16,3	4,6	5,0	5,6	4,1	15,9
Chine (2003)								
Entreprises d'État	263	11,5	25,3	1,0	0,0	4,7	1,2	56,3
Entreprises privées à capitaux nationaux	831	15,9	18,4	0,3	1,1	14,1	8,7	41,6
Égypte (2004)								
Ensemble des entreprises	716	86,1	6,9	0,2	0,8	3,8	0,9	1,3
Petites entreprises	287	90,1	3,9	0,0	1,2	2,2	1,4	1,2
Moyennes entreprises	275	87,0	6,6	0,4	0,8	3,3	0,7	1,3
Grandes entreprises	154	77,4	13,1	0,3	0,0	7,6	0,3	1,2
Inde (2005)								
Ensemble des entreprises	1 476	52,0	32,2	0,0	4,5	1,1	6,9	3,3
Petites entreprises	612	51,2	25,9	0,0	6,4	1,1	10,9	4,6
Moyennes entreprises	497	54,5	33,2	0,0	4,1	0,8	4,6	2,7
Grandes entreprises	284	51,4	41,6	0,0	2,0	1,8	2,1	1,2
Fédération de Russie (2005)								
Ensemble des entreprises	431	85,0	6,5	1,2	2,4	0,2	1,1	3,6
Petites entreprises	183	90,9	3,5	0,0	1,5	0,0	1,5	2,6
Moyennes entreprises	132	82,2	7,3	1,5	3,6	0,0	1,6	3,9
Grandes entreprises	116	78,8	10,3	2,8	2,6	0,7	0,1	4,7

Source: Calculs du secrétariat de la CNUCED, d'après Banque mondiale, base de données *Enterprise Survey*; et Banque mondiale, base de données *World Business Environment Survey*.

Note: Petites entreprises = moins de 20 salariés; moyennes entreprises = 20 à 99 salariés; grandes entreprises = plus de 99 salariés. Pour la Chine (1999): petites entreprises = moins de 50 salariés; moyennes entreprises = 50 à 500 salariés; grandes entreprises = plus de 500 salariés. La somme des nombres de petites, moyennes et grandes entreprises n'est pas nécessairement égale au total de l'ensemble des entreprises car certaines entreprises n'ont donné aucune indication sur leur taille.

[a] Voir note ***a*** du tableau 4.9.

E. Conclusions et recommandations

Le thème du financement de l'investissement productif dans les pays en développement soulève des questions empiriques et théoriques qui ont d'importantes incidences sur les politiques qu'il convient de mener. Du point de vue macroéconomique, le financement par des sources nationales est plus approprié et quantitativement plus important que le financement étranger. Toutefois, ce dernier peut apporter une grande contribution au financement et à la croissance d'un certain nombre de petits pays, de pays à bas revenu et de PMA, en raison de leurs faiblesses structurelles spécifiques. Du point de vue des entreprises, l'autofinancement est la source la plus importante et la plus fiable, le crédit bancaire jouant un rôle complémentaire. Il faut éviter que les politiques de mobilisation de ressources pour l'investissement compromettent ces ressources, qui sont les plus importantes du point de vue stratégique et pragmatique. Pour cela, il faut notamment éviter des taux d'intérêt sont trop élevés en raison d'une politique monétaire et financière fondée sur l'idée qu'une accumulation d'épargne des ménages et de capitaux étrangers est une condition préalable de l'augmentation de l'investissement et de la croissance. L'expérience a montré que ces politiques ont généralement des effets contraires à ceux recherchés: elles finissent par comprimer les bénéfices des entreprises en réduisant la demande globale et en accroissant le coût du financement intérieur, ce qui entraîne une baisse de l'investissement national, du taux de croissance et des revenus des ménages. Lorsque les taux d'intérêt sont trop élevés, ils réduisent les bénéfices des entreprises et dépriment l'investissement et le revenu national.

Lorsque les taux d'intérêts sont trop élevés, ils réduisent les bénéfices des entreprises et dépriment l'investissement et le revenu national.

Les réformes financières menées par la plupart des pays en développement ou en transition dans les années 80 et 90 n'ont généralement pas résolu les problèmes de manque d'efficience et de transparence dans l'allocation du crédit, de segmentation du marché et de mauvaise qualité des créances bancaires. Elles ont rarement entraîné un accroissement soutenu du crédit bancaire aux entreprises privées, notamment pour les PME. Les pays qui se sont lancés dans une libéralisation plus radicale du système financier sont entrés dans une dynamique de surchauffe qui, après une expansion très rapide et mal contrôlée du crédit, a provoqué une longue stagnation des prêts bancaires au secteur privé. Elle a aussi eu un coût budgétaire considérable lorsque les États ont dû renflouer le système bancaire. Suite aux opérations de sauvetage menées par le secteur public et, dans plusieurs cas, à la réforme des retraites, la part du secteur public dans le total du crédit accordée par le système financier a augmenté. Ce résultat est l'opposé de l'objectif initial de la réforme financière.

L'idée que la libéralisation et l'ouverture du secteur financier aux banques étrangères introduiraient plus de concurrence, ce qui finirait par réduire les marges d'intérêt et le coût du crédit, ne s'est pas réalisée non plus; les marges et les taux d'intérêt sur les crédits sont restés en général élevés, au détriment de l'investissement et du financement des entreprises. Pouvant pratiquer des marges élevées entre le taux des dépôts et celui du refinancement auprès de la Banque centrale, d'une part, et les taux de prêt, d'autre part, les banques commerciales on en général jugé plus profitable de prêter pour la consommation et l'immobilier ou d'acheter des obligations du Trésor que de prêter à long terme pour financer l'investissement ou de nouvelles activités commerciales. En effet, l'évaluation du risque lié à ce type de crédit est plus difficile et le taux d'intérêt pratiqué ne peut pas dépasser la rentabilité moyenne des projets financés. La réforme financière et le développement du marché des capitaux n'ont pas entraîné de réduction notable de la segmentation du marché financier. L'accès au crédit bancaire a été pour l'essentiel réservé aux grandes entreprises, si bien que les nouvelles entreprises, souvent novatrices, en particulier, ont eu beaucoup de mal à se financer. Le financement par émission d'actions ou d'obligations n'est possible que pour les grandes entreprises ou les entités publiques.

Ces résultats décevants peuvent s'expliquer en partie par une mauvaise exécution des réformes et par des chocs externes, mais le fait que différents pays aient eu des problèmes similaires à différentes époques donne à penser qu'il y a des défaillances plus fondamentales dans le fonctionnement des marchés financiers. Leur comportement procyclique, leur segmentation persistante et leur incapacité d'allouer le crédit aux emplois les plus productifs montrent que les réformes n'ont pas remédié à ces défaillances intrinsèques du marché (Stiglitz, 1994). Il ne serait pas réaliste de penser que des problèmes tels que la sélection négative, l'aléa moral, le comportement procyclique et la segmentation seraient éliminés par la libéralisation et que le monde réel s'adapterait aux postulats d'un modèle théorique. Toutefois, il est possible de concevoir des politiques efficaces contre les défaillances du marché. En particulier, il n'est ni possible ni souhaitable d'éliminer toutes les formes de discrimination dans le processus d'allocation du crédit. Un système financier doit distinguer les bons des mauvais projets et les emprunteurs fiables des autres. L'absence de discrimination est caractéristique de profondes crises financières et monétaires – hyperinflation (presque tout le monde obtient des crédits) – ou déflation (presque personne n'a accès au crédit) (Aglietta et Orlean, 1982). Mais les gouvernements peuvent influer sur les effets de la discrimination en prêtant directement au moyen d'établissements publics, notamment des banques sectorielles spécialisées et des banques de développement, ou en intervenant sur le marché financier par des bonifications d'intérêts ou par le refinancement ou la garantie de crédits commerciaux à l'appui d'activités stratégiques sélectionnées. De même, il est plus réaliste de gérer la segmentation du marché que de concevoir des politiques financières faisant abstraction de son existence (Ocampo et Vos, 2008).

Les gouvernements peuvent influer sur les effets de la discrimination en prêtant directement au moyen d'établissements publics, …

… notamment des banques sectorielles spécialisées et des banques de développement, ou en intervenant sur le marché financier à l'appui d'activités stratégiques sélectionnées.

Outre des attentes optimistes en matière de demande et de bénéfices, il importe, pour qu'un entrepreneur envisage de faire des investissements productifs et pour que les éventuels créanciers envisagent de financer ces investissements, que les droits de propriété soient garantis. Mais ce qui importe, du point de vue de la politique financière, c'est que l'investissement productif ait accès à des financements fiables, suffisants et économiques. Dans la mesure où la disponibilité de fonds et en particulier le montant des bénéfices non distribués par les entreprises déterminent l'investissement, les mesures qui accroissent la liquidité des entreprises devraient stimuler l'investissement. À cet effet, on peut envisager des dispositions telles que diverses incitations fiscales – traitement préférentiel des bénéfices réinvestis ou non distribués et amortissement accéléré – visant à promouvoir l'accumulation de capital et l'accroissement des capacités de production.

On peut amplifier l'impact de ces mesures sur l'investissement productif en encourageant les banques à prêter davantage à cet effet. On peut réduire le coût du financement par une politique monétaire favorable, complétée par des dispositifs tels qu'une politique des revenus visant à assurer la stabilité des prix. Dans le cadre d'un processus d'expansion monétaire maîtrisé mais orienté vers la croissance, la banque centrale peut fournir au système bancaire les liquidités nécessaires pour financer de nouveaux investissements par le crédit lorsque l'épargne préexistante est insuffisante.

Pour donner aux entreprises accès à des ressources suffisantes pour financer l'investissement productif, il peut aussi être nécessaire que le Gouvernement et les banques du secteur public interviennent dans le processus d'allocation du crédit. En restreignant le crédit à la consommation ou le crédit à des fins spéculatives, on peut inciter les banques à accorder des crédits à long terme pour financer l'investissement. Si les taux élevés sont motivés par l'idée que le risque est élevé, le Gouvernement peut offrir des garanties publiques sur les prêts destinés à financer des projets d'investissement prometteurs d'entreprises qui, sans cela, n'auraient guère accès au crédit bancaire à long terme (ou n'y auraient accès qu'à un coût prohibitif). Cela peut avoir un coût

En restreignant le crédit à la consommation ou le crédit à des fins spéculatives, on peut inciter les banques à accorder des crédits à long terme pour financer l'investissement.

budgétaire si le projet financé échoue, mais il faut mettre en balance ce coût et l'augmentation totale de l'investissement qui peut résulter de telles garanties, ainsi que les effets dynamiques de ces investissements additionnels sur les revenus (notamment sous forme d'augmentation des recettes fiscales). Il faut aussi mettre en balance le coût budgétaire des grandes opérations de sauvetage du système bancaire qui ont été rendues nécessaires par l'expansion incontrôlée du crédit à la consommation et du crédit spéculatif dans de nombreux pays suite à la libéralisation du système financier.

Il importe de ne pas oublier que, du point de vue du financement du développement, ce n'est pas seulement la rentabilité microéconomique d'un projet qui compte, mais aussi son utilité macroéconomique. Cet argument est en général accepté pour les projets d'infrastructure et leur financement par le budget de l'État ou avec l'aide de banques de développement. Mais elle est tout aussi valable pour la contribution des banques de développement ou des établissements financiers publics spécialisés dans certains secteurs au financement d'activités privées productives dans l'agriculture, l'industrie et les services, lorsque ces activités génèrent des avantages externes importants et ont une utilité sociale notable, mais que les banques commerciales refusent de les financer.

> Il est peu probable qu'on puisse éviter les conséquences néfastes des défaillances du marché sans une intervention volontariste de l'État.

Un des moyens d'influencer l'allocation du crédit dans ce sens serait de promouvoir le cofinancement de certains projets d'investissements par des banques privées et publiques. La banque commerciale apporterait ses compétences spécialisées pour l'évaluation de la viabilité du projet du point de vue du secteur privé tandis que l'établissement financier public porterait une appréciation du point de vue du développement global du pays et, par sa participation, réduirait le risque de la banque commerciale. Cette formule a été expérimentée dans plusieurs pays développés durant l'après-guerre, dans certains pays d'industrialisation récente d'Asie de l'Est et au Brésil dans le cadre des activités de la BNDES. Elle peut aussi servir à amplifier le financement public grâce au financement privé et réduire le risque de favoritisme de la part des établissements financiers tant publics que privés concernés.

Le débat sur le rôle des banques publiques et des banques de développement a souvent été axé sur l'argument selon lequel le fait que ces banques appartiennent à l'État et l'existence de banques nationales de développement risquent de favoriser la corruption et le clientélisme, plutôt que sur le bien-fondé économique de ces institutions. Il est clair que ces banques ne peuvent jouer leur rôle que si elles sont assujetties à des règles de transparence et de gouvernance rigoureuses. D'autre part, l'expérience de la libéralisation et de la privatisation du secteur financier montre que la privatisation à elle seule ne garantit pas une meilleure gouvernance. Les banques commerciales ne sont pas une garantie contre la corruption et le favoritisme, en particulier lorsqu'elles sont liées à des conglomérats qui sont leurs principaux créanciers.

Il est indispensable de bien réglementer et contrôler le secteur financier et en particulier l'endettement en devises étrangères pour préserver la solidité des établissements financiers. Des normes rigoureuses de transparence et des règles claires et cohérentes pour l'emprunt en devises contribueraient à éviter l'accumulation de positions de change spéculatives également dans les bilans des entreprises non financières.

Les structures de gouvernance des établissements financiers publics doivent être conçues de manière que l'ensemble de l'économie (et sur un horizon plus lointain que celui généralement retenu par le secteur privé pour la maximisation des profits) bénéficie des avantages directs et indirects de leurs activités. En outre, il faut que ces avantages compensent le manque d'efficience qui pourrait être lié à la nature politique de ces établissements. Il est peu probable qu'on puisse éviter les conséquences néfastes des défaillances du marché et de la segmentation du système financier sans une intervention volontariste de l'État. C'est par une telle stratégie, et non en ignorant les défaillances et la segmentation persistantes du marché financier, qu'on pourra mettre en place de nouveaux circuits pour le financement d'activités (telles que l'industrie manufacturière, l'agriculture et les infrastructures) et d'acteurs (tels que les petites entreprises innovantes) économiquement et socialement importants qui, sans cela, tendent à être marginalisés.

Notes

1 Le niveau des bénéfices est aussi influencé par la politique de taux de change (UNCTAD, 2007). Le gain de compétitivité internationale résultant d'un taux de change réel approprié peut aider les entreprises à accroître leur rentabilité en gagnant des parts de marché et/ou en accroissant leurs marges, ce qui accroît leur capacité d'autofinancer de nouveaux investissements.

2 Ces auteurs emploient les données provenant des enquêtes sur les ménages et non celles de la comptabilité nationale que nous avons employées pour la figure 4.1.

3 Certains auteurs ont insisté sur ces différences en proposant de faire une distinction entre les économies dans lesquelles les banques créatrices de monnaies jouent un rôle essentiel (économies financées par le découvert) et celles dans lesquelles c'est le marché des capitaux qui joue le rôle le plus important (économies financées par le marché des capitaux) (Hicks, 1974). Ces dernières années, l'évolution de l'activité bancaire a eu tendance à effacer la distinction entre le financement direct et le financement indirect (IMF, 2006). Outre leur rôle traditionnel de courtier en obligations et actions, de nombreuses banques ont titrisé une partie de leurs créances (c'est-à-dire émis des titres pour refinancer des crédits bancaires) dans le but de partager le risque avec d'autres agents. Toutefois, il ne faut pas en conclure hâtivement que les différences fondamentales entre les mécanismes financiers ont disparu, d'autant que la crise résultant de l'octroi de prêts hypothécaires à des ménages insolvables aux États-Unis a montré que la titrisation n'élimine pas le risque de crédit pour les banques et que la gestion de ce risque doit rester une de leurs tâches fondamentales.

4 La description de la création de crédit *ex nihilo* qui suit est inspirée en partie de Dullien, 2008.

5 Une grande partie de la littérature consacrée au rôle des banques d'État (par exemple La Porta, Lopez-de-Silanes et Shleifer, 2002) est axée sur leur rôle dans la croissance et le développement du marché financier. Levy Yeyati, Micco et Panizza (2007) montrent que l'idée que le fait qu'une banque appartienne à l'État a des effets négatifs sur le développement économique et la croissance est beaucoup moins fondée qu'on ne le pense généralement et les arguments avancés pour établir l'existence d'un lien de causalité négatif entre le fait que les banques appartiennent à l'État et la croissance se fondent sur le postulat irréaliste qu'il n'y a pas de corrélation entre la présence de banques à capitaux publics et le niveau de développement financier. En outre, ces auteurs montrent que, dans les pays en développement, les banques à capitaux publics réduisent l'effet procyclique de la distribution du crédit.

6 À cet égard, on peut comparer les résultats financiers d'une banque de développement à ceux d'un fonds de capital-risque. Ainsi, Gompers et Lerner (2001) rappellent que les résultats financiers des investissements faits par le premier véritable fonds de capital-risque, American Research et Development (ARD), créé en 1946, ont été très variables. Durant les vingt-six années que cette entreprise a existé en tant qu'entité indépendante, près de la moitié de ses bénéfices ont été le fruit d'un seul de ses investissements. Ces auteurs soulignent aussi que le rendement annuel moyen des fonds de capital-risque des États-Unis a été très variable entre le milieu des années 70 et la fin des années 90 et a été quasi nul dans la deuxième moitié des années 80.

7 Voir le site de la BNDES: http://www.bndes.gov.br.

8 En 1996, le Gouvernement a adopté la loi sur la banque centrale, qui a réorganisé la structure administrative de la banque centrale et de ses branches provinciales dans le but d'affaiblir l'influence des gouvernements des provinces sur les bureaux provinciaux de la banque centrale et donc sur les banques commerciales locales. Parallèlement, les quatre grandes banques d'État ont centralisé à Beijing leurs processus de prise de décisions sur l'octroi des crédits et ont adopté un système de suivi informatisé pour empêcher les gouvernements des provinces et les municipalités d'exercer une influence indue sur ces décisions. En outre, le Gouvernement a créé des sociétés de gestion d'actifs à capitaux publics chargées de reprendre et de liquider les créances improductives et a injecté des réserves de change dans deux des quatre grandes banques d'État pour renforcer leurs bilans (Yu, 2008).

9 D'après Mohanty et Turner (2008: 45), la part des créances improductives dans le total des créances et tombée de 22,4 % en 2000 à 10,5 % en 2005.

10 Par exemple, à sa réunion de Potsdam en 2007, le G-8 a formulé un plan d'action pour la promotion du marché obligataire local dans les pays en transition ou en développement (pour une analyse des questions que pose le marché obligataire du point de vue des pouvoirs publics dans les pays en développement, voir Turner, 2003).

11 Le Théorème de Modigliani-Miller (1958) soutient que les différentes formes de financement de l'investissement sont des substituts parfaits. Selon ce théorème, la structure financière et la politique financière ne sont pas pertinentes pour l'investissement réel car elles n'ont pas d'effet notable sur la valeur d'une entreprise ni sur le coût ou la disponibilité des capitaux. Pour que ce théorème soit valable, il faut que le marché financier soit parfait (c'est-à-dire concurrentiel, sans friction et complet), de manière que les caractéristiques du risque associé à chaque type de titres émis par une entreprise puissent être compensées par l'achat d'un autre titre ou par un portefeuille existant, ou par une stratégie de placement dynamique (Myers, 2001:84). Toutefois, des travaux ultérieurs, passés en revue par Myers (2001), ont montré que la structure du financement de l'investissement est importante pour les entreprises ayant des caractéristiques financières différentes et certains coûts spécifiques (tels que les impôts), ainsi que lorsqu'il y a une imperfection et une asymétrie de l'information entre d'une part les gérants d'entreprises et entrepreneurs (initiés) et d'autre part les investisseurs de différente nature (non initiés).

12 Cette hypothèse s'oppose au modèle de l'arbitrage statique. Selon ce dernier, les entreprises cherchent à préserver une certaine structure de leur capital, qui est déterminée en égalisant l'avantage marginal résultant de l'impôt économisé par l'augmentation de la dette et le coût de la détresse financière qui menace l'entreprise si elle s'est surendettée (Kim, Jarrell et Bradley, 1984). Il a été difficile de vérifier ces deux hypothèses par des analyses empiriques, mais Shyam-Sunder et Myers (1999) montrent que l'hypothèse de

l'arbitrage statique ne peut pas expliquer la corrélation généralement observée entre une forte rentabilité et un faible ratio d'endettement (pour une analyse des données d'observation, voir aussi Hogan et Hutson, 2005).

[13] Ce problème de l'asymétrie de l'information entre le gérant d'une entreprise et tout bailleur de fonds externe au sujet de la valeur des actifs de l'entreprise et de la rentabilité probable des investissements envisagés est similaire au problème des «canards boîteux» analysé par Akerlof (1970).

[14] Rajan et Zingales (1998) montrent que le ratio d'endettement varie selon la branche d'activité et que par exemple les entreprises pétrolières et chimiques recourent davantage à l'endettement externe que les entreprises pharmaceutiques.

[15] En outre, la crainte d'être victime d'une OPA peut inciter les dirigeants à embellir leurs résultats à court terme par des astuces financières plutôt qu'à miser sur le long terme en faisant des efforts pour améliorer leurs produits et leur productivité.

[16] En outre, les banques ont tendance à privilégier les projets à court terme, de manière à maximiser le rendement de leur portefeuille de crédit avec des activités qui rapportent assez rapidement, ce qui risque de freiner l'apprentissage de l'entreprise.

[17] Une politique de restrictions à l'entrée (c'est-à-dire un monopole de durée limitée pour la banque qui investit dans le potentiel d'une entreprise) fonctionne de la même manière qu'un droit de brevet pour la banque, en lui donnant un droit indirect sur l'objet de la découverte (c'est-à-dire le talent de l'entrepreneur). Toutefois, en raison du risque moral, il se peut que la banque fixe un taux d'intérêt trop élevé. Un mécanisme de contrôle du taux de rémunération des dépôts peut remédier à ce problème, mais il ne résout pas celui de la recherche d'une rentabilité à court terme. Une solution plus réaliste, qui aurait en outre l'avantage d'être assez facile à appliquer, consisterait à offrir aux banques une garantie de l'État pour les crédits accordés à des entreprises nouvelles ou innovantes.

[18] On considère en outre souvent que les créanciers informels sont mieux placés que les banques pour contrôler l'investissement et faire respecter les engagements (Ayyagari, Demirgüç-Kunt et Maksimovic, 2008).

[19] L'existence d'un marché d'obligations d'entreprise en monnaie nationale faciliterait aussi le financement externe de l'investissement. Toutefois, la plupart des pays en développement n'ont pas de tels marchés.

[20] Le rôle du capital-risque a beaucoup augmenté durant les années 70 et au début des années 80. Cette évolution a été liée à la révolution des TIC et au fait que cette dernière a été faite en grande partie à des petites entreprises privées (Gompers et Lerner, 2001).

[21] Hogan et Hutson (2005) fournissent des éléments en faveur de cette hypothèse sur la base de l'analyse d'entreprises établies en Irlande et mentionnent des observations allant dans le même sens faites dans d'autres pays développés tels que la Finlande, le Royaume-Uni et les États-Unis. Selon eux, les fonds de capital-risque semblent mieux placés que les banques pour résoudre le problème de l'asymétrie de l'information, mais la principale raison pour laquelle les entrepreneurs innovants préfèrent le capital-risque à l'endettement est qu'ils sont disposés à renoncer à une partie de leur indépendance et de leur pouvoir de contrôle en échange du financement nécessaire pour réaliser leurs projets.

[22] On trouvera dans Mani et Bartzokas (2004) une analyse du rôle et des perspectives de capital-risque dans les pays en développement d'Asie.

[23] Les banques nationales de développement ne sont qu'un exemple du large éventail institutionnel que représentent les banques de développement en général. Certaines d'entre elles opèrent au niveau mondial, comme la Banque islamique de développement, et plusieurs opèrent au niveau régional (Banque asiatique de développement, Banque africaine de développement ou Banque interaméricaine de développement). Parmi les banques nationales de développement, certaines opèrent au niveau national mais d'autres sont focalisées sur une partie du pays ou certains secteurs de l'économie.

[24] Les systèmes de microcrédit ont connu une croissance remarquable ces deux dernières décennies, mais il est peu probable qu'ils jouent un rôle majeur dans le financement de l'investissement réel. En général les microcrédits sont des prêts de faible montant employés surtout pour financer le fonds de roulement ou l'achat de biens d'équipement relativement simples pour des activités de service (Kota, 2007).

[25] Voir à ce sujet le *Rapport sur le commerce et le développement 1991*, deuxième partie, chap. III, et Williamson et Mahar, 1998.

[26] Argentine, Chili et Uruguay.

[27] En Amérique latine, les réformes les plus radicales des retraites ont été menées au Chili (1981), en Bolivie (1997), au Mexique (1997), en El Salvador (1998) et en République dominicaine (2003). D'autres pays de la région, notamment l'Argentine, la Colombie, le Costa Rica, l'Équateur, le Nicaragua, le Pérou et l'Uruguay, ont aussi introduit des caisses de pension privées par capitalisation, mais sans éliminer totalement le régime de retraite public.

[28] Pour un compte rendu plus détaillé des réformes financières dans le cadre plus général de la politique industrielle, voir Chang, 2006.

[29] En Arabie saoudite, les autorités ont encouragé les résidents à acquérir des actions des grandes banques à capitaux étrangers déjà établies et ont autorisé d'autres banques étrangères à prendre des participations dans des banques à capitaux locaux. La République arabe syrienne a ouvert son système bancaire en 2002, en autorisant la création de banques à participation étrangère plafonnée à 49 %. À Bahreïn, l'existence d'un grand nombre de banques est due au succès du centre bancaire offshore créé dans les années 70, mais cela ne signifie pas que le marché bancaire national soit ouvert à la concurrence: les banques qui opèrent depuis la zone offshore ne sont en principe pas autorisées à avoir des activités sur le marché national, sur lequel seules six d'entre elles ont été agréées (Corm, 2008).

[30] Les actifs conformes à la charia représentent plus de 25 % du total des actifs financiers en République islamique d'Iran, au Koweït, au Liban, en Malaisie, au Pakistan, en Arabie saoudite et au Soudan.

[31] Les types d'accords les plus courants sont l'Ijara, le Murabaha, le Mudarabah et le Musharaka. L'Ijara est un crédit-bail: le prêteur achète l'équipement et le loue à l'emprunteur; le Murabaha est un achat-vente: le prêteur achète un bien et le revend avec bénéfice à l'emprunteur; le Mudarabah est un accord de partage des bénéfices entre la banque et l'entrepreneur selon un ratio prédéterminé; le Musharaka est une sorte de coentreprise entre le créancier et l'emprunteur, qui se partagent les bénéfices et les pertes.

[32] Cela était contraire à l'esprit du régime de convertibilité et à la charte de la banque centrale, mais face aux retraits massifs des dépôts bancaires le Gouvernement a modifié la loi par un simple décret.

[33] L'État a appuyé le système bancaire moyen de deux institutions, la Korea Asset Management Corporation, qui était chargée de racheter les créances improductives, et la Korea Deposit Insurance Corporation (KDIC), chargée de rembourser les dépôts et de recapitaliser les établissements bancaires.

[34] En décembre 1996, 91 sociétés financières et sociétés de bourse géraient 21 % de l'actif du système financier; quatre ans plus tard, il ne restait que 21 de ces sociétés et elles ne contrôlaient plus que 3 % de l'actif total.

[35] En janvier 1998, le Gouvernement a créé un organisme appelé Indonesian Bank Restructuring Agency (IBRA), chargé de restructurer le système bancaire par liquidations, rachats, fusions ou recapitalisations. Le nombre de banques est tombé de 238 en octobre 1997 à 151 en décembre 2000 (Bank of Indonesia, 2000). L'État a créé deux nouvelles banques dans cette période: la Bank Mandiri, résultat de la fusion de quatre banques insolvables, et la Bank Ekspor Indonesia. Plusieurs autres banques ont dû être recapitalisées. En principe, l'augmentation de capital devait être partiellement souscrite par les actionnaires, mais en fait la recapitalisation des banques a été entièrement assumée par l'État étant donné que, vu la situation, on ne pouvait pas s'attendre à ce que les investisseurs privés injectent des fonds supplémentaires (Pangestu, 2003).

[36] Les «quatre grandes» banques ont reçu 270 milliards de yuan en 1998 et 60 milliards de dollars en 2004-2005. En outre, elles ont pu céder aux sociétés de gestion d'actifs pour 1 400 milliards de yuan (170 millions de dollars) de créances improductives en 1999 et à nouveau pour 780 milliards de yuan (95 milliards de dollars) en 2004-2005.

[37] Ainsi, entre 1996 et 2006, le nombre de banques est tombé de 229 à 170 en Ukraine et de 101 à 33 au Kazakhstan.

[38] Elle était de 46 % en Arménie, 53 % dans l'ex-République yougoslave de Macédoine, 72 % au Kirghizistan, 79 % en Serbie, 87 % en Géorgie, 91 % en Croatie, 92 % au Monténégro et 94 % en Bosnie-Herzégovine (EBRD, 2007).

[39] Bénin (1988-1990), Cameroun (1987-1993), Côte d'Ivoire (1988-1991), Ghana (1982-1989), Guinée (1985 et 1993-1994), Kenya (1985-1989 et 1993-1995), Nigéria (1991-1995), Ouganda (années 90), République-Unie de Tanzanie (1987-1990) et Sénégal (1988-1991).

[40] D'après Daumont, Le Gall et Leroux (2004: 42), les principales causes des crises bancaires en Afrique subsaharienne paraissent avoir été les interventions du Gouvernement, les carences du contrôle et de la réglementation bancaires et les déficiences de gestion des banques; en d'autres termes, il n'y aurait pas eu trop mais au contraire pas assez de libéralisation et de déréglementation.

[41] Le crédit bancaire au secteur privé était en moyenne beaucoup plus élevé dans les pays des Caraïbes qu'en Amérique centrale et en Amérique du Sud, dépassant les 50 % du PIB sur la période 2004-2007. Cela peut s'expliquer par le fait que les pays de cette région sont relativement ouverts au commerce international des biens et des services, en particulier le tourisme, et que les services bancaires sont assez développés dans ceux qui sont des centres financiers offshore.

[42] En Argentine, en 2002, le peso a été dévalué après avoir été maintenu à une parité fixe pendant dix ans et l'actif et le passif des banques ont été convertis en pesos, mais à des taux de change différents (un peso par dollar pour les créances et 1,4 peso par dollar pour les dépôts). La différence a été compensée par des obligations d'État distribuées aux banques.

[43] D'après Honohan et Beck (2007), sur la période 2000-2004, les filiales de banques étrangères en Afrique étaient plus rentables non seulement que leurs filiales dans d'autres régions, mais aussi que les banques à capitaux nationaux.

[44] Argentine, Bolivie, Chili, Colombie, Costa Rica, El Salvador, Mexique, Pérou, République dominicaine et Uruguay.

[45] Le passage d'un système à l'autre implique que les cotisations de retraite sont versées à de nouveaux fonds de pension, tandis que l'État continue de verser les retraites actuelles et celles qui seront encore dues jusqu'à l'expiration totale du régime de répartition.

[46] Si l'on exclut le Chili de ce groupe, le pourcentage monte à 57 %. Comme le Chili est le premier pays à avoir réformé son régime de retraite (1980), ses fonds de pension privés sont ceux qui ont accumulé le plus d'actifs financiers d'Amérique latine: 111 milliards de dollars, soit 64 % du PIB. En outre, ce sont aussi ceux qui détiennent le moins d'obligations d'État en proportion de leur actif total (8 %). Cette proportion était beaucoup plus élevée dans les premières années qui ont suivi la réforme (plus de 40 %), à l'époque où le coût budgétaire de la transition était le plus lourd.

[47] L'importance des emprunts en devises des entreprises a été une des principales causes des difficultés financières de nombreux pays d'Asie de l'Est en 1997 et 1998 (voir *Rapport sur le commerce et le développement 1998*, chap. III, et *Rapport sur le commerce et le développement 2004*, chap. IV).

[48] Les données proviennent de la série *World Bank Enterprise Survey* (WBES). Pour ce qui est du financement de l'investissement, l'enquête demande aux entreprises d'indiquer la contribution de différentes sources au financement de leurs nouveaux investissements (achats de terrain, construction, machines et équipements). L'information demandée concerne la proportion du financement total et non les actifs et la dette. Le tableau ne reprend que les résultats les plus récents lorsqu'on dispose de plusieurs enquêtes pour un pays donné sur la période 2002-2006. L'enquête 2006 ne permet pas de distinguer le financement par des banques à capitaux étrangers, le crédit-bail et le financement par carte de crédit; toutefois, si on en juge d'après les résultats des années antérieures, ces sources de financement sont en général secondaires dans les pays en développement ou en transition. Les résultats des enquêtes 2007 n'ont pas été pris en considération parce qu'ils ne figurent pas dans la base de données normalisée de la WBES.

[49] Voir *China Statistical Yearbook*, tableau 6.4 (http://www.stats.gov.cn/tjsj/ndsj/2007/indexeh.htm. Comme nous l'avons indiqué, la catégorie «autres» inclut aussi le crédit bail, le crédit bancaire fourni par des banques étrangères et les cartes de crédit mais, comme dans les autres pays en développement, ces formes de financement sont mineures en Chine.

[50] Vu la solidité de son bilan, la BNDES n'a pas été concernée par le programme d'incitation à la réduction de la participation de l'État dans les activités bancaires (PROES) lancée par le Gouvernement brésilien en 1995 (Levy Yeyati, Micco et Panizza, 2007: 217-218).

[51] La BNDES finance l'essentiel de ses activités par le rendement de ses investissements antérieurs, le Fonds d'aide aux travailleurs (Fundo de Amparo ao Trabalhador) étant une autre source de financement importante. Les données présentées ici viennent du site de la BNDES (http://www.bndes.gov.br.).

Bibliographie

Aglietta M and Orlean A (1982). *La violence de la Monnaie*. Paris, Presses Universitaires de France.

AIOS (Asociación Internacional de Organismos de Supervisión de Fondos de Pensiones) (2007). *Boletín Estadístico* No. 18, December. Available at: www.aiosfp.org.

Akerlof GA (1970). The market for "lemons": Quality uncertainty and the market mechanism. *Quarterly Journal of* Economics. 84(3): 488–500, August.

Allen F, Qian J and Qian M (2005). Law, finance, and economic growth in China. Journal of Financial Economics, 77(1): 57-116.

Allen F, Qian J and Qian M (2008). China's financial system: Past, present and future. In: Rawski T and Brandt L, eds. China's Great Economic Transformation. Cambridge, Cambridge University Press.

Amsden AH (2001). The Rise of the Rest: Challenges to the West from Late-Industrializing Economies. Oxford and New York, Oxford University Press.

Amsden A and Euh Y-D (1990). Republic of Korea's financial reform: What are the Lessons? UNCTAD Discussion Paper No. 30. Geneva, UNCTAD, April.

Aslund A (1996). Russian banking: Crisis or rent-seeking? *Post-Soviet Geography and Economics*, 37(8): 495–502.

Ayyagari M, Demirgüç-Kunt A and Maksimovic V (2008). Formal versus informal finance: Evidence from China. Working Paper No. 4465, Washington, DC, World Bank, January.

Banco de México (2007). Historia sintética de la banca en México, October. Available at: www.banxico.gob.mx/sistemafinanciero/index.html.

Bank of Indonesia (2000). Quarterly Banking Report, Quarter IV. Jakarta.

Bank of Korea (2007). Financial system in Korea, December. Available at: www.bok.or.kr/contents_admin/info_admin/eng/home/public/public06/info/330.pdf.

Barnett S and Brooks R (2006). What's driving investment in China? Working Paper No. 06/265, International Monetary Fund, Washington, DC, November.

Batunanggar S (2002). Indonesia's banking crisis resolution: Lessons and the way forward. Paper presented at the Banking Crisis Resolution Conference (CCBS), London, 9 December.

BDDK (Banking Regulation and Supervision Agency of Turkey) (2001). Towards a sound Turkish banking sector. Ankara, 15 May.

Bonin J and Wachtel P (2002). Financial sector development in transition economies: Lessons from the first decade. BOFIT Discussion Paper No. 9, Bank of Finland, Institute for Economies in Transition, Helsinki.

Bonin J and Wachtel P (2004). Dealing with financial fragility in transition economies. BOFIT Discussion Paper No. 22, Bank of Finland, Institute for Economies in Transition, Helsinki.

Brownbridge M and Harvey C (1998). Banking in Africa: The Impact of Financial Sector Reform Since Independence. Oxford, James Currey Ltd.

Calcagno A (1997). Convertibility and the banking system in Argentina, CEPAL Review 61, April 1997.

Chamon M and Prasad E (2007). Why are saving rates of urban households in China rising? Discussion Paper No. 3191, Institute for the Study of Labor (IZA), Bonn.

Chang H-J (2006). The East Asian Development Experience. The Miracle, the Crisis and the Future. London, New York and Penang, Zed Books and Third World Network.

Chen JJ (2004). Determinants of capital structure of Chinese listed companies. Journal of Business Research, 57(12): 1341–1351.

Corm G (2008). Financial systems in the MENA region. Background paper prepared for the Trade and Development Report 2008. Geneva, UNCTAD.

Daumont R, Le Gall F and Leroux F (2004). Banking in Sub-Saharan Africa: What Went Wrong? IMF Working Paper WP/04/55, Washington DC, International Monetary Fund.

Dullien S (2008). Central banking, financial institutions and credit creation in developing countries. Background paper prepared for the Trade and Development Report, 2008. Geneva, UNCTAD.

EBRD (2007). Transition Report. London, European Bank for Reconstruction and Development.

EBRD (various years). Structural change indicators. Available at: www.ebrd.com/country/sector/econo/stats/sci.xls.

ECLAC (Economic Commission for Latin America and the Caribbean) (1994). El Crecimiento Económico y su Difusión Social: el Caso de Chile de 1987 a 1992. LC/R.1483, Santiago, Chile, December.

Eichengreen B, Borensztein E and Panizza U (2006). A tale of two markets: Bond development in East Asia and Latin America. HKIMR Occasional Paper No. 3, Hong Kong Institute for Monetary Research, Hong Kong, October.

Emran MS and Stiglitz JE (2007). Financial liberalization, financial restraint and entrepreneurial development. Available at: http://www.cid.harvard.edu/neudc07/docs/neudc07_s5_p02_emran.pdf.

EURASFI (Europe-Asie Finance) (2006). La Chine: Un Colosse Financier? Le Système Financier Chinois à l'Aube du XXIE Siècle. Paris, Vuibert.

Fazzari S, Hubbard G and Petersen BC (1988). Financing constraints and corporate investment. Brookings Papers on Economic Activity (1): 141–205.

Freitas MCP (2007). Transformações institucionais do sistema bancario brasileiro. Relatório do Projeto de Pesquisa: O Brasil na era da globalisação: condicionantes domésticos e internacionais ao desenvolvimento. Campinas: Cecon/IE/Unicamp e Rio de Janeiro: BNDES. Mimeo.

Gompers P and J Lerner (2001). The venture capital revolution. Journal of Economic Perspectives, 15(2): 145–168.

Hall BH (2002). The financing of research and development. NBER Working Paper No. 8773. Cambridge, MA, National Bureau of Economic Research.

He X and Cao Y (2007). Understanding high saving rate in China. China and World Economy, 15(1): 1–13.

Hicks J (1974). The Crisis in Keynesian Economics. Oxford, Basil Blackwell.

Hoffmaister AW, Roldós JE and Wickham P (1997).

Macroeconomic Fluctuations in sub-Saharan Africa. IMF Working Paper WP/97/82, Washington DC, International Monetary Fund.

Hogan T and Hutson E (2005). Capital structure in new technology-based firms: Evidence from the Irish software sector. Global Finance Journal, 15(3): 369–387.

Honohan P and Beck T (2007). Making finance work in Africa. Washington, DC, World Bank.

IMF (various years). Financial System Stability Assessment (various country reports).

IMF (2005). Global Financial Stability Report. Washington, DC, IMF, September.

IMF (2006). Global Financial Stability Report. Washington, DC, IMF, September.

Khan H (2004). Global Markets and Financial Crises in Asia: Towards a Theory for the 21st Century. New York, Palgrave Macmillan.

Kim EH, Jarrell GA and Bradley M (1984). On the existence of an optimal capital structure: Theory and evidence. Journal of Finance, 39(3): 857–878.

Kota I (2007). Microfinance: banking for the poor. Finance and Development, 44(2): 44–45.

Kregel J and Burlamaqui L (2006). Finance, competition, instability and development. Working Papers in Technology Governance and Economic Dynamics No. 4. Tallinn, Tallinn University of Technology.

La Porta R, Lopez-de-Silanes F and Shleifer A (2002). Government ownership of banks. Journal of Finance, 57(1): 265–301.

Lerner J (1995). Venture capitalists and the oversight of private firms. Journal of Finance, 50(1): 301–318.

Levy Yeyati E, Micco A and Panizza U (2007). A reappraisal of state-owned banks. Economia, 7(2): 209–247.

Mani S and Bartzokas A (2004). Institutional support for investment in new technologies: the role of venture capital institutions in developing countries. In: Bartzokas A, ed. Financial System, Corporate *Investment in Innovation, and* Venture *Capital*. Cheltenham, Edward Elgar.

McKinnon R (1973). Money and Capital in Economic Development. Washington, DC, Brookings Institution.

Minsky HP (1982). The financial-instability hypothesis: capitalist processes and the behavior of the economy. In: Kindelberger CP and Laffargue JP, eds. Financial Crises. Cambridge and New York, Cambridge University Press: 13–39.

Modigliani F and Miller M (1958). The cost of capital, corporation finance and investment. American Economic Review, 48(3): 261–297.

Mohanty MS and Turner P (2008). Monetary policy transmission in emerging market economies: What is new? BIS Papers No 35. Basle, Bank for International Settlements.

Myers SC (2001). Capital structure. Journal of Economic Perspectives, 15(2): 81–102.

Myers SC and Majluf N (1984). Corporate financing and investment decisions when firms have information that investors do not have. Journal of Financial Economics, 13(2): 187–221.

Ocampo JA and Vos R (2008). Policy space and the changing paradigm in conducting macroeconomic policies in developing countries. In: New financing trends in Latin America: a bumpy road towards stability, BIS Papers No 36, Bank for International Settlements, Basel, February.

Pangestu M (2003). The Indonesian bank crisis and restructuring: Lessons and implications for other developing countries. G-24 Discussion Paper No 23. New York and Geneva, UNCTAD, November.

Quintyn M (2008). Building supervisory structures for Africa: An analytical framework to guide the process. Paper prepared for the joint IMF/Africa Institute High-Level Seminar on African Finance in the 21st Century, held in Tunis, Tunisia, 4–5 March.

Quispe-Agnoli M and Vilán D (2008). Financing trends in Latin America. In: New financing trends in Latin America: a bumpy road towards stability, BIS Papers No. 36, Bank for International Settlements, Basel, February.

Rajan R and Zingales L (1998). Financial dependence and growth. American Economic Review, 88(3): 559–586.

Ratha D, Sutle P and Mohapatra S (2003). Corporate financing patterns and performance in emerging markets. In: Litan R, Pomerleano M and Sundararajan V, eds. The Future of Domestic Capital Markets in Developing Countries. Washington, DC, Brookings Institution.

Sáinz P and Calcagno A (1999). La economía brasileña ante el Plan Real y la crisis. Serie temas de coyuntura 4, ECLAC, Santiago, Chile, July.

Senbet L (2008). African stock markets. Paper prepared for the joint IMF/Africa Institute High-Level Seminar on African Finance in the 21st Century, held in Tunis, Tunisia, 4–5 March 2008.

Shaw E (1973). Financial Deepening in Economic Development. New York, Oxford University Press.

Shyam-Sunder L and Myers SC (1999). Testing static tradeoff against pecking order models of capital structure. Journal of Financial Economics, 51(2): 219–244.

Singh A (1997) Savings, investment and the corporation in the East Asian miracle. Journal of Development Studies, 34(6): 112–137.

Stiglitz J (1994). The role of the state in financial markets. In: Proceedings of the World Bank, Annual Conference on Development Economics. Washington, DC, World Bank, March.

Turner P (2003). Bond markets in emerging economies: an overview of policy issues. In: Litan RE, Pomerleano M and Sundararajan V, eds. The Future of Domestic Capital Markets in Developing Countries. Washington, DC, Brookings Institution Press.

UNCTAD (various issues). Trade and Development Report. United Nations publications, New York and Geneva.

UNCTAD (2007). Global and regional approaches to trade and finance. Document UNCTAD/GDS/2007/1. New York and Geneva, United Nations.

Williamson J and Mahar M (1998). A survey of financial liberalisation. Essays in International Finance (211). Princeton, NJ, Princeton University, Department of Economics.

World Bank (1989). World Development Report 1989. Washington, DC, Oxford University Press.

World Bank (1994). Averting the Old Age Crisis. New York, Oxford University Press.

World Bank (2007). *Global Development Finance: The Globalization of Corporate Finance in Developing* Countries. Washington, DC, World Bank.

Yu Y (2008). China's development finance. Background paper prepared for the Trade and Development Report 2008. Geneva, UNCTAD.

Chapitre V

L'AIDE INTERNATIONALE POUR LA RÉALISATION DES OMD ET LA CROISSANCE

A. Introduction

L'aide publique au développement (APD) joue un rôle central dans les relations économiques entre pays développés et pays en développement dans le cadre du point 8 des objectifs du Millénaire pour le développement (OMD), qui appelle à un partenariat mondial pour le développement. Afin d'aider les pays en développement à atteindre ces objectifs, tous les États qui ont souscrit au Consensus de Monterrey (United Nations, 2002) ont reconnu la nécessité de faire des efforts concrets pour réaliser les objectifs chiffrés en matière d'APD qui sont inscrits depuis longtemps au programme de la coopération internationale. De plus, en 2005, la plupart des donateurs membres du CAD se sont donné des objectifs ambitieux d'accroissement de leur APD. Néanmoins, malgré une hausse sensible des décaissements, en 2007 la plupart des donateurs étaient encore très loin d'atteindre ces objectifs (OCDE, 2008)[1].

Malgré une hausse sensible des décaissements, en 2007 la plupart des donateurs étaient encore très loin d'atteindre leurs objectifs chiffrés en matière d'APD.

Depuis les années 80, les donateurs bilatéraux et multilatéraux ont assorti leurs accords d'aide internationale de conditions de plus en plus rigoureuses en matière de politiques publiques, dans le but d'accroître son efficacité. La nature, l'origine, le but et les circuits de distribution de l'aide sont des questions d'une importance essentielle dans le cadre du débat plus général sur l'efficacité de l'aide. Les orientations à long terme qui ont guidé les flux d'APD au cours de la dernière décennie étaient fondées sur la conviction que, à long terme, l'amélioration des institutions entraînerait une accélération de la croissance. C'est pourquoi la question de l'efficacité de l'aide est aussi de plus en plus associée à celle de l'amélioration des institutions et des politiques. Et, alors que la corrélation est loin d'être établie, l'aide est souvent subordonnée à des conditions de gouvernance.

Les critères employés pour mesurer l'efficacité de l'aide ne sont pas toujours très clairs. Il ne fait pas de doute que la ventilation sectorielle de l'APD (et ses liens avec l'activité productive) influence l'impact de tel ou tel programme d'aide sur la croissance. Du point de vue de la plupart des donateurs, les considérations politiques qui motivent l'aide sont tout aussi importantes que les mesures nécessaires pour garantir sa transparence et son bon emploi. En revanche, du point de vue d'un pays en développement pauvre, l'harmonisation, la simplification et la prévisibilité des flux d'aide sont tout aussi importantes que le degré auquel celle-ci donne aux États les moyens de jouer le rôle qui doit être le leur dans le développement. Dans le cadre des OMD, l'efficacité est évaluée par rapport au niveau et à la qualité de l'aide nécessaires pour que les bénéficiaires puissent atteindre les buts fixés d'ici à 2015.

Le Consensus de Monterrey reconnaît en outre que de nouvelles sources d'aide au développement pourraient être utiles et a souligné la nécessité de doter de moyens suffisants les institutions internationales de financement. Dans le présent chapitre, nous examinerons les facteurs qui ont influé sur l'APD depuis le début du nouveau millénaire et évaluerons leurs effets mesurables ou possibles sur les indicateurs clefs du développement, et en particulier ceux associés aux OMD. Nous verrons que, en dépit des efforts faits par les donateurs pour accroître leur APD conformément aux engagements anciens et nouveaux, il reste un écart considérable entre le montant effectif de l'APD et celui jugé nécessaire pour financer les mesures qui permettraient d'atteindre les OMD. Il se pourrait que la conception de l'APD dans les prochaines années soit trop étroitement guidée par la volonté d'améliorer les indicateurs qui servent à mesurer le degré de réalisation des OMD. En outre, il ne faut pas négliger l'APD visant à développer les capacités de production, à créer des emplois, à accroître la valeur ajoutée intérieure et à faciliter la transformation structurelle, car faute d'investissements suffisants dans ces domaines il est peu probable que la réduction de la pauvreté et l'amélioration des autres indicateurs du développement social et humain soient durables.

B. La justification de l'APD

Les arguments économiques en faveur d'une aide aux pays pauvres se fondent encore pour la plupart sur les modèles de la croissance et du déficit d'épargne des années 50 et 60[2]. L'aide est censée amorcer un processus autonome de formation de capital qui, à terme, accroîtra les recettes budgétaires, les recettes d'exportation et le revenu par habitant. Au bout d'un certain temps, la croissance et le développement devraient être autofinancés, rendant ainsi superflue l'aide extérieure (UNCTAD, 2000 et 2006).

Selon l'orthodoxie, la justification fondamentale du transfert de ressources financières des pays industriels riches en capitaux vers les pays en développement pauvres en capitaux est que des ressources additionnelles sont nécessaires pour créer ou moderniser les capacités de production dans le cadre du processus de croissance et de transformation structurelle. Cette argumentation a souvent été formalisée au moyen d'un modèle de la croissance dans lequel c'est le financement extérieur qui comble l'écart chronique entre l'épargne intérieure et le montant total des investissements nécessaires pour obtenir un taux de croissance plus élevé sans risquer le surendettement (Rosenstein-Rodan, 1961).

> L'aide extérieure peut amorcer un processus autonome de formation de capital.

D'un autre point de vue, on peut considérer que la croissance et la transformation structurelle d'un pays pauvre sont limitées par le fait que les importations essentielles pour ce processus dépassent la capacité d'exportation du pays. En conséquence, il y a pénurie de devises, pénurie égale au déficit d'épargne dans la mesure où elle correspond au déficit des opérations courantes. Toutefois, la théorie de la pénurie de devises a aussi un aspect structurel dans la mesure où le déficit des opérations courantes résulte de la nécessité d'importer des biens d'équipement et des intrants intermédiaires qui ne peuvent pas être produits dans le pays mais qui sont nécessaires pour renforcer le secteur productif et diversifier l'économie des pays pauvres, lesquels n'ont en général pas accès aux capitaux privés extérieurs ou n'y ont qu'un accès très limité.

Le fait que globalement, depuis le début du siècle, les pays en développement ont enregistré des sorties nettes de capitaux peut donner l'impression que certains d'entre eux n'ont plus besoin d'un financement extérieur du développement puisqu'ils peuvent obtenir un développement socioéconomique stable par une croissance tirée par l'exportation et une gestion macro-économique axée sur le maintien de l'équilibre ou d'un excédent des opérations courantes sans sacrifier la croissance (voir chapitre III ci-dessus). Toutefois, il ne faut pas oublier que le solde des opérations courantes de l'ensemble des pays en développement est très influencé par les excédents de certains des plus grands d'entre eux, tandis que la plupart ont toujours un déficit structurel dû au manque de diversification de leurs exportations et à la nécessité d'importer en quantités considérables les biens

Tableau 5.1

VARIATION DU SOLDE DES OPÉRATIONS COURANTES ENTRE 1992–1996 ET 2002–2006

(*Nombre de pays*)

	Pays développés	Pays en développement		Pays en transition
		Ensemble	dont: PMA	
Amélioration du solde des opérations courantes				
Total	12	55	11	5
Accroissement de l'excédent	7	14	2	1
Réduction du déficit	0	16	4	3
Passage d'un déficit à un excédent	5	25	5	1
Détérioration du solde des opérations courantes				
Total	23	48	20	5
Accroissement du déficit	18	41	18	5
Réduction de l'excédent	0	1	0	0
Passage d'un excédent à un déficit	5	6	2	0

***Source*:** Calculs du secrétariat de la CNUCED, d'après la base de données *Manuel de statistique* de la CNUCED.

d'équipement et les intrants nécessaires pour diversifier leurs activités exportatrices. En fait, le déficit des opérations courantes de bon nombre de ces pays s'est dégradé et, dans certains cas, l'excédent enregistré durant la période de 1992-1996 a laissé place à un déficit dans la période de 2002–2006 (tableau 5.1). Durant cette période, globalement, sur les 113 pays en développement ou en transition pour lesquels on dispose de données fiables, le solde des opérations courantes s'est amélioré dans 60 cas et s'est détérioré dans 53 cas. Il y a eu amélioration dans la moitié des 10 pays en transition de l'échantillon et dans 44 des 72 pays qui ne sont pas considérés comme PMA (soit plus de 60 % de l'échantillon), alors que cela n'a été le cas que dans 11 des 31 PMA (35 %). Dans près de deux tiers des PMA, le solde des opérations courantes s'est détérioré en dépit d'un environnement extérieur dans l'ensemble propice au développement. Sur la période de 2002–2006, 39 pays en développement (dont six PMA) et trois pays en transition ont été exportateurs nets de capitaux.

Tableau 5.2

PART DE L'AIDE DANS LES DÉPENSES DES ADMINISTRATIONS CENTRALES, 2002–2006

(*Nombre de pays*)

	Pays en développement		Pays en transition
	Ensemble	dont: PMA	
Plus de 25 %	18	13	5
Plus de 50 %	13	11	3
Plus de 75 %	10	9	1

***Source*:** Calculs du secrétariat de la CNUCED, d'après Banque mondiale, base de données *World Development Indicators*.

***Note*:** L'échantillon se compose de 69 pays en développement (dont 17 PMA) et de 12 pays en transition.

Compte tenu de ce que nous avons vu au chapitre III au sujet de l'influence du taux de change réel sur le solde extérieur d'un pays, il peut être utile de comparer l'évolution du solde des opérations courantes de ces pays et les variations de leurs taux de change réels moyens entre 1992–1996 et 2002-2006[3]. Dans quelques-uns des pays en développement dont le solde des opérations courantes s'est détérioré, cette détérioration a été associée à une appréciation notable de la monnaie en termes réels mais, dans la majorité des cas, le solde des opérations courantes s'est détérioré malgré une baisse du taux de change réel supérieure à 10 points de pourcentage. Cela donne à penser que le taux de change réel a certes une influence importante, mais que le solde des opérations courantes de nombreux pays en développement est aussi très influencé par des variations des termes de l'échange et divers facteurs structurels qui font que leur économie répond beaucoup moins à une politique de dépréciation de la monnaie que celle de pays plus avancés. Outre ces considérations macroéconomiques, il y a un autre argument en faveur de l'APD, qui concerne les finances publiques. Dans la plupart des pays à bas revenu, la fourniture par des biens publics nécessaires pour la croissance et le développement est limitée par l'étroitesse de l'assiette fiscale et par les carences institutionnelles du recouvrement de l'impôt. Le déficit budgétaire qui en résulte est la raison pour laquelle les PMA et d'autres pays pauvres ont besoin d'une APD sous forme d'appui budgétaire. Dans 23 des 81 pays en développement ou en transition pour lesquels on dispose de données, l'APD fournie par les membres du Comité d'aide au développement de l'OCDE représentait plus de 25 % des dépenses des administrations centrales sur la période 2002–2006 et, dans 16 pays, cette proportion dépassait les 50 % (tableau 5.2). Une très grande proportion des PMA sont tributaires de l'APD pour financer le budget de l'État: l'APD représentait plus du quart des dépenses des administrations centrales dans 76 % des PMA et plus de la moitié dans 65 % d'entre eux.

Suite à l'engagement de la communauté internationale sur le projet commun de la réalisation des OMD, la justification générale de l'APD a évolué: alors qu'auparavant on considérait que la croissance économique était une condition préalable de la réalisation des objectifs sociaux, l'APD est maintenant considérée comme un moyen d'atteindre directement les objectifs sociaux, humains et environnementaux[4].

C. Évolution récente de l'APD

1. *Flux globaux d'APD*

La principale source de données sur l'APD est le Comité d'aide au développement (CAD) de l'OCDE[5]. Celui-ci considère comme APD les flux financiers provenant d'organismes officiels, y compris l'État et les collectivités locales, de ses pays membres, qui sont administrés avec pour objectif premier la promotion du développement économique et du bien-être des pays en développement[6]. L'APD peut être composée intégralement de dons, ou de crédits bonifiés comportant un élément don d'au moins 25 %[7]. Elle peut prendre la forme de contributions financières, d'un allégement de la dette ou de la fourniture de biens et de services en nature. L'évaluation des aides en nature rend plus compliqué le calcul de l'APD. En outre, certaines modalités de notification peuvent fausser la comptabilisation des flux d'aide effectivement décaissés, en particulier lorsque l'aide comprend l'annulation d'une partie de l'encours de la dette, qui ne se traduit pas par un flux de ressources financières additionnelles vers le pays bénéficiaire.

Le montant total de l'APD, tel que calculé par l'OCDE-CAD, a beaucoup augmenté par rapport à la moyenne des années 90, et en particulier depuis 2002 (graphique 5.1 et tableau 5.3). Toutefois, comme l'APD avait chuté entre 1993 et 1999, le montant moyen de l'APD par habitant, en termes réels, n'est pas beaucoup plus élevé depuis le début du millénaire que dans les années 60 et 80 (graphique 5.1), malgré le redressement enregistré depuis 2000.

Entre 2000 – année de l'adoption des OMD – et 2006, le total de l'APD en termes réels a progressé à un rythme moyen de près de 9 % par an. L'APD bilatérale a prédominé avec une progression annuelle moyenne de plus de 11 %. Cela montre que les donateurs ont cherché à honorer les engagements pris au début du nouveau millénaire. Toutefois, il reste à se demander si l'augmentation de l'APD a été à la hauteur de l'augmentation des engagements initiaux des donateurs et des ressources nécessaires pour relever le défi des OMD, sans parler des besoins additionnels liés à de nouvelles préoccupations mondiales telles que le changement climatique et la sécurité alimentaire et hydrique (dont nous traiterons à la section E ci-après).

2. *Provenance, nature et distribution de l'APD*

Comme l'essentiel de l'APD provient des donateurs membres du CAD de l'OCDE, l'analyse faite dans la suite du présent chapitre se fonde sur leurs décaissements, sauf indication contraire. Toutefois, il convient de souligner que les contributions de donateurs bilatéraux non membres du CAD ont progressé et ont été une source de financement importante pour certains bénéficiaires.

Graphique 5.1

ÉVOLUTION À LONG TERME DE L'APD, 1960-2006

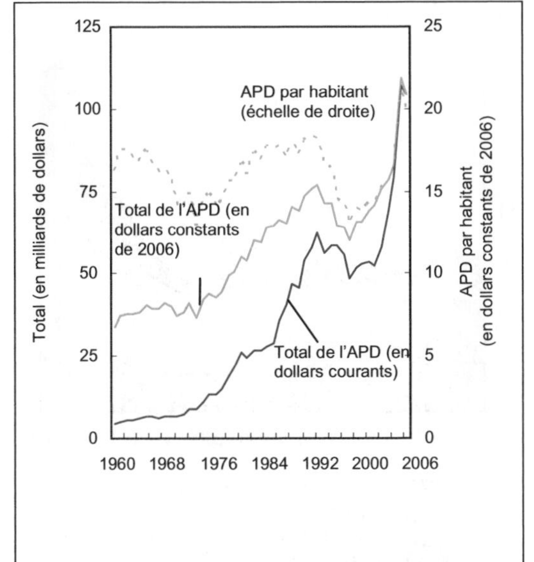

***Source*:** Calculs du secrétariat de la CNUCED, OCDE, d'après la base de données *Statistiques en ligne sur le développement international* (OCDE-SDI).

***Note*:** Les données, telles qu'elles sont communiquées par les donateurs, correspondent aux décaissements nets. Les valeurs en termes réels sont calculées au moyen du déflateur de l'OCDE/CAD.

L'APD fournie par des pays non membres du CAD a doublé entre la période 2000–2002 et la période 2004–2006, mais représentait toujours moins de 3 % de l'APD fournie par les membres du CAD (tableau 5.3). Dans les années 90, l'essentiel de l'APD autre que celle des membres du CAD provenait de donateurs d'Asie occidentale et ces donateurs sont aussi ceux dont les décaissements étaient les plus stables. Par la suite, en raison de la forte croissance du RNB de pays d'Asie de l'Est, les flux d'APD provenant de cette région ont rapidement augmenté et ils ont dépassé ceux de l'Asie occidentale en 2005[8]. Les programmes financés par des donateurs non membres du CAD sont souvent attrayants pour les pays en développement parce que, en général, ils impliquent moins de contraintes et de formalités bureaucratiques et sont assortis de conditions moins rigoureuses. D'un autre côté, les prêts officiels accordés par des non-membres du CAD sont critiqués au motif qu'ils ne sont pas assortis de conditions de faveur et que l'octroi de crédits non coordonnés peut aggraver le risque de nouvelles crises de surendettement et compromettre les progrès réalisés vers le maintien d'un niveau d'endettement supportable, en partie grâce aux résultats des initiatives bilatérales et multilatérales de désendettement.

Tableau 5.3

APD PAR CATÉGORIE, MOYENNE SUR 2000-2002 ET 2004-2006

	2000-2002	2004-2006	Pourcentage de variation entre les deux périodes
	En millions de dollars		
Total de l'APD des membres du CAD	54 823	96 984	77
Multilatérale	17 512	25 747	47
Bilatérale	37 311	71 237	91
Autres que dons	1 855	-2 146	-216
Dons	35 456	73 383	107
Aide projets et programmes	7 864	16 953	116
Coopération technique	13 940	20 559	47
Aide humanitaire (y compris aide alimentaire)	3 403	7 355	116
Désendettement	3 400	17 542	416
Autres	6 848	10 974	60
	Part dans le total de l'APD des membres du CAD (*En pourcentage*)		
Multilatérale	32	27	- 16
Bilatérale	68	73	7
Autres que dons	3	- 2	- 168
Dons	65	75	17
Aide projets et programmes	14	18	22
Coopération technique	25	21	- 16
Aide humanitaire (y compris aide alimentaire)	6	8	23
Désendettement	6	17	184
Autres	13	11	- 8
Pour mémoire:			
Total de l'APD hors CAD *(en millions de dollars)*	1 411	2 820	100

***Source*:** Calculs du secrétariat de la CNUCED, d'après OCDE-SDI.

***Note*:** Les données, telles communiquées par les donateurs en dollars courants, correspondent aux décaissements nets.

La part des dons dans le total de l'APD fournie par les pays membres du CAD n'a cessé de croître au cours des 20 dernières années, atteignant plus de 75 % de l'ensemble des flux en 2006. Les flux nets sous forme de prêts sont négatifs depuis 2003, ce qui signifie que les crédits assortis de conditions de faveur sont progressivement remboursés. L'augmentation de la part des dons dans le total de l'APD est en grande partie imputable à l'inclusion du désendettement dans les statistiques. Le désendettement est le principal facteur qui explique l'augmentation de la moyenne de l'APD entre 2000-2002 et 2004–2006. Il a représenté près de deux tiers de la forte croissance de l'APD en 2005, année durant laquelle l'ensemble de l'APD a atteint son plus haut niveau historique, et quelque 30 % du total des dons versés en 2005–2006 (graphique 5.2). D'après les statistiques de l'OCDE, l'allégement de la dette a plus que quadruplé entre 2000–2002 et 2004–2006. Il se pourrait que, dans les prochaines années, le montant total de l'APD diminue, en raison du fait que certaines opérations de désendettement exceptionnellement importantes menées dans le cadre du Club de Paris en faveur de certains pays autres que les PPTE sont terminées et que le montant des dettes annulées dans le cadre de l'Initiative PPTE va diminuer. Les autres catégories d'APD ont beaucoup moins progressé: en termes nominaux, l'APD sous forme de coopération technique a augmenté de 47 % entre 2000–2002 et 2004–2006 et l'aide projets et programmes, qui est la catégorie la plus intéressante sur le plan financier pour les pays bénéficiaires, a augmenté de 116 % (tableau 5.3).

Outre l'allégement de la dette, une des grandes causes de l'augmentation récente du total de l'APD est l'aide fournie à quelques pays en situation particulière, notamment l'Afghanistan et l'Iraq (graphique 5.3). Nul ne peut contester qu'une aide aux pays qui sortent d'une guerre, d'un conflit politique ou d'une autre crise exceptionnelle est un élément indispensable d'un véritable partenariat mondial pour le développement. Toutefois, le fait d'ajouter cette aide au montant des flux ordinaires d'APD destinés à d'autres pays en développement peut fausser le tableau. Si l'on soustrait l'augmentation temporaire due à l'allégement de la dette et aux flux d'aide additionnelle à ces deux pays déchirés par la guerre, la progression de l'APD, bien que restant considérable, est beaucoup plus modeste.

Graphique 5.2

APD PAR FORME D'AIDE, 1990-2006

(*En milliards de dollars courants*)

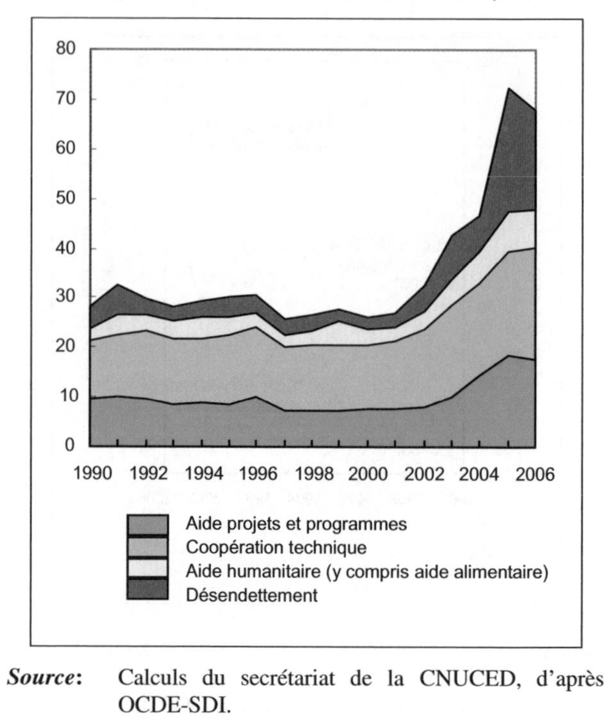

Source: Calculs du secrétariat de la CNUCED, d'après OCDE-SDI.

Note: Les données, telles que communiquées par les donateurs, sont exprimées en dollars courants et correspondent aux décaissements nets.

En dehors des pays sortant d'une crise majeure, on pourrait s'attendre à ce que les principaux destinataires de l'APD soient les pays les plus nécessiteux, c'est-à-dire ceux dont le PIB par habitant est le plus faible. En fait il n'y a pas de corrélation significative (graphique 5.4). De même, comme nous le verrons plus loin, il n'y a guère de corrélation entre certaines variables indiquant les besoins en matière d'investissement ou de dépenses sociales, d'une part, et certaines catégories d'APD, d'autre part.

Cette évolution se traduit par une modification de la composition du total de l'APD, au détriment de ce qu'on pourrait appeler l'aide au développement (c'est-à-dire l'APD affectée à l'investissement dans les infrastructures socioéconomiques et dans les secteurs productifs), dont la part est tombée de 59 % à la fin des années 90 à 51 % dans la période 2002–2006 (graphique 5.5).

3. Additionnalité du désendettement et des autres formes d'APD

Alors que l'Initiative pour le désendettement des PPTE avait été conçue étant entendu que l'allégement de la dette viendrait s'ajouter au volume total de l'APD, dans les cinq premières années qui ont suivi son lancement, le total net des transferts au titre de l'APD a fortement chuté par rapport à l'évolution antérieure. Le montant global de l'APD a commencé à augmenter à partir de 2002, avec une hausse sensible de toutes les catégories d'aide, mais cela ne prouve pas que l'allégement de la dette ait été un ajout aux autres formes d'aide.

Graphique 5.3

APD HORS ALLÉGEMENT DE LA DETTE ET AIDE À L'AFGHANISTAN ET À L'IRAQ, 2000-2006

(*Indices, 2002 = 100*)

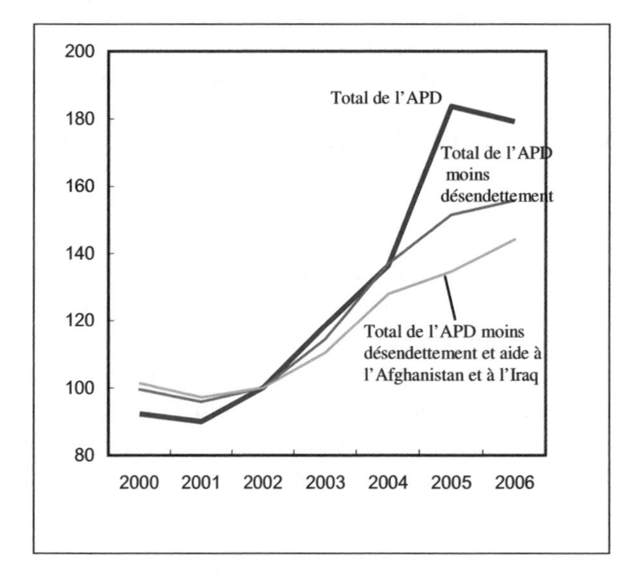

***Source*:** Calculs du secrétariat de la CNUCED, d'après OCDE-SDI.

***Note*:** Les données, telles que communiquées par les donateurs, sont exprimées en dollars courants et correspondent aux décaissements nets.

D'après Arslanalp et Henry (2006), le désendettement dans le cadre de l'Initiative PPTE n'a pas été une aide additionnelle alors que, d'après la Banque mondiale (2006), il ne l'était pas jusqu'en 1999 mais l'est devenu ensuite. Toutefois, aucune de ces études n'est fondée sur une analyse économétrique structurée de l'additionnalité du désendettement similaire à celle que nous présentons, pour la période 2000-2006, dans l'annexe du présent chapitre[9].

Graphique 5.4

PIB ET APD PAR HABITANT, MOYENNE SUR LA PÉRIODE 2004–2006

(*En dollars courants*)

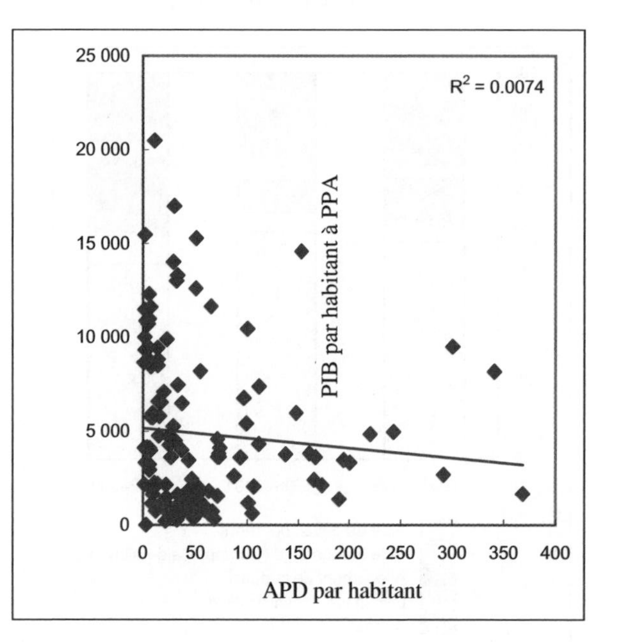

***Source*:** Calculs du secrétariat de la CNUCED, d'après OCDE-SDI; base de données de la Division de statistique de l'ONU; et FMI, base de données *World Economic Outlook.*

***Note*:** PIB calculé à parité de pouvoir d'achat (PPA).

Pour évaluer dans quelle mesure le désendettement est une aide additionnelle, il faut faire une comparaison avec un scénario de base (c'est-à-dire avec le montant de l'APD qui aurait été fourni en l'absence du désendettement). Un des moyens de construire un tel scénario est d'analyser les engagements pris par les principaux donateurs d'accroître leur APD jusqu'à un certain niveau et dans un certain délai (G-8, 2005). En 2005, l'OCDE a estimé, sur la base de ces engagements et d'autres facteurs pertinents, que l'APD provenant des membres du G-8 et des autres donateurs accordée à l'ensemble des pays en développement serait supérieure de 50 milliards de dollars en 2010 à ce qu'elle était en 2004. Si l'on traduit cette estimation en augmentations annuelles régulières, pour les comparer aux décaissements effectifs, le total de l'APD hors allégement de la dette apparaît très inférieur à ce qui aurait résulté des engagements des donateurs (graphique 5.6).

Graphique 5.5

COMPOSITION SECTORIELLE DU TOTAL DE L'APD, 1990-2006

(*Moyenne en pourcentage*)

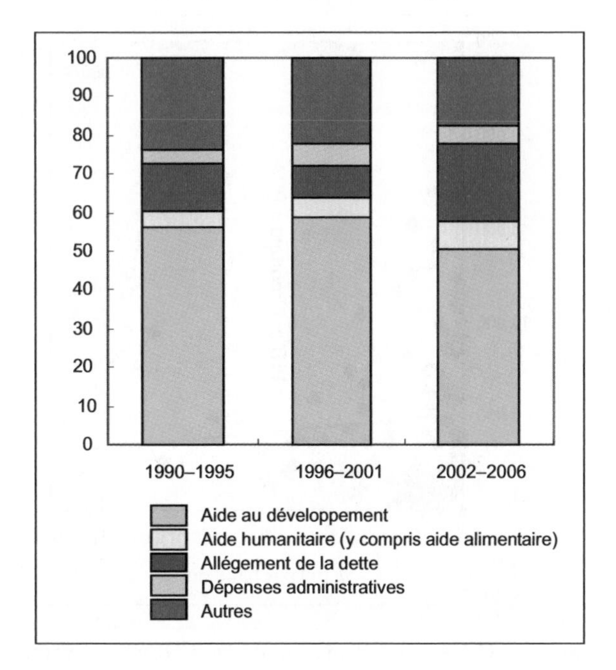

Source: Calculs du secrétariat de la CNUCED, d'après OCDE-SDI.

Note: Les données, telles que communiquées par les donateurs, sont exprimées en dollars courants et correspondent aux décaissements nets. La composante «Autres» comprend les éléments suivants: aide multisectorielle/transversale, appui aux ONG, accueil de réfugiés dans les pays donateurs, aide programme de caractère général et aide non affectée.

Graphique 5.6

APD: DÉCAISSEMENTS ET ENGAGEMENTS ESTIMATIFS, 2004-2010

(*En milliards de dollars courants*)

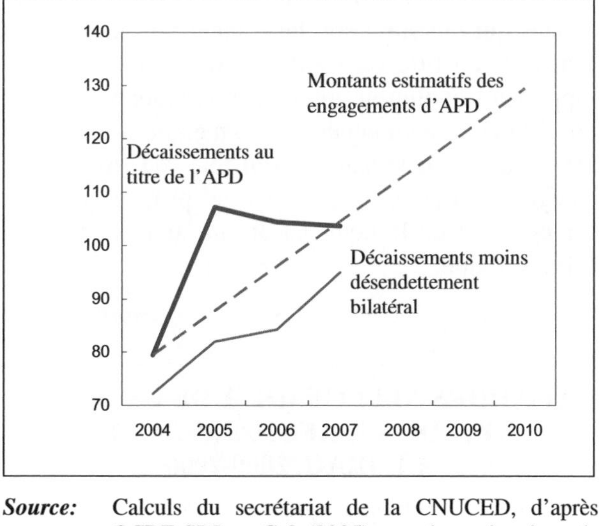

Source: Calculs du secrétariat de la CNUCED, d'après OCDE-SDI; et G-8 (2005) pour les estimations de l'OCDE et les engagements d'APD.

Note: Les données, telles que communiquées par les donateurs, correspondent aux décaissements nets.

L'analyse économétrique de l'additionnalité du désendettement faite pour le présent rapport se fonde sur une définition plus étroite de l'additionnalité, conforme au Consensus de Monterrey, dans lequel il est précisé que le désendettement doit être entièrement financé par des ressources additionnelles (par. 49) et que les donateurs doivent veiller à ce que les ressources fournies pour l'allégement de la dette ne soient pas prélevées sur les autres ressources affectées à l'APD (par. 51).

Dans le cadre de cette définition, on peut évaluer l'additionnalité du point de vue des donateurs ou de celui des destinataires. Du point de vue des donateurs, l'allégement de la dette est additionnel s'il ne réduit pas le total de l'APD (hors désendettement) accordé par chaque donateur. Du point de vue des destinataires, il est additionnel si les pays qui reçoivent davantage d'aide au titre du désendettement ne reçoivent pas moins d'APD hors désendettement. Si l'on constate que le désendettement est additionnel du point de vue de certains bénéficiaires mais ne l'est pas du point de vue des donateurs, cela signifie que, pour tout bénéficiaire du désendettement qui reçoit une APD constante ou croissante hors allégement de la dette, il y a un autre pays pauvre qui ne bénéficie pas du désendettement et qui en outre reçoit moins d'APD.

L'analyse de l'additionnalité décrite dans l'annexe du présent chapitre montre que, du point de vue des donateurs, chaque dollar supplémentaire d'allégement de la dette se traduit par une réduction de 0,22 à 0,28 dollar des autres formes d'APD. En outre, une analyse statistique portant aussi sur la période antérieure au lancement de l'Initiative PPTE montre que, si l'on regroupe les pays donateurs en trois catégories – les parcimonieux (ceux qui accordent une aide modique), les généreux (ceux qui accordent une aide très importante) et les donateurs intermédiaires (tous les autres pays) –, l'allégement de la dette a beaucoup réduit le total de l'aide hors désendettement des pays les plus généreux. D'après les régressions, pour ce groupe de pays, le désendettement n'est pas additionnel au sens employé ici. Dans le cas des pays intermédiaires, le coefficient de réduction des autres formes d'APD est d'environ 40 % et, dans le cas des pays parcimonieux, il est positif (mais pas significatif).

Du point de vue des bénéficiaires, les résultats de l'analyse statistique ne sont pas concluants. L'étude décrite en annexe montre que l'on obtient des résultats différents selon la technique statistique employée: certaines analyses donnent à penser qu'il y a eu une légère diminution des autres formes d'APD tandis que d'autres indiqueraient qu'il y a eu une augmentation. Contrairement aux résultats obtenus par la Banque mondiale (2006), selon laquelle le désendettement dans le cadre de l'Initiative PPTE est devenu additionnel ces dernières années, le test décrit dans l'annexe du présent chapitre montre que ce n'est pas le cas. Si l'on admet que l'additionnalité complète exige que l'allégement de la dette vienne s'ajouter aux autres formes d'APD tant du point de vue des donateurs que de celui des bénéficiaires, les résultats de l'analyse décrite en annexe donnent à conclure que l'allégement de la dette dans le cadre de l'Initiative PPTE n'a pas été pleinement additionnel. La motivation des initiatives de désendettement était de libérer des ressources budgétaires auparavant affectées au service de la dette, pour qu'elles puissent être consacrées à des dépenses sociales. Cela postule que la dette annulée aurait été remboursée, mais dans de nombreux cas le service de cette dette n'était pas assuré au moment où elle a été annulée (voir aussi chap. VI, sect. C). En outre, les *flux* du service de la dette qui sont censés être libérés pour pouvoir être consacrés à des dépenses sociales suite à l'Initiative PPTE sont bien inférieurs aux *stocks* de dettes comptabilisés comme APD dans le cadre de l'annulation de la dette, ce qui gonfle l'estimation de l'aide fournie. Par conséquent, les opérations de désendettement, tout en allégeant le fardeau financier futur du service de l'encours de la dette, n'ont libéré qu'un montant limité de ressources nouvelles pouvant immédiatement être affectées à des investissements ou à des dépenses sociales, ou n'en ont même pas libéré du tout. C'est pourquoi, dans les sections ci-après, nous ferons une analyse de l'APD hors allégement de la dette plutôt qu'une analyse de l'ensemble de l'APD fournie.

Le désendettement n'a libéré qu'un montant limité de ressources nouvelles, ou n'en a même pas libéré du tout.

D. Efficacité de l'APD

1. *Le débat sur l'efficacité de l'aide*

Le rôle que l'APD peut jouer à l'appui du processus de développement dépend non seulement de son niveau, mais aussi de son efficacité. Au-delà des engagements pris par les pays donateurs et bénéficiaires à l'occasion de diverses conférences internationales, la question de l'efficacité de l'aide est devenue une des priorités de la coopération internationale pour le développement, comme en témoignent la Déclaration de Paris sur l'efficacité de l'aide et le Programme d'action d'Accra (OCDE, 2005 et 2007; Accra High-Level Forum, 2008). Le débat actuel à ce sujet porte principalement sur divers aspects de l'administration de l'APD, tels que l'appropriation des projets et programmes financés, l'harmonisation de l'exécution, la responsabilisation mutuelle, l'aide non liée et les cadres d'établissement de rapports et d'évaluation (OCDE, 2007).

En ce qui concerne l'appropriation, il a été dit que, par principe, l'APD devrait appuyer les priorités du développement définies par les parties prenantes des pays bénéficiaires elles-mêmes et non celles des pays donateurs. De même, pour optimiser la coopération technique, il faut l'adapter aux besoins de renforcement des capacités déterminés par les parties prenantes locales. L'OCDE souligne en outre que les efforts faits par les pays en développement pour renforcer les stratégies et budgets nationaux de développement doivent être complétés par des efforts des pays donateurs pour améliorer l'emploi des ressources budgétaires des partenaires et pour réduire les frais de fourniture et de gestion de l'aide (OCDE, 2007: 52).

Il est dit dans la Déclaration de Paris que la stabilité des flux d'aide a une grande influence sur son efficacité. Cela signifie que les variations des décaissements nets par rapport à la tendance (qui, en vertu des engagements pris en rapport avec le Consensus de Monterrey, devrait être croissante) doivent être limitées. Cela peut aussi signifier que les flux devraient être fiables et que les décaissements ne devraient pas être de manière répétée et notable inférieurs aux engagements. Comme l'APD couvre une part non négligeable des dépenses des administrations centrales dans de nombreux pays bénéficiaires, les variations des décaissements peuvent avoir des effets immédiats sur la fourniture de biens publics essentiels par l'État. En outre, la volatilité des flux nuit à l'efficacité de la contribution de l'APD à la croissance du revenu par habitant, comme nous le verrons dans la sous-section 2 ci-après. De fait, l'aide a été assez volatile depuis le début des années 90 et son montant absolu a même parfois diminué, au milieu des années 90 et à nouveau depuis 2005 (graphique 5.7). L'incertitude de l'aide, mesurée par l'écart entre les décaissements bruts et les engagements officiels hors désendettement, a augmenté depuis 2002.

Une des grandes questions que soulève le débat sur l'efficacité de l'aide est celle des variables à employer pour la mesurer. Traditionnellement, on considérait que la croissance du revenu par habitant était un indicateur clef de progrès du développement, mais depuis la Déclaration du Millénaire, qui ne mentionne pas expressément la croissance, on privilégie les OMD. À l'évidence, selon le but, les instruments et les objectifs chiffrés intermédiaires diffèrent. Si le but est de stimuler la croissance de la production, l'augmentation des capacités de production et de la productivité doivent être des objectifs intermédiaires et le financement de projets qui contribuent directement ou indirectement à leur réalisation est un instrument indispensable. Par contre, si le but est une réduction à court terme ou directe de la pauvreté, des transferts et des investissements et une augmentation des dépenses dans les domaines de la santé et de l'éducation peuvent être des instruments additionnels ou des objectifs intermédiaires, même s'ils n'ont pas d'impact mesurable, ou seulement à très long terme, sur la croissance du revenu par habitant. C'est dans ce cadre que nous allons maintenant examiner l'efficacité de l'APD pour ce qui est de l'accélération de la croissance et de la réalisation des OMD.

Graphique 5.7

VARIABILITÉ DE L'APD BILATÉRALE, 1990–2006

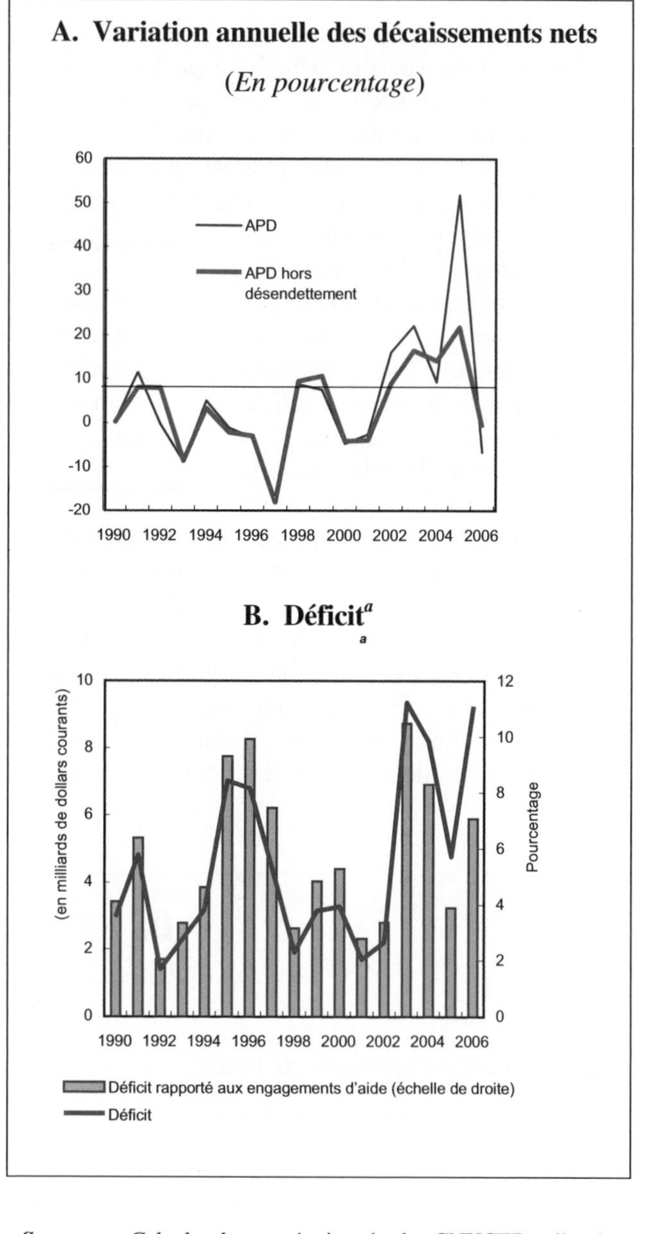

Source: Calculs du secrétariat de la CNUCED, d'après OCDE-SDI.

Note: Les données, telles que communiquées par les donateurs, sont exprimées en dollars courants.

a Engagements d'aide moins décaissements nets, hors désendettement.

2. *L'efficacité de l'APD en tant que moyen de stimuler la croissance*

Depuis la fin des années 60, il y a eu de nombreuses études empiriques détaillées sur les liens entre l'aide et la croissance, mais leurs résultats n'ont pas été concluants. On ne peut pas exclure une causalité inverse (c'est-à-dire que la croissance entraînerait une augmentation des flux d'APD) parce que certains donateurs pourraient être tentés de récompenser les progrès économiques. Toutefois, ces premières études ont montré qu'il faut décomposer les flux d'aide pour obtenir des résultats significatifs (Cassen, 1986) et des recherches récentes, fondées sur ce principe, ont montré que l'effet à court terme de l'aide sur la croissance est beaucoup plus grand que ce qui ressortait des études antérieures fondées sur l'APD globale (voir encadré 5.1 pour un aperçu de la littérature).

Approfondissant cette approche, nous avons fait une étude économétrique (décrite en détail dans l'annexe du présent chapitre) pour analyser les flux d'APD sectorielle, d'aide-programmes et d'appui budgétaire, ainsi que l'allégement de la dette, à destination de 162 pays en développement, et leur effet sur la croissance entre 1975 et 2006. Nous avons tenu compte de plusieurs autres facteurs, tels que la qualité de la gouvernance, le degré d'ouverture du pays et le niveau d'instruction de la population, dont on considère généralement qu'ils ont une influence sur l'efficacité de l'aide.

Cette analyse montre que l'APD sectorielle affectée aux infrastructures économiques apporte une nette contribution à la croissance, ce qui n'est pas le cas de celle affectée aux infrastructures et services sociaux. Ce constat est très important pour la formulation de la politique de financement de la réalisation des OMD et du développement en général. L'aide au secteur social est la bienvenue et devrait être même intensifiée dans certaines régions, mais elle devrait être fournie en plus de l'APD à l'appui de la formation de capital dans les secteurs productifs, qui est une condition préalable de l'accélération de la croissance de la valeur ajoutée et de la création d'emplois. L'analyse montre par ailleurs que l'incertitude des décaissements d'aide a un impact négatif notable sur la croissance (voir aussi Fielding et Mavrotas, 2005).

La distribution géographique est un autre aspect dont il faut tenir compte pour analyser l'efficacité de l'aide. Si l'on se fonde sur le besoin effectif d'un financement extérieur, il semble raisonnable de penser que la part de l'APD affectée à l'amélioration des infrastructures économiques et au renforcement des secteurs productifs serait destinée en priorité aux pays dont le ratio investissement/RNB par habitant est le plus bas. Dans les faits, la corrélation est très faible et la distribution effective de l'APD «économique» n'obéit pas à ce schéma (graphique 5.8).

À l'évidence, les effets de l'APD ou de certaines catégories d'APD sur la croissance du revenu par habitant examinés dans la présente sous-section devraient faciliter au moins l'amélioration des différentes variables retenues comme indicateurs du développement dans la Déclaration du Millénaire. Mais il est difficile d'imaginer en quoi la plupart de ces indicateurs, en particulier ceux qui sont liés à la réduction de la pauvreté, pourraient être améliorés à long terme sans une augmentation de l'investissement dans les capacités de production qui permette d'accroître la valeur ajoutée. Cet investissement devrait élever les revenus et stimuler la création d'emplois, ce qui améliorerait la distribution des revenus au profit de la population la plus pauvre. Toutefois, abstraction faite de l'efficacité de l'APD, ou de certaines catégories d'APD, en termes d'augmentation de l'investissement et du taux de croissance, ce sont les effets que pourrait avoir l'APD sur les indicateurs de développement social et humain qui ont surtout retenu l'attention dans le cadre des efforts faits par la communauté internationale pour aider les pays en développement à atteindre les OMD. Nous examinerons cet aspect dans la prochaine section.

3. *L'efficacité de l'APD pour ce qui est de la réalisation des OMD*

Depuis quelques années, l'APD est de plus en plus considérée comme la contribution de la communauté internationale aux efforts faits par les pays en développement pour réaliser les OMD, qui sont formulés en termes de développement social et humain; la croissance n'est pas expressément mentionnée comme but final ou objectif intermédiaire. Il y a là une rupture par rapport à la prémisse traditionnelle selon laquelle le but du financement extérieur est avant tout d'accroître l'investissement dans les secteurs productifs.

Encadré 5.1

ÉTUDES DE LA RELATION ENTRE AIDE ET CROISSANCE

L'idée que l'aide a une influence positive sur la croissance n'a pour ainsi dire jamais été contestée de manière scientifique durant les années 50 et 60. C'est Papanek (1972) qui a fait les premières régressions pour étudier la corrélation entre croissance et aide. Il a subdivisé les flux de capitaux étrangers en trois catégories (aide extérieure, investissement étranger et autres) pour pouvoir isoler l'effet de l'aide sur la croissance. Il a trouvé une corrélation positive. Chenery et Carter (1973) ont développé le modèle des années 60 fondé sur le déficit d'épargne et ont conclu que l'aide extérieure permet effectivement de combler le déficit d'épargne et le manque de devises. D'après Rosenstein-Rodan, cet afflux additionnel de capitaux étrangers stimule fortement l'économie des pays pauvres.

Cet optimisme a été remis en question au début des années 80 à la lumière d'observations empiriques. Mosley (1980) a formulé le paradoxe «micro-macro» de la relation entre aide et croissance. Ce paradoxe est que l'APD paraît avoir des effets positifs lorsqu'on examine tel ou tel projet au niveau microéconomique, mais qu'il n'y a pas de données macroéconomiques confirmant qu'elle a un impact notable sur la croissance. D'autres économistes ont cherché à expliquer cette faiblesse apparente de l'effet de l'aide extérieure sur la croissance des pays en développement et ont formulé plusieurs critiques à l'égard de l'APD: distorsion des incitations, encouragement de la corruption ou découragement de l'initiative du secteur privé, qui ont des effets négatifs sur la croissance (voir par exemple Bauer, 1982).

Jusqu'au milieu des années 90, l'idée dominante était que l'effet de l'aide extérieure sur la croissance était très décevant. Boone (1996) conclut qu'en moyenne l'aide est neutre, la pauvreté n'étant pas due à la pénurie de capital et les flux d'aide en particulier ne stimulant pas le processus de croissance. Il a constaté que les flux d'APD n'avaient pas non plus d'effet notable sur le développement humain. Ces constats ont suscité un nouveau débat sur la relation entre aide et croissance, certains auteurs soulignant l'importance de l'environnement institutionnel, et en particulier de la qualité de la gouvernance et des institutions, pour l'efficacité de l'APD (Burnside et Dollar, 2000). L'idée que la «bonne gouvernance» est essentielle pour que l'aide extérieure ait des effets positifs a vite été adoptée par les institutions internationales de financement qui en ont fait un élément central de leurs recommandations, et de nombreux autres donateurs ont suivi leur exemple pour définir leur politique d'aide. Toutefois, ces recommandations ont vite été contestées (par exemple par Easterly, Levine et Roodman, 2004). Hansen et Tarp (2000 et 2001) ont montré que l'aide extérieure peut avoir un effet positif sur la croissance même dans un environnement institutionnel médiocre. Néanmoins, la plupart des chercheurs qui sont de cet avis reconnaissent que l'aide a un rendement décroissant, ce qui peut s'expliquer par les limites des capacités d'absorption des pays bénéficiaires. D'autres continuent de douter que l'aide ait des effets positifs sur la croissance (Rajan et Subramanian, 2005 et 2007).

Plus récemment, Roodman (2008) a vérifié la robustesse des principaux résultats de la littérature empirique consacrée à l'aide extérieure. Il conteste les techniques précédemment employées et conclut qu'en moyenne les effets de l'aide sur la croissance sont trop faibles pour pouvoir être mis en évidence par des méthodes statistiques. Cela signifierait qu'il y a un manque de robustesse inhérent à toute régression aide-croissance, pour lequel il n'existe peut-être pas d'explication simple ou définitive.

D'autres chercheurs ont essayé d'établir un lien de causalité entre certaines composantes de l'aide et la croissance (Clements, Radelet et Bhavnani, 2004; Michaelowa et Weber, 2006; Dreher, Thiele et Nunnenkamp, 2007; et Mishra et Newhouse, 2007). Les résultats de cette littérature ne sont pas encore concluants, mais elle tendrait à montrer que l'aide sectorielle peut renforcer certains facteurs propices à la croissance.

Graphique 5.8

FORMATION BRUTE DE CAPITAL FIXE (FBCF) ET APD PAR HABITANT, MOYENNE SUR LA PÉRIODE 2004–2006

(En dollars courants)

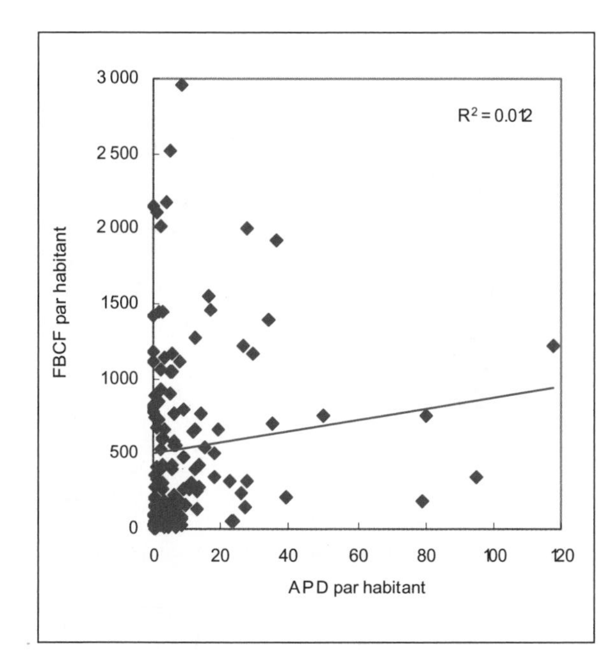

***Source*:** Calculs du secrétariat de la CNUCED, d'après OCDE-SDI; et base de données de la Division de statistique de l'ONU.

***Note*:** Les données relatives à l'APD, telles que communiquées par les donateurs, correspondent aux décaissements bruts. On entend par APD économique l'APD affectée aux infrastructures économiques et à la production telle que définie par l'OCDE-CAD.

Les données communiquées par l'OCDE-CAD sur l'APD affectée aux infrastructures et services sociaux dans les domaines de l'éducation, de la santé, de l'eau et de l'assainissement (désignée ci-après par l'expression «aide sociale») peuvent être considérées comme ce qu'il y a de plus proche des efforts visant à réaliser les OMD. L'aide sociale a progressé de 88 % entre 1996–2001 et 2002–2006 et sa part dans le total de l'aide au développement est montée de 52 à 65 %.

La part de l'aide sociale dans le total de l'aide au développement a particulièrement augmenté depuis le début des années 90, faisant un bond après l'adoption des OMD (graphique 5.9). Depuis 2001, toutes les composantes de l'aide sociale ont progressé. Cette progression a été particulièrement marquée dans le cas de l'aide aux administrations publiques et à la société civile, qui est devenue la première composante de l'aide sociale (graphique 5.10), ce qui est conforme à la concertation internationale qui a mis l'accent sur l'importance des pouvoirs publics dans le processus du développement. En valeur, c'est l'aide à l'éducation qui a le moins augmenté et la moyenne annuelle de l'APD affectée à l'eau et à l'assainissement a stagné par rapport à la deuxième moitié des années 90. Néanmoins, des éléments montrent que l'APD a contribué à améliorer le niveau d'instruction et la santé publique (Michaelowa et Weber, 2006; Dreher, Nunnenkamp et Thiele, 2007; et Mishra et Newhouse, 2007).

Graphique 5.9

COMPOSITION DE L'AIDE PUBLIQUE AU DÉVELOPPEMENT PAR GRANDES CATÉGORIES, 1990–2006

(En pourcentage)

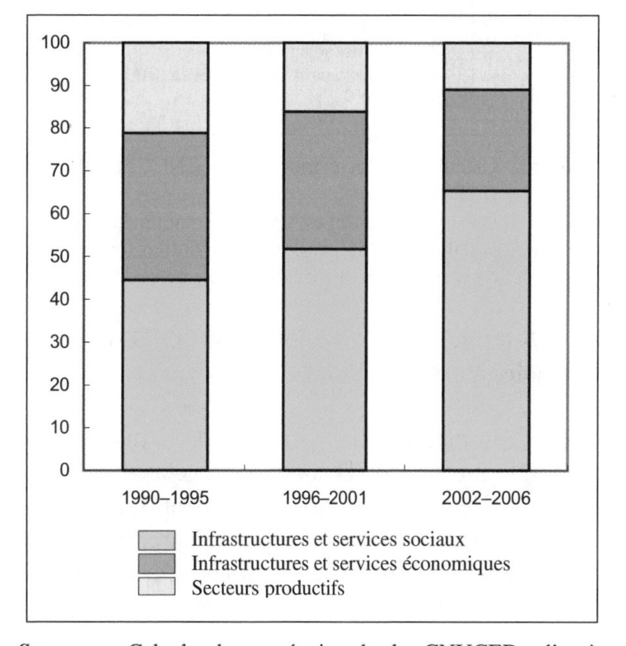

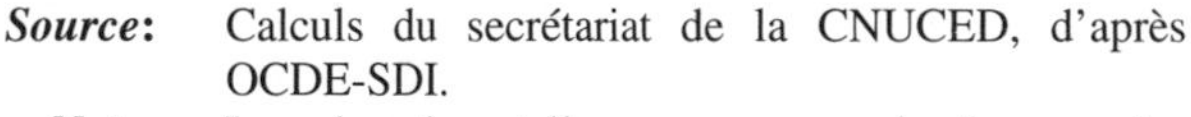

***Source*:** Calculs du secrétariat de la CNUCED, d'après OCDE-SDI.

***Note*:** Les données, telles que communiquées par les donateurs, sont exprimées en dollars courants et correspondent aux décaissements nets.

Dans son *Global Monitoring Report* de 2008, la Banque mondiale dit qu'il y a eu des progrès dans la réalisation des OMD dans toutes les régions, mais à des degrés variables. Elle souligne toutefois qu'en dépit de ces progrès, bon nombre de pays ont pris du retard par rapport au calendrier établi pour réaliser les OMD d'ici à 2015. Elle signale qu'aucun pays n'a bénéficié d'une augmentation de l'aide suffisante pour financer un programme à

Graphique 5.10

COMPOSITION DE L'APD SOCIALE PAR PRINCIPALES SOUS-CATÉGORIES, 1990–2006

(En pourcentage)

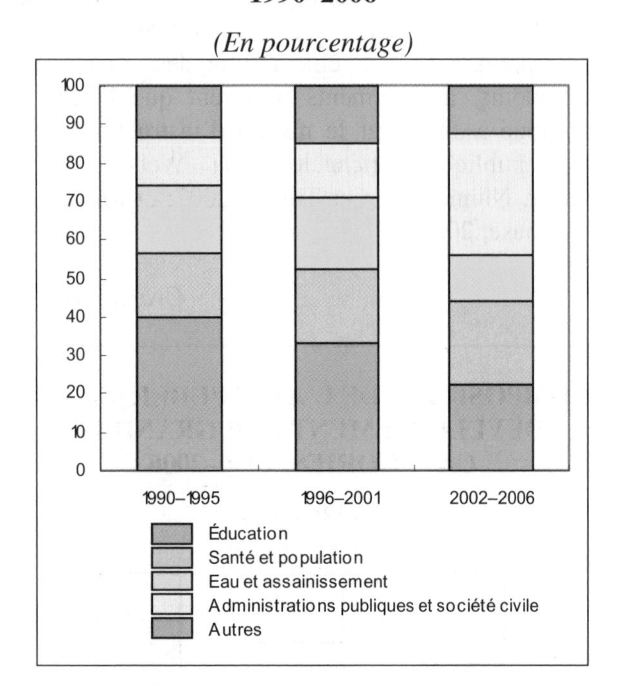

Source: Calculs du secrétariat de la CNUCED, d'après OCDE-SID.

Note: Les données, telles que communiquées par les donateurs, sont exprimées en dollars courants et correspondent aux décaissements nets.

Graphique 5.11

INDICATEURS DU DÉVELOPPEMENT HUMAIN ET APD PAR HABITANT

(En dollars courants et en indices)

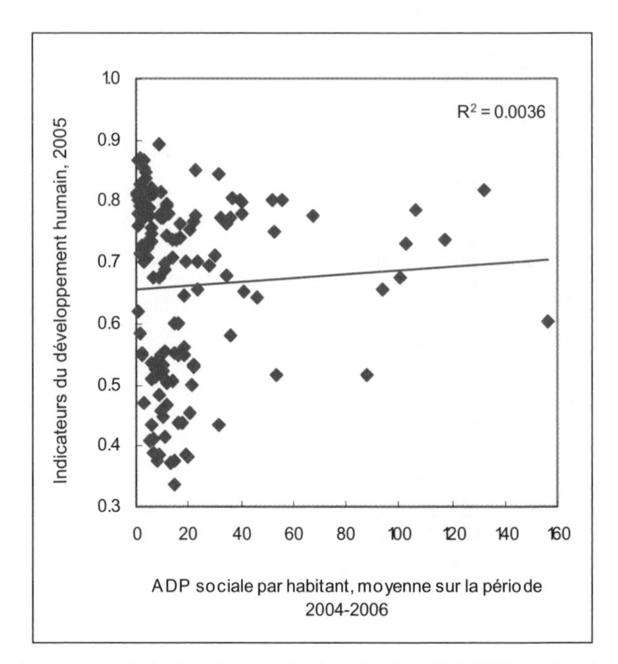

Source: Calculs du secrétariat de la CNUCED, d'après OCDE-SDI; et PNUD, *Rapport sur le développement humain*, en ligne.

Note: Les données relatives à l'APD, telles que communiquées par les donateurs, correspondent aux décaissements bruts. On entend par APD sociale le montant brut des décaissements d'APD affectée aux infrastructures et services sociaux tel que définis par l'OCDE-CAD.

moyen terme de réalisation des OMD (Banque mondiale, 2008).

La comparaison entre la distribution géographique de l'APD sociale et le classement des pays sur l'échelle du développement humain du PNUD (graphique 5.11) ne fait apparaître aucune corrélation. Bien que l'APD ait été réorientée vers la réalisation des OMD, et contrairement à ce qu'on aurait pu penser, la distribution géographique de l'APD sociale ne correspond pas aux besoins relatifs des pays tels qu'ils ressortent de leur niveau de développement humain. Cela donne à penser qu'on pourrait accroître l'efficacité de l'APD à l'appui des OMD en concentrant l'augmentation future des dons sur les pays les plus mal classés sur l'échelle du développement social et humain.

Par ailleurs, si l'APD ne contribue pas à accélérer la croissance, il est peu probable qu'elle aidera à réduire la pauvreté à long terme, au-delà de 2015. Afin d'obtenir une réduction durable de la pauvreté, il faut compléter l'augmentation de l'APDdestinée aux infrastructures et services sociaux parune augmentation de l'APD affectée aux infrastructures économiques et aux secteurs productifs. Même dans ces domaines, il paraît subsister une marge considérable d'amélioration de l'efficacité de l'aide. On pourrait par exemple compléter l'APD par une réforme financière intérieure, notamment au moyen de la création d'institutions qui alloueraient l'APD à des projets d'investissements publics et privés cofinancés par des banques nationales. Cela faciliterait l'accès des investisseurs nationaux aux financements à long terme et réduirait les risques auxquels s'exposent les banques nationales – ce qui leur permettrait aussi de réduire leurs marges – tout en contribuant à améliorer le fonctionnement du système national d'intermédiation financière.

4. L'efficacité de l'APD, conditionnalité et gouvernance

Un des moyens traditionnellement employés par les donateurs et les créanciers pour assurer l'efficacité des dons et prêts au titre de l'APD et pour préserver l'intégrité du financement consistait à imposer différents types de conditions. Ces conditions ont été en grande partie définies par les institutions internationales de financement, mais elles ont influencé les donateurs et créanciers bilatéraux. Durant les années 80 et 90, dans le cadre des programmes d'ajustement structurel, la conditionnalité est devenue beaucoup plus exigeante, comprenant des engagements de réforme des politiques macroéconomique, budgétaire et commerciale. Depuis le milieu des années 90, les conditions sont plus axées sur la conception et l'exécution des stratégies de réduction de la pauvreté et prêtent davantage d'attention aux incidences sociales des politiques de développement. Toutefois, en règle générale, les stratégies de réduction de la pauvreté sont censées être accompagnées de politiques macro-économiques et de réformes structurelles très similaires à celles prescrites dans les programmes d'ajustement structurel antérieurs (CNUCED, 2002).

La conditionnalité va au-delà de la sphère économique et porte sur des aspects plus généraux de la gouvernance et des institutions.

Il est généralement admis que les nouveaux prêts des institutions internationales de financement et l'allégement de la dette officielle doivent être subordonnés à certaines conditions. Toutefois, la nature et l'ampleur des conditions effectivement appliquées sont de plus en plus critiquées depuis quelques années, non seulement en raison de leur biais déflationniste, mais aussi à cause de la prolifération et de l'élargissement du champ d'application des conditions (Goldstein, 2000; Kapur et Webb, 2000; et Buira, 2003). Depuis quelques années, la conditionnalité va au-delà de la sphère économique et porte sur des aspects plus généraux de la gouvernance et des institutions.

Cette évolution récente est due à une théorie du développement de plus en plus influente qui souligne l'importance du rôle de la gouvernance et des institutions pour la croissance et l'efficacité de l'APD. Il est généralement admis que l'amélioration de la gouvernance et des institutions est souhaitable en soi et a souvent une corrélation avec le développement économique, mais les interprétations des données empiriques relatives à cette corrélation, y compris pour ce qui est du sens de la causalité, sont très divergentes (Khan, 2006; Mo, 2001). De plus, il n'y a pas d'accord au sujet de la définition des «bonnes» institutions et d'une «bonne» gouvernance, notamment en raison de la grande diversité des pays dans les domaines culturel, social, politique et économique et pour ce qui est de la dotation de ressources naturelles[10].

Un des principaux problèmes est l'absence de définition concrète de la notion de gouvernance, dont l'application pratique nécessite souvent une interprétation qui peut être très subjective (Kapur et Webb, 2000). En outre, une analyse détaillée des pays en développement, faisant une distinction entre différents groupes de pays et différents aspects de la gouvernance, a montré que, même si la gouvernance importe, la bonne gouvernance, si souhaitable soit-elle, peut n'être ni nécessaire ni suffisante pour accélérer et préserver le développement (Khan, 2006: vii).

Les fondements théoriques de l'allocation de l'aide en fonction de la qualité des institutions et des politiques ont été élaborés dans un essai très connu de Burnside et Dollar (2000). Toutefois, des travaux ultérieurs ont montré que si le lien entre les institutions et la croissance est incontestable à très long terme (Acemoglu, Johnson et Robinson, 2001), il n'y a pas de preuve solide que l'aide soit plus efficace là où les politiques ou institutions sont meilleures (Easterly, Levine et Roodman, 2004).

Néanmoins, l'évaluation des pays en fonction de leurs «notes» sur différents aspects de la gouvernance est devenue d'usage courant et semble avoir une influence croissante sur les décisions des donateurs en matière d'allocation de l'APD. Un des indicateurs les plus importants est celui fourni par la Country Policy and Institutional Assessment (CPIA) de la Banque mondiale, qui a une grande influence sur l'octroi de crédits multilatéraux aux pays en développement. Cette note est en outre la base du cadre d'analyse de la viabilité de la dette de la Banque mondiale et du FMI, qui joue un rôle déterminant pour le désendettement dans le cadre de l'Initiative PPTE et de l'Initiative multilatérale pour l'allégement de la dette (MDRI) (voir aussi chap. VI).

La CPIA évalue 16 variables de gouvernance regroupées dans les rubriques suivantes: gestion économique, politiques structurelles, politiques d'inclusion sociale et gestion du secteur public et des institutions, et calcule à partir de ces évaluations une note unique. À l'évidence, l'évaluation d'une politique suppose certains jugements de valeur et une préférence pour certains objectifs. Par exemple, pour ce qui est de la gestion macroéconomique, les pays reçoivent la note la plus élevée si leur politique monétaire et leur politique de taux de change ont préservé la stabilité des prix et si les dépenses publiques n'ont pas évincé l'investissement privé (Banque mondiale, 2006: 6), alors qu'on pourrait choisir d'autres critères, tels qu'un taux d'intérêt faible et stable, l'augmentation de l'investissement, l'accélération de la croissance du RNB ou les progrès de la transformation structurelle mesurés par l'expansion du secteur manufacturier. De même, la politique budgétaire est jugée optimale lorsqu'un excédent primaire a permis de préserver un taux d'endettement (dette publique/PIB) peu élevé et stable (Banque mondiale, 2006: 7), sans tenir compte de l'emploi de la politique budgétaire pour une gestion macroéconomique anticyclique ou de la fourniture de certains biens publics indispensables pour le développement des activités productives du secteur privé. Pour ce qui est de la politique commerciale, classée dans la rubrique des politiques structurelles, la meilleure note est attribuée aux pays dont la moyenne des taux de droit d'importation est inférieure à 7 % et aucun ne dépasse 15 % (Banque mondiale, 2006: 12). Ces exemples montrent qu'en matière de gestion économique et de politiques structurelles, la qualité des politiques fait l'objet d'une évaluation aussi subjective que les prescriptions intégrées dans les programmes d'ajustement structurel; pourtant, les résultats obtenus par les pays qui ont appliqué ces prescriptions par le passé ont généralement été décevants (*Rapport sur le commerce et le développement 2006*, chap. II). En outre, il semble y avoir contradiction entre l'appropriation nationale des projets et programmes financés par l'APD préconisée dans la Déclaration de Paris sur l'efficacité de l'aide d'une part et les conditions qui restreignent l'orientation de la politique économique et de la stratégie de développement d'autre part.

Il semble y avoir contradiction entre l'appropriation nationale des projets financés par l'APD préconisée et la conditionnalité.

En ce qui concerne la gestion du secteur public et les institutions, la CPIA évalue aussi les pays au moyen d'indicateurs non économiques, tels que la qualité des administrations publiques et la transparence, la responsabilisation et la corruption dans le secteur public. Cela est certes très important pour l'efficacité et la productivité des administrations publiques, mais ce sont des aspects qui ne peuvent pas être mesurés objectivement. En outre, il semble que ce n'est pas le niveau atteint ou une amélioration moyenne de la gouvernance dans ces domaines qui a une influence sur la croissance et sur l'efficacité de l'aide mais l'amélioration des capacités de gouvernance qui est indispensable pour l'accélération de la transformation économique et sociale (Khan, 2006). Il y a eu par ailleurs un débat très animé au sujet de la conception et de la fonction de la CPIA, notamment en ce qui concerne ses biais apparents et ses défauts empiriques (voir, par exemple, Alexander, 2004; van Waeyenberge, 2007; Herman 2007). En outre, il a été proposé de l'élargir par l'introduction de variables supplémentaires axées sur les résultats (Kanbur, 2007; et Buiter, 2007)[11].

Les indicateurs de bonne gouvernance sont devenus un critère d'allocation de l'aide non seulement au niveau multilatéral, mais aussi au niveau bilatéral. Par exemple, la Déclaration de Paris définit un objectif consistant à améliorer sensiblement l'indicateur de bonne gestion des finances publiques dans la moitié des pays bénéficiaires (OCDE, 2005). La promotion de la bonne gouvernance est donc devenue, ces dernières années, à la fois une condition préalable de l'aide et un objectif intermédiaire jugés nécessaires pour accroître l'efficacité de l'APD.

Le graphique 5.12 illustre la relation entre la CPIA de 75 pays et le montant net de l'APD par habitant qu'ils ont reçue entre 2004 et 2006. Il fait apparaître un léger biais en faveur des pays qui ont les notes les plus élevées (graphique 5.12A). Cela est dû à l'importance de cette note pour l'allocation de l'aide internationale au développement. Réciproquement, la distribution de l'APD liée à la gouvernance défavorise les pays qui ont une mauvaise CPIA et ont donc particulièrement besoin d'une aide pour améliorer leur gouvernance et leurs institutions (graphique 5.12B).

Graphique 5.12

CPIA ET APD PAR HABITANT

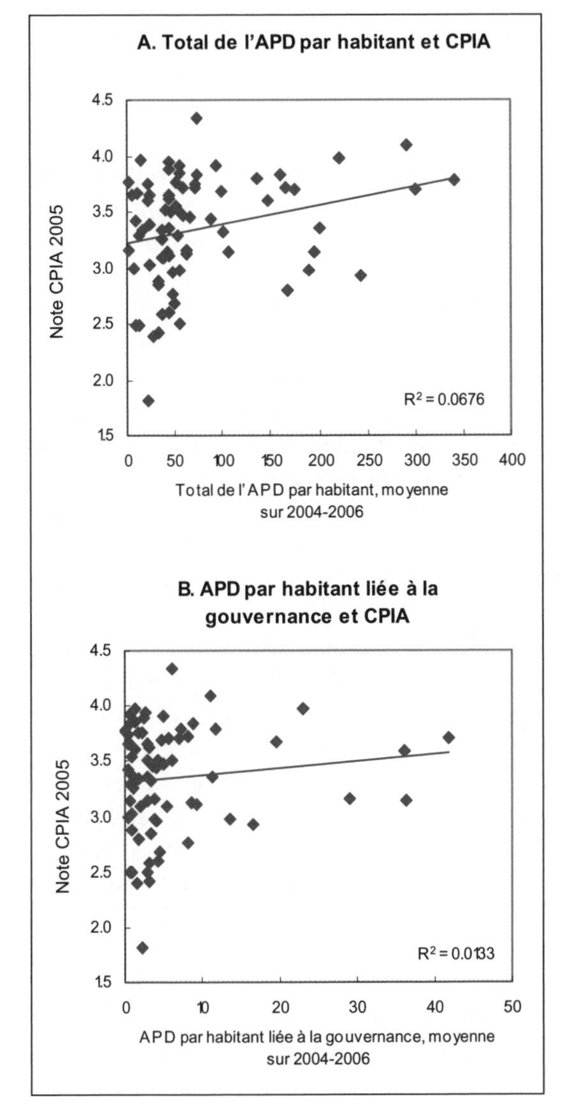

Source: Calculs du secrétariat de la CNUCED, d'après OCDE-SDI; et données CPIA de la Banque mondiale, en ligne.

Note: La note CPIA globale est comprise entre 1 et 6, la note 6 correspondant aux meilleures politiques et institutions possibles. Le montant total de l'APD, tel que communiqué par les donateurs, est exprimé en dollars courants et correspond aux décaissements nets. Le montant de l'APD liée à la gouvernance correspond aux décaissements nets affectés aux administrations publiques et à la société civile, tels que définis dans les SDI de l'OCDE.

En théorie, le fait de lier l'APD, en particulier sous forme de dons, à certaines conditions peut aider à accroître son efficacité. Toutefois, pour que les conditions soient cohérentes avec les autres facteurs qui déterminent l'efficacité de l'APD, il conviendrait de renforcer la concertation entre les donateurs et les bénéficiaires au sujet de l'opportunité de certaines conditions. Cette opportunité doit être déterminée par une évaluation, fondée sur des données d'observation, de la relation entre la réalisation de certaines conditions et les résultats obtenus en matière de développement, compte tenu des carences de la gouvernance et des institutions qui entravent la croissance dans l'environnement spécifique du pays concerné.

En outre, pour pouvoir répondre aux conditions, certains pays ont besoin de décaissements initiaux plus importants. La construction d'institutions crédibles et efficaces, par exemple, est très difficile, et de nombreux pays en développement auront besoin d'une aide pour se doter des institutions et capacités nécessaires pour lutter contre la corruption et assurer une bonne gouvernance.

E. Problèmes en suspens et nouveaux défis

1. *Le financement des OMD et au-delà*

Depuis l'adoption de la Déclaration du Millénaire, la mobilisation de financements suffisants pour permettre à tous les pays en développement d'atteindre les OMD est un thème permanent du débat international sur le développement. En 2001, le rapport du Groupe spécial de haut niveau sur le financement du développement – dit *Rapport Zedillo* (Nations Unies, 2001) – a estimé qu'il faudrait que les pays membres du CAD accroissent leurs décaissements nets d'APD de 50 milliards de dollars par an (ce qui représentait environ 54 milliards de dollars en 2000) pour financer les programmes conçus afin d'aider les pays en développement à atteindre les OMD d'ici à 2015. Les donateurs membres du CAD ont sensiblement accru leur aide au développement après l'adoption du Consensus de Monterrey, mais une grande part de l'augmentation enregistrée entre 2000 et 2007 correspondait à l'annulation de dettes. Jusqu'en 2007, le montant total des décaissements d'APD après déduction des allégements de dette est resté inférieur au niveau jugé nécessaire dans le *Rapport Zedillo*: le déficit cumulé sur cette période représente 264 milliards de dollars (graphique 5.13). En outre, seule une fraction du surcroît d'APD a été affectée à la réalisation de projets liés aux OMD.

> Jusqu'en 2007, les décaissements d'APD sont restés inférieurs au niveau jugé nécessaire pour financer la réalisation des OMD.

Les estimations de l'APD requise pour le financement de la réalisation des OMD publiées dans le rapport *Investir dans le développement*, du Projet Millénaire de l'ONU[12] (aussi appelé *Rapport Sachs*), qui donnent plus d'importance au rôle des pouvoirs publics (UN Millenium Project, 2005), sont beaucoup plus élevées. Selon ce rapport, il faudrait que l'APD augmente progressivement pour passer de 121 milliards de dollars en 2006 à 143 milliards de dollars en 2010 et à 189 milliards de dollars en 2015 (graphique 5.13). Comparés à ces montants, ceux mentionnés dans le *Rapport Zedillo* se traduiraient par un déficit cumulé de l'APD à l'appui des OMD égal à 476 milliards de dollars en 2015.

Si les décaissements d'APD, hors allégement de la dette, évoluent jusqu'en 2015 comme ils l'ont fait entre 2000 et 2007, les donateurs du CAD n'atteindront même pas leurs propres objectifs d'aide (OCDE, 2008). De plus, les estimations faites dans les deux rapports postulent que l'intégralité des montants suggérés prendra la forme de ressources financières additionnelles (et non d'un allégement de la dette) dont le gouvernement destinataire pourra pleinement disposer et qu'elles seront entièrement employées pour le financement d'activités en rapport avec les OMD, ce qui est fort improbable. Quoi qu'il en soit, en dépit des efforts manifestes accomplis par les donateurs pour accroître leur APD, il est probable que les décaissements effectifs seront inférieurs au niveau requis pour la réalisation des OMD (graphique 5.13), sans parler des objectifs d'investissement et de croissance à plus long terme et compte tenu de l'expansion démographique.

Par ailleurs, la focalisation de l'APD sur des projets susceptibles de contribuer à la réalisation des OMD d'ici à 2015 risque de faire négliger d'autres projets et programmes dont les effets sur la croissance et la réduction de la pauvreté ne se manifesteraient qu'à plus long terme. Or bon nombre de ces projets peuvent être indispensables pour préserver l'amélioration des indicateurs de développement contenus dans les OMD. Un taux de croissance plus élevé et régulier, qui exige un montant suffisant d'investissement réel, est indispensable pour la création d'emplois productifs, pour l'élévation des revenus des ménages et pour un recul durable de la pauvreté. Il faut donc veiller à ce que l'accroissement de l'APD affectée au développement social et humain ne se fasse pas au détriment du financement des infrastructures économiques et des investissements productifs[13]

Graphique 5.13

BESOINS DE FINANCEMENT POUR LA RÉALISATION DES OMD, DÉCAISSEMENTS D'APD ET MONTANT ESTIMATIF DES ENGAGEMENTS D'APD, 2000–2015

(En milliards de dollars courants)

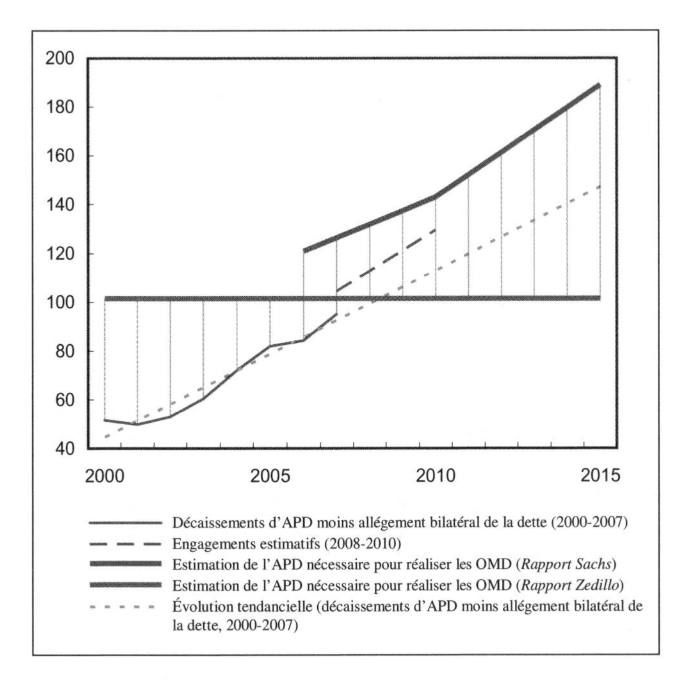

***Source*:** Calculs du secrétariat de la CNUCED, d'après OCDE-SDI; G-8 (2005); *Rapport Zedillo* (Nations Unies, 2001); et *Rapport Sachs* (UN Millenium Project, 2005).

***Note*:** Les données, telles que communiquées par les donateurs, sont exprimées en dollars courants et correspondent aux décaissements nets.

2. *Nouveaux besoins et nouveaux instruments de financement*

L'insuffisance de l'APD traditionnelle pour le financement des OMD a suscité des suggestions de mécanismes de financement «novateurs»[14]. Il s'agirait d'introduire une taxe mondiale sur des activités telles que les opérations de change ou la consommation d'hydrocarbures. Certaines des propositions ne sont pas nouvelles mais leur application soulèverait d'énormes problèmes pratiques et juridiques. Néanmoins, elles méritent un examen plus approfondi dans le cadre des organisations internationales, en raison de la nécessité d'un financement additionnel, non seulement pour la réalisation des OMD mais aussi pour la résolution de nouveaux problèmes d'intérêt mondial qui deviennent de plus en plus préoccupants depuis quelques années (voir Kaul, 2008). Ces problèmes sont notamment le changement climatique et la fourniture de biens publics mondiaux tels que la sécurité internationale, les infrastructures de transport et de communication et la lutte contre les maladies transmissibles. Toutefois, de même que de nombreux impôts nationaux ne sont pas seulement un moyen de lever des recettes mais aussi un moyen d'influencer le comportement des consommateurs et des investisseurs, des impôts mondiaux peuvent avoir des objectifs non financiers.

L'insuffisance de l'APD traditionnelle pour le financement des OMD a suscité des suggestions de mécanismes de financement «novateurs».

Par exemple, la taxe sur les opérations de change, suggérée au début des années 70 (et qui a été particulièrement étudiée dans les années 90), avait pour but initial non d'accroître le financement officiel du développement, mais de freiner les flux de capitaux spéculatifs afin de renforcer la stabilité du système monétaire et financier international après l'effondrement des arrangements de Bretton Woods[15]. Cette taxe répondrait donc à deux problèmes majeurs de la gouvernance financière internationale de manière simultanée et cohérente. Toutefois, même si elle est devenue encore plus attrayante en raison de la croissance exponentielle des opérations de change et l'instabilité des marchés financiers depuis la première proposition présentée dans les années 70, elle ne bénéficie toujours pas de l'appui politique international nécessaire.

Les préoccupations de plus en plus vives que suscitent l'environnement mondial et les effets négatifs du changement climatique ont aussi renforcé les arguments en faveur d'une taxe environnementale mondiale. L'une des propositions qui retient le plus l'attention est celle d'une taxe sur la consommation de combustibles, qui freinerait la consommation de produits émettant du dioxyde de carbone et permettrait simultanément de lever des fonds pour financer des projets en rapport avec le développement. Un des grands obstacles à l'introduction d'une telle taxe est la réticence de nombreux gouvernements à alourdir la taxation de la consommation d'essence. En outre, la législation des États-Unis interdit au gouvernement de ce pays de participer à tout système mondial de taxation et, comme les États-Unis sont le premier consommateur mondial de carburant, leur non-participation réduirait le rendement potentiel d'une telle taxe à un taux d'environ 20 %.

Le produit qu'on peut attendre de tels impôts est très différent selon les cas: une taxe de 0,01 % sur les opérations de change produirait environ 18 milliards de dollars par an, alors qu'une taxe sur l'essence à 0,01 dollar le litre pourrait produire jusqu'à 180 milliards de dollars (Reisen, 2004). Même si seuls les pays riches introduisaient une taxe sur les carburants, celle-ci pourrait rapporter environ 61 milliards de dollars, montant qui couvrirait le financement jugé nécessaire pour la réalisation des OMD. Une telle approche novatrice du financement des OMD mériterait plus d'attention politique, d'autant qu'elle pourrait aussi promouvoir l'emploi d'énergies moins polluantes. De plus, aux niveaux actuels de consommation, une taxe sur les énergies fossiles pèserait essentiellement sur les pays les plus riches, ce qui compenserait en partie le fait que les pays d'industrialisation récente ne pourront jamais émettre autant de dioxyde de carbone que n'en ont produit par le passé les pays actuellement développés.

Toutefois, en raison des obstacles administratifs et politiques que susciteraient une taxe mondiale, quelle que soit sa forme, et la concurrence entre différents objectifs de développement et biens publics mondiaux pour l'affectation de son produit, il est peu probable que la conception, l'adoption et la mise en œuvre des propositions ci-dessus puissent être négociées à temps pour contribuer à la réalisation des objectifs convenus d'ici à 2015. D'autres propositions, plus modestes, ont été examinées suite à la Conférence de Paris sur le financement innovant du développement en 2006[16]. La principale (taxe de solidarité sur les voyages aériens) est celle qui a fait le plus de progrès jusqu'à présent: 20 pays se sont engagés à l'appliquer et six le font déjà. Cela a rapporté quelque 200 millions d'euros en 2007, qui ont été affectés à la lutte contre des maladies telles que la tuberculose, le paludisme et le VIH/sida[17]. Les autres mécanismes actuellement examinés sont des engagements préalables en matière de vaccins et des partenariats privés-publics pour la microfinance. Ces propositions ont pour intérêt qu'elles mobiliseraient des fonds, notamment de sources non officielles, qui complèteraient les mécanismes de financement existants, mais elles ne semblent pas pouvoir atteindre une ampleur suffisante pour combler le déficit de financement de la réalisation des OMD, même si tous les fonds mobilisés y étaient affectés. Elles ne suffiraient certainement pas à financer l'investissement productif dont les pays les plus pauvres ont besoin pour obtenir le taux de croissance de 7 % du PIB requis pour réduire de manière significative l'écart entre leur revenu par habitant et celui de pays plus avancés.

Néanmoins, il y a là des perspectives prometteuses de mobilisation d'une aide privée supplémentaire à l'appui des pays en développement. Dans six des sept années de la période 1998–2005, les dons privés ont progressé plus rapidement que l'APD hors désendettement. D'après les données de l'OCDE-CAD, on estime que les dons privés de citoyens des pays membres du CAD aux pays en développement ont atteint 16,5 milliards de dollars en 2005, ce qui correspond à 20 % de l'APD totale hors désendettement. Ainsi, aux États-Unis, les dons privés représentaient quelque 2 % du RNB, environ 250 milliards de dollars en 2005. Toutefois, sur ce total, seuls 8,5 milliards de dollars, soit moins de 4 %, ont été versés à des pays en développement par l'intermédiaire d'ONG. Dans certains pays européens, les flux d'aide privée, en proportion du RNB, sont plus importants qu'aux États-Unis et dans d'autres ils sont moindres. Cela peut être dû en partie aux différences en matière de fiscalité des dons privés à des causes internationales[18]. L'importance croissante des flux d'aide privée soulève aussi la question de leur efficacité en termes d'allocation sectorielle, de stabilité et de prévisibilité. L'aide privée étant souvent distribuée par l'intermédiaire de «fonds verticaux» (c'est-à-dire des fonds qui financent des projets dans des domaines précis tels que l'environnement ou la santé), il sera de plus en plus nécessaire de renforcer la coordination entre elle et l'APD.

L'importance croissante des flux d'aide privée soulève aussi la question de leur efficacité en termes d'allocation sectorielle, de stabilité et de prévisibilité.

Certains pensent que l'aide officielle de donateurs non membres du CAD pourrait apporter une contribution non négligeable à la coopération pour le développement et à la mobilisation de nouveaux financements tant pour la réalisation des OMD que pour lutter contre de nouveaux problèmes de portée mondiale (Das, De Silva et Zhou, 2008). Cela concerne en particulier l'aide des pays à revenu intermédiaire d'Asie et d'Amérique latine ayant des excédents de capitaux aux pays en développement à bas revenu, tant dans leur région qu'en Afrique subsaharienne. Ces sources de financement sont parfois qualifiées de «nouvelles», mais plusieurs des pays en question, notamment parmi les producteurs de pétrole, ont commencé à agir dans le domaine de la coopération pour le développement il y a déjà une trentaine d'années et ont continué de jouer un certain rôle depuis (voir, par exemple, CNUCED, 1988).

L'APD récemment décaissée et les engagements pris par d'autres pays en développement sont particulièrement importants pour plusieurs pays d'Afrique et, comme nous l'avons vu à la section B ci-devant, leur rôle s'est nettement renforcé depuis 2003, mais l'aide publique des pays non membres du CAD ne peut apporter qu'une contribution marginale à la réduction du déficit de l'APD. Néanmoins, le fait qu'un nombre croissant de pays en développement sont devenus exportateurs nets de capitaux signifie qu'ils pourraient accorder des prêts additionnels, soit sur le plan bilatéral, soit par l'intermédiaire d'institutions régionales de financement à des pays voisins ou à d'autres pays en développement.

À mesure que de nouvelles sources et de nouveaux circuits de financement officiels du développement prennent de l'importance, on peut craindre que le système de distribution de l'aide devienne de plus en plus fragmenté et que le contrôle et la coordination, qui sont indispensables pour l'efficacité de l'aide, deviennent plus difficiles. La fourniture de données plus systématiques et plus complètes sur les prêts assortis de conditions de faveur et les dons de nouveaux donateurs du Sud aiderait certainement à accroître la cohérence de l'architecture mondiale de l'APD, et permettrait de définir de nouveaux critères et repères pour l'évaluation de l'efficacité de l'aide. Mais, de même que l'APD bilatérale a une fonction différente de celle de l'aide multilatérale et, comme cela a été démontré, que certaines composantes de l'APD sont plus efficaces que d'autres, l'aide fournie par des pays non membres du CAD ne peut que compléter, sans la remplacer, l'augmentation de l'aide des partenaires traditionnels du développement.

F. Conclusions

On considère que, pour réaliser les OMD, il faudrait affecter une part accrue de l'APD à la santé, à l'éducation et à d'autres fins sociales. Ce type d'APD est indispensable et justifié en soi. Toutefois, la pauvreté est un phénomène étroitement lié au niveau du revenu par habitant, même si ce n'est pas le seul facteur important. Si l'APD ne contribue pas à stimuler la croissance, il est peu probable qu'elle permette de réduire durablement la pauvreté au-delà de l'horizon 2015 des OMD. On ne peut pas réduire durablement la pauvreté uniquement par une redistribution des revenus. Il est donc indispensable, outre la réalisation des OMD grâce à une augmentation de l'APD affectée aux infrastructures et services sociaux, d'intensifier les efforts faits pour stimuler l'investissement dans les infrastructures économiques et dans les secteurs productifs en vue d'accroître la valeur ajoutée nationale. C'est indispensable pour élever le niveau des revenus et créer des emplois, et ainsi améliorer la distribution des revenus en faveur de la partie la plus pauvre de la population. Dans la mesure où l'investissement requis ne peut pas être financé par les ressources nationales, du fait que les importations de biens d'équipement nécessiteraient plus de devises que n'en rapportent les exportations, ou parce que le système financier national n'offre pas de financement à long terme de l'investissement à un coût raisonnable, l'APD demeure essentielle au-delà de ce qui est nécessaire pour réaliser les OMD.

Si l'APD ne contribue pas à stimuler la croissance, il est peu probable qu'elle permette de réduire durablement la pauvreté au-delà de l'horizon 2015 des OMD.

La composition de l'aide a une influence sur son efficacité globale. Toutefois, celle-ci ne peut être mesurée que par rapport à des objectifs précis. Il est donc utile de faire une distinction entre les objectifs de développement social et humain et les objectifs de croissance, avec des objectifs intermédiaires chiffrés, tels que le taux d'investissement productif. Pour réaliser les objectifs de développement social et humain, on peut accroître l'APD affectée aux infrastructures et services sociaux, tandis que pour les objectifs de croissance il faut concentrer l'aide projets sur les infrastructures économiques et les secteurs productifs. Cette forme d'aide contribuera aussi à la réalisation des objectifs de développement social et humain à moyen et à long terme.

Si l'on veut obtenir une réduction durable de la pauvreté, il faut donc éviter que l'augmentation de l'APD affectée aux infrastructures et services sociaux se fasse au détriment de l'appui aux infrastructures économiques et aux secteurs productifs même si, dans ces domaines aussi, il paraît subsister une marge considérable d'amélioration de l'efficacité de l'aide. Un des moyens envisageables consisterait à amplifier l'effet de l'APD par le financement national, notamment en créant des institutions qui affecteraient l'APD à des projets d'investissements publics et privés cofinancés par des établissements financiers nationaux. Cela pourrait faciliter l'accès des investisseurs éventuels aux financements à long terme et réduire le risque de crédit pour les banques nationales, et donc leur marge d'intérêt, tout en contribuant à la construction d'un système national d'intermédiation financière plus efficace.

L'efficacité de l'APD en termes de croissance ou de réalisation des OMD dépend aussi de sa distribution géographique. On pourrait probablement l'améliorer en tenant mieux compte de la diversité des besoins des pays et en allouant l'augmentation des dons aux pays pauvres qui ont le plus de mal à amorcer un processus auto-entretenu d'investissement et de croissance. Par le passé, la distribution géographique de l'APD était déterminée principalement par des critères autres que les besoins relatifs en termes de revenu par habitant et de niveau de développement humain, ou d'importance du déficit budgétaire ou du déficit de devises. Comme nous l'avons montré dans le présent chapitre, la volatilité et l'incertitude de l'aide peuvent être un frein à la croissance et risquent donc de compromettre les autres efforts visant à accroître son efficacité. C'est pourquoi les promesses faites par les donateurs dans le cadre du Consensus de Monterrey et de la Déclaration de Paris en vue d'améliorer la stabilité et la fiabilité de l'aide sont plus pertinentes que jamais.

Globalement, il paraît subsister un déficit de financement considérable non seulement pour les activités liées à la réalisation des OMD, mais aussi pour des investissements qui stimuleraient la croissance et la transformation structurelle au-delà de 2015, sans parler des nouveaux problèmes que pose le changement climatique pour les pays en développement. Il se peut qu'à moyen terme la conjugaison de mécanismes novateurs et la progression des flux d'aide privée apportent une contribution de plus en plus importante au financement du développement. Toutefois, le seul moyen réaliste d'atteindre les OMD d'ici à 2015 est d'accroître considérablement les flux d'APD, dans la mesure du possible au moyen de mécanismes multilatéraux, d'un montant de l'ordre de 50 à 60 milliards de dollars par an au moins.

Le seul moyen réaliste d'atteindre les OMD d'ici à 2015 est d'accroître considérablement les flux d'APD.

L'intensification des efforts visant à accroître l'efficacité de l'APD pourrait contribuer à réduire le déficit de financement, mais il faut néanmoins que les donateurs continuent d'accroître leurs contributions. Il faut qu'ils atteignent l'objectif consistant à fournir à l'ensemble des pays en développement une APD équivalant à 0,7 % de leur RNB et au groupe des PMA une APD équivalant à 0,15–0,20 % de leur RNB, conformément aux promesses réitérées dans le Consensus de Monterrey. En outre, il serait bon que la communauté internationale mobilise la solidarité et la volonté politique nécessaires pour exploiter des sources de financement nouvelles et novatrices afin de promouvoir la réforme de la gouvernance économique internationale et de faciliter la réponse aux problèmes environnementaux planétaires. En même temps, les pays en développement doivent redoubler d'efforts pour financer leurs investissements par des ressources nationales.

L'annulation de dettes a joué un rôle important dans l'APD suite à l'Initiative PPTE, en particulier depuis 2003. Toutefois, il n'est pas clairement établi que le désendettement s'est ajouté aux autres formes d'aide, comme le préconise le Consensus de Monterrey. Cette «additionnalité» est indispensable, car même si la réduction de l'encours de la dette peut alléger le service de la dette à l'avenir, dans l'immédiat elle n'a qu'un effet très limité sur la capacité d'augmentation des dépenses publiques, alors qu'elle est intégralement comptabilisée comme APD sur la période correspondante. L'additionnalité améliorerait non seulement les chances des pays bénéficiaires d'atteindre leurs objectifs de croissance et leurs objectifs sociaux, y compris les OMD, mais aussi la possibilité pour ces pays de ramener leur endettement à un niveau supportable, aspect que nous examinerons plus en détail dans le prochain chapitre.

Notes

[1] Par exemple, pour ce qui est des membres du G-8, l'UE s'était engagée à presque doubler le montant de son APD entre 2004 et 2010, l'Allemagne et l'Italie à porter le ratio APD/RNB à 0,51 % en 2010 et à 0,7 % en 2015 et la France à le porter à 0,5 % en 2007 et à 0,7 % en 2012, tandis que le Royaume-Uni a annoncé son intention d'atteindre la barre des 0,7 % avant 2013. Le Canada s'était engagé à doubler son aide internationale entre 2001 et 2010 et le Japon à l'accroître de 10 milliards de dollars jusqu'en 2010. Des engagements spécifiques ont été pris en ce qui concerne l'augmentation de l'aide à l'Afrique subsaharienne, notamment par les États-Unis, qui se proposaient de doubler leur aide à cette région entre 2004 et 2010 (G-8, 2005).

[2] Voir Bacha, 1990.

[3] Malheureusement, on ne dispose pas de données sur le taux de change réels pour tous les pays en développement ou en transition pour lesquels nous avons examiné les variations du solde des opérations courantes entre 1992–1996 et 2002–2006. Quoi qu'il en soit, sur les 47 pays dont le solde des opérations courantes s'est détérioré, le taux de change réel n'a augmenté de plus de 10 points de pourcentage que dans huit pays. Dans 15 de ces pays, le solde des opérations courantes s'est détérioré malgré une baisse du taux de change réel dépassant les 10 points de pourcentage. Dans les autres 24 pays, la variation du taux de change réel a été inférieure à 10 points de pourcentage. En ce qui concerne les PMA pour lesquels on dispose des données nécessaires, le solde des opérations courantes s'est détérioré dans 11 cas sur 19 en dépit d'une baisse du taux de change réel.

[4] Les OMD consistent à: i) éliminer la pauvreté extrême et la faim; ii) réaliser l'éducation primaire universelle; iii) promouvoir l'égalité des sexes et l'autonomie de la femme; iv) réduire la mortalité infantile; v) améliorer la santé maternelle; vi) combattre le VIH/sida, le paludisme et d'autres maladies; et vii) assurer la viabilité environnementale, la réalisation de tous ces objectifs devant être mesurée au moyen de différents indicateurs.

[5] Tous les chiffres donnés dans le présent chapitre concernent l'APD fournie par les membres du CAD, sauf indication contraire. Le CAD compte 22 membres: Allemagne, Australie, Autriche, Belgique, Canada, Danemark, Espagne, États-Unis, Finlande, France, Grèce, Irlande, Italie, Japon, Luxembourg, Norvège, Nouvelle-Zélande, Pays-Bas, Portugal, Royaume-Uni, Suède et Suisse.

[6] Voir Directives pour l'établissement des rapports statistiques au CAD, DCD/DAC (2007) 34, avril 2007: 12, par. 35.

[7] Si l'élément don est supérieur à 25 %, cette proportion étant calculée avec un taux d'actualisation de 10 %, l'intégralité du montant du prêt est comptabilisée comme APD. Dans le cadre de cette définition large, l'APD peut prendre diverses formes: aide en nature, services fournis, conseils techniques et formation, aide alimentaire d'urgence, aide humanitaire, prise en charge d'étudiants à l'étranger ou contribution à des agences multilatérales de développement.

[8] Sur la période 1996–2005, les 10 premiers créanciers autres que les membres du CAD étaient, par ordre d'importance du total de leurs crédits assortis de conditions de faveur, les pays suivants: Koweït, Chine, Fédération de Russie, Arabie saoudite, Émirats arabes unis, République de Corée, Turquie, République bolivarienne du Venezuela, Inde et Pologne.

[9] Les analyses antérieures concernant la période comprise entre les années 70 et 2001 ne sont pas concluantes (voir, par exemple, Ndikumana, 2004; Birdsall, Classens and Diwan, 2002; Powell, 2003; et Hepp, 2005).

[10] Il y a tout un éventail de points de vue sur la gouvernance, allant d'une approche instrumentale, qui évalue les administrations publiques par rapport à leur efficacité pour ce qui est d'atteindre des objectifs d'intérêt général, à une approche normative, qui évalue non seulement les résultats, mais aussi les moyens. Cette dernière approche – qui transparaît notamment dans les indicateurs de gouvernance de la Banque mondiale – réduit souvent la bonne gouvernance à un processus décisionnel démocratique et à des objectifs économiques libéraux.

[11] Les principaux partisans des indicateurs de gouvernance dans le monde – sur lesquels est fondé le cadre général employé par la Banque mondiale pour mesurer la qualité de la gouvernance et des institutions dans les différents pays – ont répondu à certaines critiques en disant qu'elles sont incorrectes sur le plan conceptuel ou ne sont pas étayées par des observations (Kaufmann et Kraay, 2008).

[12] Le Projet Millénaire de l'ONU a été créé en 2002 en tant qu'organe consultatif indépendant chargé de définir des stratégies pour atteindre les OMD, en particulier dans les pays jugés les plus en retard. Le *Rapport Sachs* fait une synthèse des analyses élaborées par les 10 équipes spéciales créées dans ce cadre.

[13] C'est sur la base de ce raisonnement que le troisième Programme d'action en faveur des PMA pour la décennie 2001–2010 met l'accent sur plusieurs objectifs liés aux infrastructures ainsi que sur des objectifs économiques concrets, tels qu'un taux de croissance de 7 % par an et un taux d'investissement égal à 25 % du PIB.

[14] L'Institut mondial de recherche sur les aspects économiques du développement de l'Université des Nations Unies (UNU/WIDER) a fait une évaluation détaillée de ces mécanismes de financement novateurs en coopération avec le Département des affaires économiques et sociales de l'Organisation des Nations Unies (voir http://www.wider.unu.edu/research/projects-by-theme/development-and-finance/en_GB/innovative-sources-for-development-finance/; and Atkinson, 2004).

[15] Cette proposition a été étudiée par la CNUCED en 1996, lorsqu'elle a fait observer qu'une telle taxation, qui a aussi suscité l'intérêt comme source potentielle de recettes destinées à diverses fins qui feraient l'objet d'un accord au niveau international, soulève plusieurs problèmes délicats, mais pas forcément insurmontables. Il faudrait décider où la taxe serait imposée, quel serait son taux et à quels instruments elle s'appliquerait (*TDR 1996*: 174-175).

[16] Après cette réunion ministérielle a été créé le Groupe pilote sur les contributions de solidarité en faveur du développement, chargé de mettre au point des mécanismes pour financer des projets liés aux OMD.

[17] Renseignements obtenus directement du secrétariat du Groupe pilote.

[18] Contrairement à la plupart des autres pays de l'UE, les deux pays dans lesquels le ratio dons privés/RNB est le plus élevé (Irlande et Pays-Bas), autorisent la déduction fiscale des dons à des organismes caritatifs transfrontières.

Bibliographie

Accra High-Level Forum (2008). Accra Agenda for Action. Available at: http://www.accrahlf.net/.

Acemoglu D, Johnson S and Robinson J (2001). The colonial origins of comparative development: an empirical investigation. American Economic Review, 91: 1369–1401.

Alexander N (2004). The World Bank as "Judge and Jury": The Country Policy and Institutional Assessment (CPIA) rating system and the PRSP. Note for Dialogue on the CPIA and Aid Allocation. Task Force on Aid of Initiative for Policy Dialogue. New York, Columbia University, August.

Arslanalp S and Henry PB (2006). Debt relief. NBER Working Paper No. W12187. Cambridge, MA, National Bureau of Economic Research, May.

Atkinson AB ed. (2004). New Sources of Development Finance. Oxford, Oxford University Press.

Bacha EL (1990). A three-gap model of foreign transfers and the GDP growth rate in developing countries. Journal of Development Economics, 32: 279–296.

Bauer P (1982). Economic Analysis and Policy in Underdeveloped Countries. Westport, CT, Greenwood.

Birdsall N, Claessens S and Diwan I (2002). Will HIPC matter? The debt game and donor behavior in Africa. CEPR Discussion Paper No. 3297, April.

Boone P (1996). Politics and the effectiveness of foreign aid. European Economic Review, 40(2): 289–329.

Buira A (2003). An analysis of IMF conditionality. G-24 Discussion Paper No. 22. New York and Geneva, UNCTAD, August.

Buiter WH (2007). No bricks without straw: a critique of Ravi Kanbur's modest proposal for introducing development outcomes in IDA allocation procedures. Note for Dialogue on the CPIA and Aid Allocation, Task Force on Aid of Initiative for Policy Dialogue. New York, Columbia University, 5 April.

Burnside C and Dollar D (2000). Aid, policies and growth. American Economic Review, 90(4): 847–868.

Cassen R and associates (1986). Does Aid Work? Oxford, Clarendon Press.

Chenery HB and Carter NG (1973). Foreign assistance and development performance, 1960–1979. American Economic Review, 63(2): 459–469.

Clements M, Radelet S and Bhavnani R (2004). Counting chickens when they hatch: the short-term effect of aid on growth. Working Paper No. 44. Washington, DC, Center for Global Development.

Das S, De Silva L and Zhou Y (2008). Background study for the 2008 Development Cooperation Forum on the South-South Triangular Development Cooperation. New York, United Nations, April.

Dreher A, Thiele R and Nunnenkamp P (2007). Do donors target aid in line with the MDGs? A sector perspective of aid allocation. Review of World Economics, 143(4): 596–630.

Easterly W, Levine R and Roodman D (2004). Aid, policies and growth: Comment. American Economic Review, 94(3): 774-780.

Fielding D and Mavrotas G (2005). The volatility of aid. WIDER Discussion Paper No. 2005/06. Helsinki,World Institute for Development Economics Research.

G-8 (2005). Gleneagles Summit Document: Africa. Available at: http://www.britishembassy.gov.uk/Files/kfile/PostG8_Gleneagles_Africa,0.pdf.

Goldstein M (2000). IMF structural programs. Paper prepared for the NBER Conference on Economic and Financial Crises in Emerging Market Economies. Woodstock, Vermont, 19–21 October. Available at: www.iie.com.

Hansen H and Tarp F (2000). On the empirics of foreign aid and growth. EPRU Working Paper Series. Copenhagen, University of Copenhagen, Department of Economics.

Hansen H and Tarp F (2001). Aid and growth regressions. Journal of Development Economics, 64: 547–570.

Hepp R (2005). Can debt relief buy growth? Mimeo. University of California, Davis.

Herman B (2007). Kill the CPIA! Note for Dialogue on the CPIA and Aid Allocation, Task Force on Aid of the Initiative for Policy Dialogue. New York, Columbia University, 5 April.

Kanbur R (2007). Reforming the formula: A modest proposal for introducing development outcomes in IDA allocation procedures. Note for the Dialogue on the CPIA and Aid Allocation, Task Force on Aid of the Initiative for Policy Dialogue. New York, Columbia University, 5 April.

Kapur D and Webb R (2000). Governance-related conditionalities of the international financial institutions. G-24 Discussion Paper No. 6. New York and Geneva, UNCTAD, August.

Kaufmann D and Kraay A (2008). Governance indicators: Where are we, where should we be going? The World Bank Research Observer, 23(1). Washington, DC, Spring.

Kaul I (2008). Beyond official development assistance: Towards a new international cooperation architecture. Mimeo.

Khan MH (2006). Governance and anti-corruption reforms in developing countries: Policies, evidence and ways forward. G-24 Discussion Paper No. 42. New York and Geneva, UNCTAD, November.

Michaelowa K and Weber A (2006). Aid effectivenes reconsidered: Panel data evidence for the education sector. HWWA Discussion Paper No. 264. Hamburg, Hamburgisches Welt-Wirtschafts-Archiv.

Mishra P and Newhouse DL (2007). Health aid and infant mortality. IMF Working Paper WP/07/100. Washington, DC, International Monetary Fund, April.

Mo PH (2001). Corruption and economic growth. Journal of Comparative Economics, 29(1): 66–79.

Mosley P (1980). Aid, savings and growth revisited. Oxford Bulletin of Economics and Statistics, 42(2): 79–95.

Ndikumana L (2004). Additionality of debt relief and debt forgiveness, and implications for future volumes of official assistance. International Review of Economics and Finance, 13(3) Elsevier: 325–340.

OECD (2005). Paris Declaration on Aid Effectiveness. OECD Development Co-operation Directorate, May; available at: http://www.OECD.org/dataOECD/11/41/34428351.pdf.

OECD (2007). Aid effectiveness: 2006 Survey on Monitoring the Paris Declaration, Overview of the results. Paris.

OECD (2008). We must do better. Trends in development assistance. Remarks by Angel Gurrioa, OECD Secretary-General. Tokyo, 4 April. Available at: http://www.OECD.org/document/7/0,3343,en_2649_34487_40385351_1_1_1_1,00.html.

Papanek GF (1972). Aid, foreign private investment, savings and growth in less developed countries. Journal of Political Economy, 81(1): 120–130.

Powell R (2003). Debt relief, additionality and aid allocation in low-income countries. IMF Working Paper WP/03/175. Washington, DC, International Monetary Fund, September.

Rajan R and Subramanian A (2005). Aid and growth: What does the cross-country evidence really show? NBER Working Paper No. 11513. Cambridge, MA, National Bureau of Economic Research.

Rajan R and Subramanian A (2007). Does aid affect governance? American Economic Review, 97(2): 322–327.

Reisen H (2004). Innovative approaches to funding the millennium development goals. Policy Brief No. 24. OECD Development Centre, Paris.

Roodman D (2008). Through the looking glass and what OLS found there: On growth, foreign aid and reverse causality. Center for Global Development Working Paper No. 137. Washington, DC, January.

Rosenstein-Rodan PN (1961). International aid for underdeveloped countries. Review of Economics and Statistics, XLIII(2): 107–138.

UNCTAD (various issues). Trade and Development Report. United Nations publication, New York and Geneva.

UNCTAD (1988). Financial Solidarity for Development: 1987 Review. United Nations publication, sales no. 88.11.D.4, New York and Geneva.

UNCTAD (2000). Capital flows and growth in Africa. United Nations publication, New York and Geneva, June.

UNCTAD (2002). Economic development in Africa – From adjustment to poverty reduction: what is new? United Nations publication, New York and Geneva, August.

UNCTAD (2006). Economic Development in Africa – Doubling aid: making the "big push" work. United Nations publication, New York and Geneva, August.

United Nations (2001). Report of the High-level Panel on Financing for Development (Zedillo Report). United Nations publication, New York and Geneva, June.

United Nations (2002). Report of the International Conference on Financing for Development. Monterrey, Mexico, 18–22 March.

UN Millennium Project (2005). Investing in Development: A Practical Plan to Achieve the Millennium Development Goals (Sachs Report). London and Sterling, VA, Earthscan.

van Waeyenberge E (2007). The missing piece: Country policy and institutional assessments at the Bank. Note for Dialogue on the CPIA and Aid Allocation, Task Force on Aid of Initiative for Policy Dialogue. New York, Columbia University, 5 April.

World Bank (2006). Debt relief for the poorest: An evaluation update of the HIPC Initiative. The Independent Evaluation Group of the World Bank. Washington, DC, September.

World Bank (2008). Global Monitoring Report. Washington, DC.

Annexe du chapitre V

DESCRIPTION DES ÉTUDES ÉCONOMÉTRIQUES

1. Analyse économétrique de l'impact de l'APD sur la croissance

L'analyse économétrique de la relation entre l'aide et la croissance mentionnée dans le texte est fondée sur un large éventail de données concernant 162 pays en développement sur la période 1975–2006. En employant des données transformées par stationnarité et des méthodes appropriées, nous avons essayé diverses spécifications, parmi lesquelles nous ne présenterons qu'un seul résultat dans la présente annexe. La définition exacte des données et les sources sont indiquées ci-après.

Nous employons des données ventilées relatives à l'APD, avec la formule de régression suivante:

$$\Delta GDP^{pc} = \alpha + \beta_1 Aid_1 + \beta_2 Aid_2 + \beta_3 Aid_3 + \beta_4 Aid_4 + \beta_5 Aid_5 + \beta_6 AidVolatility + \beta_7 AidUncertainty + \beta_8 Population + \beta_9 PerCapitaIncome + \beta_{10} PrimaryEducation + \beta_{11} Investment + \beta_{12} FDI + \beta_{13} Openness + \beta_{14} Governance + \beta_{15} Reform + \beta_{16} LDC + \beta_{17} War + \varepsilon$$

dans laquelle ΔGDP^{pc} est le taux de croissance du PIB par habitant, $Aid_{1\text{-}3}$ est l'aide sectorielle, Aid_4 est l'appui budgétaire général et Aid_5 est le désendettement. Aid_1 désigne l'aide affectée aux infrastructures et services sociaux, Aid_2 l'aide affectée aux infrastructures économiques et Aid_3 l'aide affectée aux secteurs productifs. Pour l'indicateur *Education*, nous avons employé le taux d'achèvement de la scolarité primaire, qui est plus pertinent que le taux de scolarisation souvent employé. *Investment* désigne le ratio investissement brut/PIB et *FDI* le ratio investissement étranger direct/PIB. *Openness* est le ratio commerce extérieur/PIB. Comme il n'existe pas d'indicateur de gouvernance tel que la CPIA de la Banque mondiale pour la période considérée (1975–2006), nous avons employé pour la variable *Governance* l'indicateur de responsabilité démocratique de l'*International Country Risk Guide* du Groupe PRS. La variable *Reform* reflète l'évolution de la qualité des administrations publiques et de la corruption. À l'évidence, tout cela ne donne qu'une image partielle de la gouvernance, et les coefficients doivent donc être déterminés avec soin, en particulier si l'on veut faire des comparaisons avec des études antérieures sur la question. *War* et *LDC* sont des variables fictives.

Nous avons défini les estimateurs au moyen de la méthode des moments généralisée (GMM). Sur le plan technique, ces estimateurs tiennent compte de la présence d'effets fixes propres à chaque pays mais non observés et d'une variable dépendante autorégressive. Alors que les estimateurs statiques fondés sur la méthode ordinaire des moindres carrés sont biaisés dans un tel cadre, la méthode GMM s'est révélée cohérente et asymptotiquement efficiente. Elle est particulièrement appropriée pour les petits échantillons et les séries très persistantes. Du point de vue économique, elle traite les transformations des politiques et les transformations structurelles qui influent sur les données. Les paramètres estimés sont invariants par rapport au régime politique et ne comportent pas de biais endogène lié aux anticipations. Cette méthode est donc utile pour l'analyse de régimes d'aide successifs (par exemple, avant et après transition, avant et après adoption des OMD)[1].

Les résultats présentés dans le tableau 5.A1 donnent un aperçu complet des effets de l'APD associée à la croissance. En particulier, on observe une relation positive et significative entre l'aide affectée aux infrastructures économiques et la croissance. En revanche, l'aide affectée aux infrastructures et services sociaux n'a, comme on peut s'y attendre, qu'un effet immédiat relativement modéré et non significatif sur la croissance. Toutefois, comme nous l'avons dit dans le chapitre, il serait peut-être plus pertinent de mesurer l'efficacité de l'aide sociale par sa contribution au développement social plutôt que par ses effets sur la croissance. L'effet du désendettement sur la croissance est positif et significatif, mais faible, ce qui est normal, étant donné que l'allégement de la dette ne se traduit pas par des flux additionnels de fonds mais consiste en annulation d'une partie du stock de la dette dont le service n'était pas entièrement assuré.

L'analyse met aussi en évidence un effet important et significatif de l'incertitude de l'aide sur la croissance. Le paramètre négatif obtenu montre une fois de plus l'importance du respect des engagements internationaux pris dans les Déclarations de Paris et de Rome sur l'efficacité et l'harmonisation de l'aide.

La croissance démographique a un effet modique mais significatif sur la croissance économique, et l'éducation a un effet important et significatif. La variable éducation a un coefficient estimatif relativement élevé par comparaison avec les résultats d'études antérieures de la même question, ce qui est très probablement dû au fait que notre analyse se fonde sur le taux de réussite scolaire et non sur le taux de scolarisation.

Tableau 5.A1

IMPACT DES COMPOSANTES DE L'APD SUR LA CROISSANCE ÉCONOMIQUE

Variable	*Coefficient*	*Écart type*
Constante	0,09	0,11
Aide 1: infrastructures et services sociaux	0,15	0,37
Aide 2: infrastructures économiques	0,40	0,01***
Aide 3: secteurs productifs	0,54	0,42
Aide 4: appui budgétaire général	0,43	0,80
Aide 5: désendettement	0,09	0,03***
Volatilité de l'aide	-0,01	0,48
Incertitude de l'aide	-0,74	0,00***
Population	0,09	0,01***
Revenu par habitant	0,26	0,42
Éducation primaire	0,60	0,21***
Investissements	0,02	0,59
IED	-0,43	0,45
Ouverture	-0,40	0,59
Gouvernance	0,36	0,24
Réforme	0,20	0,75
PMA	0,10	0,00***
Guerre	0,57	0,24**

Note: Pour la définition des variables et des sources, voir les notes explicatives à la fin de la présente annexe.
** Significatif à 5 %.
*** Significatif à 1 %.

La gouvernance, telle que définie ici, n'a apparemment pas d'impact notable sur la croissance. En outre, le tableau ne fait apparaître aucune corrélation entre la croissance et le degré d'ouverture au commerce extérieur ou l'IED. D'autres définitions de l'ouverture au commerce extérieur et une ventilation plus fine de l'IED pourraient donner des résultats différents.

2. Estimation économétrique de l'additionalité du désendettement

Dans la présente section, nous décrirons une analyse statistique visant à déterminer si le désendettement apporte des ressources additionnelles ou ne fait que se substituer à d'autres formes d'APD. Nous mesurons l'additionnalité à la fois du point de vue des donateurs et du point de vue des bénéficiaires. Comme les déclarations adoptées à l'issue de diverses réunions du G-8 ont appelé à une augmentation de l'APD, il est peu probable que les estimations présentées ici soient biaisées de manière à ne pas faire apparaître d'additionnalité. Au contraire, si les pays donateurs avaient tenu leur promesse d'accroître l'APD hors désendettement, les estimations seraient biaisées en faveur de l'observation d'une additionnalité.

L'additionnalité du point de vue des donateurs

Pour voir si les donateurs qui accordent un allégement de la dette réduisent le reste de leur APD, on peut employer la régression suivante:

$$ODANET_{i,t} = \alpha DR_{i,t} + \beta X_{i,t} + \mu_i + \varepsilon_{i,t}$$

dans laquelle ODANET est l'APD hors désendettement fournie par le pays i dans l'année t, DR est le désendettement accordé par le pays i dans l'année t. ODANET et DR sont exprimés en pourcentage du RNB du pays donateur. X est une matrice de variables de contrôle et μ_i est un effet fixe par pays qui intègre toutes les caractéristiques spécifiques au donateur et invariantes dans le temps du pays considéré (nous avons aussi estimé le modèle avec des effets aléatoires et avec des effets fixes dans le temps). Nous avons fait l'estimation avec les données des 21 pays membres du CAD de l'OCDE[2]. L'APD et le désendettement sont mesurés par les données communiquées au CAD.

Le paramètre intéressant est α. C'est celui qui mesure la relation entre le désendettement et l'APD hors désendettement. Si l'estimation ponctuelle de α était égale à zéro, cela indiquerait qu'il n'y a pas de relation entre le désendettement et l'APD hors désendettement et que donc le désendettement est additionnel. Une valeur positive de α indiquerait que le désendettement accroît les autres formes d'aide. Un tel résultat (désendettement plus qu'additionnel) signifierait que les donateurs se rendent compte que certains pays ont besoin à la fois d'un désendettement *et* de ressources additionnelles. Enfin, une valeur négative de α signifie que le désendettement réduit le reste de l'APD et n'est donc pas totalement additionnel.

Les résultats récapitulés dans le tableau 5.A2 donnent à penser que le désendettement n'est pas pleinement additionnel. En particulier, les colonnes 1 à 4 montrent que chaque dollar supplémentaire de désendettement fait diminuer de 22 à 28 cents le montant de l'APD hors désendettement[3].

Tableau 5.A2

RÉSULTATS DE LA RÉGRESSION AVEC VARIABLE DÉPENDANTE: APD HORS DÉSENDETTEMENT EN POURCENTAGE DU RNB DU PAYS DONATEUR

(*Uniquement années PPTE*)

	(1)	*(2)*	*(3)*	*(4)*
DR/Y	-0,23	-0,28	-0,22	-0,28
	(1,88)*	(2,13)**	(1,77)*	(2,09)**
Ln(GNIPC)	1,55	2,08	1,42	1,30
	(3,50)***	(1,74)*	(3,20)***	(0,98)
RER	0,03	0,04	0,04	0,06
	(0,41)	(0,48)	(0,49)	(0,63)
GOVBAL	-0,01	-0,01	-0,01	-0,01
	(2,12)**	(2,57)**	(2,57)**	(2,94)***
Constante	-3,23	-4,44	-2,93	-2,64
	(3,12)***	(1,60)	(2,83)***	(0,86)
Nombre d'observations	166	166	166	166
Nombre de pays	21	21	21	21
Méthode d'estimation	Effets aléatoires		Effets fixes	
Effets fixes dans le temps	Non	Oui	Non	Oui

***Note*:** Pour la définition des variables et les sources, voir les notes explicatives à la fin de la présente annexe.
Valeur absolue du nombre t entre parenthèses.
* Significatif à 10 %.
** Significatif à 5 %.
** Significatif à 1 %.

L'additionnalité du point de vue des bénéficiaires

Pour estimer l'additionnalité du point de vue des bénéficiaires, nous avons employé une approche similaire. Le modèle est exactement le même, mais toutes les variables sont mesurées du point de vue du bénéficiaire et l'ensemble des variables de contrôle de la matrice X est différent[4]. Les résultats obtenus par l'estimation de l'équation du point de vue des bénéficiaires et du point de vue des donateurs peuvent être différents pour deux raisons: l'unité d'analyse est différente et les pays en développement reçoivent une APD non seulement des pays membres du CAD mais aussi de diverses institutions multilatérales[5].

On voit que les coefficients des cinq premières colonnes du tableau 5.A3 sont positifs (les exceptions se trouvant dans les colonnes 2 et 3) mais rarement significatifs. Cela indiquerait une additionnalité complète mais pas d'effet multiplicateur. Toutefois, si l'on estime le modèle avec une technique statistique qui réduit la pondération des cas extrêmes (colonnes 6 à 10), la plupart des coefficients deviennent négatifs (l'exception se trouvant dans la colonne 6) et, dans certains cas, légèrement significatifs. On voit donc que, hors cas extrême, il y semble que le désendettement se substituerait à d'autres formes d'APD, même lorsqu'on mesure l'additionnalité du point de vue des bénéficiaires.

Le tableau 5.A4 porte sur la période postérieure à 2000 et là encore on ne trouve pas de corrélation significative entre le désendettement et les autres formes d'APD (colonnes 1 à 5). Si l'on élimine les cas extrêmes (colonnes 6 à 10), le modèle donne des résultats mitigés. Les régressions qui tiennent compte de la valeur nominale du stock de dettes donnent à penser que le désendettement se substitue à d'autres formes d'aide. Si l'on fait les régressions avec la valeur actuelle nette du stock de dettes, on observe un effet multiplicateur du désendettement.

Tableau 5.A3

RÉSULTATS DE LA RÉGRESSION AVEC COMME VARIABLE DÉPENDANTE L'APD HORS DÉSENDETTEMENT REÇUE PAR LES PPTE, 1996-2006

(*Estimations avec effet fixe*)

	(1)	(2)	(3)	(4)	(5)	(6)	(7)	(8)	(9)	(10)
DR/Y	0,07	-0,01	-0,01	0,02	0,02	0,04	-0,06	-0,05	-0,02	-0,03
	(1,09)	(0,15)	(0,25)	(0,40)	(0,37)	(1,34)	(1,75)*	(1,77)*	(0,74)	(1,03)
PPG/Y t-1		0,08	0,08				0,06	0,05		
		(4,71)***	(4,50)***				(7,23)***	(5,97)***		
Ln(GNIPC)		-0,02	-0,02	-0,05	-0,05		-0,09	-0,08	-0,10	-0,09
		(0,46)	(0,44)	(0,97)	(0,99)		(3,41)***	(3,17)***	(3,68)***	(3,65)***
SEAT UN SC		0,03	0,03	0,03	0,03		-0,01	-0,01	-0,01	-0,01
		(1,17)	(1,16)	(1,27)	(1,32)		(0,83)	(0,66)	(0,80)	(0,57)
INST		0,01	0,01	0,01	0,01		0,00	0,00	0,00	0,00
		(2,56)**	(2,28)**	(2,38)**	(2,09)**		(1,61)	(0,84)	(1,35)	(0,49)
Ln(POP)		0,22	0,28	0,28	0,35		0,11	0,31	0,15	0,35
		(4,10)***	(2,00)**	(5,31)***	(2,51)**		(4,29)***	(4,88)***	(5,52)***	(5,42)***
NPVPPG/Y t-1				0,09	0,10				0,07	0,06
				(4,17)***	(4,10)***				(6,40)***	(5,78)***
ARR/Y t-1	-0,01	-0,04	-0,03	-0,07	-0,07	-0,04	-0,09	-0,08	-0,12	-0,11
	(0,44)	(1,66)*	(1,50)	(2,60)***	(2,52)**	(4,58)***	(7,84)***	(7,81)***	(7,85)***	(7,83)***
Constante	0,14	-1,76	-2,36	-2,12	-2,78	0,10	-0,38	-2,16	-0,59	-2,39
	(23,68)***	(3,66)***	(1,79)*	(4,22)***	(2,10)**	(10,36)***	(1,55)	(3,75)***	(2,34)**	(4,05)***
Nombre d'observations	260	248	248	246	246	260	248	248	246	246
Nombre de pays	28	27	27	27	27	28	27	27	27	27
Effets à année fixe	Non	Non	Oui	Non	Oui	Non	Non	Oui	Non	Oui
Élimination des cas extrêmes	Non	Non	Non	Non	Non	Oui	Oui	Oui	Oui	Oui

***Note*:** Pour les définitions des variables et les sources, voir les notes explicatives à la fin de la présente annexe.
La valeur absolue du nombre *t* est indiquée entre parenthèses.

* Significatif à 10 %.

** Significatif à 5 %.

*** Significatif à 1 %.

Globalement, ces résultats donnent à penser que, du point de vue des bénéficiaires, il n'y a pas d'indication claire que le désendettement aurait un effet positif ou négatif sur les autres formes d'aide. En outre, rien ne confirme que, comme le soutient la Banque mondiale (voir sect. C.3 du présent chapitre), l'additionnalité du désendettement aurait augmenté depuis 2000.

Tableau 5.A4

RÉSULTATS DE LA RÉGRESSION AVEC COMME VARIABLE DÉPENDANTE L'APD HORS DÉSENDETTEMENT REÇUE PAR LES PPTE, 2000-2006

(*Estimations avec effet fixe*)

	(1)	(2)	(3)	(4)	(5)	(6)	(7)	(8)	(9)	(10)
DR/Y	0,02	-0,01	-0,03	0,03	0,03	-0,05	-0,06	-0,07	0,06	0,16
	(0,37)	(0,24)	(0,66)	(0,59)	(0,60)	(1,41)	(1,88)*	(1,98)*	(1,94)*	(4,77)***
PPG/Y t-1		0,08	0,10				0,06	0,07		
		(2,44)**	(3,02)***				(3,57)***	(3,39)***		
Ln(GNIPC)		-0,04	-0,13	-0,09	-0,20		0,07	-0,04	0,03	-0,23
		(0,32)	(0,93)	(0,70)	(1,55)		(1,05)	(0,63)	(0,57)	(3,73)***
SEAT UN SC		0,00	0,02	0,01	0,02		-0,00	-0,00	0,00	-0,00
		(0,07)	(0,47)	(0,25)	(0,73)		(0,10)	(0,08)	(0,06)	(0,18)
INST		0,01	0,01	0,01	0,01		-0,00	0,00	-0,00	0,01
		(0,82)	(1,58)	(0,96)	(1,97)*		(0,57)	(0,13)	(0,52)	(2,37)**
Ln(POP)		0,02	-0,94	0,24	-0,69		-0,01	-0,68	0,00	-0,72
		(0,10)	(2,55)**	(1,60)	(2,06)**		(0,17)	(3,36)***	(0,03)	(3,96)***
NPVPPG/Y t-1				0,10	0,16				0,06	0,11
				(2,80)***	(3,50)***				(3,14)***	(4,43)***
ARR/Y t-1	0,04	0,02	0,02	-0,02	-0,05	0,01	-0,08	-0,09	-0,10	-0,04
	(1,37)	(0,87)	(0,61)	(0,47)	(1,35)	(1,04)	(5,05)***	(5,26)***	(5,93)***	(2,18)**
Constante	0,15	0,20	9,46	-1,53	7,73	0,43	0,04	6,62	0,13	8,17
	(20,60)***	(0,17)	(2,75)***	(1,22)	(2,40)**	(39,33)***	(0,06)	(3,72)***	(0,24)	(4,98)***
Nombre d'observations	132	104	104	104	104	132	104	104	104	104
Nombre de pays	28	27	27	27	27	28	27	27	27	27
Effets à année fixe	Non	Non	Oui	Non	Oui	Non	Non	Oui	Non	Oui
Élimination des cas extrêmes	Non	Non	Non	Non	Non	Oui	Oui	Oui	Oui	Oui

***Note*:** Pour les définitions des variables et les sources, voir les notes explicatives à la fin de la présente annexe. La valeur absolue du nombre *t* est indiquée entre parenthèses.

* Significatif à 10 %.

** Significatif à 5 %.

*** Significatif à 1 %.

Notes explicatives relatives au tableau 5.A1

DÉFINITIONS DES VARIABLES ET DES SOURCES EMPLOYÉES POUR ANALYSER LA CORRÉLATION ENTRE L'AIDE ET LA CROISSANCE

Variable	Définition	Source
Croissance du PIB par habitant	Croissance du PIB par habitant (en dollars constants de 2006)	Banque mondiale, base de données *World Development Indicators*
Aide 1: infrastructures et services sociaux	Infrastructures et services sociaux, série 450.100.I (en dollars constants de 2005, décaissements bruts)	OCDE-SDI
Aide 2: infrastructures économiques	Infrastructures économiques, série 450.200.II (en dollars constants de 2005, décaissements bruts)	OCDE-SDI
Aide 3: secteurs productifs	Secteurs productifs, série 450.300.III (en dollars constants de 2005, décaissements bruts)	OCDE-SDI
Aide 4: appui budgétaire général	Appui budgétaire général, série 510.VI.1 (en dollars constants de 2005, décaissements bruts)	OCDE-SDI
Aide 5: désendettement	Mesures liées à la dette, série 600.VII (en dollars constants de 2005, décaissements bruts)	OCDE-SDI
Volatilité de l'aide	Écart type du ratio APD totale/PIB	Estimations du secrétariat de la CNUCED, d'après OCDE-SDI
Incertitude de l'aide	Écart type de l'erreur sur une équation du premier degré de prévision autorégressive de la différence entre les engagements et les décaissements	Estimations du secrétariat de la CNUCED, d'après OCDE-SDI
Population	Logarithme de la population totale	CNUCED, base de données *Manuel de statistique*
Revenu par habitant	PIB par habitant (en dollars constants de 2006)	Banque mondiale, base de données *World Development Indicators*
Éducation	Enseignement primaire (taux de réussite)	UNESCO, *World Education Indicators*, en ligne
Investissement	Formation brute de capital fixe (en pourcentage du PIB)	Banque mondiale, base de données *World Development Indicators*
IED	Flux nets d'investissement étranger direct entrant (en pourcentage du PIB)	CNUCED, base de données *Manuel de statistique*
Ouverture	Commerce total (exportations plus importations de biens et de services, en pourcentage du PIB)	Banque mondiale, base de données *World Development Indicators*
Gouvernance	Mesure de la responsabilisation démocratique	PRS Group, International Country Risk Guide
Réforme	Mesure de la qualité des administrations et de la corruption	PRS Group, International Country Risk Guide
PMA	Variable fictive PMA	Classification de l'ONU
Guerres	Variable fictive indiquant l'existence d'un conflit interne ou externe	Estimations du secrétariat de la CNUCED, d'après PRS Group, International Country Risk Guide

Notes explicatives relatives aux tableaux 5.A2, 5.A3 et 5.A4

DÉFINITIONS DES VARIABLES ET SOURCES EMPLOYÉES POUR ANALYSER LA CORRÉLATION ENTRE LE DÉSENDETTEMENT ET L'ADDITIONNALITÉ DE L'AIDE

Variable		*Définition*	*Source*
Donateurs			
APD	Aide publique au développement	APD nette, hors désendettement; aux prix courants (en millions de dollars)	OCDE-SDI
DR	Désendettement accordé par les donateurs	Total des dettes annulées; aux prix courants (en millions de dollars), décaissements nets	OCDE-SDI
GOVBAL	Solde budgétaire	Solde budgétaire en pourcentage du RNB	OCDE
Ln(GNIPC)	Logarithme du RNB par habitant	Logarithme du RNB par habitant (dollars)	OCDE
RER	Variation du taux de change réel	Écart du taux de change réel par rapport à sa moyenne à long terme	FMI, *International Financial Statistics*; et JP Morgan
Bénéficiaires			
APD	Aide publique au développement	Total net de l'aide publique au développement provenant de tous les donateurs, y compris le désendettement	OCDE-SDI
DR	Désendettement net	Allégement de la dette de la part de tous les donateurs	OCDE-SDI
DR1	Annulation de dette au profit des bénéficiaires	Principal annulé + intérêts annulés (dollars)	Banque mondiale, base de données *Global Development Finance*
Ln(GNIPC)	Logarithme du RNB par habitant	Logarithme du RNB par habitant à PPPA (en dollars internationaux constants de 2000)	Banque mondiale, base de données *World Development Indicators*
PPG	Dette publique et dette extérieure garantie par l'État	Dette publique et dette extérieure garantie par l'État, total	Banque mondiale, base de données *Global Development Finance*
GNI	RNB	RNB (en dollars courants)	Banque mondiale, base de données *World Development Indicators*
ARR	Arriérés	Arriérés du principal et des intérêts sur l'encours de la dette (LDOD) + intérêts sur les arriérés sur l'encours de la dette	Banque mondiale, base de données *Global Development Finance*
Ln(POP)	Logarithme de la population	Logarithme de la population totale	CNUCED, base de données *Manuel de statistique*
INST	Freedom House Index	Indicateur de la liberté, mesuré sur une échelle de 0 à 12, 0 représentant le degré de liberté le plus bas et 12 le plus élevé	http://www.Freedomhouse.org
SEAT UN SC	Pays siégeant au Conseil de sécurité de l'ONU	Sièges au Conseil de sécurité de l'ONU, 0 indiquant pas de siège et 1 indiquant un siège	http://www.un.org/sc/members.asp

HIPC	PPTE	PPTE, 0 indiquant que le pays n'est pas un PPTE et 1 qu'il est un PPTE	Classification de la Banque mondiale

Notes

1. Nous avons contrôlé les résultats par une analyse de panel statique et des effets fixes et aléatoires, ce qui n'a pas entraîné de modification significative.
2. Cet échantillon ne comprend pas le Luxembourg (22e pays membre du CAD) car certaines des variables de contrôle ne sont pas disponibles. Les variables de contrôle sont le logarithme du RNB par habitant du pays donateur (ln(GNIPC)), le taux de change réel du pays donateur (RER) et le déficit budgétaire du donateur (GOVBAL).
3. La colonne 1 donne les estimations avec effets aléatoires et sans effets fixes dans le temps, la colonne 2 donne les estimations avec effets aléatoires et effets fixes dans le temps, la colonne 3 donne des estimations avec effets fixes sans effets fixes dans le temps et la colonne 4 donne des estimations avec effets fixes et effets fixes dans le temps. Les régressions du tableau 5.A2 ne portent que sur la période couverte par l'Initiative PPTE (1996–2006); si l'on inclut d'autres années, l'effet d'éviction est compris entre 27 et 30 %.
4. Les variables de contrôle sont les suivantes: niveau initial de la dette en pourcentage du RNB (tant en valeur nominale qu'en valeur actualisée: PPG/Y et NPVPPG/Y respectivement), le logarithme du RNB par habitant (ln(GNIPC)), une variable fictive qui prend la valeur 1 lorsque le pays a un siège au Conseil de sécurité des Nations Unies (SEAT UN SC), une variable qui mesure la qualité des institutions (INST), le logarithme de la population (ln(POP)) et le montant des arriérés rapporté au PIB (ARR/Y). Toutes les régressions sont estimées au moyen d'un modèle à effets fixes. Un modèle à effets aléatoires donne des résultats similaires.
5. Les effets de composition peuvent avoir une grande influence sur la différence entre les résultats mesurant l'additionnalité des deux points de vue. Prenons l'exemple suivant. Supposons qu'il y a dans le monde un seul donateur et 10 bénéficiaires. Durant l'année *t*, le donateur fournit 1 000 millions de dollars d'aide hors désendettement et aucun désendettement; dans l'année *t+1*, il donne 970 millions d'aide hors désendettement et 100 millions de dollars de désendettement. Si l'on évalue l'additionnalité du point de vue du donateur, $\alpha = -0{,}3$ (chaque dollar de désendettement a entraîné une réduction de 0,3 dollar des autres formes d'aide). Si l'on examine la situation du point de vue des bénéficiaires et en supposant qu'il y ait un grand bénéficiaire et neuf petits bénéficiaires, dans l'année *t* chacun des petits bénéficiaires reçoit 10 millions de dollars d'aide et le grand bénéficiaire en reçoit 910 millions, et aucun ne reçoit d'aide sous forme de désendettement. Dans l'année *t+1*, chacun des petits bénéficiaires reçoit 10,1 millions de dollars d'aide hors désendettement et le grand bénéficiaire en reçoit 879,1 millions (879,1 = 970 - 90,9). En outre, chacun des petits pays bénéficie de 1 million de dollars de désendettement et le grand pays de 91 millions (91 = 100 - 9). En conséquence, $\alpha = 0{,}1$ pour les petits pays et à -0,34 (-0,34 = (879,1 - 910)/91) pour le grand pays. Comme il y a neuf petits pays et un grand pays, la valeur moyenne de α est de 0,056.

Chapitre VI

LE DÉBAT ACTUEL SUR LA DETTE EXTÉRIEURE DES PAYS EN DÉVELOPPEMENT

A. Introduction

On considère souvent que l'afflux de capitaux est un signe de dynamisme économique du pays destinataire et tendrait à indiquer que celui-ci a de bonnes institutions et offre d'intéressantes possibilités aux investisseurs. En revanche, un endettement extérieur important est généralement vu comme un signe de faiblesse et est une des grandes préoccupations des pays en développement. Il y a une certaine contradiction entre ces deux interprétations, puisque l'accumulation d'une dette est la contrepartie normale d'un important afflux de capitaux, sauf si celui-ci est constitué de dons ou d'investissements directs.

Lorsque la dette extérieure est excessive, le pays risque de ne pas pouvoir en assurer le service, ce qui peut provoquer une crise financière et freiner la croissance. En outre, une lourde dette extérieure limite la marge de manœuvre du gouvernement en matière de politique monétaire ou budgétaire.

C'est généralement dans les périodes de forte croissance, lorsque les capitaux extérieurs sont abondants et qu'il est facile d'emprunter à l'étranger, que les pays en développement sèment les graines des crises futures. Ces considérations sont particulièrement importantes aujourd'hui, car de nombreux pays en développement ont renforcé leur balance des paiements, ce qui leur a permis de réduire leur ratio de dette extérieure. Ce progrès est dû en partie à de meilleures politiques macroéconomiques et de gestion de la dette des pays débiteurs. Il est aussi dû aux efforts considérables faits par les créanciers officiels pour alléger la dette des pays surendettés, avec le lancement de l'Initiative en faveur des pays pauvres très endettés (PPTE) en 1996, et en particulier depuis le début du nouveau millénaire. Mais le facteur qui a le plus contribué à réduire le taux d'endettement a été un environnement externe favorable, caractérisé par le niveau élevé des prix des produits primaires et la faiblesse des taux d'intérêt. Le ralentissement de la croissance des pays développés (analysé au chapitre premier) et les répercussions de la crise des crédits hypothécaires pourraient renverser la situation et aggraver l'endettement des pays en développement.

Dans le présent chapitre, nous examinerons plusieurs des conséquences possibles de cette situation. À la section B, nous passerons en revue l'évolution récente de la dette extérieure des pays en développement et les différents facteurs qui ont contribué à l'amélioration des indicateurs traditionnels d'endettement. Nous verrons que globalement la situation s'est beaucoup améliorée au cours des sept dernières années, mais avec des différences considérables entre régions et pays, et que cela est dû essentiellement à un environnement externe favorable.

À la section C, nous examinerons l'évolution du désendettement officiel et sa contribution au rétablissement de la situation extérieure de nombreux pays en développement. Pour être efficace, l'allégement de la dette ne doit pas se substituer à d'autres formes d'aide; au contraire, dans la plupart des cas, il devrait s'accompagner d'une augmentation de l'APD permettant aux pays d'accélérer leur croissance et leur transformation structurelle et d'atteindre les objectifs du Millénaire pour le développement adoptés par les Nations Unies en 2000.

Le désendettement, même s'il n'a pas toujours été additionnel, comme nous l'avons vu au chapitre V, a aidé plusieurs pays à ramener leur dette extérieure à un niveau plus supportable depuis quelques années. Pour ces pays, mais aussi pour ceux qui n'ont pas connu de grave crise d'endettement dans le passé récent, le défi consiste à consolider les récentes améliorations des indicateurs économiques et à accélérer le processus d'investissement, de croissance et de transformation structurelle tout en préservant un endettement supportable. Dans ce cadre, à la section D nous examinerons plus en détail les moyens de préserver la viabilité de la dette à moyen et à long terme. Nous chercherons à préciser certaines notions et définitions liées à la viabilité de la dette et à cerner les problèmes que soulève le cadre adopté par les institutions de Brettton Woods à cet égard. La principale conclusion de cette section est que l'analyse de la viabilité de la dette doit comporter un examen détaillé des causes de l'accumulation de cette dette. Il faut donc aller au-delà des analyses simplistes fondées sur l'étude de quelques indicateurs et seuils souvent très approximatifs.

Considérant que, même avec les meilleures politiques du monde, on ne peut pas totalement exclure une crise de surendettement et que, dans la plupart des cas, ces crises sont déclenchées par des chocs financiers externes, dans la section E nous reviendrons sur le débat au sujet de la nécessité d'un cadre international pour redresser les situations de surendettement de manière satisfaisante. Nous suggérons qu'un mécanisme officiel de règlement des faillites d'État est un élément essentiel qui fait défaut dans l'architecture financière internationale. Pour terminer, nous formulerons quelques recommandations concernant les politiques à appliquer aux niveaux national et international à l'appui de stratégies de financement extérieur et d'endettement saines.

B. Évolution récente de la dette extérieure des pays en développement

Il y a plusieurs définitions de la dette extérieure, mais dans le présent chapitre nous employons cette expression pour désigner la dette de résidents d'un pays envers des non-résidents, quelle que soit la monnaie dans laquelle elle est libellée. C'est la définition officiellement adoptée par les principales institutions qui recueillent et structurent les statistiques relatives à la dette publique[1].

Au cours des trois dernières décennies, les pays en développement ont subi plusieurs crises financières et économiques étroitement liées à leur surendettement extérieur. Au début des années 70, la dette extérieure totale des pays en développement était relativement faible et stable (environ 11 % du revenu national brut (RNB)) (voir graphiques 6.1 et 6.2). Après le choc pétrolier du milieu des années 70, elle a commencé à croître rapidement et les indicateurs d'endettement à se détériorer. Cela a été dû essentiellement à l'expansion rapide de la dette envers les banques commerciales et de la dette à court terme, ce que l'on a appelé le «recyclage des pétrodollars» (c'est-à-dire le financement des déficits commerciaux croissants des pays importateurs de pétrole) dans un environnement financier international de plus en plus libéral. Cette évolution s'est accentuée au début des années 80 après la forte hausse des taux d'intérêt dans les pays développés, les États-Unis ayant décidé de s'attaquer à l'inflation. La dette envers les banques commerciales et les autres créanciers institutionnels privés a rapidement gonflé, tandis que la production de la plupart des pays débiteurs a stagné, voire décliné. Cela a provoqué une grave crise économique dans de nombreux pays en développement, surtout en Amérique latine, qui avaient de lourdes dettes envers des consortiums de banques internationales. Les banques internationales ont quasiment cessé de prêter, mais l'accumulation d'arriérés a continué de faire monter leur taux d'endettement, qui a atteint jusqu'à 36 % du RNB en 1987.

Graphique 6.1

ÉVOLUTION DE LA DETTE EXTÉRIEURE DES PAYS EN DÉVELOPPEMENT, 1970-2006

(*En pourcentage du RNB*)

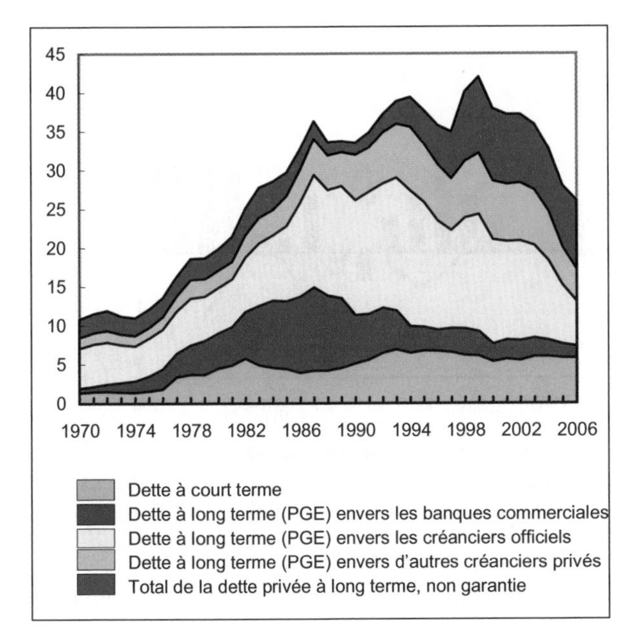

Source: Calculs du secrétariat de la CNUCED, d'après Banque mondiale, base de données *Global Development Finance.*

Note: PGE = dette publique et garantie par l'État.

La dette est restée élevée même après que plusieurs pays émergents aient commencé à échanger leurs dettes bancaires dont ils n'assuraient plus le service contre des obligations d'État émises dans le cadre du Plan Brady. Le Plan Brady a bien réduit la dette des pays en développement envers des créanciers commerciaux, mais n'a eu aucun effet sur la dette officielle. En conséquence, la part de la dette due aux créanciers commerciaux est tombée de 43 % du total de la dette extérieure en 1988 à 28 % en 1995. Son augmentation ultérieure a été due en partie à une série de crises financières qui ont frappé divers pays en développement dans la deuxième moitié des années 90.

Depuis 2003, les ratios dette/RNB et dette/exportations des pays en développement ont beaucoup baissé.

Après la crise financière d'Asie de 1997, le taux de croissance du RNB de l'ensemble des pays en développement a fléchi, tandis que leur dette totale a bondi, ce qui a fait grimper le ratio dette/RNB global (graphique 6.2 et tableau 6.1). La baisse ultérieure de ce ratio à partir de 2000 est imputable au rapide redressement des économies d'Asie de l'Est. À partir de 2000, le niveau d'endettement a chuté, en particulier pour ce qui est de la dette publique à long terme envers des créanciers officiels. Après une période de stagnation, l'accélération de la croissance des pays en développement depuis 2003 a entraîné un déclin rapide des ratios dette/RNB et dette/exportations.

Néanmoins, le stock de dettes a continué de croître en termes absolus, mais avec d'importantes différences selon les pays et régions (tableau 6.1). Entre 2000 et 2007, l'encours total de la dette a baissé de plus de 8 % en Afrique subsaharienne et est resté à peu près stable dans les régions Afrique du Nord et Moyen-Orient et Amérique latine et Caraïbes. En revanche, il a augmenté de plus de 40 % en Asie du Sud et en Asie de l'Est et de plus de 160 % dans la région Europe orientale et Asie centrale, dont la dette représentait 37 % du total de la dette extérieure des pays en développement et des pays en transition en 2007. Le service de la dette extérieure de la région Europe orientale et Asie centrale représentait plus de 7 % du RNB, soit un peu plus qu'en Amérique latine à l'époque de la crise de surendettement du début des années 80. Cela est d'autant plus inquiétant que l'environnement externe a été beaucoup plus favorable tant pour ce qui est des taux d'intérêt que de la demande mondiale.

La réduction du ratio d'endettement extérieur des pays en développement durant ces dernières années s'est accompagnée d'une forte augmentation de leurs réserves internationales: 440 % entre 2000 et 2007 (tableau 6.1). Cela vaut non seulement pour les régions dans lesquelles le stock de la dette extérieure a diminué, mais aussi pour les régions Europe orientale et Asie centrale et Asie de l'Est et du Sud, où le stock de dette a augmenté, ce qui s'explique par des différences entre l'évolution du

Graphique 6.2

DÉCOMPOSITION DES VARIATIONS DU RATIO AIDE/RNB DES PAYS EN DÉVELOPPEMENT, 1971–2006

(*En pourcentage*)

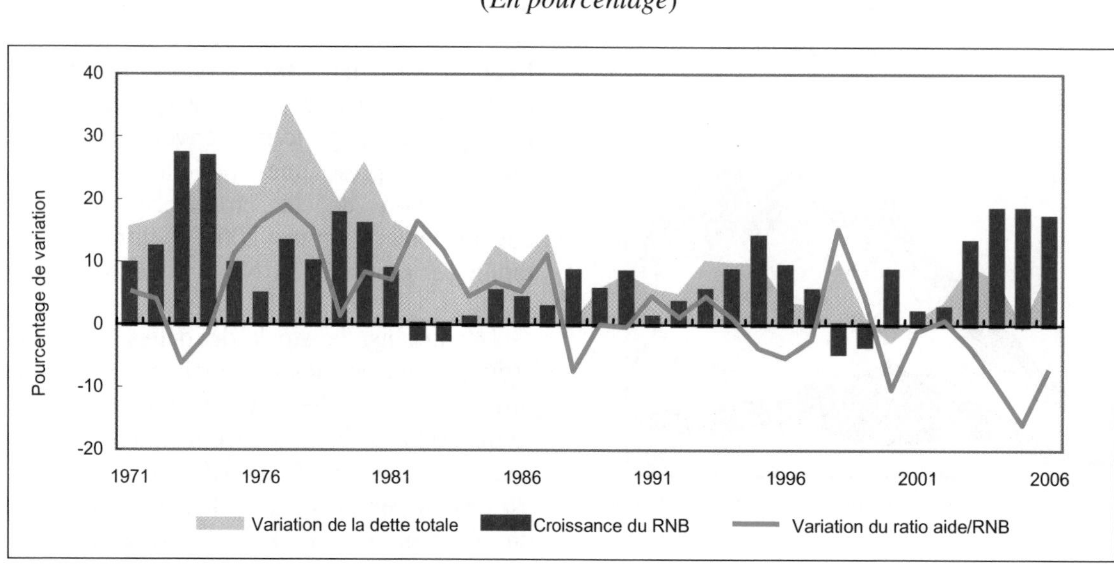

***Source*:** Voir graphique 6.1.

solde des opérations courantes des pays de ces régions ainsi que par le fait que, dans certains cas, les réserves internationales ont crû parallèlement à la dette extérieure brute. Globalement, la région Europe orientale et Asie centrale est celle dont (en pourcentage) les réserves internationales ont le plus progressé entre 2000 et 2007 (585 %), suivie par l'Asie de l'Est (556 %, mais il faut souligner que cette région est celle dont les réserves internationales ont le plus augmenté en valeur absolue) et l'Asie du Sud (488 %).

Depuis 2006, le total des réserves internationales de l'ensemble des pays en développement dépasse le total de leur dette à long terme. À la fin de 2007, on estimait leurs réserves à 3 700 milliards de dollars, ce qui représentait plus de deux tiers du total des réserves de change du monde entier (FMI, 2008). Comme l'essentiel des réserves internationales est détenu sous forme d'obligations émises par des pays développés, globalement, les pays en développement n'ont plus de dette extérieure nette.

La réduction du ratio d'endettement extérieur des pays en développement s'est accompagnée d'une forte augmentation de leurs réserves internationales.

Il convient de souligner que les tendances globales qui ressortent du tableau 6.1 sont très influencées par l'évolution de l'endettement d'une poignée de grands pays et de quelques autres pays qui, au milieu des années 90, avaient un taux d'endettement extrêmement élevé[2]. Cela apparaît dans les indicateurs du tableau 6.3, qui compare la moyenne et la médiane du ratio dette/RNB et ce même ratio pour l'ensemble des pays en développement. Il montre qu'en 2006, la moyenne du ratio dette/RNB des pays en développement était d'environ 55 % et la médiane de 37 %. Le graphique 6.3, qui donne le ratio dette/RNB pour les pays des 10e et 90e centiles de la distribution de cette variable, fait lui aussi apparaître des écarts considérables. En 1990, le ratio dette/RNB du pays se trouvant au 90e centile de la distribution était de 198 %, soit près de sept fois celui du pays se trouvant au 10e centile (28 %). En 2006, le niveau d'endettement était plus bas, mais la dispersion des ratios d'endettement restait considérable. Le ratio du 90e centile était toujours six fois plus élevé que celui du 10e centile (102 % contre 17 %).

Tableau 6.1

INDICATEURS D'ENDETTEMENT DES PAYS EN DÉVELOPPEMENT, 1980-2007

(*En pourcentage, sauf indication contraire*)

	1980-1990	1991-1995	1996-2000	2001-2005	2000	2005	2006	2007
Dette totale (*en milliards de dollars*)								
Tous pays confondus	892,3	1 627,4	2 192,2	2 538,9	2 256,6	2 739,9	2 983,7	3 357,2
Afrique subsaharienne	111,0	202,1	221,7	220,5	211,9	216,2	173,5	193,8
Afrique du Nord et Moyen-Orient	106,1	152,9	155,2	154,2	145,2	148,9	141,3	151,3
Asie du Sud	72,0	143,5	155,8	178,9	160,0	190,7	227,3	240,3
Asie de l'Est et Pacifique	134,1	344,7	518,1	555,3	497,7	614,1	660,0	715,6
Amérique latine et Caraïbes	374,5	517,4	714,7	780,6	754,5	747,3	734,5	787,6
Europe orientale et Asie centrale	94,5	266,7	426,7	649,4	487,1	822,7	1 047,0	1 268,5
Dette totale en pourcentage du RNB								
Tous pays confondus	30,3	38,6	39,3	35,4	38,9	28,4	26,4	24,4
Afrique subsaharienne	44,5	70,6	69,3	54,3	66,5	37,1	26,2	25,4
Afrique du Nord et Moyen-Orient	47,5	63,7	44,4	34,5	38,4	26,2	21,9	19,5
Asie du Sud	22,9	37,1	28,3	23,4	26,7	18,8	19,8	17,1
Asie de l'Est et Pacifique	26,8	37,0	34,2	24,3	29,6	20,2	18,4	16,3
Amérique latine et Caraïbes	50,3	37,6	37,6	41,0	38,9	30,7	25,8	23,7
Europe orientale et Asie centrale	..	28,0	46,6	48,1	54,9	40,7	43,2	40,9
Dette totale en pourcentage des exportations[a]								
Tous pays confondus	173,6	172,0	141,9	103,2	122,6	73,6	65,8	62,0
Afrique subsaharienne	180,7	250,2	213,3	143,9	178,9	88,8	59,8	57,8
Afrique du Nord et Moyen-Orient	165,8	159,0	134,4	86,0	103,7	59,8	49,1	45,9
Asie du Sud	248,7	271,2	178,0	116,9	151,3	80,7	77,6	69,8
Asie de l'Est et Pacifique	132,1	119,3	98,9	62,2	77,4	43,8	38,2	34,2
Amérique latine et Caraïbes	288,5	227,2	187,2	151,4	164,2	105,4	86,8	82,5
Europe orientale et Asie centrale	..	128,2	127,5	112,7	128,4	92,6	95,6	94,1
Service de la dette en pourcentage des exportations[a]								
Tous pays confondus	21,8	17,5	19,9	16,8	20,2	13,6	12,6	9,7
Afrique subsaharienne	14,6	13,3	13,9	8,9	11,4	8,3	7,4	5,0
Afrique du Nord et Moyen-Orient	19,4	19,9	16,7	10,8	12,7	8,7	10,4	6,1
Asie du Sud	22,1	24,8	18,4	14,6	14,6	11,9	7,5	6,9
Asie de l'Est et Pacifique	19,1	14,5	12,7	9,6	11,4	5,9	5,0	4,3
Amérique latine et Caraïbes	37,6	25,4	36,1	29,1	38,9	22,8	23,0	15,3
Europe orientale et Asie centrale	..	12,0	15,9	21,3	19,0	21,7	20,0	16,7

Tableau 6.1 (suite)

	1980-1990	1991-1995	1996-2000	2001-2005	2000	2005	2006	2007
Service de la dette en pourcentage du RNB								
Tous pays confondus	4,1	4,0	5,5	5,8	6,4	5,2	5,1	3,8
Afrique subsaharienne	3,7	3,8	4,5	3,4	4,2	3,5	3,2	2,2
Afrique du Nord et Moyen-Orient	5,7	8,0	5,5	4,3	4,7	3,8	4,6	2,6
Asie du Sud	2,0	3,4	2,9	2,9	2,6	2,8	1,9	1,7
Asie de l'Est et Pacifique	3,9	4,5	4,4	3,7	4,3	2,7	2,4	2,1
Amérique latine et Caraïbes	6,8	4,2	7,4	7,9	9,2	6,6	6,9	4,4
Europe orientale et Asie centrale	..	2,7	5,9	9,1	8,1	9,5	9,0	7,3
Pour mémoire:								
Réserves internationales (*en milliards de dollars*)								
Tous pays confondus	136,5	333,8	624,7	1 335,6	691,6	2 053,1	2 701,5	3 718,7
Afrique subsaharienne	11,6	17,0	29,9	52,7	36,7	84,4	117,6	147,5
Afrique du Nord et Moyen-Orient	17,6	32,0	48,4	96,0	51,6	134,8	174,1	216,9
Asie du Sud	11,8	22,5	38,6	114,4	47,2	156,7	198,5	277,3
Asie de l'Est et Pacifique	40,7	116,2	248,6	629,4	283,0	1 020,4	1 315,7	1 856,8
Amérique latine et Caraïbes	46,1	108,1	163,8	199,8	158,4	257,3	312,8	444,7
Europe orientale et Asie centrale		51,2	95,4	243,3	114,7	399,6	582,8	786,1

Source: Calculs du secrétariat de la CNUCED, d'après Banque mondiale, base de données *Global Development Finance*; et FMI, base de données *World Economic Outlook* pour les estimations relatives à 2007.

Note: Les pays sont regroupés de la même manière que dans la source.

[a] Exportations = total de la valeur des biens et services exportés, des envois de fonds des travailleurs émigrés et du revenu des investissements.

Cette évolution des indicateurs d'endettement s'est accompagnée d'une modification considérable de la composition de la dette extérieure (tableau 6.2). En 1990, quelque 95 % de la dette extérieure à long terme des pays en développement étaient dus par des États ou des entités du secteur public ou garantis par l'État. En 2007, cette proportion était tombée à quelque 52 %. Ce déclin s'explique en partie par la réduction du total de la dette publique des pays en développement depuis le début du nouveau millénaire et en partie par une expansion rapide de la dette extérieure privée. Il est aussi le fruit d'une stratégie consistant à remplacer la dette extérieure publique par des obligations émises sur le marché national. La part de ces obligations dans le total de la dette publique des pays en développement est passée d'environ 30 % en 1994 à 40 % en 2005 (Panizza, 2008a). On ne dispose pas de données plus récentes pour tous les pays en développement, mais il apparaît que cette évolution s'est poursuivie sur la période 2005-2007, en particulier dans les grands pays émergents. La composition des créanciers a aussi changé: la part de la dette extérieure à long terme du secteur public due à des créanciers officiels est passée de plus de 70 % au début des années 70 à quelque 50 % en 2007 (tableau 6.2). Cette évolution a des incidences importantes en matière de viabilité de la dette, car chaque forme de dette implique des vulnérabilités différentes.

> La dette extérieure reste une contrainte majeure pour la mise en œuvre de la stratégie de développement de nombreux pays.

Le remplacement de la dette extérieure par la dette intérieure a été facilité par le redressement du

Graphique 6.3

DIFFÉRENTES MESURES DU RATIO DETTE/RNB DES PAYS EN DÉVELOPPEMENT, 1970–2006

(*En pourcentage*)

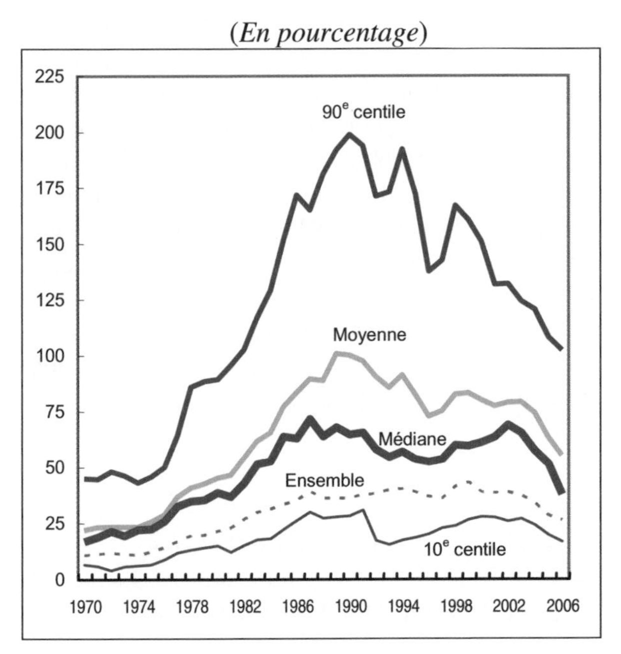

Source: Calculs du secrétariat de la CNUCED, d'après Banque mondiale, base de données *Global Development Finance*.

Note: La moyenne est la moyenne arithmétique des ratios de tous les pays et l'ensemble est la moyenne pondérée du tableau 6.1.

solde des opérations courantes, qui a réduit la nécessité du financement extérieur dans de nombreux pays, et par le niveau relativement bas des taux d'intérêt internationaux et l'abondance de liquidités à l'échelle mondiale, qui ont encouragé les investisseurs à accroître leurs achats d'obligations émises par des pays en développement[3]. Toutefois, cette évolution risque de ne pas se poursuivre dans le climat actuel de contraction de la liquidité[4].Un environnement extérieur favorable, caractérisé notamment par une croissance assez rapide de l'économie mondiale et une amélioration des termes de l'échange d'un grand nombre de pays en développement, a aussi contribué à l'amélioration des ratios d'endettement ces dernières années. Une grave crise économique des pays développés et une soudaine augmentation de l'aversion pour le risque des investisseurs internationaux pourraient facilement inverser la tendance. Par conséquent, même si l'on ne peut pas contester que l'endettement d'un grand nombre de pays en développement est plus supportable qu'il y a une dizaine d'années, la dette extérieure reste une contrainte majeure pour la mise en œuvre de la stratégie de développement de nombreux pays, en particulier les pays à bas revenu et les pays les moins avancés (PMA). Le lancement de l'Initiative en faveur des pays pauvres très endettés (PPTE) en 1996, de l'Initiative PPTE renforcée en 1999 et de l'IMRD en 2005 se fondait sur le fait que la communauté internationale a reconnu que le surendettement constituait un obstacle majeur à la croissance et à la réduction de la pauvreté dans ces pays. Ces initiatives visant à soulager les pays en développement surendettés, parallèlement à la restructuration dans le cadre plus général du Club de Paris, ont certainement contribué à l'amélioration récente des ratios d'endettement. Nous examinerons de plus près les résultats de ces efforts dans la section qui suit.

Tableau 6.2

COMPOSITION DE LA DETTE EXTÉRIEURE DES PAYS EN DÉVELOPPEMENT, 1980-2007

(*En milliards de dollars, sauf indication contraire*)

	1980-1990	1991-1995	1996-2000	2001-2005	2000	2005	2006	2007
Dette à long terme	761,4	1 326,1	1 783,1	2 028,2	1 888,3	2 128,6	2 305,3	2 557,8
Dette publique et dette garantie par l'État	685,7	1 192,5	1 345,9	1 413,1	1 350,1	1 365,8	1 267,1	1 335,4
Dette privée	75,7	133,5	437,1	615,0	538,2	762,7	1 038,2	1 222,4
Part de la dette privée dans le total de la dette à long terme (*pourcentage*)	9,9	10,1	24,5	30,3	28,5	35,8	45,0	47,8
Créanciers officiels	318,7	695,7	774,4	780,6	779,3	726,5	649,6	646,8
Créanciers privés	442,7	630,4	1 008,7	1 247,6	1 109,1	1 402,1	1 655,7	1 911,1
Part des créanciers privés dans le total de la dette à long terme (*pourcentage*)	58,1	47,5	56,6	61,5	58,7	65,9	71,8	74,7

Source: Voir tableau 6.1.

C. L'allégement de la dette

Il est très difficile d'estimer l'apport réel du désendettement car, selon la structure des échéances, la valeur actuelle nette de la dette annulée peut être très inférieure à sa valeur nominale (encadré 6.1). De plus, une bonne partie des dettes annulées n'était pas honorée au moment de l'annulation, élément dont il n'est pas tenu compte dans les indicateurs de désendettement couramment employés. D'après une étude récente, sur la période 1990-2006, 6 à 7 % du désendettement correspondaient à l'annulation des arriérés et cette proportion est montée jusqu'à quelque 15 % après le lancement de l'Initiative PPTE. Pour les seuls PPTE, les arriérés ont représenté jusqu'à 20 % des annulations de dettes depuis 1996. Dans le cadre de l'Initiative PPTE renforcée, depuis 2000 la proportion est montée à 40 % (Panizza, 2008b). On peut donc dire qu'une grande partie du désendettement accordé dans le cadre de l'Initiative PPTE n'est qu'un artifice comptable, qui peut avoir des effets positifs dans la mesure où il apure la situation des débiteurs, mais qui n'a libéré aucune ressource permettant d'accroître les dépenses publiques affectées à autre chose que le service de la dette[5].

Encadré 6.1

VALEUR NOMINALE ET VALEUR ACTUELLE NETTE DU DÉSENDETTEMENT

Les bases GDF et CAD contiennent toutes deux la valeur nominale des dettes annulées, sans actualisation aucune. On peut illustrer le problème par l'exemple suivant: le pays A a une dette de 100 millions de dollars échéance 2100 au taux du marché, le pays B a aussi une dette de 100 millions de dollars échéance 2100, mais le taux d'intérêt n'est que la moitié du taux du marché. Si on actualise les flux de paiements associés à cette dette en prenant un taux de marché de 7 %, la valeur actuelle de la dette du pays A est de 100 millions de dollars alors que celle de la dette du pays B dépasse à peine les 50 millions de dollars. Comme les données communiquées concernent la valeur nominale des dettes annulées, le désendettement de ces deux pays se traduirait par l'annulation de 200 millions de dollars de dette, montant largement supérieur à sa valeur réelle[a]. Depetris Chauvin et Kraay (2005) ont mis au point deux indicateurs (un fondé sur les données communiquées par les créanciers et l'autre sur les données communiquées par les débiteurs) pour estimer la valeur réelle du désendettement. Leurs estimations sur la base des données GDF sont toujours inférieures à la valeur nominale, l'écart allant de 15 à 65 % de cette dernière (voir graphique). D'après les données GDF relatives à la période 1989-2003, les pays en développement ont bénéficié d'annulations de dettes pour un montant nominal de quelque 137 milliards de dollars, mais selon les calculs de ces auteurs, sa valeur actualisée n'est que de 76 milliards de dollars environ.

VALEUR NOMINALE ET VALEUR ACTUELLE NETTE DU DÉSENDETTEMENT, 1989-2003

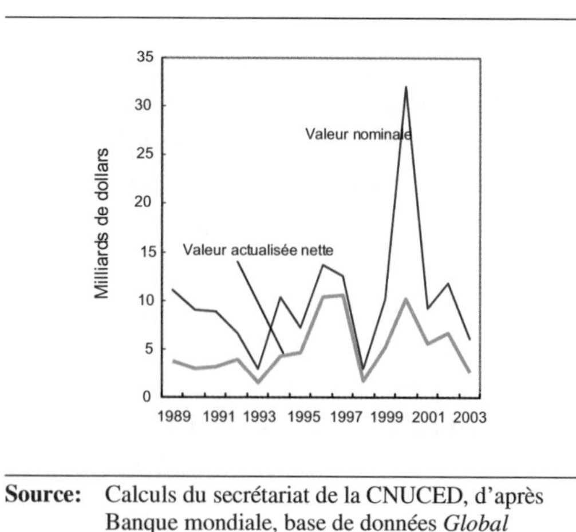

Source: Calculs du secrétariat de la CNUCED, d'après Banque mondiale, base de données *Global Development Finance*; et Depetris Chauvin et Kraay, 2005.

[a] Cela n'est pas nécessairement un problème pour l'estimation du désendettement en proportion de la dette totale car l'actualisation s'applique tant au dénominateur qu'au numérateur.

Jusqu'à la deuxième moitié des années 90, la plupart des mesures d'annulation et de restructuration de la dette des pays pauvres résultaient des rééchelonnements conclus dans le cadre du Club de Paris, qui ne concernaient que la dette bilatérale[6]. Cela a changé après le lancement de l'Initiative PPTE en 1996. Le but de cette initiative était de fournir une aide additionnelle de grande ampleur aux pays pour lesquels les mécanismes traditionnels de désendettement s'étaient révélés insuffisants et de permettre aux pays pauvres très endettés de sortir du processus de rééchelonnement à répétition de leur dette. La justification d'un désendettement massif était que le surendettement avait mis les pays pauvres dans une situation qui les empêchait non seulement d'assurer régulièrement le service de leur dette mais aussi d'obtenir un rythme de croissance suffisant pour réduire la pauvreté et l'écart de revenus par rapport aux pays plus avancés.

Les annulations de dettes des PPTE ont représenté, entre 1996 et 2004, plus des deux tiers du total du désendettement accordé par les pays de l'OCDE et les banques multilatérales de développement. Cette proportion est tombée à moins de 20 % en moyenne en 2005 et 2006, lorsque l'essentiel du désendettement ne concernait plus qu'une poignée de pays sortant d'une crise politique et économique, en particulier l'Afghanistan et l'Iraq, et un important débiteur à revenu intermédiaire, le Nigéria. Le montant des dettes annulées ne représente qu'une part modique du total. C'est pourquoi, même si le désendettement a bien contribué à améliorer les ratios d'endettement de nombreux pays individuellement (encadré 6.2), il n'explique qu'une petite partie de l'amélioration globale du ratio d'endettement des pays en développement. Le montant total du désendettement accordé aux PPTE et à d'autres pays entre 1996 et 2006 était de 75 milliards de dollars en valeur nominale. Cela équivalait à quelque 6 % du stock de dettes extérieures publiques à long terme des pays en développement en 2006, et n'explique que 0,6 point de pourcentage de l'amélioration du ratio dette/RNB global[7].

Bien que le Consensus de Monterrey exhorte la communauté internationale à poursuivre le désendettement de manière «énergique et rapide», d'aucuns contestent qu'il soit souhaitable d'annuler les dettes. Certains ont soutenu, par exemple, que le désendettement peut être bénéfique pour certains pays à revenu intermédiaire mais pas pour les PPTE. Selon eux, l'annulation de dettes serait utile pour les pays à revenus intermédiaires qui souffrent de surendettement (c'est-à-dire qui ont un niveau d'endettement tel que les créanciers refusent de leur prêter davantage). Ce n'est pas le cas des PPTE, où le principal obstacle à l'investissement est l'absence des institutions essentielles de l'économie de marché et non le surendettement, comme l'indique le fait que ces pays ont toujours eu des transferts nets positifs (Arslanalp et Henry, 2004; 2006). Cette hypothèse est confirmée par le fait que le désendettement accordé aux PPTE n'a pas entraîné une accélération de la croissance, alors que dans les autres pays en développement l'annulation de dettes équivalant à 1 % du RNB entraîne une augmentation du taux de croissance de l'ordre de 0,2 point de pourcentage (Hepp, 2005)[8]. Selon d'autres auteurs, le désendettement est la forme d'aide la plus efficace car elle réduit les coûts de transaction associés aux programmes d'aide traditionnels (Birdsall et Deese, 2004). Ils soutiennent que, contrairement à ce qui est le cas avec les programmes d'aide, dans le cas du désendettement, les fonctionnaires du pays bénéficiaire ne sont pas obligés de satisfaire les différents intérêts et les priorités des différentes agences des donateurs et que les ressources ainsi libérées sont équivalentes à un appui budgétaire souple, que le pays bénéficiaire peut employer conformément à ses propres priorités. Le désendettement serait aussi plus efficace que d'autres formes d'aide parce qu'il ne peut pas être lié à des achats aux pays donateurs.

Autre question importante, il faut se demander si le désendettement sera suffisant pour garantir la viabilité de la dette à moyen et à long terme. Easterly (2002) montre qu'avant 1996 ce n'était pas le cas et il n'y a pas de données indiquant de manière incontestable que cela ait changé depuis le lancement de l'Initiative PPTE, bien que, depuis, l'analyse de la viabilité de la dette soit devenue un des principaux outils employés pour déterminer l'ampleur du désendettement. Certains pays qui ont bénéficié de l'Initiative PPTE accumulent de nouvelles dettes à un rythme rapide et pourraient bientôt se retrouver à nouveau surendettés (Banque mondiale, 2006a; Birdsall et Deese, 2004). Cela est parfois expliqué par une défaillance des institutions politiques: lorsqu'un pays est dirigé par des politiciens voraces (voire malhonnêtes), qui empruntent autant qu'ils peuvent, toute tentative de

Encadré 6.2

LE DÉSENDETTEMENT DANS LE CADRE DE L'INITIATIVE PPTE ET DE L'IMRD[a]

En décembre 2006, l'Initiative PPTE et l'IMRD avaient permis de réduire de 96 milliards de dollars la valeur actuelle nette de la dette extérieure des pays qui avaient atteint le point de décision dans le cadre de l'Initiative PPTE, ce qui leur donnait droit à un désendettement intérimaire. Cela représente plus du double de la valeur actuelle nette du total de la dette extérieure des pays ayant le point de décision à la fin de 2005. D'après les estimations du FMI et de l'IDA, l'ensemble annulations de dettes dans le cadre de l'Initiative PPTE et de l'IMRD réduira le service de la dette de 1,3 milliard de dollars en 2007.

Ces initiatives ont joué un rôle important en réduisant le taux d'endettement des pays participants. En moyenne, le ratio service de la dette/exportations est tombé de 18 % au point de décision à 5,6 % en 2006 et devrait baisser jusqu'à 3,3 % en 2011. Il y a toutefois de grandes différences entre les pays: la réduction du ratio service de la dette/PIB résultant du désendettement va de 0,3 % pour la Zambie à 1,8 % pour le Guyana.

La figure indique le ratio service de la dette/exportations pour tous les pays ayant dépassé le point de décision à trois moments: au point de décision, à la fin de 2006 et en 2011 (projection). Elle montre que l'Initiative a considérablement réduit le ratio de service de la dette dans tous les pays participants et que dans la plupart de ces pays ce ratio devrait continuer de baisser dans le proche avenir (les exceptions étant le Mozambique, le Niger, le Rwanda, Sao Tomé-et-Principe, la République démocratique du Congo, le Sénégal et la Sierra Leone).

LE SERVICE DE LA DETTE DES PPTE AU POINT DE DÉCISION, EN 2006 ET 2011

(En pourcentage des exportations)

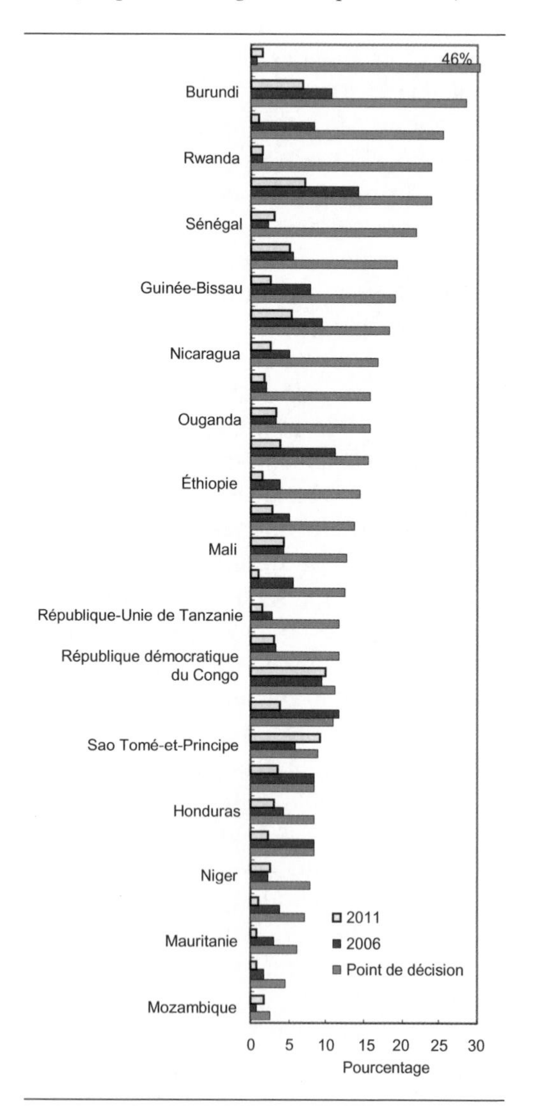

Néanmoins, plus de la moitié des pays ayant atteint le point d'achèvement sont encore considérés comme ayant un risque modéré à élevé de crise de surendettement et seuls 10 de ces 22 pays sont revenus dans la catégorie risque faible.

[a] Tous les chiffres donnés dans le présent encadré proviennent du FMI, 2007.

résoudre le problème de surendettement par l'annulation de dettes entraînera une stimulation temporaire après laquelle le pays retombera dans une situation précaire (Easterly, 2002). L'importance des besoins essentiels non satisfaits dans les pays qui ont bénéficié d'un désendettement est aussi une explication de la réaccumulation rapide de dettes. Lorsque le désendettement relâche la contrainte budgétaire, les gouvernements empruntent et dépensent autant que possible pour répondre à ces besoins. Cette explication est au cœur de la proposition de Sachs (2005) concernant les moyens pour mettre fin à la pauvreté et du rapport des Nations Unies (2005) sur la réalisation des OMD. D'après cette argumentation, le désendettement n'est pas gaspillé mais les pays pauvres ont à la fois besoin d'un aménagement de leur dette et d'une augmentation de l'aide. Le problème est aggravé par le fait que, dans le cadre des initiatives actuelles, le désendettement est subordonné à une augmentation des dépenses sociales qui, dans certains cas, peut obliger les pays à renoncer à des investissements directement productifs nécessaires pour résoudre le problème de l'endettement par la croissance.

Les pays pauvres ont besoin à la fois d'un désendettement et d'une aide accrue.

En juillet 2005 a été lancée l'Initiative multilatérale pour la réduction de la dette (IMRD), dont le but était de compléter le processus de désendettement des PPTE en libérant des ressources additionnelles à l'appui des efforts faits par ces pays pour atteindre les OMD. Dans ce cadre, les pays qui sont passés par l'ensemble du processus de l'Initiative PPTE bénéficient de l'annulation intégrale de leur dette envers les institutions multilatérales de financement qui y participent. Toutes les grandes banques régionales de développement participent à l'Initiative PPTE, mais l'IMRD ne concerne que les dettes envers le FMI, l'Association internationale pour le développement (IDA) de la Banque mondiale et le Fonds africain de développement (FAfD). La Banque interaméricaine de développement (BID) s'y est associée ultérieurement, mais n'a reçu aucune compensation pour les dettes qu'elle a annulées dans ce cadre[9].

L'IMRD est un moyen additionnel d'appuyer les efforts faits par des pays pauvres très endettés pour lutter contre la pauvreté, mais elle peut avoir des résultats paradoxaux, car elle ne concerne pas les pays pauvres moyennement endettés. Pour illustrer le problème, prenons le cas de deux pays pauvres qui ne sont endettés qu'envers des institutions multilatérales. Les deux ont un niveau de revenu similaire et des besoins similaires de financement des investissements des infrastructures sociales et physiques. La principale différence est le niveau de leur dette extérieure. La valeur actuelle nette (VAN) de la dette extérieure du pays A est équivalente à 100 % de son PIB. Ce pays a donc droit au désendettement dans le cadre de l'Initiative PPTE et bénéficiera aussi de l'annulation intégrale de la dette dans le cadre de l'IMRD. La VAN de la dette extérieure totale du pays B équivaut à 30 % de son PIB et ce pays ne bénéficie donc pas du désendettement PPTE ni de l'annulation intégrale de la dette envers les institutions multilatérales. Suite à l'annulation de la dette multilatérale, le pays A se retrouvera avec une dette nulle tandis que le pays B, relativement peu endetté, conservera le même endettement. Pour éviter une telle discrimination au détriment des pays qui ont réussi à ne pas accumuler une dette excessive, souvent au prix d'une restriction de l'investissement public et des dépenses sociales, il serait préférable que le droit de bénéficier de l'IMRD ne soit pas réservé aux pays très endettés.

Tous les pays pauvres devraient être admis à bénéficier de l'IMRD.

Comme nous l'avons vu au chapitre V, le désendettement accordé par les créanciers officiels est considéré et comptabilisé comme une forme d'APD. Globalement, l'avantage net qui résulte de l'annulation de la dette dépend du degré auquel cette annulation ralentit l'accroissement des autres formes d'APD. Les évaluations faites jusqu'à présent ne comportaient pas de mesure explicite de l'additionnalité du désendettement. En fait, faute de scénario de référence simple, il est difficile de déterminer si l'annulation des dettes accordée ces dernières années, notamment dans le cadre de l'Initiative PPTE, a été une aide additionnelle. L'analyse que nous avons exposée dans le chapitre V donne à penser qu'elle ne l'a pas été.

Cela justifie aussi les doutes relatifs à la possibilité de réaliser le principal objectif des initiatives de désendettement, c'est-à-dire de ramener l'endettement des pays en difficulté à un niveau supportable. Dans le cadre des initiatives actuelles, le désendettement a été subordonné, entre autres choses, au résultat d'une analyse de viabilité de la dette. En conséquence, seuls les pays dont on a considéré que leur endettement était excessif ont pu en bénéficier. Cette approche peut paraître rationnelle, mais la notion de viabilité de la dette, que nous examinerons dans la prochaine section, est très floue.

D. Viabilité de la dette

L'analyse de la viabilité de la dette a été mise au point dans le cadre des initiatives de désendettement pour déterminer si et dans quelle mesure un pays y a droit. Toutefois, elle va bien au-delà de cet objectif. Un cadre conceptuel approprié d'analyse de la viabilité de la dette peut être un outil important pour la gestion de la dette et pour la conception de stratégies financières visant à accélérer la croissance et la transformation structurelle à moyen et à long terme. Il peut aider les pays en développement à éviter de futures crises de surendettement et contribuer ainsi à stabiliser le processus de développement et à améliorer le climat de l'investissement. C'est dans cette perspective que nous examinerons ici divers aspects de cette analyse. Notre propos est de préciser certaines notions et définitions y relatives. Ce faisant, nous mettrons aussi en évidence quelques carences des cadres d'analyse employés par les institutions de Bretton Woods.

L'analyse de la viabilité de la dette peut être un outil important pour la gestion de la dette.

1. *Cadres types employés pour l'analyse de la viabilité de la dette*

Il existe deux cadres types pour évaluer la viabilité de la dette des pays en développement. Le premier a été mis au point par le FMI (2002a; 2003) et est axé sur les pays à revenu intermédiaire. Le second a été mis au point conjointement par le FMI et la Banque mondiale pour les pays à bas revenu. Tous deux définissent la viabilité d'une politique de la même manière: un emprunteur devrait être capable de continuer d'assurer le service de sa dette sans variation irréaliste du solde de ses recettes et dépenses (FMI, 2002a: 4). Tous deux partent d'un scénario de base fondé sur des projections à moyen et à long terme de l'évolution des politiques et des variables macroéconomiques pour évaluer la viabilité du ratio d'endettement qui en résulte. Ensuite, ils testent le modèle en employant différents postulats concernant le comportement des variables microéconomiques, les imprévus, les facteurs externes et l'évolution des politiques. Ces simulations sont employées pour déterminer un plafond de l'évolution du ratio dette/RNB dans le pire des cas, et l'évolution projetée du ratio d'endettement peut servir de système d'alerte précoce signalant la nécessité d'un ajustement[10].

Les deux cadres diffèrent principalement par leur définition des seuils d'endettement[11]. Dans son analyse du cadre appliqué à la dette des pays à revenu intermédiaire, le FMI (2003) dit que la probabilité d'une «correction» de la dette croît sensiblement lorsque la dette extérieure dépasse les 40 % du PIB, mais il ne fixe pas de seuil explicite au-dessus duquel elle serait considérée comme excessive. Par contre, de tels seuils explicites sont au cœur des cadres d'analyse de la viabilité de la dette des pays à bas revenu. Ils sont aussi employés pour déterminer l'octroi de dons par l'IDA et quelques autres donateurs. Dans la pratique, le cadre employé pour les pays à bas revenu compare des projections à moyen et à long terme de divers ratios d'endettement au seuil de surendettement des pays regroupés selon la qualité de leurs politiques et institutions telle que mesurée par la CPIA de la Banque mondiale (voir chap. IV, sect. D.3).

Selon cette approche, le niveau d'endettement considéré comme supportable est d'autant plus élevé que la qualité des politiques et institutions est jugée bonne. Les pays sont classés en quatre groupes: i) risque faible; ii) risque modéré; iii) risque élevé; et iv) surendettés[12]. Les pays considérés par l'IDA comme étant à risque élevé reçoivent un financement à 100 % sous forme de dons de l'IDA avec un rabais de volume de 20 % (c'est-à-dire que le financement est réduit mais est accordé entièrement sous forme de dons). Les pays considérés comme étant à risque modéré bénéficient d'un financement de 50 % sous forme de dons, avec un rabais de volume de 10 %. Les pays considérés comme risques faibles obtiennent un financement à 100 % sous forme de prêts sans aucun rabais de volume[13].

L'emploi de la CPIA comme seul critère pour déterminer les seuils d'endettement a beaucoup été critiqué. Les séries historiques de cet indice ne sont pas publiées et toutes les analyses qui établissent un lien entre la viabilité de la dette et l'indice ont été faites par les services de la Banque mondiale et du FMI; aucun chercheur externe n'a été autorisé à vérifier la robustesse des liens entre les deux variables. En outre, il est douteux que l'impact de la CPIA sur la probabilité de surendettement soit assez important pour qu'on puisse déterminer des seuils d'endettement uniquement sur cette base. Enfin, c'est un indicateur imparfait de la qualité des politiques et institutions (voir chap. V).

On peut porter des jugements différents sur ce qui constitue des «bonnes politiques et institutions» et, même s'il y avait unanimité à cet égard, il faudrait encore admettre que tous les types de «mauvaises politiques et institutions» freinent le développement économique de la même manière en tout temps ou dans tout pays (Rodrik, 2008). Par conséquent, même s'il peut être rationnel d'employer un indicateur de qualité des politiques (peut-être plus transparent) comme *un* des critères servant à définir les seuils d'endettement, il est plus difficile de justifier une approche qui en fait le *seul* critère.

Une autre critique qui s'applique à ces cadres d'analyse est qu'ils ne tiennent pas assez compte des interactions entre la viabilité de la dette extérieure et la politique budgétaire. Le cadre appliqué aux pays à bas revenu est expressément limité à la viabilité externe, tandis que le cadre appliqué aux pays à revenu intermédiaire vise en principe tant la dette extérieure que la dette publique intérieure, mais son principal objet reste la viabilité extérieure. En outre, ils négligent tous deux le fait que la dette peut être due à des raisons très différentes: une dette accumulée pour financer la consommation sera plus difficile à rembourser qu'une dette d'un montant identique qui aurait servi à financer des investissements rentables.

En règle générale, les analyses de viabilité de la dette des pays en développement se concentrent sur la dette extérieure et les cadres d'analyse mis au point par le FMI et la Banque mondiale sont ancrés dans cette tradition. Cela est dû à l'importance primordiale du problème du transfert (Keynes, 1929) et à l'idée que l'essentiel de la dette extérieure des pays en développement est une dette publique et que l'essentiel de leur dette publique est une dette extérieure[14]. Toutefois, les crises de surendettement des années 90 et du début du XXIe siècle ont été caractérisées par la présence soit d'une dette extérieure privée considérable, soit d'un important stock de dette publique intérieure. Actuellement, la moitié environ de la dette à long terme des pays en développement est émise par des emprunteurs privés (voir tableau 6.2), tandis que quelque 40 % de leur dette publique sont financés sur le marché intérieur (Panizza, 2008a). La dette publique intérieure n'est pas un phénomène nouveau dans les pays en développement et il a été montré qu'elle peut provoquer une crise de surendettement extérieur (Reinhart et Rogoff, 2008a et b).

On considère que la dette extérieure est supportable dans la mesure où l'économie dans son ensemble est capable de générer les recettes en devises nécessaires pour assurer son service, indépendamment de l'aptitude de chaque secteur à générer les ressources nécessaires pour assurer le service de sa propre dette. Par contre, pour juger de la viabilité de la dette publique, on se fonde sur les incidences budgétaires de l'évolution du total de cette dette par rapport aux recettes publiques actuelles, sans se préoccuper de la nature des créanciers et de la monnaie dans laquelle la dette est libellée. Ces aspects sont tous deux importants, mais le fait de les mélanger introduit une certaine confusion dans le débat relatif à la viabilité de la dette.

2. *La viabilité de la dette extérieure*

Si la dette extérieure d'un pays n'est pas émise dans sa propre monnaie, son remboursement net (c'est-à-dire sans création de nouveaux engagements extérieurs) exige un excédent des opérations courantes. Comme plus de 98 % de la dette extérieure des pays en développement sont libellés en monnaie étrangère (Eichengreen, Hausmann et Panizza, 2005), cette dette ne peut être remboursée que par un excédent du commerce extérieur de biens et de services[15]. Étant donné que la capacité de générer les recettes en devises nécessaires pour assurer le service de la dette n'est pas nécessairement liée à l'aptitude du pays à croître ou à élargir son assiette fiscale, les ratios dette/RNB ou dette/recettes publiques ne sont pas de très bons indicateurs de la capacité de remboursement de la dette extérieure. Même le ratio dette/exportations a ses limites en tant qu'indicateur, car un secteur exportateur fort n'est pas suffisant pour générer les ressources nécessaires si les importations croissent plus vite que les exportations ou contiennent une grande proportion d'intrants importés.

On ne peut pas analyser la viabilité de la dette sans tenir compte de la manière dont sont employés les fonds empruntés.

Pour évaluer si un montant donné de dette extérieure est supportable, il faut comprendre comment les mécanismes qui déterminent l'évolution du compte des opérations courantes influent sur l'endettement extérieur. L'accumulation d'engagements nets envers l'extérieur est toujours le résultat d'un déficit des opérations courantes et le remboursement de la dette extérieure exige un excédent des opérations courantes. Cet excédent peut être obtenu soit par un gain de productivité des producteurs du pays débiteur, soit par un écart de taux de croissance négatif entre le pays débiteur et les pays créanciers. Par conséquent, une dépréciation de la monnaie est nécessaire pour rembourser la dette tout en évitant un ralentissement de la croissance du pays débiteur, voire une récession. Cette dépréciation peut avoir un effet négatif immédiat, en causant une perte de confiance des investisseurs étrangers, ce qui peut entraîner une forte hausse du ratio dette/PIB, mais le remboursement de la dette rétablira ultérieurement le crédit du pays sur le marché international des capitaux[16].

On ne peut pas analyser la viabilité de la dette sans tenir compte de la manière dont sont employés les fonds empruntés: ils peuvent être employés à des fins productives ou non productives, ce qui a des effets différents sur la capacité de remboursement du pays[17]. L'emprunt extérieur qui accroît le stock de capital fixe d'un pays sera probablement plus supportable que le même emprunt employé pour financer la consommation ou des projets de prestige sans rentabilité. On ne peut donc pas évaluer la viabilité de la dette uniquement sur la base de ratios macroéconomiques et il faut aussi comparer les engagements et les actifs[18].

La dette extérieure devant être remboursée en devises, elle devrait servir à financer des investissements susceptibles d'accroître les recettes en devises. À l'évidence, il est probable qu'une dette extérieure employée pour financer la consommation ne sera pas viable. Toutefois, dans certaines conditions, même les dettes employées pour financer des investissements peuvent être excessives, par exemple si elles financent des projets dont la rentabilité est inférieure à leur taux d'intérêt ou qui ont une rentabilité privée ou sociale élevée mais pas d'effet direct ou indirect sur la capacité du pays d'accroître ses recettes en devises. C'est pour cela qu'une bonne politique de gestion de la dette, tenant compte des flux de capitaux associés à un projet, est essentielle pour préserver la viabilité de la dette.

3. *Viabilité de la dette publique*

Dans les évaluations de la viabilité de la dette publique, l'accent est mis non sur le problème du transfert externe mais sur celui du transfert interne, c'est-à-dire la capacité de l'État de lever les recettes fiscales nécessaires pour assurer le service de sa dette. Si le pays a aussi une dette publique extérieure, l'État devra à la fois résoudre le problème du transfert interne (recettes fiscales) et un problème de transfert externe (conversion des recettes fiscales en devises).

Malheureusement, la plupart des tests de viabilité de la dette publique ne sont pas applicables aux pays en développement car ils exigent trop de données[19]. En outre, l'évaluation de la viabilité de la dette publique intérieure et extérieure nécessite des projections à long terme de l'évolution du PIB, du budget de l'État et des taux d'intérêt. Il est quasi impossible de faire de telles projections à long terme dans les pays en développement dont l'économie est caractérisée par une forte volatilité et des ruptures structurelles (Wyplosz, 2007). C'est pourquoi on emploie souvent, à défaut, des indicateurs très approximatifs, tels que le solde budgétaire primaire[20] et le montant de la dette publique. Le ratio dette publique/RNB diminue ou reste stable si le déficit budgétaire primaire est inférieur ou égal au stock de la dette multiplié par la différence entre le taux d'intérêt servi sur cette dette et le taux de croissance de l'économie.

Cette approche simple et intuitive soulève plusieurs problèmes. Le premier est que, même si elle permet de déterminer les conditions de la stabilisation d'un ratio dette/RNB donné, elle ne permet pas de savoir quel est le ratio optimal. Le second est que les analyses fondées sur l'équation ci-dessus postulent implici-tement que ses variables sont indépendantes les unes des autres. Ce postulat est très irréaliste étant donné qu'il est probable qu'une variation de l'excédent primaire aura un effet sur la croissance de la demande. C'est pourquoi, si un ajustement budgétaire a un effet négatif sur la croissance du RNB, l'effet ultime d'une politique de réduction du taux d'endettement pourrait en fait l'accélérer.

Il serait raisonnable d'exclure les dépenses d'équipement des objectifs budgétaires.

Des objectifs ou limites de déficit budgétaire primaire peuvent contribuer à préserver la viabilité de la dette du point de vue budgétaire, mais pour les fixer il conviendrait de tenir compte du fait que les emprunts de l'État destinés à financer les investissements auront proba-blement un impact à long terme sur la croissance très différent de celui des dettes servant à financer les dépenses courantes. Les programmes de pays formulés par les principales institutions internationales de financement comportent généralement des objectifs budgétaires et, comme les dépenses courantes sont relativement incompressibles, c'est le plus souvent l'investissement public qui est la variable d'ajustement lorsque le déficit dépasse le plafond. Cela entraîne une très forte volatilité des investissements publics. Il serait donc raisonnable d'exclure les dépenses d'équipement des objectifs budgétaires[21]. En effet, inclure ces dépenses dans l'objectif budgétaire équivaut à postuler que toute augmentation de la dette se traduit par une réduction du patrimoine de l'État, ou autrement dit à ne donner aucune valeur à ces investissements. C'est pourquoi une stratégie visant à stabiliser le ratio dette/patrimoine public serait préférable à une politique de stabilisation du ratio dette/RNB[22].

Le troisième problème est que l'assiette fiscale des pays en développement est souvent instable et que leurs capacités de recouvrement de l'impôt sont insuffisantes. En outre, ils sont exposés à d'importants chocs externes qui accroissent la volatilité du taux de croissance et du service de la dette. Pourtant, les analyses de viabilité budgétaire sont généralement fondées sur une analyse du déficit budgétaire, alors même qu'il a été démontré que ce déficit n'explique qu'une petite partie de la variation du ratio dette/RNB dans les pays en développement (Campos, Jaimovich et Panizza, 2006). Plus de 90 % de la variance s'explique par d'autres facteurs, notamment des chocs externes et des effets d'évaluation liés à la composition de la dette. Il y a là une raison supplémentaire de prêter plus d'attention au passif éventuel et aux effets de bilan associés à la structure de la dette.

La gestion de la dette peut être aussi importante que la politique budgétaire.

L'exposé ci-dessus montre qu'il n'existe pas d'indicateur simple de viabilité de la dette; toute affirmation au sujet de l'aptitude d'un pays à assurer le service de sa dette future doit se fonder sur une analyse fouillée de plusieurs variables, y compris les projections de l'évolution de l'actif et du passif du pays. Le fait que la plupart des chocs qui entraînent une forte variation du ratio dette/RNB dépendent de la composition de la dette donne à penser qu'une gestion adéquate de la dette peut être aussi importante que la politique budgétaire. L'importance de la composition de la dette est confirmée par les études récentes montrant que le niveau de la dette publique n'a pas de corrélation étroite avec le risque de défaillance perçu tel qu'il est indiqué par les notes de crédit des États (IDB, 2006). Elle est aussi confirmée par l'absence de corrélation significative entre le niveau de la dette publique et la probabilité d'une crise de surendettement (Manasse, Roubini et Schimmelpfennig, 2003).

4. Interactions entre la viabilité de la dette extérieure et celle des finances publiques

Le lien le plus évident entre la viabilité de la dette extérieure et celle des finances publiques est le fait que la moitié de la dette extérieure des pays en développement est publique ou garantie par l'État et que la dette extérieure représente environ 60 % de cette dette publique. Mais il y a d'autres liens moins évidents. Dans un pays qui a une lourde dette extérieure privée, l'incapacité des emprunteurs d'assurer le service de cette dette peut provoquer une crise monétaire et bancaire, qui peut elle-même déstabiliser les finances publiques, comme l'a montré la crise financière asiatique qui a commencé en 1997. Le contraire peut aussi se produire. Une importante dette publique intérieure a souvent été la cause de crises de la dette extérieure (Reinhart et Rogoff, 2008a): on peut donner en exemple la crise du Mexique de 1994 à 1995 et la crise russe de 1998, dont l'origine, dans les deux cas, a été l'incapacité de rembourser des créances à court terme en monnaie nationale.

L'interaction la plus importante entre la viabilité interne et la viabilité externe est liée au comportement du taux de change. Une dépréciation de la monnaie en termes réels peut être nécessaire pour rétablir la viabilité externe, mais si le pays a une importante dette en devises, elle peut provoquer un bond du ratio dette publique/RNB; l'appréciation de la monnaie peut avoir l'effet opposé. Toutefois, comme une appréciation en termes réels tend à creuser le déficit des opérations courantes, l'amélioration des finances publiques ne sera que temporaire. Cette interaction implique en outre que le fait de laisser le taux de change réel baisser, si le pays a une lourde dette extérieure en devises, peut provoquer une crise de surendettement, voire une cessation de paiements ruineuse. Ce dilemme n'existe pas pour les pays qui peuvent emprunter à l'étranger dans leur propre monnaie. Dans ce cas, une baisse du taux de change réel aura un effet positif immédiat tant sur la viabilité des finances publiques que sur la viabilité externe, ce qui est un argument en faveur du remplacement de la dette extérieure par des obligations émises sur le marché intérieur, même si *ex ante* le taux d'intérêt sur ces dernières peut être plus élevé[23]. Selon certains observateurs, cette modification de la composition de la dette mettrait les pays en développement à l'abri de crises de surendettement futures. Toutefois, il ne faut pas oublier que le remplacement de la dette extérieure par une dette intérieure peut créer une nouvelle vulnérabilité due à la structure des échéances. En effet, la plupart des pays en développement ne peuvent pas émettre d'obligations en monnaie nationale à long terme. C'est pourquoi un des grands problèmes de la gestion de la dette est qu'il faut choisir une structure optimale de l'endettement en évaluant avec soin les différents arbitrages et interactions.

La plupart des pays en développement ne peuvent pas émettre d'obligations en monnaie nationale à long terme.

Les interactions entre la dette externe et interne montrent qu'il faut tenir compte de la dette intérieure dans les analyses de viabilité de la dette. Toutefois, pour cela il faudrait disposer d'informations plus détaillées que celles qui sont actuellement disponibles au sujet du niveau et de la composition de la dette intérieure. À l'évidence, chaque type de dette crée une vulnérabilité particulière, et en se contentant de les additionner pour calculer un ratio d'endettement unique, on perd de vue cette spécificité. On pourrait en tenir compte en attribuant à chaque type de dette un coefficient de pondération lié au risque spécifique qui y est associé. Mais cela nécessiterait des données plus détaillées au sujet de la composition de la dette totale.

E. Répudiation de la dette

Le principal objectif de l'analyse de viabilité de la dette est d'aider les responsables à éviter des situations dans lesquelles le pays ne peut plus assumer le service de sa dette. Toutefois, même si les pays adoptent de bonnes politiques, on ne peut pas totalement exclure de telles situations, ne serait-ce que parce qu'elles peuvent être causées par des chocs externes, dont il est difficile de prédire le moment et la violence dans un environnement financier international très instable. Les pays à bas revenu empruntent essentiellement à des créanciers officiels (États ou institutions multilatérales) et, lorsqu'ils ne peuvent pas rembourser leur dette, ils les renégocient avec ces créanciers, généralement dans le cadre du Club de Paris. La situation des pays à revenu intermédiaire qui ont accès au marché international des capitaux est différente. Dans ce cas, il y a de nombreux créanciers, souvent anonymes, et la dette se présente sous de nombreuses formes différentes; en outre, il n'existe pas de cadre institutionnel pour une renégociation entre un débiteur souverain et des créanciers privés. C'est pourquoi la répudiation de dettes publiques entraîne un processus compliqué et souvent coûteux tant pour les débiteurs que pour les créanciers[24].

> La répudiation de dettes publiques est en général coûteuse tant pour les débiteurs que pour les créanciers.

Si un emprunteur privé ne rembourse pas ses dettes, ses créanciers ont des droits bien définis sur ses actifs et ces droits sont une condition nécessaire de l'existence d'un marché de la dette privée. Dans le cas de la dette souveraine par contre, les droits des créanciers sont soit mal définis soit difficiles à faire respecter. En théorie, le débiteur souverain ne remboursera sa dette que si le coût de la répudiation est plus élevé que le coût du remboursement. Par conséquent, il faut que la répudiation soit coûteuse pour que puisse exister un marché de la dette souveraine.

Toutefois, les responsables politiques peuvent penser que la répudiation est plus coûteuse qu'elle ne l'est en réalité et donc trop tarder à suspendre le service de la dette[25]. Une récente étude du coût de la cessation de paiements (Borensztein et Panizza, 2008) n'a pas permis d'affirmer que les pays qui cessent d'assumer leurs obligations extérieures paient un coût élevé, en termes de perte de confiance du marché, qui réduirait ultérieurement leur accès au crédit ou le rendrait plus coûteux. En ce qui concerne l'impact de la répudiation sur la croissance, il a été établi qu'une cessation de paiements entraîne une baisse du taux de croissance comprise entre 0,5 et 2 points de pourcentage (Sturzenegger, 2004), mais la relation de cause à effet est difficile à établir. Une analyse fondée sur des données plus récentes montre que ce serait plutôt la crise économique qui précède la cessation de paiements que le contraire. En particulier, Levy Yeyati et Panizza (2005) ont montré qu'un épisode de cessation de paiements marque souvent la fin d'une crise économique et le début d'un redressement. Cela tendrait à confirmer que les gouvernements tardent trop à opter pour la cessation de paiements.

> Un épisode de cessation de paiements marque souvent la fin d'une crise économique et le début d'un redressement.

On peut avancer deux explications du fait que les pays tardent à se déclarer en cessation de paiements. La première est que ces épisodes sont souvent associés à des crises politiques ou, au minimum, à la démission du Ministre des finances du pays débiteur (voir Borensztein et Panizza, 2008)[26]. En conséquence, les politiciens, dans leur propre intérêt, pourraient choisir de miser sur un miracle et laisser la crise économique s'aggraver en différant la cessation de paiements[27].

La deuxième est l'idée que les cessations de paiement «délibérées» sont très coûteuses en termes de réputation (raison pour laquelle on en observe rarement), tandis que les répudiations «inévitables» n'ont qu'un effet limité sur la réputation du pays (Grossman et Van Huyck, 1988). Si tel est le cas, il se pourrait que les responsables politiques décident d'attendre jusqu'au dernier moment pour montrer qu'ils ne suspendent les paiements que contraints et forcés et non par stratégie délibérée. Selon cette explication, un politicien bien intentionné choisit le moindre de mal et est disposé à payer le coût lié au fait de repousser l'échéance de manière à éviter au pays une sanction beaucoup plus dure. Si tel était le cas, il serait très utile de mettre en place un mécanisme impartial pour le règlement des faillites d'État.

Outre que la décision de cesser les paiements est souvent prise trop tard, dans le système actuel, le coût peut être alourdi par un processus de restructuration qui est souvent très long. En particulier, certains créanciers refusent d'y participer dans l'espoir d'obtenir de meilleures conditions (Sturzenegger et Zettelmeyer, 2007).

Dans la plupart des cas, ces créanciers ne sont pas les acheteurs initiaux des obligations, mais des fonds de placements – souvent qualifiés de vautours – qui achètent la dette non remboursée dans l'intention explicite d'engager une procédure judiciaire. Si un créancier récalcitrant peut obtenir ainsi un meilleur traitement que les créanciers qui participent au processus de restructuration, tous les créanciers auront intérêt à ne pas y participer. Cela bloque le processus, prolonge l'état de faillite et laisse le débiteur sans accès à de nouvelles sources de financement et les créanciers sans aucun paiement. Ce problème du refus de participer ne se pose pas dans le cas d'une dette privée, car la loi sur les faillites garantit l'égalité de traitement de tous les créanciers d'une même catégorie.

Les périodes de calme sont les plus propices à un débat rationnel sur les différentes questions que soulève le règlement des crises, mais en général on ne s'y intéresse vraiment qu'à chaud. Ainsi, c'est suite aux crises survenues dans les années qui ont précédé la Conférence internationale sur le financement du développement de 2002 que le Consensus de Monterrey a souligné la nécessité de mettre en place un ensemble de principes clairs pour la gestion et le règlement des crises financières, prévoyant un partage équitable du fardeau entre secteur public et secteur privé et entre débiteurs, créanciers et investisseurs (Nations Unies, 2002: par. 51).

Le nombre de pays émergents émettant des obligations avec clause d'action collective ne cesse de croître.

Nous avons déjà fait des propositions précises pour la création d'un mécanisme international de restructuration des dettes dans le *Rapport sur le commerce et le développement 1998* (première partie, chap. IV.B) et le *Rapport sur le commerce et le développement 2001* (deuxième partie, chap. VI.B). En fait, la question a été soulevée dès 1986 dans le cadre de la crise de surendettement des années 80. À l'époque, l'absence d'un cadre clair et impartial pour le règlement des problèmes de dette extérieure a mis les pays en développement dans une situation dans laquelle ils étaient stigmatisés et considérés comme en faillite de fait, sans bénéficier d'une protection et d'une aide comparables à celle qu'apporte la faillite *de jure* (*Rapport sur le commerce et le développement 1986*: annexe du chapitre IV). La CNUCED a été la première organisation internationale à préconiser la mise en place d'un processus structuré pour régler les problèmes d'endettement international des pays en développement, en s'inspirant de certains principes de lois nationales sur la faillite, notamment les chapitres 9 et 11 de la loi des États-Unis[28]. Ces propositions partaient du constat que l'application des principes de la liberté du compte de capital, de la convertibilité et de la garantie de remboursement des créanciers n'a pas toujours permis de stabiliser les marchés et d'éviter des crises coûteuses.

Le débat a été relancé lorsque le FMI a avancé une proposition de mécanisme de restructuration de la dette souveraine (MRDS) (Krueger, 2001), qui a été examinée officiellement lors d'une réunion du Comité financier et monétaire international en 2003. Toutefois, de nombreux pays craignaient que la mise en place d'un mécanisme judiciaire pour la restructuration de la dette entrave leur accès au marché international des capitaux[29]. D'autres craignaient que cette proposition n'entraîne un excès de pouvoir du FMI, qui aurait la prérogative de décider si la dette extérieure d'un pays est supportable ou non. En raison de ces préoccupations et de diverses autres objections, la proposition n'a pas obtenu l'appui nécessaire[30].

Plusieurs pays émergents ont exprimé leur préférence pour des approches volontaires de la restructuration de la dette et en particulier pour l'incorporation de clauses d'action collective (CAC) dans les nouvelles émissions obligataires[31]. Cependant, tout en préférant cette formule, certains émetteurs craignaient, au début, que l'inclusion de telles clauses soit interprétée comme une indication d'incapacité ou de manque de volonté de rembourser et que les acheteurs exigent des marges accrues sur ce type d'obligations. Les résultats de plusieurs émissions obligataires de pays émergents faites en 2002 et 2003 ont écarté ces craintes, et le nombre de pays émergents émettant des obligations avec CAC n'a cessé de croître. À la fin de 2007, quelque deux tiers du stock d'obligations émises par des pays émergents comportaient une CAC et cette proportion devrait atteindre 80 % en 2010[32].

En l'absence d'un mécanisme officiel complet inspiré des lois sur la faillite des pays développés, l'inclusion de CAC dans les contrats d'émission d'obligations peut contribuer à faciliter la renégociation de la dette à long terme. Toutefois, cette formule serait plus efficace si elle était complétée par un cadre plus général, structuré et approuvé au niveau international. Un tel cadre permettrait un moratoire unilatéral du remboursement de la dette moyennant l'approbation d'un organisme international, sans suspension des prêts sur arriérés (*Rapport sur le commerce et le développement 2001*, chap. III, sect. D, et chap. IV). En outre, les caractéristiques de la structure officielle devraient être conçues de manière à ne pas donner aux créanciers l'impression qu'elle accroîtrait l'incitation à répudier la dette.

F. Conclusions et recommandations

Depuis le milieu des années 90, un montant sans précédent de dettes officielles des pays en développement a été annulé. L'intention était non seulement d'aider les pays les plus pauvres à accroître leur revenu par habitant et à lutter contre la pauvreté, mais aussi d'aider certains pays à revenu moyen et quelques pays sortant d'un conflit politique à ramener leur endettement à un niveau supportable pour qu'ils puissent mettre en œuvre leurs stratégies de développement. Toutefois, l'importance du désendettement accordé au cours des dernières années paraît avoir réduit les autres flux d'aide. C'est pourquoi il faudrait que l'évaluation des initiatives de désendettement comporte une mesure explicite de l'additionnalité du désendettement.

> L'additionnalité complète du désendettement est indispensable pour aider les pays à bas revenu à atteindre les OMD.

L'additionnalité complète du désendettement, préconisée par le Consensus de Monterrey, est indispensable pour aider les pays à bas revenu à atteindre les OMD tout en préservant la viabilité de la dette. Elle devrait aussi leur permettre de faire les investissements nécessaires dans les infrastructures économiques et dans les secteurs productifs pour créer des emplois et accroître la productivité. Ce n'est qu'ainsi que ces pays pourront atteindre un niveau de revenu par habitant qui permettra une réduction durable de la pauvreté et une amélioration durable des autres indicateurs de réalisation des OMD.

Il convient aussi que les donateurs admettent que les initiatives passées de désendettement ont négligé les besoins de développement considérables d'autres pays à bas revenu peu endettés, souvent grâce à une stratégie de financement extérieur plus prudente. Afin de ne pas défavoriser ces pays, il conviendrait de permettre à tous les pays pauvres de bénéficier de l'IMRD; la participation à l'IMRD ne devrait pas être subordonnée au fait d'avoir une dette excessive. Il pourrait aussi être nécessaire d'envisager d'annuler certaines dettes de pays en développement qui ne répondent pas aux critères de l'Initiative PPTE et de l'IMRD.

Les données d'observation récentes concernant la relation entre l'emprunt extérieur net et la croissance tendent à montrer que l'accumulation de dettes extérieures n'est pas nécessaire pour tous les pays en développement ou en tous temps. Pour diverses raisons, notamment la hausse des prix à l'exportation des produits primaires et l'application de politiques macroéconomiques visant à éviter une surévaluation de la monnaie, les importations nettes de capitaux de la plupart des pays en développement ont diminué ou ont même été inversées ces dernières années. En conséquence, leur dette extérieure a augmenté plus lentement que leur RNB ou leurs exportations. Plusieurs ont même réduit leur stock de dettes ou sont devenus créanciers nets par rapport au reste du monde. Néanmoins, de nombreux pays continuent de se financer à l'extérieur, soit en raison d'un déficit structurel des opérations courantes soit à cause de l'insuffisance des mécanismes de financement interne. L'effet du financement externe sur l'économie, et notamment sur la viabilité de la

> L'accumulation de dettes extérieures n'est pas nécessaire pour tous les pays en développement ou en tous temps.

dette extérieure, peut être très différent selon l'emploi qui en est fait.

Aujourd'hui, un des grands défis est de consolider les progrès accomplis et d'aller encore plus loin, tout en veillant à ce que le financement externe soit affecté aux emplois les plus productifs en termes de croissance, de transformation structurelle et de développement social.

Après avoir examiné cinq cents années de crises de surendettement, Reinhart et Rogoff (2008a) ont montré que les fortes expansions des flux de capitaux sont presque toujours suivies d'une vague de défaillances. Cela donne à penser que la première chose à faire pour assurer la viabilité de la dette est d'emprunter pour les bonnes raisons et de ne pas emprunter trop durant les périodes de vaches grasses. Emprunter pour les bonnes raisons signifie que la dette doit être employée uniquement pour financer des projets dont la rentabilité est supérieure au taux d'intérêt du prêt. En outre, l'emprunt en devises devrait être employé uniquement pour des projets qui peuvent, directement ou indirectement, générer les recettes en devises nécessaires pour assurer le service de la dette[33]. Dans de nombreux cas, en particulier lorsque les projets ne nécessitent pas d'importations, les pays en développement devraient chercher à les financer avec des ressources nationales. Les stratégies d'endettement sont donc étroitement liées au développement du système financier national, comme nous l'avons vu au chapitre IV, et à des politiques macroéconomiques et de taux de change visant à éviter un déficit des opérations courantes non nécessaire.

La première chose à faire pour assurer la viabilité de la dette est d'emprunter pour les bonnes raisons et de ne pas emprunter trop durant les périodes de vaches grasses.

Les pays à revenu intermédiaire peuvent limiter le risque de crise de surendettement en profitant de l'environnement externe actuellement favorable pour réduire leur déficit budgétaire, renforcer leur système financier national et éviter une surévaluation de leur monnaie pour ne pas devoir emprunter à l'extérieur. Une des contraintes importantes pour les pays à revenu intermédiaire qui ont accès au marché financier international est la vulnérabilité face à la forte volatilité de ce marché. Les chocs qui peuvent causer une crise de liquidité dans les pays en développement sont souvent des facteurs externes qui résultent de politiques appliquées par les pays développés. C'est pourquoi les pays en développement doivent suivre de près la réforme du système monétaire et financier international dans le but de limiter autant que possible les flux financiers spéculatifs déstabilisateurs. Ils doivent aussi militer en faveur du renforcement des institutions et mécanismes d'appui à la coordination des politiques macroéconomiques.

Il est encore plus difficile pour les pays à bas revenu de mettre en œuvre des politiques nationales permettant de réduire le risque de crise de surendettement. En général, le secteur financier de ces pays est très peu développé et ils dépendent de ressources extérieures pour financer non seulement des investissements productifs et des grands projets d'infrastructures, mais aussi pour renforcer leurs systèmes de soins de santé et d'éducation. Le rendement de ces investissements dans les secteurs sociaux est élevé à long terme, mais en général ils ne génèrent pas les flux de trésorerie nécessaires pour assurer le service de la dette à court et à moyen terme et, par conséquent, le financement de ces secteurs par l'emprunt extérieur peut entraîner un surendettement. On peut en conclure que, les pays à bas revenu ne pouvant pas assumer une lourde dette, il faudrait accroître considérablement l'aide extérieure sous forme de dons.

Pour renforcer la gestion de la dette publique et de la dette extérieure, il est indispensable d'avoir un mécanisme efficace de collecte et de transmission de données au sujet de la composition de la dette souveraine, tant extérieure qu'intérieure[34]. Ce problème est particulièrement complexe pour les pays à structure fédérale et possédant un grand nombre d'entreprises d'État. Les pays qui émettent des obligations sur le marché international et qui ont un système financier national opérationnel devraient adopter une stratégie fondée sur une gestion active de l'actif et du passif et tenant compte des différences de coût et de risque associés aux divers types d'instruments qu'ils émettent. En particulier, il faut évaluer soigneusement les coûts et les avantages de l'émission de titres de créances subordonnés ou ayant des caractéristiques proches de celles d'une action. Comme une part importante et croissante des emprunts des pays émergents sont le fait d'entreprises privées, les autorités doivent aussi veiller à ce que l'emprunt privé n'expose pas les banques et les entreprises non bancaires à un risque de bilan excessif.

L'appui international aux efforts visant à améliorer la viabilité de la dette des pays à bas revenu devrait partir du constat que ces pays ont d'énormes besoins d'investissements dans les infrastructures sociales et physiques, mais n'ont qu'une faible capacité de remboursement de la dette extérieure nécessaire pour financer ces investissements. D'après le cadre d'analyse de la viabilité de la dette de la Banque mondiale/du FMI, ces pays devraient renoncer à des investissements ayant un rendement social élevé pour préserver la viabilité de leur dette extérieure. En pareille situation, une annulation intégrale des dettes et une forte augmentation de l'aide sont probablement nécessaires.

> En raison de leur vulnérabilité face aux chocs exogènes, les pays en développement doivent suivre de près la réforme du système monétaire et financier international.

Des titres de créances novateurs permettant de réduire la vulnérabilité des pays en développement en cas de choc ou d'évolution défavorable de l'environnement économique et financier international pourraient contribuer à préserver la viabilité de la dette. La création et la diffusion de tels instruments exigeraient une coopération de la communauté internationale en raison de l'échelle du marché requis, des externalités et de la nécessité d'avoir des normes uniformes. Par exemple, comme peu de pays en développement peuvent émettre des obligations internationales libellées dans leur propre devise, les institutions internationales de financement pourraient les aider à créer un marché obligataire en émettant elles-mêmes des obligations libellées dans la monnaie des pays auxquels elles prêtent[35].

La communauté internationale pourrait aussi faciliter l'émission de titres de créances à coupon variable, notamment des obligations indexées sur le RNB, qui permettent de réduire le coût du service de la dette lorsque la capacité de remboursement est faible[36], en fournissant une assistance technique et en renforçant la qualité et la fiabilité des statistiques nécessaires pour fixer le prix de ces instruments. Les institutions internationales de financement pourraient envisager d'émettre elles-mêmes de tels titres. Pour qu'ils acceptent des titres dont la rentabilité est incertaine, les investisseurs internationaux exigeront probablement une prime, qui peut être considérée comme une sorte de prime d'assurance contre un choc financier externe. Dans le cas des obligations indexées sur le RNB, la prime nécessaire a été estimée à quelque 100 points de base (Borensztein *et al.*, 2004). Les institutions internationales de financement pourraient promouvoir cette forme d'assurance en émettant un volume suffisant d'instruments de ce genre et en faisant valoir leurs avantages.

Enfin, il faut accepter que, même avec une meilleure gestion de la dette et avec des titres de créances améliorés et plus sûrs, il y aura inévitablement des crises de surendettement. C'est pourquoi il convient que la communauté internationale n'abandonne pas l'idée de créer un mécanisme visant à résoudre rapidement les crises de surendettement et à assurer un partage équitable de leur coût entre les créanciers et les débiteurs[37]. À cet effet, il serait souhaitable de créer un organisme international indépendant, mandaté tant par les débiteurs que par les créanciers, pour évaluer la situation de tous les pays ayant un problème de dette extérieure et pour déterminer quels sont le niveau et la forme du désendettement dont ils auraient besoin (*Rapport sur le commerce et développement 2001*).

Notes

1 Voir *External Debt Statistics: Guide for Compilers and Users*, copublié par la Banque des règlements internationaux (BRI), Eurostat, le Fonds monétaire international (FMI), l'Organisation de coopération et de développement économiques (OCDE), le Club de Paris, la CNUCED et la Banque mondiale. Toutefois, il convient de souligner qu'on ne peut pas appliquer cette définition rigoureusement, car l'essentiel de la dette extérieure due à des créanciers privés est détenu par des investisseurs qui, en principe, sont anonymes. Par conséquent, la plupart des pays publient les statistiques relatives à la dette extérieure et intérieure sur la base des informations relatives au lieu d'émission et au choix du for. Cela est problématique, car de nombreuses observations montrent qu'un nombre croissant d'investisseurs internationaux se placent sur le marché financier intérieur de pays en développement et que les investisseurs de ces pays détiennent souvent des obligations émises sur le marché international. On pourrait employer une autre définition fondée sur la monnaie dans laquelle la dette est libellée et considérer comme dette extérieure tout ce qui est libellé en devises. Toutefois cette définition ne semble pas non plus satisfaisante parce que divers pays émettent sur le marché intérieur des obligations libellées en monnaie étrangère et ont récemment commencé à émettre des obligations en monnaie nationale sur le marché international. En outre, les informations relatives à la composition par monnaie de la dette émise sur le marché intérieur sont limitées.

2 Les cinq premières économies en développement réalisaient 50 % du RNB total de l'ensemble de ces pays en 2000. Le RNB de la Chine représentait 60 % de celui de la région Asie de l'Est-Pacifique. Ceux du Brésil et du Mexique cumulés représentaient 60 % du total de la région Amérique latine et Caraïbes et celui de la Fédération de Russie 30 % du total de la région Europe orientale et Asie centrale.

3 Les avoirs d'investisseurs étrangers sous forme d'obligations émises sur le marché national sont censés être considérés comme dette extérieure et non comme dette intérieure, mais cette règle est rarement appliquée (voir note 1).

4 Selon la doctrine traditionnelle, les emprunteurs privés et publics des pays émergents peuvent maintenant vendre des obligations en monnaie locale à des investisseurs étrangers parce que ces derniers prévoient une appréciation de la monnaie locale par rapport au dollar. Toutefois, cela n'est justifié que si les créanciers prévoient une appréciation plus forte que les emprunteurs et il n'y a pas de raison apparente pour que cela soit le cas. Caballero et Cowan (2008) suggèrent que l'emprunt en monnaie nationale est aujourd'hui à la mode parce que l'appréciation espérée permet aux gouvernements prudents de cacher la prime d'assurance implicite que suppose cette forme d'emprunt.

5 Le montant de l'annulation des dettes dépend aussi des sources qu'on emploie, selon qu'on se réfère aux chiffres communiqués par les débiteurs à la base de données *Global Development Finance* de la Banque mondiale ou à ceux communiqués par les créanciers qui se trouvent dans la base de données du Comité d'aide au développement (CAD) de l'OCDE. Le principal avantage de la base de données de la Banque mondiale est qu'elle tient compte de l'annulation de dettes consenties par tous les créanciers officiels, y compris ceux qui ne sont pas membres du CAD. Son principal inconvénient est lié au fait que, certains pays en développement n'ayant pas les capacités statistiques nécessaires, les données ne sont pas très fiables. Les données que les créanciers communiquent au CAD sont en général plus «propres» que celles de la base GDF, mais omettent ce qui est dû à des pays qui ne sont pas membres du CAD. En conséquence, les chiffres du CAD sont en général moins élevés et moins volatils que ceux de la base GDF.

6 Pour une analyse des débats du Club de Paris et de ses modalités de fonctionnement, voir Rieffel, 2003.

7 Les données relatives au désendettement proviennent du CAD (OCDE-SDI) et celles employées pour calculer le ratio dette/RNB de la base GDF du FMI.

8 Depetris Chauvin et Kraay (2005) ont fait une étude statistique des liens entre allégement de la dette, croissance et composition des dépenses publiques. Ils ont trouvé une corrélation positive mais non significative entre le désendettement et la croissance du PIB et une corrélation positive et significative, mais pas très robuste, entre le désendettement et les dépenses publiques de santé et d'éducation.

9 Les modalités de sélection et d'octroi de l'annulation de la dette dans le cadre de l'IMRD ne sont pas les mêmes pour toutes les institutions multilatérales. Chacune décide sur la base de ses propres critères du champ d'application du désendettement. La plupart des PPTE bénéficient intégralement de la participation de la Banque africaine de développement (BAfD) et de la BID, mais pas l'Afghanistan, le Kirghizistan et le Népal, du fait que la Banque asiatique de développement (BAD) ne participe pas à l'initiative.

10 L'alerte fournie serait extrêmement précoce puisque certaines analyses de viabilité de la dette se fondent sur des projections à vingt ans.

11 Il y a aussi une différence mineure en ce qui concerne les simulations. La simulation de la résistance à certains événements est plus importante dans le cas des pays à revenu intermédiaire pour deux raisons au moins. La première est celle de la disponibilité des données, étant donné qu'on ne dispose pas de données suffisantes pour certains pays à bas revenu. La seconde tient au fait que les pays à revenu intermédiaire ont une dette dont la structure est plus complexe et sont plus exposés à de fortes variations de leurs coûts de financement.

12 Les pays sont considérés comme risques faibles si tous les indicateurs d'endettement sont inférieurs au seuil de surendettement et le resteraient même si ces pays subissaient un choc négatif relativement fort. Ils sont considérés comme risques modérés si leurs indicateurs sont inférieurs au seuil mais risquent de le franchir en cas de choc négatif. Ils sont considérés comme risques élevés si les projections de base indiquent qu'ils vont franchir le seuil. Enfin ils sont considérés comme surendettés si leurs ratios d'endettement sont supérieurs aux seuils (pour plus de précisions, voir Banque mondiale, 2006b).

[13] Les pays à risque faible n'ont pas droit aux dons, mais ils bénéficient des conditions de faveur associées à tous les prêts de l'IDA.

[14] Certains auteurs soutiennent que la dette extérieure privée ne pose pas de problème de transfert et que le seul problème est dû à la dette extérieure publique. Cette idée est souvent appelée la «doctrine de Lawson», depuis un discours prononcé en 1988 par le Chancelier de l'Échiquier britannique de l'époque, Nigel Lawson, qui, commentant le déficit des opérations courantes du Royaume-Uni, a déclaré que la position du pays était forte parce que ce déficit était dû à des emprunts du secteur privé et non du secteur public. La crise asiatique, qui a frappé des pays caractérisés par une faible dette publique et un déficit modique, et qui a été provoquée par l'emprunt privé, a discrédité cette doctrine. D'ailleurs, le Royaume-Uni lui-même a connu une profonde récession peu de temps après ce fameux discours.

[15] En théorie, cela est aussi vrai lorsque la dette extérieure est libellée dans la monnaie du pays débiteur, mais les pays qui ont cette possibilité peuvent toujours recourir à la dévalorisation de leur dette par l'émission de monnaie.

[16] Cela implique que les créanciers doivent accepter une dégradation de leur solde des opérations courantes et, dans l'analyse de la viabilité de la dette, il faut tenir compte du fait que certains y sont peu disposés.

[17] Aux États-Unis, le rapport économique du Président de 2004 soulignait cet aspect: «L'intérêt d'un flux de capitaux nets positifs et d'un déficit des opérations courantes dépend de l'emploi fait des entrées de capitaux. L'emprunt des ménages – c'est-à-dire un excédent des dépenses ou de l'investissement par rapport à l'épargne – fournit une analogie utile. Une dette privée peut être employée pour financer des vacances extravagantes, l'achat d'un logement par un emprunt hypothécaire ou pour payer des études. On ne peut pas juger de l'opportunité d'un emprunt sans savoir à quoi il est employé. De même, pour un pays, l'emprunt extérieur peut être productif ou non.» (États-Unis, 2004: 256).

[18] Pour évaluer des actifs pour lesquels il n'existe pas de marché secondaire, on ne peut que faire des estimations fondées sur différents postulats, mais certains pays publient non seulement la dette mais aussi l'actif du secteur public. Ainsi, la Nouvelle-Zélande publie une évaluation de tous les actifs financiers et physiques, tels que routes, ponts et écoles, de l'État. Cette approche est difficilement applicable à l'analyse de la viabilité de la dette extérieure des pays en développement, car des actifs tels que les bibliothèques publiques, les hôpitaux et les écoles ne sont pas liquides et il est peu probable qu'ils génèrent les recettes en devises nécessaires pour rembourser la dette extérieure.

[19] Certains tests mis au point pour les États-Unis emploient plus de cent ans de données (Hamilton et Flavin, 1986). Pour un tour d'horizon de la littérature récente voir Izquierdo et Panizza (2006).

[20] Le solde primaire est le solde budgétaire avant paiement des intérêts sur la dette publique.

[21] Les Gouverneurs représentant 11 pays membres emprunteurs de la BID ont pris conscience de ce problème et ont signé en 2004 une lettre ouverte, baptisée par la suite Carta de Lima, qui demande que les dépenses d'équipement soient exclues des objectifs fiscaux (voir http://www.iadb.org/exr/am/2004/carta_lima.pdf; on peut consulter une traduction en anglais des passages pertinents à l'adresse: http://www.iadb.org/exr/am/2004/index.cfm?op=press&pg=15)

[22] Buiter (1985) suggère un tel indicateur, défini par l'équation suivante:

$$SUS = ps - (g - r)\frac{W}{GDP},$$

dans laquelle W est la valeur nette du patrimoine public, ps est l'excédent primaire, r est le taux d'intérêt réel et g est le taux de croissance de l'économie (GDP = PIB).

[23] Outre les obligations en monnaie locale, les pays en développement pourraient émettre des instruments financiers intégrant une protection, tels que des obligations indexées sur les prix des produits primaires, les termes de l'échange ou le RNB. Ils peuvent aussi se couvrir au moyen d'instruments dérivés. Toutefois, beaucoup de marchés de contrats à terme et d'options manquent de liquidité et n'offrent donc que des possibilités d'assurance limitées (BID, 2006). Certains pays commencent à émettre des obligations catastrophes. Pour une analyse des avantages de l'assurance catastrophe nationale, voir Borensztein, Cavallo et Valenzuela, 2007.

[24] On définit l'expression répudiation de la dette souveraine comme une situation dans laquelle un État cesse de rembourser intégralement sa dette et obtient un rééchelonnement de ses obligations à des conditions moins favorables (par rapport au contrat de crédit initial) pour les créanciers (voir Panizza, Sturzenegger et Zettlemeyer, 2008, pour une analyse du droit et de l'économie de la dette souveraine et de sa répudiation).

[25] D'après un mémorandum rédigé conjointement par les banques centrales du Royaume-Uni et du Canada, historiquement, le problème n'a pas été que les pays ont été trop empressés de répudier leurs obligations financières internationales, mais au contraire qu'ils ont été trop réticents à le faire.

[26] C'est parfois le contraire qui se produit et la décision de cesser d'honorer les obligations extérieures est applaudie par le public. Mais cela se produit généralement quand la décision est prise par un nouveau gouvernement.

[27] Une politique qui retarde une répudiation nécessaire peut être coûteuse car elle peut nécessiter des mesures de restriction budgétaire et monétaire et, du fait qu'elle prolonge le climat d'incertitude, elle peut aussi avoir des effets négatifs sur les décisions d'investissement.

[28] Comme le *Rapport sur le commerce et le développement 2001*, Pettifor (2002) et Radder (1990) ont suggéré d'adapter au marché de la dette internationale certaines dispositions du chapitre 9 du Code de la faillite des États-Unis, qui traitent des faillites municipales. La procédure inspirée de ce chapitre serait supervisée par des entités neutres ad hoc, créées par les créanciers et le débiteur, comme il est d'usage en droit international.

[29] Pour une analyse plus détaillée du MRDS, voir Akyüz, 2003: 6 et 7.

[30] Pour que ce mécanisme devienne opérationnel, il aurait fallu modifier les statuts du FMI, ce qui exige l'appui des trois cinquièmes des membres et une majorité de 85 % du total des votes. La modification des statuts est de fait impossible sans l'accord des États-Unis, qui détiennent 17,1 % des voix.

[31] Une CAC permet à une supermajorité de détenteurs d'obligations (généralement comprise entre 75 et 90 %) de s'accorder sur une restructuration qui est juridiquement contraignante pour tous les porteurs de l'obligation, y compris ceux qui ont voté contre. De telles clauses sont généralement liées aux émissions obligataires de droit britannique et japonais. En revanche, jusqu'en 2003, les obligations émises dans l'État de New York ne comportaient pas cette clause, ce qui rendait leur restructuration difficile, puisqu'elle devait être acceptée par tous les porteurs.

[32] Allocution d'ouverture du Président de la Banque centrale européenne, J. C. Trichet, à la réunion annuelle des membres de l'Institute of International Finance à l'occasion de son vingt-cinquième anniversaire, Washington, 20 octobre 2007, et FMI (2002b).

[33] L'argent étant fongible, ce principe ne doit pas être nécessairement appliqué à la lettre. Néanmoins, chaque fois qu'un pays emprunte à l'étranger, il doit s'assurer que son économie peut générer les recettes en devises nécessaires pour assurer le service de la dette.

[34] Les problèmes de données peuvent être résolus s'il y a la volonté politique nécessaire. En fait, l'absence de données sur la dette intérieure est un phénomène relativement récent. Reinhart et Rogoff (2008b) signalent que la Société des Nations recueillait des données détaillées sur le montant et la composition de la dette publique intérieure tant des pays développés que des pays en développement et que l'ONU a continué jusqu'au début des années 80. On ne sait pas au juste pour quelle raison elle a cessé de le faire.

[35] Eichengreen et Hausmann (2005) ont proposé que les banques multilatérales de développement émettent des obligations libellées dans un indice composé de monnaies d'un groupe diversifié de pays émergents afin de limiter le risque de change.

[36] Pour une analyse des obligations indexées sur le RNB voir Borensztein et Mauro (2004) et Griffith-Jones et Sharma (2006).

[37] La communauté internationale devrait aussi commencer à réfléchir sérieusement à la question des dettes odieuses. Cette notion est controversée et les avis y relatifs sont très divers. Selon certains, le caractère odieux d'une dette doit être défini *ex post* (EURODAD, 2007), tandis que d'autres soutiennent que cela pourrait créer des problèmes qu'on pourrait éviter en le définissant *ex ante* (Jayachandran et Kremer, 2006). D'autres encore soutiennent que, vu l'état actuel des connaissances, le fait d'avoir une politique explicite en matière de dette odieuse, que ce soit *ex post* ou *ex ante*, pourrait causer plus de tort que de bien (Rajan, 2004)

Bibliographie

Akyüz Y (2003). New sovereign debt restructuring mechanisms: Challenges and opportunities, *WIDER Angle, 1.*

Arslanalp S and Henry PB (2004). Helping the poor to help themselves: Debt relief or aid. In: Jochnick C and Preston F, eds. *Sovereign Debt at the Cross*roads: Challenges and Proposals for Resolving the Third World Debt Crisis. Oxford, Oxford University Press.

Arslanalp S and Henry PB (2006). Debt relief. *Journal of Economic Perspectives*, 20(1): 207–220.

Birdsall N, Claessens S and Diwan I (2001). Will HIPC matter? The debt game and donor behavior in Africa (mimeo). Washington, DC, Carnegie Endowment for International Peace.

Birdsall N and Deese B (2004). Beyond HIPC: Secure sustainable debt relief for poor countries. Working Paper No. 46, Center for Global Development, Washington, DC.

Blustein P (2005). *And the Money Kept Rolling In (and Out): The World Bank, Wall Street, the IMF and the Bankrupting of Argentina*. New York, Public Affairs.

Borensztein E, Cavallo E and Valenzuela P (2007). Debt sustainability under catastrophic risk: the case of government budget insurance. IDB Research Department Working Paper 607. Washington, DC, Inter-American Development Bank.

Borensztein E and Mauro P (2004). The Case for GDP-indexed bonds. *Economic Policy*, 38: 165–216.

Borensztein E and Panizza U (2008). The costs of default (unpublished). Washington, DC, International Monetary Fund.

Borensztein E et al. (2004). Sovereign Debt Structure for Crisis Prevention. IMF Occasional Paper No. 237. Washington, DC, International Monetary Fund.

Buiter W (1985). Guide to public sector debt and deficits. *Economic Policy: A European Forum*, 1: 949–963.

Caballero RJ and Cowan K (2008). Financial integration without the volatility. MIT Department of Economics Working Paper No. 08-04. Cambridge, MA, Massachusetts Institute of Technology.

Campos C, Jaimovich D and Panizza U (2006). The unexplained part of public debt. *Emerging Markets Review*, 7(3): 228–243.

Cowan K et al. (2006). Sovereign debt in the Americas: new data and stylized facts. IDB Research Department Working Paper 57. Washington, DC, Inter-American Development Bank.

Depetris Chauvin N and Kraay A (2005). What has 100 billion dollar worth of debt relief done for low-income countries? (Mimeo). Washington, DC, Inter-American Development Bank.

Easterly W (2002). How did heavily indebted poor countries become heavily indebted? Reviewing two decades of debt relief. *World Development*, 30(10): 1677–1696.

Eichengreen B and Hausmann R (2005). The road to redemption. In: Eichengreen B and Hausmann R, eds. *Other People's Money: Debt Denomination and Financial Instability in Emerging-Market Economies*. Chicago, University of Chicago Press: 267–288.

Eichengreen B, Hausmann R and Panizza U (2005). The pain of original sin. In: Eichengreen B and Hausmann R, eds. *Other People's Money: Debt Denomination and Financial Instability in Emerging-Market Economies.* Chicago, University of Chicago Press: *13–47.*

EURODAD (2007). Skeletons in the cupboard: Illegitimate debt claims of the G7; at:

http://www.eurodad.org/uploadedFiles/Whats_New/Reports/Eurodad%20SkeletonsCupboardG7Report.pdf.

Griffith-Jones S and Sharma K (2006). GDP-indexed bonds: Making it happen. Working Paper 21, United Nations, Department of Economics and Social Affairs, New York.

Grossman HI and Van Huyck JB (1988). Sovereign debt as a contingent claim: Excusable default, repudiation and reputation. *American Economic Review*, 78(5): 1088–1097.

Hamilton J and Flavin M (1986). On the limitations of government borrowing: A framework for empirical testing. *American Economic Review*, 76: 809–819.

Hepp R (2005). Can debt relief buy growth? (Mimeo). University of California, Davis.

IDB (2006). *Living with Debt.* Cambridge, MA, Harvard University Press.

IMF (2002a). Assessing sustainability. Policy Paper prepared by the Policy Review and Development Department. Washington, DC, International Monetary Fund, 28 May.

IMF (2002b). Collective action clauses in sovereign bond contracts: Encouraging greater use. Washington, DC.

IMF (2003). Sustainability assessments: Review of application and methodological refinements. Policy paper prepared by the Policy Review and Development Department, 10 June. Washington, DC, International Monetary Fund.

IMF (2007). Heavily Indebted Poor Countries (HIPC) Initiative and Multilateral Debt Relief Initiative (MDRI): Status of implementation assembled by the staff of the IMF and IDA. Washington, DC, September; available at: http://siteresources.worldbank.org/INTDEBTDEPT/ProgressReports/21656521/HIPCProgressReport20070927.pdf.

IMF (2008). *World Economic Outlook.* Washington, DC, International Monetary Fund, April.

Izquierdo A and Panizza U (2006). Fiscal sustainability: Issues for emerging market countries. In: Galal A and Ul Haque N, eds. *Fiscal Sustainability in Emerging Markets: International Experience and Implications for Egypt.* Cairo, American University in Cairo Press: 67–104.

Jaimovich D and Panizza U (forthcoming). Public debt around the world. *Applied Economics Letters.*

Jayachandran S and Kremer M (2006). Odious debt. *American Economic Review*, 96(1): 82–92.

Jeanne O and Guscina A (2006). Government debt in emerging market countries: A new data set. IMF Working Paper No. 06/98. Washington, DC, International Monetary Fund.

Keynes JM (1929). The German transfer problem; The reparation problem: A discussion; II. A rejoinder: Views on the transfer problem. III. A reply. *Economic Journal,* 39, March: 1–7; June: 172–178; September: 404–408.

Krueger A (2001). International financial architecture for 2002: A new approach to sovereign debt restructuring. Address given at the National Economists Club Annual Member's Dinner, American Enterprise Institute, Washington, DC, 26 November.

Levy Yeyati E and Panizza U (2005). The elusive costs of sovereign defaults. Washington, DC, Inter-American Development Bank.

Manasse P, Roubini N and Schimmelpfennig A (2003). Predicting sovereign debt crises. IMF Working Paper 03/221. Washington, DC, International Monetary Fund.

Ndikumana L (2004). Additionality of debt relief and debt forgiveness and implications for future volumes of official assistance. *International Review of Economics & Finance*, 13(3): 325–340.

Panizza U (2008a). Domestic and external public debt in developing countries. UNCTAD Discussion Paper No. 188. Geneva, UNCTAD.

Panizza U (2008b). The external debt contentious six years after the Monterrey Consensus. Paper presented at the review session on Chapter V (External debt) of the Preparatory Process on the Follow-up International Conference on Financing for Development to Review the Implementation of the Monterrey Consensus, New York, United Nations, 11 March.

Panizza U, Sturzenegger F and Zettelmeyer J (2008). The law and economics of sovereign debt and default (unpublished). Washington, DC, IMF.

Pettifor A (2002). Resolving international debt crises: The jubilee framework for international insolvency. NEF report. January.

Powell R (2003). Debt relief, additionality and aid allocation in low-income countries. IMF Working Paper No. 03/175. Washington, DC, International Monetary Fund.

Raffer K (1990). Applying Chapter 9 Insolvency to International Debts: An Economically Efficient Solution with a Human Face. World Development 18(2): 30.

Rajan R (2004). Odious or just malodorous? *Finance and Development*, December.

Reinhart C and Rogoff K (2008a). This time is different: a panoramic view of eight centuries of financial crises. NBER Working Paper No. 13882. Cambridge, MA, National Bureau of Economic Research.

Reinhart C and Rogoff K (2008b). The forgotten history of domestic debt. NBER Working Paper No. 13946. Cambridge, MA, National Bureau of Economic Research.

Rieffel L (2003). Restructuring sovereign debt: the case for ad hoc machinery. Washington, DC, Brookings Institution Press.

Rodrik D (2008). Second best institutions (mimeo). Cambridge, MA, Harvard University.

Sachs J (2005). *The End of Poverty: Economic Possibilities for Our Time.* New York, The Penguin Press.

Sturzenegger F (2004). Toolkit for the analysis of debt problems. Journal of Restructuring Finance, 1(1): 201–203.

Sturzenegger F and Zettelmeyer J (2007). *Debt Defaults and Lessons from a Decade of Crises.* Cambridge, MA, MIT Press.

UNCTAD (various issues). *Trade and Development Report.* United Nations publications, New York and Geneva.

United Nations (2002). Report of the International Conference on Financing for Development. Monterrey, Mexico, 18–22 March.

United Nations (2005). A practical plan to achieve the Millennium Development Goals. New York.

United States (2004). Economic Report of the President to the 108th Congress, 2nd Session, H. Doc. 108-145. Washington, DC: United States Government Printing Office; available at: http://www.gpoaccess.gov/usbudget/fy05/pdf/2004_erp.pdf.

World Bank (2006a). Debt relief for the poorest. Washington, DC, Independent Evaluation Group, World Bank.

World Bank (2006b). How to do a debt sustainability analysis for low-income countries; available at: http://siteresources.worldbank.org/INTDEBTDEPT/Resources/DSAGUIDE_EXT200610.pdf.

Wyplosz C (2007). Debt sustainability assessment: The IMF approach and alternatives. HEI Working Paper No: 03/2007. Geneva, Institut de Hautes Etudes Internationales et du Développement.

UNITED NATIONS CONFERENCE
ON TRADE AND DEVELOPMENT

Palais des Nations
CH-1211 GENEVA 10
Switzerland
(www.unctad.org)

Selected UNCTAD Publications

Trade and Development Report, 2007

United Nations publication, sales no. E.07.II.D.11
ISBN 978-92-1-112721-8

Trade and Development Report, 2006

United Nations publication, sales no. E.06.II.D.6
ISBN 92-1-112698-3

Chapter V National Policies in Support of Productive Dynamism

Chapter VI Institutional and Governance Arrangements Supportive of Economic Development

Trade and Development Report, 2005

United Nations publication, sales no. 05.II.D.13
ISBN 92-1-112673-8

Chapter I Current Issues in the World Economy

Chapter II Income Growth and Shifting Trade Patterns in Asia

Chapter III Evolution in the Terms of Trade and its Impact on Developing Countries

Annex: Distribution of Oil and Mining Rent: Some Evidence from Latin America, 1999–2004

Chapter IV Towards a New Form of Global Interdependence

Trade and Development Report, 2004

United Nations publication, sales no. E.04.II.D.29
ISBN 92-1-112635-5

Part One Global Trends and Prospects

I The World Economy: Performance and Prospects

II International Trade and Finance

Part Two Policy Coherence, Development Strategies and Integration into the World Economy

Introduction

III Openness, Integration and National Policy Space

IV Fostering Coherence Between the International Trading, Monetary and Financial Systems

Annex 1: The Concept of Competitiveness

Annex 2: The Set-up of Econometric Estimates of the Impact of Exchange Rate Changes on Trade Performance

Conclusions and Policy Challenges

Trade and Development Report, 2003

United Nations publication, sales no. E.03.II.D.7
ISBN 92-1-112579-0

Part One Global Trends and Prospects

I The World Economy: Performance and Prospects

II Financial Flows to Developing Countries and Transition Economies

III Trade Flows and Balances

Annex: Commodity prices

Part Two Capital Accumulation, Economic Growth and Structural Change

IV Economic Growth and Capital Accumulation

V Industrialization, Trade and Structural Change

VI Policy Reforms and Economic Performance: The Latin American Experience

Trade and Development Report, 2002

United Nations publication, sales no. E.02.II.D.2
ISBN 92-1-112549-9

Part One Global Trends and Prospects

I The World Economy: Performance and Prospects

II The Multilateral Trading System After Doha

Part Two Developing Countries in World Trade

III Export Dynamism and Industrialization in Developing Countries

Annex 1: Growth and classification of world merchandise exports

Annex 2: United States trade prices and dynamic products

Annex 3: International production networks and industrialization in developing countries

IV Competition and the Fallacy of Composition

V China's Accession to WTO: Managing Integration and Industrialization

Trade and Development Report, 2001

United Nations publication, sales no. E.01.II.D.10
ISBN 92-1-112520-0

Part One Global Trends and Prospects

I The World Economy: Performance and Prospects

II International Trade and Finance

Part Two Reform of the International Financial Architecture

III Towards Reform of the International Financial Architecture: Which Way Forward?

IV Standards and Regulation

V Exchange Rate Regimes and the Scope for Regional Cooperation

VI Crisis Management and Burden Sharing

* * * * * *

These publications may be obtained from bookstores and distributors throughout the world. Consult your bookstore or write to United Nations Publications/Sales and Marketing Section, Bureau E-4, Palais des Nations, CH-1211 Geneva 10, Switzerland (Fax: +41-22-917.0027; Tel.: +41-22-917-2614/2615/2600; E-mail: unpubli@unog.ch; Internet: https://unp.un.org); or United Nations Publications, Two UN Plaza, Room DC2-853, New York, NY 10017, USA (Tel.: +1-212-963.8302 or +1-800-253.9646; Fax: +1-212-963.3489; E-mail: publications@un.org).

G-24 Discussion Paper Series

Research papers for the Intergovernmental Group of Twenty-Four on International Monetary Affairs and Development

No. 48	November 2007	Sam LAIRD	Aid for Trade: Cool Aid or Kool-Aid
No. 47	October 2007	Jan KREGEL	IMF Contingency Financing for Middle-Income Countries with Access to Private Capital Markets: An Assessment of the Proposal to Create a Reserve Augmentation Line
No. 46	September 2007	José María FANELLI	Regional Arrangements to Support Growth and Macro-Policy Coordination in MERCOSUR
No. 45	April 2007	Sheila PAGE	The Potential Impact of the Aid for Trade Initiative
No. 44	March 2007	Injoo SOHN	East Asia's Counterweight Strategy: Asian Financial Cooperation and Evolving International Monetary Order
No. 43	February 2007	Devesh KAPUR and Richard WEBB	Beyond the IMF
No. 42	November 2006	Mushtaq H. KHAN	Governance and Anti-Corruption Reforms in Developing Countries: Policies, Evidence and Ways Forward
No. 41	October 2006	Fernando LORENZO and Nelson NOYA	IMF Policies for Financial Crises Prevention in Emerging Markets
No. 40	May 2006	Lucio SIMPSON	The Role of the IMF in Debt Restructurings: Lending Into Arrears, Moral Hazard and Sustainability Concerns
No. 39	February 2006	Ricardo GOTTSCHALK and Daniela PRATES	East Asia's Growing Demand for Primary Commodities – Macroeconomic Challenges for Latin America
No. 38	November 2005	Yilmaz AKYÜZ	Reforming the IMF: Back to the Drawing Board
No. 37	April 2005	Colin I. BRADFORD, Jr.	Prioritizing Economic Growth: Enhancing Macroeconomic Policy Choice
No. 36	March 2005	JOMO K.S.	Malaysia's September 1998 Controls: Background, Context, Impacts, Comparisons,

G-24 Discussion Paper Series

Research papers for the Intergovernmental Group of Twenty-Four on International Monetary Affairs and Development

			Implications, Lessons
No. 35	January 2005	Omotunde E.G. JOHNSON	Country Ownership of Reform Programmes and the Implications for Conditionality
No. 34	January 2005	Randall DODD and Shari SPIEGEL	Up From Sin: A Portfolio Approach to Financial Salvation
No. 33	November 2004	Ilene GRABEL	Trip Wires and Speed Bumps: Managing Financial Risks and Reducing the Potential for Financial Crises in Developing Economies
No. 32	October 2004	Jan KREGEL	External Financing for Development and International Financial Instability
No. 31	October 2004	Tim KESSLER and Nancy ALEXANDER	Assessing the Risks in the Private Provision of Essential Services
No. 30	June 2004	Andrew CORNFORD	Enron and Internationally Agreed Principles for Corporate Governance and the Financial Sector
No. 29	April 2004	Devesh KAPUR	Remittances: The New Development Mantra?
No. 28	April 2004	Sanjaya LALL	Reinventing Industrial Strategy: The Role of Government Policy in Building Industrial Competitiveness
No. 27	March 2004	Gerald EPSTEIN, Ilene GRABEL and JOMO K.S.	Capital Management Techniques in Developing Countries: An Assessment of Experiences from the 1990s and Lessons for the Future
No. 26	March 2004	Claudio M. LOSER	External Debt Sustainability: Guidelines for Low- and Middle-income Countries
No. 25	January 2004	Irfan ul HAQUE	Commodities under Neoliberalism: The Case of Cocoa
No. 24	December 2003	Aziz Ali MOHAMMED	Burden Sharing at the IMF
No. 23	November 2003	Mari PANGESTU	The Indonesian Bank Crisis and Restructuring: Lessons and Implications for other Developing Countries
No. 22	August 2003	Ariel BUIRA	An Analysis of IMF Conditionality
No. 21	April 2003	Jim LEVINSOHN	The World Bank's Poverty Reduction Strategy Paper Approach: Good Marketing or Good

G-24 Discussion Paper Series

Research papers for the Intergovernmental Group of Twenty-Four on International Monetary Affairs and Development

			Policy?
No. 20	February 2003	Devesh KAPUR	Do As I Say Not As I Do: A Critique of G-7 Proposals on Reforming the Multilateral Development Banks
No. 19	December 2002	Ravi KANBUR	International Financial Institutions and International Public Goods: Operational Implications for the World Bank
No. 18	September 2002	Ajit SINGH	Competition and Competition Policy in Emerging Markets: International and Developmental Dimensions
No. 17	April 2002	F. LÓPEZ-DE-SILANES	The Politics of Legal Reform
No. 16	January 2002	Gerardo ESQUIVEL and Felipe LARRAÍN B.	The Impact of G-3 Exchange Rate Volatility on Developing Countries
No. 15	December 2001	Peter EVANS and Martha FINNEMORE	Organizational Reform and the Expansion of the South's Voice at the Fund
No. 14	September 2001	Charles WYPLOSZ	How Risky is Financial Liberalization in the Developing Countries?
No. 13	July 2001	José Antonio OCAMPO	Recasting the International Financial Agenda
No. 12	July 2001	Yung Chul PARK and Yunjong WANG	Reform of the International Financial System and Institutions in Light of the Asian Financial Crisis
No. 11	April 2001	Aziz Ali MOHAMMED	The Future Role of the International Monetary Fund
No. 10	March 2001	JOMO K.S.	Growth After the Asian Crisis: What Remains of the East Asian Model?
No. 9	February 2001	Gordon H. HANSON	Should Countries Promote Foreign Direct Investment?
No. 8	January 2001	Ilan GOLDFAJN and Gino OLIVARES	Can Flexible Exchange Rates Still "Work" in Financially Open Economies?

* * * * * *

G-24 Discussion Paper Series are available on the website at: www.unctad.org. Copies of *G-24 Discussion Paper Series* may be obtained from the Publications Assistant, Macroeconomic and Development Policies Branch, Division on Globalization and Development Strategies, United Nations Conference on Trade and Development (UNCTAD), Palais des Nations, CH-1211 Geneva 10, Switzerland (Fax: +41-22-917.0274).

UNCTAD Discussion Papers

No. 188	March 2008	Ugo PANIZZA	Domestic and external public debt in developing countries
No. 187	Feb. 2008	Michael GEIGER	Instruments of monetary policy in China and their effectiveness: 1994–2006
No. 186	Jan. 2008	Marwan ELKHOURY	Credit rating agencies and their potential impact on developing countries
No. 185	July 2007	Robert HOWSE	The concept of odious debt in public international law
No. 184	May 2007	André NASSIF	National innovation system and macroeconomic policies: Brazil and India in comparative perspective
No. 183	April 2007	Irfan ul HAQUE	Rethinking industrial policy
No. 182	Oct. 2006	Robert ROWTHORN	The renaissance of China and India: implications for the advanced economies
No. 181	Oct. 2005	Michael SAKBANI	A re-examination of the architecture of the international economic system in a global setting: issues and proposals
No. 180	Oct. 2005	Jörg MAYER and Pilar FAJARNES	Tripling Africa's Primary Exports: What? How? Where?
No. 179	April 2005	S.M. SHAFAEDDIN	Trade Liberalization and Economic Reform in Developing Countries: Structural Change or De-Industrialization
No. 178	April 2005	Andrew CORNFORD	Basel II: the revised framework of June 2004
No. 177	April 2005	Benu SCHNEIDER	Do global standards and codes prevent financial crises? Some proposals on modifying the standards-based approach
No. 176	Dec. 2004	Jörg MAYER	Not totally naked: textiles and clothing trade in a quota free environment
No. 175	Aug. 2004	S.M. SHAFAEDDIN	Who is the master? Who is the servant? Market or Government?
No. 174	Aug. 2004	Jörg MAYER	Industrialization in developing countries: some evidence from a new economic geography

UNCTAD Discussion Papers

			perspective
No. 173	June 2004	Irfan ul HAQUE	Globalization, neoliberalism and labour
No. 172	June 2004	Andrew CORNFORD	The WTO negotiations on financial services: current issues and future directions
No. 171	May 2004	Andrew CORNFORD	Variable geometry for the WTO: concepts and precedents
No. 170	May 2004	Robert ROWTHORN and Ken COUTTS	De-industrialization and the balance of payments in advanced economies
No. 169	April 2004	Shigehisa KASAHARA	The flying geese paradigm: a critical study of its application to East Asian regional development
No. 168	Feb. 2004	Alberto GABRIELE	Policy alternatives in reforming power utilities in developing countries: a critical survey
No. 167	Jan. 2004	R. KOZUL-WRIGHT and P. RAYMENT	Globalization reloaded: an UNCTAD perspective
No. 166	Feb. 2003	Jörg MAYER	The fallacy of composition: a review of the literature
No. 165	Nov. 2002	Yuefen LI	China's accession to WTO: exaggerated fears?
No. 164	Nov. 2002	Lucas ASSUNCAO and ZhongXiang ZHANG	Domestic climate change policies and the WTO
No. 163	Nov. 2002	A.S. BHALLA and S. QIU	China's WTO accession. Its impact on Chinese employment
No. 162	July 2002	P. NOLAN and J. ZHANG	The challenge of globalization for large Chinese firms
No. 161	June 2002	Zheng ZHIHAI and Zhao YUMIN	China's terms of trade in manufactures, 1993–2000
No. 160	June 2002	S.M. SHAFAEDDIN	The impact of China's accession to WTO on exports of developing countries
No. 159	May 2002	J. MAYER, A. BUTKEVICIUS and A. KADRI	Dynamic products in world exports
No. 158	April 2002	Yilmaz AKYÜZ and Korkut BORATAV	The making of the Turkish financial crisis
No. 157	Nov. 2001	Heiner FLASSBECK	The exchange rate: Economic policy tool or

UNCTAD Discussion Papers

			market price?
No. 156	Aug. 2001	Andrew CORNFORD	The Basel Committee's proposals for revised capital standards: Mark 2 and the state of play
No. 155	Aug. 2001	Alberto GABRIELE	Science and technology policies, industrial reform and technical progress in China: Can socialist property rights be compatible with technological catching up?
No. 154	June 2001	Jörg MAYER	Technology diffusion, human capital and economic growth in developing countries

* * * * * *

UNCTAD Discussion Papers are available on the website at: www.unctad.org. Copies of *UNCTAD Discussion Papers* may be obtained from the Publications Assistant, Macroeconomic and Development Policies Branch, Division on Globalization and Development Strategies, United Nations Conference on Trade and Development (UNCTAD), Palais des Nations, CH-1211 Geneva 10, Switzerland (Fax: (+41-22- 917.0274).

QUESTIONNAIRE

Rapport sur le commerce et le développement, 2008

Pour améliorer la qualité et la pertinence du Rapport sur le commerce et le développement, le secrétariat de la CNUCED aimerait avoir votre avis sur cette publication. Nous vous prions de bien vouloir compléter le formulaire et de le renvoyer à l'adresse ci-dessous.

Readership Survey
Division de la mondialisation et des stratégies de développement CNUCED
Bureau E.10009, Palais des Nations
CH-1211 Genève 10, Suisse
Télécopie: (+41) (0)22 917 0274
Courrier électronique: tdr@unctad.org

Nous vous remercions de votre coopération.

1. Quelle est votre évaluation de la présente publication?

	Excellent	*Bon*	*Satisfaisant*	*Médiocre*
Évaluation globale	☐	☐	☐	☐
Pertinence des questions traitées	☐	☐	☐	☐
Qualité de l'analyse	☐	☐	☐	☐
Qualité des conclusions	☐	☐	☐	☐
Présentation	☐	☐	☐	☐

2. Quels sont à votre avis les points forts de cette publication?

____
____
____

3. Quels sont à votre avis les points faibles de cette publication?

____
____
____

4. À quelles fins employez-vous cette publication?

Analyse et recherche	☐	Enseignement et formation	☐
Formation et mise en œuvre des politiques	☐	Autres (*à préciser*) ____________________	

5. Dans quel secteur travaillez-vous?

Administration publique	☐	Entreprise publique	☐
Organisation non gouvernementale	☐	Université ou recherche	☐
Organisation internationale	☐	Presse	☐
Secteur privé	☐	Autres (*à préciser*) ____________________	

6. Nom et adresse (*facultatif*):

____
____
____

7. Observations:

____
____